LE GOÛT DE
VIVRE

Essai sur la nature et les sources
de l'intérêt à vivre et sur ses
relations avec le désir sexuel

JULES BUREAU

LE GOÛT DE
VIVRE

Essai sur la nature et les sources
de l'intérêt à vivre et sur ses
relations avec le désir sexuel

ÉDITIONS DU MÉRIDIEN

Remerciements

Je désire remercier vivement et chaleureusement Brigitte Soucy pour sa généreuse collaboration à la réalisation de ce livre. Ses commentaires judicieux, ses questions pertinentes et ses corrections m'ont permis de pousser plus loin mes idées et de peaufiner leur présentation. Je remercie aussi chaleureusement Diane Domingue pour son travail méticuleux et patient de transcription de mon manuscrit et le comité des publications de l'Université du Québec à Montréal pour son aide à la publication.

Données de catalogage avant publication (Canada)

BUREAU, Jules,
    Le goût de vivre: Essai sur la nature et les sources de l'intérêt à vivre et sur ses relations avec le désir sexuel.
    Comprend des références bibliographiques.

ISBN 2-89415-993-5

    1. Vie – Philosophie. 2. Excitation sexuelle. 3. Force vitale. 4. Réalisation de soi (Psychologie). 5. Individualité. 6. Subjectivité. I. Titre.

BD431B87   1993   128   C93-097040-3

Maquette et mise en page: **MNH** enr.

© Éditions du Méridien

Dépôt légal — Bibliothèque nationale du Québec, 1993

Imprimé au Canada

* Division de Société d'information et d'affaires publiques (SIAP) Inc.

L'Humanité, sans le *Goût de Vivre*,
cesserait bientôt d'inventer et de créer (...).
Pierre Teilhard de Chardin (1955), p. 232

AVANT-PROPOS

Pourquoi étudier le goût de vivre? Ne va-t-il pas de soi que tout être vivant s'intéresse à la vie sans qu'il soit nécessaire d'isoler cet intérêt par une analyse intellectuelle? Le goût de vivre... n'est-ce pas une caractéristique essentielle de tout ce qui vit? Eh bien non, du moins, pas pour l'être humain. L'expérience clinique et les rencontres avec les personnes obligent à réaliser que pour vivre, pour continuer à vivre, l'humain doit *s'intéresser consciemment à vivre*. Chez lui, cet intérêt et ce goût semblent suppléer aux déterminismes hormonaux, neurologiques ou végétatifs des vivants non-conscients. En devenant consciente, et pour continuer à vivre, la personne humaine contracte la terrible obligation de *s'intéresser à la vie*. Pourquoi terrible? Parce que pour que cet intérêt s'allume, elle doit confronter ses propres diableries et son inertie fondamentale.

Plus une personne devient consciente, plus elle doit choisir de s'impliquer et de s'organiser avec sa vie si elle souhaite que le goût de vivre émerge en elle. Elle doit *ajouter son intention* aux données brutes de son corps, de sa culture et de son milieu. Pour bouger et avancer sa vie, la personne est seule avec son intention et son attitude de réceptivité à la vie. Sans un choix délibéré pour l'implication, la vie ne fait pas son passage en elle. La vie se bloque à sa porte et la personne asphyxie lentement le vivant potentiel en elle. Ainsi, celui qui perd le goût de vivre se coupe lentement de la vitalité et s'achemine plus rapidement vers la mort[1].

Il y a plusieurs façons d'aborder l'étude de l'être humain pour comprendre ses caractéristiques, ses dynamismes et ses manifestations. Depuis toujours, les cher-

---

1. Il importe ici de souligner la contre-partie de l'intérêt et du goût de vivre. Il serait risqué de valoriser l'intérêt à vivre au point d'en oublier la pensée de la mort qui paradoxalement peut sauver bien des vies. Vouloir installer en nous et cela d'une façon permanente le goût de vivre risque effectivement de nous priver de toute la richesse de son *OMBRE*, c'est-à-dire le désintérêt et la passivité lorsqu'ils se présentent et que la personne en est habitée. Lutter de toutes ses énergies contre cette ombre du goût de vivre ne peut réussir qu'à créer des obstacles à l'émergence de l'intérêt à vivre. Il y a une réconciliation avec la mort qui suscite la vie. Pour mieux préciser sa vie, il importe de considérer la mort,

cheurs ont proposé des avenues pour rejoindre et expliquer l'homme: son univers spirituel, son inconscient, son intelligence, les effets du milieu. Aussi valable que soit chacune de ces explications, il n'en demeure pas moins qu'une des caractéristiques fondamentales de la personne reste trop souvent négligée: *sa nature de vivant*. Avant toute chose, la personne humaine vit. Elle participe à toutes les caractéristiques du vivant. Or, mieux comprendre la vie (ses facteurs, son déroulement, ses expressions) sert à illuminer la condition humaine. C'est ce chemin de la compréhension de l'humain que nous choisissons d'emprunter dans cette réflexion sur le goût de vivre.

Au départ, curieux de connaître la structure et les mécanismes du désir sexuel, l'intérêt portait sur les variables et les facteurs de la sexualité qui pouvaient expliquer le déclenchement du goût de la rencontre sexuelle. Tous les sentiers de cette exploration conduisent à un même carrefour: l'intérêt à la vie, le goût de vivre. Celui ou celle qui a le goût de vivre, s'intéresse aussi à la sexualité au point tel que son désir érotique semble émerger de son goût de la vie. C'est, en fait, la vie qu'il ou qu'elle désire par la rencontre érotique[2].

Ainsi tout comme un organisme peut posséder toutes les caractéristiques du sexe et de la sexualité sans pour autant être intéressé sexuellement, un être humain peut posséder toutes les caractéristiques de la vie et du vivant sans pour autant s'intéresser à vivre et avoir le goût de la vie. Il y a donc un parallèle à établir entre le désir érotique et le goût de vivre. Pour comprendre le sens et l'éveil du désir sexuel et érotique, il nous faut comprendre la nature et les conditions de la présence du goût de vivre et de l'intérêt à la vie chez l'être humain[3].

Sur le plan de la santé, physique et mentale, l'étude de la vie et de ses caractéristiques joue un rôle d'éclairage. Malgré cela, la plupart des définitions de la santé (en termes d'équilibre des systèmes, de contact avec la réalité, de fonctionnalité des organes, d'harmonie du conscient et de l'inconscient) négligent cet apport crucial et stimulant, c'est-à-dire l'étude du goût de vivre. L'expérience clinique montre que ce goût se loge au cœur de la santé. Quelle que soit la pathologie considérée aussi bien physique que mentale (psychose, névrose, dépression); quels que soient l'entrave, l'obstacle ou l'arrêt de développement; quels que soient le malaise, le mal-être ou la maladie: ce sont toutes des difficultés qui s'organisent autour d'un défaut, d'une carence ou d'une déformation du goût et de l'intérêt à vivre. Pourtant, bien peu d'obstacles résisteront à la démarche organismique de retrouver la santé, de solutionner ses problèmes et d'établir ses choix à vivre si la

---

son ombre. Les deux vont de pair. Combien d'êtres humains, hélas, s'emploient, pour fuir la terreur de la mort, à diluer leur vie et leur vitalité par toutes sortes de subterfuges!

2.   Le désir érotique peut très bien se détourner de son objectif de rencontre avec l'autre ou d'expression de la personne vivante (voir Bureau, 1976). Bien plus, plusieurs comportements sexuels sont privés de l'intérêt sexuel et érotique. Mécanisés, embrigadés par la compulsion, ces comportements sans intériorité et dépourvus d'une partie importante du geste humain, l'intentionnalité, ne servent plus la personne et son élan à vivre.

3.   Certains font la démarche inverse. Ils cherchent à comprendre l'intérêt et l'énergie à vivre par l'étude du désir sexuel (la libido). Cette option repose sur le postulat selon lequel les choses complexes s'expliquent par les choses simples. Nous préférons celui selon lequel le complexe informe le simple et lui donne sa signification.

personne est habitée par le goût de vivre. Il agit alors comme moteur qui permet à l'individu d'installer les conditions qui lui donneront la santé.

La santé acquise, le goût de vivre continue son travail et contribue au développement de la personne. Il suscite l'actualisation et l'utilisation des ressources de la personne pour favoriser le dépassement de ses défauts et de ses lourdeurs. Ainsi l'acquisition du goût et de l'intérêt à vivre permet l'émergence d'un instrument à la solution de ses problèmes et d'un outil pour le développement et la croissance de la personne. Tous les problèmes de l'individu ne sont évidemment pas solutionnés par la naissance ou la solidification du goût de vivre mais ce dernier constitue un stimulant puissant pour créer et maintenir la motivation à changer les secteurs désagréables de sa vie. La personne cherche à s'épanouir et à défaire les relations nouées et elle confronte les attitudes qui bloquent sa vie. En somme, mobiliser chez une personne son goût de vivre, c'est permettre une harmonie entre l'individu et sa vie, entre les différentes facettes qui le constituent: son corps et son esprit, son intérieur et son extérieur. Dans ce contexte, un des premiers objectifs de toute action thérapeutique ou éducative devient la stimulation du goût de vivre et de l'intérêt à la vie.

Il est fréquent de nos jours d'énoncer des politiques de qualité de vie. Maintenant, il ne s'agit plus simplement de vivre mais de donner de la qualité à la vie. La vie est désormais plus longue étant donné l'augmentation de l'espérance de vie, notamment à cause du développement de la technologie médicale qui amène sinon la guérison du moins la stabilisation de la maladie. Cependant, vivre plus longtemps ne se confond pas avec vivre mieux ou plutôt avoir le goût de la vie dans ce qu'elle a de plus précieux. Lorsque la vie était plus menacée, elle était peut-être aussi plus précieuse. Pour plusieurs hélas, une vie qui s'allonge c'est aussi une vie qui se dilue. Sécures que nous sommes de la garder avec nous longtemps, la vie peut se plastifier et perdre de son pétillement. Les dieux, à jamais et pour toujours immortels, semble-t-il, enviaient aux hommes cette qualité de finitude propre à la réalité humaine. La sécurité trop grande quant à la durée de la vie et le souci trop présent de vivre toujours en pleine santé physique risquent de déraciner le goût de vivre.

Comme personne ne veut renoncer aux avantages liés aux acquis récents sur la durée de la vie ou aux victoires sur la maladie, il reste à chercher à en éviter les désavantages principalement en suscitant le *goût de vivre*, en trouvant des moyens pour régénérer le précieux de vivre et allumer chez chacun le porteur de la vie en lui.

Plusieurs avenues conduisent au cœur de la personne, là où naît le goût de vivre. Celle que nous proposons est faite de concepts et d'idées. Cependant, ce ne sont pas toutes les idées qui rejoignent vraiment la personne et la soulèvent. Pour y parvenir, une idée doit être bien pointée et adéquate à sa situation, c'est-à-dire qu'elle doit l'habiter. En effet, certains construisent des maisons; d'autres, des idées. Celles-là, les humains les habitent, celles-ci habitent les humains. Réveiller le goût de vivre par l'idée ou le thème implique qu'il faille dépasser le papillotement à la surface des caractéristiques pour, dans un premier temps, rejoindre les racines, le primitif en l'humain, et pour, dans un deuxième temps, lui offrir une symbolisation et un langage[4].

---

4. «Seul est philosophe... celui qui parvient à élever une vision primitive, qui n'est qu'un déroulement naturel, à la dignité d'une idée abstraite, et à en créer un patrimoine conscient de la collectivité des hommes». Jung, 1964, p. 58.

Le pouvoir qu'a une idée de faire bouger l'émotif d'une personne, de le changer, dépend de l'adéquation entre cette idée et le vécu émotif de cette personne. L'expérience du «Ah! c'est bien ça!» exprime que l'émotif est touché, et une détente s'ensuit avec un déploiement de toute une gamme d'applications. Les mots, les exemples et les tonalités de l'idée doivent pouvoir se frayer un chemin jusqu'à l'implicite et l'imprécis de l'émotif pour l'expliciter et le faire jaillir à la conscience. La cible est atteinte lorsque l'idée et son véhicule permettent à la personne de se comprendre dans ce qu'elle est, ce qu'elle vit et ce qu'elle ressent. L'idée sert alors à se ré-approprier dans le conscient ce qui était inconscient et du même coup à mettre au service du conscient l'énergie auparavant liée dans l'inconscient. L'idée, cette symbolisation conceptualisée et mise en mots par le langage, permet à l'humain de revenir sur son expérience, de la nommer, de la susciter et ainsi de la maîtriser davantage parce que devenue disponible par l'idée qu'il en a dans sa conscience. C'est justement cela que nous visons dans ce livre: prendre à travers le psychisme humain l'expérience accumulée en images et en symboles pour ensuite les transformer en idées acceptables et stimulantes pour susciter l'intérêt à vivre.

Proposer au lecteur une idée ou un thème bien relié à son expérience de vivre a en plus la vertu de réveiller le sens de la solidarité humaine — celui d'une participation commune, lecteur et auteur, à la même nature humaine. En effet, se reconnaître dans une idée proposée par une autre personne conscientise les liens qui unissent les humains et peut même soulager la douleur des hommes. Carl Jung souligne que les prêtres (médecins des vieilles civilisations) utilisaient souvent des images universelles, les archétypes, comme des instruments privilégiés pour accélérer la guérison des malades:

> «Ils faisaient entrevoir à leurs malades ces images consolatrices qui leur découvraient dans leur isolement et dans leur abandon, que l'humanité entière, depuis toujours avait participé à leurs douleurs [et ainsi] dénouer la souffrance de chacun au niveau de la souffrance de tous». (1962, pp. 326-327).

Celui qui parle ou qui écrit sur son expérience du goût de vivre se soigne donc aussi lui-même de ses lourdeurs à vivre[5]. Cela conduit à une certaine humilité devant les découvertes proposées aux autres par nos mots et nos idées. Il arrive souvent que les mots et les concepts masquent la réalité par le jeu de l'analogie. Sur certains thèmes et à divers moments de la vie, c'est tout comme si on ne pouvait vraiment pas dire notre «désir» qui nous semble alors «indisable». À ces temps de désarroi de l'expression, nous nous employons à dire autre chose, à savoir ce que nous avons appris pour rendre acceptable un désir. Seul le lecteur en contact avec sa propre expérience peut alors trouver la voie réelle qu'indique l'idée présentée.

Un autre avantage de la mise en ordre des idées dans la genèse du goût de vivre repose sur la capacité de la synthèse à propulser vers l'avant. Elle ne fait pas que mettre de l'ordre, elle ouvre vers l'avenir et dynamise la personne. Elle permet l'invention de nouvelles pistes de croissance. Ainsi synthétiser des idées crée de nouvelles avenues.

Le test de l'adéquacité et de l'approprié d'une idée est le changement de la personne qui la saisit. Elle change par l'apport de l'idée en elle. L'idée ou le thème sert d'instrument pour l'obtention d'un résultat, dans ce cas-ci, faire croître le goût

---

5.   «Tu enseignes le mieux ce que tu as le plus besoin d'apprendre». p. 52, Bach (1978).

de vivre. Or, seule la personne sait qu'elle change parce que personne d'autre qu'elle-même peut vraiment identifier ses blocages et ses résistances à la vie. C'est donc inévitablement seule qu'elle peut ressentir ce qui lui ouvre des voies vers l'avenir. C'est dans le monde du subjectif que résident la créativité, le souffle, l'élan, l'amour, l'intérêt et la vitalité... *la passion de vivre*.

Enfin, pour qu'une idée ou un thème rejoigne une personne, il nous semble essentiel qu'existe une profonde empathie de celui qui émet l'idée pour celui qui la reçoit. Par empathie, il faut entendre un amour de l'humanité de l'autre qui se cache trop souvent sous des carapaces, des représentations corporelles ou encore des bonnes manières. Tout ce qui croît d'ailleurs chez l'humain se fait par cette forme particulière d'amour qu'on appelle empathie.

La place privilégiée qu'occupe le clinicien pour observer l'expérience humaine avec des personnes en mal de vivre ou à la recherche de la vie permet la saisie directe et immédiate de l'immense énergie vitale des êtres humains malheureusement trop souvent bloquée et limitée. Le clinicien constate et contemple le spectacle de la vie qui, elle, au départ sous utilisée et appauvrie, se déploie lentement et s'exprime à travers ces personnes devenues sereines et doucement affirmatives. De ces automates, en quelque sorte, morts dans la vie renaissent des personnes qui sont non seulement bercées par la vie mais qui dansent avec elle. Leur vitalité engage dorénavant les autres vers la vie dans une belle synergie.

Pour faire profiter de son expérience professionnelle, mais aussi personnelle, l'instrument à la portée du clinicien, le moyen qu'il peut développer, est de l'ordre de l'idée, du concept et de l'explication. Notre tâche sera donc de découvrir et de présenter des idées et des thèmes susceptibles d'éveiller et de stimuler chez chacun sa propre vitalité. Tout au long des chapitres, des anecdotes sont relatées. Ces mises en situation tentent de simplifier et d'incarner des thèmes et des idées qui ne pourraient sans elles que demeurer abstraits. Même si le complexe informe le simple, la simplicité ouvre également souvent le chemin à la profondeur.

INTRODUCTION

Se lever le matin avec le goût plein le corps et plein la tête de la journée qui vient, des choses à faire, des personnes à rencontrer! Se tenir silencieux au cœur d'une nuit d'étoiles et vouloir plonger son regard le plus loin possible, le plus haut possible! Écouter une musique pénétrer par ses oreilles jusqu'aux limites de son intérieur en espérant voir fondre tous les obstacles à son passage! Rencontrer une personne et désirer aller tellement loin en elle, au-delà de sa parole, de son corps pour rejoindre la source de son existence!

Ce sont là quelques-unes des multiples facettes du goût de vivre. Ce polygone cognitivo-émotif, intérieur, conscient et peut-être spécifiquement humain de tendre vers la vie, de la prendre en soi et de la savourer. Toute personne connaît ces expériences. Ce sont des ressentis existentiels, quotidiens, palpables par le cœur et exprimés dans le visage d'une personne. Chacun pourrait y ajouter sa liste d'expériences qui suscitent ce goût de vivre. Qui n'a pas connu ces moments de printemps et ces matins de soleil, ces longues marches sous les arbres d'une forêt d'automne et cette morsure au creux de l'estomac devant tant de beautés? Qui n'a jamais rencontré un enfant qui se recroqueville le visage et s'esclaffe en nous entraînant dans son rire? Qui n'a pas savouré l'haleine de miel d'un nouveau-né? Qui n'a jamais entendu le bruit d'une cascade d'eau bondissante qui éclabousse partout par un débordement rafraîchissant de son abondance sans cesser son grondement de fond. Devant ces événements, la personne déploie ses antennes pour saisir en elle toute cette vie et croître par son apport.

Le goût de vivre est à l'humain ce que l'énergie est à la matière. En être habité, nous pousse vers la croissance et le développement et favorise la santé physique et mentale. Pourquoi n'est-ce pas toujours ainsi avec la vie? Comment expliquer l'absence ou la présence de cet intérêt, de sa vitalité? Quels sont les sources et les obstacles de ce goût de vivre? Comment comprendre que cette musique qui attaque pourtant en profondeur son thème principal ne nous soulève pas; que ce corps qui vibre de plaisir sous la caresse n'attire pas?

On connaît bien peu l'être humain. Les réponses que nous pouvons apporter (par exemple, les conditions socio-économiques, l'état du système nerveux ou encore les effets du renforcement) ne sont que des balbutiements et ne rassasient aucunement la compréhension de la densité et de l'explication de ces vécus du goût de la vie.

L'humain cherche un sens. Connaître et comprendre sécurisent et ouvrent la possibilité de créer et de reproduire. La conscience du goût de vivre génère l'intérêt de prendre la vie, d'accueillir en soi plus de manifestations et de formes différentes de la vie: goûter chaque tonalité d'une belle musique conduit à savourer le raffinement de la pensée d'un auteur ou la délicate présence d'un visage humain.

En somme, le goût de vivre conscientisé détient le pouvoir de réveiller l'énergie d'une personne, de soutenir la conduite de la vie et de permettre l'harmonie des conduites et des intérêts. C'est un point de vue intérieur sur la vie et sur tout ce qu'elle manifeste et attire.

PREMIÈRE PARTIE

LA NATURE ET LES CARACTÉRISTIQUES
DU GOÛT DE VIVRE

CHAPITRE 1

LA TENDANCE VERS LA VIE

L'enfant sain a naturellement le goût de vivre sans qu'il soit nécessaire de le pousser vers la vie. Il est spontanément curieux et intéressé à tout ce qui se passe autour de lui et en lui. Ouvert à la vie, il la scrute en lui (dans son corps, ses pensées et ses imaginations) autant qu'à l'extérieur de lui (dans les animaux, les constructions humaines et la nature). Chaque matin à son réveil, il se fiance avec la vie et il la courtise autant qu'il se laisse séduire par elle. Ses journées ne peuvent jamais être assez remplies d'événements, d'activités et de rencontres. Spontanément et naturellement, il est en *tendance vers la vie*. Le soir venu, comblé et rassasié, il se repose et s'endort pour dès le lendemain reprendre ses explorations.

Tendre vers la vie, ressentir le goût de s'y impliquer, s'entremêler avec ses différentes facettes, les contempler, les prendre en soi, les connaître: tout cet intérêt à la vie disparait-il avec l'âge? Ce qui s'observe si facilement chez l'enfant s'éteindrait-il lentement avec le temps qui passe? Une caricature traduisait bien ces questions. D'un côté, des enfants expressifs et en mouvement pendant un jeu; de l'autre, trente ans après, dans un wagon de métro des passagers à l'air morne et figé. Sous ces images, une simple question: *qu'est-il arrivé?*

La tendance vers la vie ne disparaît pas avec le temps. Elle est naturelle à l'être humain vivant. Elle le porte vers l'action et vers l'accomplissement par des motivations bien en dehors de la simple satisfaction d'une pulsion et bien au-delà d'une réponse à un stimulus conditionné. Si elle ne paraît plus, c'est que la personne s'est coupée de ses sources de vitalité. Pour bien situer ces constatations, il importe de départager entre d'un côté la *tendance vers*; de l'autre, *la vie*.

Vivre, c'est continuer

La caractéristique fondamentale de la vie, c'est sa continuité. Lentement, à travers l'évolution de la matière, la vie est apparue parce qu'elle permettait plus de permanence à la matière. Ses différents niveaux se sont développés pour favoriser encore plus cette continuité. Ainsi les lois qui régissent le vivant se sont lentement spécifiées pour dépasser les simples lois de la matière non-vivante comme celle de la loi thermo-dynamique. Les lois du vivant peuvent se résumer essentiellement à ceci: elles poussent la vie à se perpétuer, à durer, à ne pas cesser de produire de la vie en elle et autour d'elle. Sa destinée de vie, c'est de continuer la vie. Et pour continuer, la vie s'organise fondamentalement pour se marier à son milieu et pour échanger avec lui selon une plus ou moins grande complexité, tout dépendant de sa qualité de vivant, qui va du vivant végétal au vivant conscient et choisissant: l'être humain. Par la complexité de ses échanges avec son milieu, l'être humain atteint le plus haut niveau du vivant, à savoir une capacité exceptionnelle de continuer. En somme, vivre, c'est continuer; vivre plus, c'est continuer encore plus.

Maryse a beau tenter de se calmer avec ses acquis du passé, ses études, ses enfants et ses réalisations, elle est sans cesse en train de pointer l'avenir: devrait-elle suivre tel cours? Trouver un nouvel emploi? Développer de nouvelles amitiés? Bien contente de son passé et de son présent, c'est l'avenir qui l'attire — la vie là et devant elle.

Dès le tout début de son existence, la vie se prépare à continuer. Dans le développement embryologique de l'être humain et cela à partir du premier moment de la conception — la rencontre du spermatozoïde et de l'ovule — l'organisme se prépare déjà à se reproduire. L'embryon s'équipe lentement, avant même d'arriver lui-même à sa complète existence à la naissance, pour se perpétuer en élaborant, dès les jalons de son développement, son propre système de reproduction et ses propres gamètes. C'est là l'étonnement devant le vivant, c'est-à-dire son affinité avec la vie et son «désir» de continuer. Le vivant est un fabriquant de vie. C'est une auto-générescence perpétuelle. Sa création incessante de vie, sans épuisement, prendra différentes formes en autant que la vie continue. Si certaines ne sont plus possibles, d'autres apparaitront. Si certains vivants se spécialisent dans un domaine de création de vie, d'autres le feront dans d'autres champs. Quelles que soient les formes, les manières, les variétés et les nuances inépuisables, le vivant continue et se perpétue. En somme, ce qui caractérise le vivant, c'est qu'il possède, en lui, sa propre capacité à se produire et à se reproduire lui-même puisque vivre c'est aussi fondamentalement se perpétuer ou se créer sans cesse.

Le vivant qui interagit avec son milieu

Pour s'octroyer les meilleures chances de persister dans sa poussée, le vivant s'est organisé comme un système ouvert sur le milieu. Par l'échange avec l'environnement, particulièrement avec le vivant du milieu, il accroît sa propre vitalité et favorise ainsi sa continuité. Or, c'est justement la *tendance vers* qui constitue ce ressort essentiel à l'interaction entre le vivant et son milieu. Chez l'être humain, ce ressort naturel du vivant implique, à mesure qu'il se développe, l'apport de la conscience qui seule pourra permettre de choisir et d'agir.

Cette *tendance vers* constitue chez l'individu le départ et les racines du goût de vivre. C'est par l'attrait qu'exerce sur lui la vie que l'organisme humain est mis en marche. Cela n'est pas une simple passivité activée de l'extérieur. L'humain est autonome dans sa démarche vers la vie. Stimulé à l'agir par une certaine réceptivité à la vie, il la reçoit en lui. C'est de l'intérieur qu'il croît. L'humain, d'une certaine façon, serait donc un peu comme une plante qui, stimulée par l'extérieur, croît par l'intérieur. La source de la croissance de l'être humain se trouve dans son identité. C'est à l'intérieur de son identité que la prise de conscience de ses tendances s'effectue et alors l'engage à continuer. La croissance de l'être humain, c'est de la réceptivité à la vie qui entre, bouge et se meut à l'intérieur de lui. Attentif à toute la vie qui l'entoure, il tend spontanément vers ses manifestations. La psychologue Charlotte Bühler (1979) a bien montré dans ses travaux que les jeunes enfants se meuvent à l'action par l'attrait d'un stimulus, par l'intérêt pour sa complexité, plus que par un besoin de réduire la tension de ses tissus corporels ou les irritations extérieures. Très tôt dans la vie, l'enfant recherche (voir Hebb, 1948) la stimulation extérieure et les situations nouvelles et vivantes. L'observation du comportement naturel et spontané de l'enfant confirme bien que cette tendance vers l'extérieur prime sur la réduction de la tension intérieure.

Louise, quatre ans, assise sur les marches du perron regarde des enfants jouer au ballon tout en rythmant la caresse de son entre-jambe. Elle se masturbe. Invitée par un des joueurs à participer au jeu, elle cesse immédiatement sa caresse et saute dans la partie de ballon.

La curiosité et le goût pour des activités nouvelles suscitent beaucoup plus le mouvement et l'action de l'organisme humain que le simple besoin de réduire les agacements et d'obtenir la quiescence. L'enfant doit toutefois aussi être capable de régresser, c'est-à-dire revenir vers la passivité et la dépendance, pour être en mesure de maintenir un juste équilibre entre ses besoins de sécurité et ses besoins de croissance. L'enfant ne demande d'ailleurs pas la permission pour retourner vers l'arrière. La maladie, la fatigue et la peur le conduisent automatiquement dans les bras de ses parents. Il a besoin de s'y laisser bercer, cajoler et consoler pour repartir ensuite vers la vie. Ce rythme d'activités et de repos s'enracine bien dans notre nature de mammifère. Le biologiste, Philippe Diolé, décrit le comportement du chevreuil à l'automne.

«Le cerf, à l'automne, fait choix dans sa forêt d'un espace délimité où il couvrira les femelles en chaleur, mais où il ne tolérera l'intrusion d'aucun mâle. Il se bat contre tous ceux qui se présentent. En même temps, il s'occupe des femelles, s'efforce de les maintenir auprès de lui. Il ne mange pas et vit dans une agitation épuisante. Il ne peut tenir sa place et son rôle qu'une huitaine de jours. Puis, il part se reposer dans une retraite bien cachée de la forêt. Les autres mâles alors ne risquent plus d'être attaqués par lui. Dès qu'il est reposé, il vient reprendre ses combats et ses amours.» (1977, p. 114).

Ce jeu d'équilibre entre la sécurité et le repos d'une part et la croissance et l'action d'autre part sert bien la tendance vers la vie. Il lui est nécessaire car le refus obstiné de la passivité et l'effort cambré contre toute régression ne peuvent que contribuer à scléroser l'organisme humain et à réduire l'intérêt à vivre. Celui qui, à l'occasion, se permet d'être fatigué, malade ou même peureux s'accorde plus d'espace pour la tendance vers la vie qui s'exerce dans un va-et-vient entre l'intérieur et l'extérieur. L'être humain est fait de paradoxes. Il doit toujours chercher à intégrer ses contraires: force et faiblesse, amour et haine, etc... S'il se cabre et se rigidifie autour d'une seule facette, surtout dans le domaine des émotions, il risque d'utiliser beaucoup d'énergie pour retenir hors conscience son contraire et ainsi se priver de cette énergie pour vivre en harmonie avec lui-même et avec les autres.

Tant que Serge s'est vécu comme absolu, entièrement dans ses amours ou dans ses haines, il se desséchait l'intérieur. Puis, il apprit lentement à laisser flotter en lui ses émotions et il découvrit qu'il n'y a pas d'amour éternel ou de haine implacable, qu'à tout amour se mêlait un peu de haine et vice-versa. Cela maintenant le dérigidifie et il se sent plus vivant par la variabilité de ses émotions.

Dans le contexte de l'opposition des contraires, la tendance vers la vie profite de la pensée de la mort qui ouvre souvent la personne au sérieux de l'existence et de la vie. Le vivant conscient est celui qui sait qu'il va mourir et à cause de cela, il regarde la vie et tend vers elle avec toute l'intensité de celui qui connaît la limite.

Plus qu'un vivant, c'est le *sujet* qui tend

Parce que la vie cherche en soi à continuer, le vivant est spontanément en tendance vers la vie. Or, à la différence du vivant non-conscient, l'être humain par sa conscience construit l'objet de sa tendance. Toute personne humaine fabrique son monde à partir d'elle-même, de ce qu'elle est et de ce qu'elle pense d'elle-même. Cela explique d'ailleurs la très grande variabilité des intérêts humains. L'être humain par sa conscience de lui-même bâtit son monde qui ensuite, l'intéresse. Ceci s'applique tout autant à notre désir sexuel, à notre façon de désirer qu'à ce qui suscite notre éloignement ou même notre dégoût. L'être humain porte en lui sa tendance vers la vie qu'il détermine et spécifie par la façon dont il est avec lui-même.

Suzanne s'étonne de la diversité de ses intérêts par rapport à ceux de Robert. Comment deux êtres humains vivant ensemble dans une même maison, une même culture, une même éducation, peuvent-ils tendre vers des choses si différentes — des sports à l'artisanat, de la décoration d'une maison à l'identification des espèces d'oiseaux. Puis, elle réalise que cela est parce que Robert est Robert et qu'elle, Suzanne, est Suzanne.

La vie qui intéresse demeure celle qui résulte de ce que la personne a elle-même mis au monde l'objet de son attraction. Un monde que l'on crée à partir de ce que l'on est, est toujours un monde qui intéresse. Les goûts que l'on éprouve naissent de ce que l'on est. Tant que l'explication de la *tendance vers* se limite aux qualités de l'objet, une large partie, la plus importante à notre avis, de la compréhension de la tendance est laissée pour compte, c'est-à-dire celle du sujet qui tend.

Une émotion toujours disponible

La tendance vers la vie se baigne dans une émotion particulièrement constante parmi les émotions humaines: l'*intérêt*. Parmi tous les ressentis humains, l'émotion de l'intérêt possède la qualité d'être la plus présente et la plus disponible. Elle est toujours prête à servir la personne et à la porter vers la vie, le nouveau et le différent quels qu'ils soient. Dans l'ordre de l'expérience, l'émotion de l'intérêt suit l'apparition de la tendance vers la vie. Tout se passe comme si d'abord la tendance se concrétise; ensuite, elle se cherche un objet et cet objet, c'est le nouveau et le différent. Or, ce nouveau et ce différent sont mis en relation avec la personne qui tend, avec *ce qu'elle est elle-même à ses propres yeux*. Cette personne éprouve finalement l'émotion de l'intérêt pour ce nouveau et ce différent. La personne consciente est souveraine. Cela veut dire que c'est uniquement elle qui est la créatrice de ce qui est nouveau et conséquemment de son propre intérêt.

Depuis son adolescence, Denis, 40 ans, se promène dans la vie désabusé des choses et des gens. Il a toujours l'impression du déjà vu, du déjà connu. Pour lui, les gens particulièrement sont tous les mêmes: un professeur, c'est un professeur; une femme, une femme et c'est tout! Pourtant, depuis quelque temps, il tente de percer la carapace de ces rôles, pour rejoindre les personnes derrière les rôles et s'étonne de découvrir leur variabilité, leur différence de lui et entre elles. Pour la première fois depuis son adolescence, il commence à s'intéresser aux gens.

La tendance vers la vie existe donc avant que l'objet se forme et se précise. Sa forme et sa précision dépendront de ce qu'est la personne qui tend. La personne d'abord est, scrute ensuite la vie — un beau livre, une musique enivrante, un corps appétissant; s'y intéresse; finalement la goûte. Par exemple, dans l'ordre des tendances physiologiques, la faim existe et se conscientise avant que n'apparaissent la tarte aux pommes, la pensée de la tarte aux pommes et finalement, l'intérêt et le goût pour cette pointe de tarte. Ainsi la faim prime sur le goût de la tarte aux pommes et le précède. Cette faim cherchera dans le milieu une réponse que la personne elle-même choisira et précisera en fonction d'elle-même. La personne est donc la source de sa propre tendance comme de l'objet de cette tendance. L'intérêt s'installe graduellement et il va tout particulièrement soutenir la conduite et l'action de la personne. C'est une émotion moins volatile et plus variée que les autres. Par sa constance, l'intérêt engage effectivement la personne dans le faire et l'action tout en lui permettant de la maintenir dans cet agir. Les caractéristiques du milieu, extérieur à la personne, deviennent des indices qui soutiennent l'intérêt et nourrissent la tendance vers la vie. Ainsi le goût de vivre peut se retrouver et s'énergiser chez une personne par de subtils indices du milieu qui autrement, sans la perception et le contact avec ces indices, serait aliénant et déshumanisant.

Mise à part par ses consœurs, blâmée par ses parents pour son divorce, démunie financièrement, Solange réussit quand même à s'intéresser à tout ce jeu des relations humaines. Comment les gens passent de l'amour à l'indifférence et au rejet? Elle observe, constate et analyse et cela, malgré sa souffrance, l'intéresse.

La tendance vers la vie, qui sous-tend l'intérêt et le goût de vivre, dirige l'attention et la perception de la personne qui ensuite interagit et s'implique avec son milieu. De là, elle invente de la vie; elle la continue d'une manière ou d'une autre.

L'identité au service de la vie

Ce qui sert de critères pour spécifier l'objet de cette tendance émerge de l'identité de la personne, de ce qu'elle est à ses propres yeux. Encore plus primitivement, la tendance vers la vie se conscientise elle-même par ce contact entre la personne et elle-même. Par un retour juste et équitable sur soi, la personne s'abandonne à elle-même et se laisse aller sans s'écraser sous des projets grandioses; sans rechercher de modèle, d'idéal et d'adéquacité; sans blâme ni reproche et connecte alors en elle le battement de sa propre vie.

En paix, la personne est *bien* (bien-être), juste comme elle est, sans demander plus et sans se laisser s'en demander plus: «Je suis moi et c'est bien correct». Dans ce contact, ce «juste moi et correct», la personne peut alors ressentir sa similitude avec la vie. Parce qu'elle perçoit par l'intérieur sa vitalité, elle se sait et se sent vivante. De là, elle cherche à maximiser et à augmenter ce qu'elle est, c'est-à-dire vivante donc à installer encore plus de vie en elle. Elle s'ingénue dorénavant à trouver la confirmation de ce qu'elle est, de la vie. Pour accroître sa propre nature, la vie, elle se tourne alors vers l'extérieur d'elle-même. C'est ainsi que naît et se poursuit la tendance vers la vie. En se sentant vivante, la personne se nourrit de ce qui favorise en elle le développement de la vie tout comme la plante qui se tourne vers le soleil pour continuer sa croissance via la lumière et la chaleur. L'être humain qui se sent vivant cherche la croissance de la vie en lui et pour cela, il tend vers ce qu'il y a de vivant et qui lui ressemble, à l'extérieur de lui pour pouvoir ainsi s'alimenter de la même nature, la vie, qu'il saisit en lui.

Jacques se réveille. Les yeux encore fermés et repliés sur lui-même, il savoure ce premier moment. Puis il bouge en lui le goût de la journée qui vient. Il a beau pointer toutes les rencontres à faire, les choses à effectuer, à lire et à voir: tout l'intéresse. Son élan vers la journée précède la précision de l'une ou de l'autre de ses activités. Tout l'intéresse parce que tout, comme lui, déborde de vitalité. Il a le goût de débuter sa journée.

L'être vivant conscient qu'est l'humain peut créer les conditions pour que cette tendance vers — même si ce *vers* est encore imprécis, global et comme de l'énergie pure qui cherche à se loger — s'exerce et se développe. Celui qui entre en contact avec ce départ s'assure d'être équipé pour se mettre-au-monde.

L'importance de choisir, et de bien choisir

La tendance vers la vie ressentie, le vivant conscient est maintenant prêt à choisir dans le milieu extérieur les caractéristiques de la vie qui lui conviennent pour ensuite interagir avec elles. Malheureusement, souvent avant même que ce choix ne s'effectue, la bonne vieille habitude humaine à catégoriser et à étiqueter vient court-circuiter cette tendance et l'empêcher alors de pleinement s'exercer. Par exemple, la tendance éprouvée peut recevoir immédiatement un nom comme «ça doit être la faim, le goût sexuel, etc...», ce qui a pour résultat de tronquer et de couper une grande partie de sa réalité. L'effet est double puisque d'une part, le besoin identifié, même s'il est comblé, ne tarit pas complètement la tendance et laisse donc la personne frustrée et insatisfaite; d'autre part, l'étiquetage trop rapide empêche que la personne choisisse dans le milieu les caractéristiques qui répondent vraiment à sa tendance.

Tant que Gérard identifiait chacun de ses élans de vie comme étant des manifestations variées de son désir sexuel, sa vie n'était qu'une poursuite incessante de conquêtes qui le laissait vide et déprimé. Lorsque dans la solitude, il apprit lentement à laisser mûrir ses élans et à choisir une réponse appropriée, il se découvrit beaucoup plus polyvalent. Il retrouva ses goûts de jeunesse pour la nature et le plaisir de la belle musique. Lorsqu'il choisissait une compagne, il s'assurait aussi de rencontrer une personne humaine et chaleureuse.

L'utilité sociale n'est pas étrangère à cet étouffement trop rapide de la *tendance vers* que peut ressentir l'être humain. L'étouffement et la canalisation de cette tendance peuvent même être érigés en système pour les intérêts présumés de la société.

Le vivant conscient, femme ou homme, tend constamment vers la vie. Par ses choix, il détermine l'objet de son élan et goûte à la vie. Fondamentalement, l'humain est conscient de son ouverture sur son milieu. Il est être de désirs parce que l'implicite en lui doit interagir avec l'extérieur pour s'expliquer et se former. Pour certains auteurs (voir Hans Küng, 1981), cet état du vivant, particulièrement de l'être humain, résulte de son manque fondamental, de ses limites existentielles, et fonde son goût de Dieu. Puisqu'il y a désir, il doit y avoir une réponse, Dieu. Il est vrai que la personne ressent constamment son état de manque. Toutefois, ce ressenti nous semble plutôt correspondre à sa *tendance vers* la vie à l'extérieur, tendance qui habite une grande partie de la conscience humaine et qui est reliée à la nature du vivant. Il n'est donc pas nécessaire de postuler l'existence de Dieu pour expliquer ce manque.

Si manque de vitalité il y a, à chaque sujet de trouver sa propre manière de la combler ou plus exactement de l'habiter. Tendre vers la vie est un mécanisme naturel et spontané chez chaque personne. S'il n'est pas présent c'est qu'il n'est pas actif; s'il n'est pas actif, c'est que la personne est coupée de sa vitalité. À chacun de trouver ce qui y fait obstacle. Car en fait, la vitalité, l'intérêt et la tendance vers la vie sont toujours disponibles à condition que la personne qui les porte soit un *sujet*. Un sujet capable de placer son identité au service de la vie, de sa continuité et qu'à travers cela, il soit aussi capable de choisir — et de l'accepter.

CHAPITRE 2

LA TENDANCE VERS L'ORDRE ET L'HARMONIE

Goûter la vie, c'est aussi savourer son ordre et son harmonie[1]. Tout organisme vivant cherche à se donner la plus grande complexité possible et à établir l'ordre et l'harmonie de ses différentes parties. Cela n'est pas un caprice du hasard mais au contraire la quête d'une assurance quant à une plus grande continuité. C'est justement ce désir d'assurance à propos de sa propre continuité qui pousse littéralement le vivant conscient, l'être humain, à d'abord se diversifier et se complexifier mais cela surtout pour pouvoir ensuite s'ordonner et installer en lui son filon personnel de continuité. Ainsi, spontanément, tout comme la vie dans sa plus simple expression, la personne tend vers l'ordre et l'harmonie. Elle les cherche à l'extérieur comme à l'intérieur d'elle-même. Elle tente naturellement de rejoindre cette harmonie et cet ordre; d'entrer en relation avec eux pour s'y enrichir. Elle les retrouve suprêmement dans le vivant qui l'entoure et à partir de cette découverte, elle cherche sans cesse à se les approprier pour les installer et les maintenir en elle et dans son milieu.

En cela, l'humain répond bien à la loi fondamentale de la vie qui, tout au long du processus de son évolution et de son émergence de la matière non-vivante jusqu'aux plus hauts niveaux du vivant, consiste à *assurer sa continuité* par une plus grande complexité de ses parties et une *bonne forme*[2] de son tout.

En effet, nous pouvons dire que la vie résulte de ce que la matière était «affamée» de complexités et d'organisations. La matière (des quartz aux atomes et aux molécules) s'est de plus en plus complexifiée et organisée jusqu'à ce que la vie devienne possible. La vie permettait encore plus de densité et de cohérence à la matière. Malgré son degré de diversité et le jeu d'attraction de ses éléments et de leurs préférences, la matière reste effectivement de la nature non-vivante parce que uniquement régie par les lois de la thermo-dynamique, de la fusion nucléaire et du magnétisme. Ces lois conduisent inexorablement la matière à l'unification, à la simplification et ainsi, à l'entropie et à sa disparition. La lente perte de vigueur de ses forces (nucléaires, thermodynamiques et magnétiques) entraîne la re-simplication de la matière qui redevient une seule et unique substance, de la poussière et, disparaît.

Le vivant n'est cependant pas un système fermé sur lui-même et hermétique. Bien au contraire, parce qu'il est ouvert et interagissant avec son milieu, le vivant se donne les meilleures possibilités de continuité. L'étendue des potentialités de

---

1. Une définition possible de l'ordre et de l'harmonie: les arrangements divers des différents niveaux de la réalité qui sont eux-mêmes constitués de plusieurs éléments lesquels arrangements visent la durée de la réalité.

2. La *bonne* forme *terminée* et *complète* permet plus d'harmonie avec le milieu et moins d'opposition à l'environnement que la forme incomplète et inachevée: voir les travaux de l'école de la Gestalt (Krech, Crutchfield, Livson, Krech, 1979) et le chapitre 12: La Beauté, p. 317.

complexification et de densité du vivant varie selon son degré plus ou moins élevé d'autonomie et de mouvement. C'est évidemment chez l'être humain que cette densité et cette diversité des différentes parties et de leur organisation en un tout cohérent atteignent leur plus haut niveau. Tout cela lui est permis à cause de la qualité d'ouverture sur le milieu que possède son système. Le vivant prend en lui son milieu, croît par lui et avec lui et se transforme à travers cette interaction, ce qui accroît ses possibilités d'être varié, différent et riche. Totalement à l'opposé des conditions essentielles d'organisation et de complexification du vivant, se pose l'état de mort; celui d'un cadavre qui se désagrège, se désorganise et se décomplexifie pour finalement redevenir une simple substance, de la poussière. Sans la poussée de la vie qui mène automatiquement à *la belle complexité des parties et du tout de l'organisme vivant*, tout l'espace est créé pour que s'installe l'état de mort et avec lui l'absence d'harmonie, le chaos, le désordre et la désorganisation. La vie est disparue.

Une tendance spontanée, presque instinctive

En somme l'être humain, par sa qualité élevée de vivant, cherche sans cesse à se diversifier et à s'harmoniser et c'est presque instinctivement qu'il tend vers l'ordre et l'harmonie. Carl Rogers (1978), psychologue américain, nomme cette tendance chez l'être humain, *la tendance à la forme* (Formative Tendency). Son expérience thérapeutique avec les personnes aux prises avec des problèmes personnels et interpersonnels l'amène à constater que dans la mesure où la personne retrouve le contact avec son monde intérieur, c'est fondamentalement d'elle-même que la personne recherche l'ordre et la bonne forme. Ainsi, aider une personne à s'écouter et à se dire telle qu'elle est permet qu'elle retrouve en elle cette tendance et ce goût pour l'harmonie sans qu'il soit par ailleurs nécessaire de la conditionner, de lui insuffler de nouvelles valeurs ou de la contraindre. L'humain, s'il n'est pas distrait de lui-même, tend inévitablement vers la *bonne forme* c'est-à-dire former, organiser, ordonner et harmoniser son monde intérieur et extérieur, sa personne et son environnement.

Depuis plusieurs années, Pierre lutte pour obtenir la considération et la reconnaissance sociale et professionnelle. Il s'est développé des carapaces et des raideurs pour atteindre ces buts. Un échec professionnel important et le départ de son épouse, le conduisent cependant à questionner le fondement de sa vie et ce qu'il veut vraiment vivre. Tout ce qu'il avait fait *de* lui-même pour protéger, garder, conserver sa compagne et sa réputation professionnelle était inutile. Il les avait quand même perdues. S'installant alors sérieusement dans la recherche de lui-même, il découvre lentement un goût de vivre et de s'exprimer qu'il n'avait précédemment jamais connu. Dès lors ses relations interpersonnelles se désclérosent et s'harmonisent à ce qu'il est. Il retrouve un élan vers la nature et un désir de santé corporelle. Il se sent libre et ordonne de façon responsable ses différentes obligations. Ces échecs l'ont amené à un retour sur lui-même lequel le conduit à plus d'harmonie dans sa vie.

Ce goût de l'ordre et de l'harmonie prend racine dans la vitalité de l'humain et sa présence est proportionnelle au degré de conscience d'être vivant.

Très tôt dans sa vie, l'être humain se découvre en amitié avec l'ordre et l'organisation de ses modes d'existence. Tout se déroule comme si à l'intérieur du système humain, une potentialité à l'ordre s'était développée et raffinée au cours de l'évolution de l'espèce humaine. Par exemple, dans ses travaux sur le développement de l'intelligence chez l'enfant, Piaget (1961) démontre que l'actualisation de cette potentialité est reliée à l'apparition de la pensée opératoire concrète vers l'âge de huit ans. Il s'agit chez l'enfant de la manifestation d'une tendance à sérier et à mettre en ordre les multiples éléments de son univers à partir de certains critères.

Lorsqu'une ressource existe chez l'être humain, c'est tout naturellement qu'il tend à l'actualiser et à la réaliser. C'est cela qui explique tout autant le jeu de l'enfant avec les blocs à ordonner que le goût de l'adolescent ou de l'adulte pour l'harmonie. Un écrivain québécois et grand amoureux de la nature, Monseigneur Félix-Antoine Savard[3], déclarait à la fin de sa vie que ce qu'il avait toujours cherché à retrouver dans la nature, était ce qu'il y contemplait, ce qui s'y traduisait avec tant de beauté, c'est-à-dire *l'ordre de la nature*. Ainsi va l'humain: dès qu'il se rend compte qu'il possède une capacité ou une ressource, il a tendance à la réaliser, à la mettre au monde. Ce qui amuse l'enfant, par exemple l'ordre à mettre entre ses blocs à jouer, l'adolescent ou l'adulte s'évertue, s'il ne rencontre pas d'obstacles, à utiliser cette capacité à ordonner et à installer l'ordre à l'intérieur de leur personne et au sein de leur univers. Ce que l'être humain est capable de faire, ce qu'il est habileté à mettre dans l'existence, il s'efforce de le créer. Ensuite, il le délecte en le contemplant; l'admire chez l'autre; le désire pour lui-même et ceux qu'il aime; s'y intéresse et le goûte!

> Un beau matin d'avril lors d'une promenade en forêt, Jennifer, six ans, a découvert la beauté et la délicatesse des fleurs des bois au printemps. Elle remarque pour la première fois de sa vie que ces fleurs ne sont pas que des fleurs comme celles du fleuriste — toutes semblables — mais qu'elles sont différentes et que ces différences sont plaisantes à percevoir et à regarder. Elle décide de commencer une collection et s'amuse à les ordonner selon leurs formes, leurs couleurs et leur fonctionnalité. Par la suite, elle revenait souvent à son album et se plaisait à changer l'ordre tout en berçant en elle les doux souvenirs des endroits de la forêt où elle les avait cueillies. Son goût de l'ordre de ses fleurs s'étendait lentement à l'ordre de ses travaux scolaires et à leurs présentations. Elle explorait sans cesse de nouvelles façons de les rendre beaux et harmonieux. Aujourd'hui à 25 ans, l'ordre dans sa vie et l'harmonie de ses relations avec les autres vont des petits détails aux grands ensembles. Elle est amoureuse de l'harmonie que ce soit un tricot ou une idée présentée. Ce qu'elle aime exprimer, elle désire le retrouver chez l'autre et dans la vie autour d'elle.

En somme, l'établissement de la tendance vers l'ordre et l'harmonie s'étaye par l'acquisition progressive d'une série de ressources et de capacités intermédiaires. Elle est comme le dernier maillon d'une longue chaîne qui débute par la capacité humaine de sérier, d'ordonner, qui est elle-même progressivement suivie par son actualisation à travers le développement de l'intelligence chez l'enfant; par son extension à l'ordre et à l'harmonie dans le monde intérieur et extérieur chez l'adolescent et l'adulte; par l'intérêt pour l'ordre et l'harmonie; finalement par le goût, la contemplation et la délectation de l'ordre et l'harmonie.

---

3.   Interview Radio-Canada, le 29 décembre 1982.

Entre la croissance et la sécurité: un compromis intéressant

L'ordre et l'harmonie de l'organisme sont d'autant plus denses que le niveau du vivant est élevé. D'abord, cet ordre est intrinsèquement nécessaire à la complexité des éléments et de leurs parties tout comme au maintien de leurs différences. Pour que les éléments d'un ensemble demeurent différents, il importe qu'ils soient en ordre. La durée de leur différence exige l'harmonie. Tout comme la simplification menace la complexité; le désordre et la désorganisation menacent la différence des éléments. La tendance spontanée, le goût, la délectation et la contemplation de l'ordre et de l'harmonie s'appuient donc sur la satisfaction d'assurer sa continuité, sa durée, à savoir, sa vie.

> Devant son travail de rédaction terminé, Paule se sent pacifiée. Elle a le plaisir de contempler ce qu'elle a elle-même créé: la page d'introduction bien présentée avec son nom bien centré; la pagination est correcte et les références bien claires; elle a bien précisé et distingué ce que rapportent les auteurs de ce qu'elle-même pense. Paule est en paix et en plaisir devant l'ordre et l'harmonie qu'elle a suscités à partir de la complexité des différentes opinions des auteurs sur son thème. Elle éprouve cette paix dans sa tête et dans son corps et maintenant, elle a faim. Elle se fera un bon sandwich au jambon avec une petite moutarde bien piquante.

Plus le vivant est élevé, plus sa complexité est grande et plus les niveaux d'arrangements sont possibles et divers. Conséquemment, la mise en ordre de ces niveaux est d'autant plus exigeante que le système est ouvert et donc que l'organisme est en perpétuelle mutation par le jeu du milieu sur lui. De plus, les lois de l'ordre et de l'harmonie d'un organisme ne sont pas nécessairement celles des instruments qui servent à les percevoir dans le milieu et à les atteindre. Par exemple chez l'être humain, l'ordre de ses sens et l'ordre de son intelligence, instruments pour saisir la réalité, possèdent leurs propres lois qui ne sont pas celles nécessairement qui doivent conduire tout l'organisme vivant conscient, la personne. Aucune des parties ne peut s'arroger le droit d'imposer à l'ensemble ses lois et son ordre — pas plus le corps que les sens ou l'imagination que l'émotion ou l'intellect que la logique. Le vivant a ses propres lois d'ordre et d'harmonie, c'est-à-dire celles qui servent *sa destinée de continuer*. Ainsi d'une certaine façon, il importe de laisser aller l'impérialisme des sens et de la logique pour ouvrir l'organisme tout entier et découvrir l'ordre du vivant.

> Lorsque Jean décida de changer ses habitudes de travail et de réduire ses horaires, tous ses collègues le lui reprochèrent. «Tu vas à l'encontre de ton plan de carrière» disait l'un; «tu n'es pas logique, tu désires une meilleure qualité de vie et tu diminues tes revenus!» soutenait l'autre. Jean ne se laissa pas influencer par ces remarques. Il savait, lui, qu'il avait un profond besoin de travailler autrement. Ce virage professionnel le conduisit à réaliser qu'il était le maître de sa vie, qu'il avait du pouvoir pour la conduire comme il le voulait. De là, son travail l'intéressait encore plus puisqu'il le choisissait. Par cet intérêt, il s'y consacrait plus en profondeur même s'il se gardait plus de temps pour sa vie personnelle.

L'humain possède d'ailleurs en lui tout un potentiel de vitalité et pour le développer c'est avec une grande intensité, au mieux sans cesse renouvelée, qu'il cherche la vie partout où elle se trouve à l'extérieur de lui. Ce mouvement vers la vie répond parfaitement au besoin de croissance propre à l'être humain. Il peut cependant facilement être freiné par la crainte de l'inconnu et l'insécurité qui s'y rattachent. Encore une fois, l'être humain se voit déchiré entre ses besoins de croissance qui le poussent littéralement vers le nouveau et ses besoins de sécurité qui le font se retrancher dans des espaces connus. C'est, entre autres, la tendance vers l'ordre et l'harmonie qui offre à l'être humain le compromis dont il a besoin pour trouver l'équilibre qui lui convient. L'ordre et l'harmonie de la vie s'organisent effectivement en ce que l'on pourrait appeler des «patterns», des sortes de repères, facilement reconnaissables par l'humain et qui lui servent de base et ainsi lui assurent une certaine sécurité devant l'abondance de nouveautés qu'offre la vie. La vie est nouvelle à chaque tournant de l'existence mais le nouveau est moins menaçant lorsque l'on saisit la structure et la répétition du même dans l'apparition de ce nouveau. La structure unifie et simplifie. C'est aussi là, une des sources du plaisir particulier de reconnaître.

Donner un sens aux choses

Pour parvenir à percevoir l'ordre et à installer l'harmonie, l'organisme doit plonger entièrement et totalement dans le chaos de la réalité vivante. C'est effectivement du chaos que peut émerger un sens, une organisation. Qu'est-ce que tout cela veut dire? En fait, répétons-le, plus le vivant est élevé, plus les systèmes pour rejoindre la réalité, la sienne et celle de son milieu, sont nombreux, différents, opposés et répondant chacun à leurs propres lois. À certains moments, ces lois sont nettement contradictoires et placent l'organisme dans un état chaotique. Prenons, par exemple, l'être humain: doit-il se fier à ses sens? à ses émotions? à ses ressentis corporels? à sa logique? Lequel de ces systèmes doit être privilégié pour découvrir l'harmonie ou l'ordre de son monde? Lequel a priorité? En réalité, aucun, puisque pour sortir du chaos, il ne suffit pas de s'accrocher compulsivement à un seul système de la réalité mais plutôt de tenir compte du fait que chacun de ces systèmes apporte une partie essentielle de la réalité. Pour que du chaos émerge l'ordre, il faut que les différents systèmes de la réalité s'intègrent en harmonie avec l'ensemble. D'une certaine façon, cela suppose qu'il puisse laisser tomber l'attente de tout maîtriser et de tout comprendre en ne tenant compte que, et uniquement que, de l'information donnée par un seul de ces systèmes.

Marc et Mathieu, âgés de huit ans, s'amusent à «faire courir la lune» derrière eux. Marc s'arrête et propose à Mathieu de prendre la direction opposée. «Remontes la rue, moi je la descends et nous verrons si la lune me suit ou si elle te suit». Expérience faite, ils se retrouvent. «C'est moi dit Marc, elle me suit». «Bien non, répond Mathieu, c'est moi». «C'est impossible qu'elle te suive toi en montant et moi en descendant». Pour que Marc et Mathieu aillent plus loin dans leur compréhension de la position de la lune, ils doivent oublier leur expérience visuelle. «Comme c'est impossible qu'elle nous suive tous les deux, c'est donc que nous faisons erreur», rétorque Marc. «*Nous avons l'impression* qu'elle nous suit mais *en réalité* elle demeure là, bien fixe». Ce n'est qu'à cette condition de détachement de leurs impressions visuelles que Marc et Mathieu comprennent plus la lune et «ses mystères».

De tout temps, lorsque les humains ne se sont fiés qu'à leur perception sensorielle, toute une partie de la réalité leur échappait. Tant que l'homme estimait que ce qu'il voyait du soleil était la *réalité du soleil*, il «croyait» que le soleil tournait autour de la terre. Ce n'est qu'en se détachant de sa perception sensorielle et en faisant intervenir un autre ordre, ici celui du mouvement des astres, que l'homme peut comprendre qu'en réalité c'est la terre qui tourne autour du soleil. Donc tout utile que soit l'instrument des sens, il n'est et ne restera qu'une avenue parmi tant d'autres vers le vivant. Ce qui est dit ici à propos de cette avenue peut également l'être pour une autre: la raison, la logique ou l'intelligence. Tous ces systèmes «perçoivent et proposent» effectivement un ordre à la réalité mais aucun d'entre eux ne saurait s'en faire empereur et ainsi s'imposer aux autres comme seul et unique.

Les différents ordres de la vie

Devant l'échec de l'intelligence humaine à tout ordonner et à tout rendre harmonieux, certains dénoncent et refusent l'intelligence pour s'enfermer dans le *senti*, l'*émotif*; d'autres, dans le *corporel*. Et alors, on passe de l'absolu de l'intelligence à l'absolu du senti, à l'absolu du corps. Or, opter pour l'absolu de l'intelligence, du ressenti ou du corporel reste choisir l'absolu et *c'est sans issue*. Aucun des instruments humains pour entrer en contact avec soi-même et avec la vie à l'extérieur, ne saurait s'arroger de pouvoir sur les autres. C'est justement par l'usage de l'ensemble de ces instruments et par le refus de se sur-spécialiser dans l'un ou l'autre de ces outils que le vivant conscient, c'est-à-dire l'humain, a pu continuer jusqu'à présent à travers son évolution. En effet, si l'un d'eux était devenu trop puissant, il aurait eu tendance à enfermer la réalité sous son angle privilégié. Lorsqu'on est que *marteau*, la tendance est de considérer toute la réalité autour de soi comme si elle n'était qu'un ensemble de clous à enfoncer.

Peu importe la qualité de l'instrument qui veut imposer son ordre, il transporte toujours avec lui son côté *ombrageux*, c'est-à-dire une partie de lui qui peut modifier et même à la limite détruire la réalité et la vie qu'il cherche par ailleurs à s'accaparer. L'ordre et l'harmonie du vivant doivent s'ouvrir, se présenter et se manifester d'eux-mêmes sans la restriction de la facture de l'un ou de l'autre des instruments humains de contact. Qui songerait à aligner en rangées bien droites, les arbres des forêts? Qui voudrait trouver un moyen d'éliminer les feuilles mortes des sols de ces forêts? Qui chercherait à rendre tortueuse comme un sentier de montagne, une autoroute à six voies? Imposer à un univers l'ordre d'un autre univers le dénature et l'appauvrit.

Le cas de la logique intellectuelle illustre bien ce conflit entre les ordres différents de la vie. La raison, parce qu'elle est en elle-même dialectique, fonctionne par contraste, par opposition et par rapprochement. Elle ne peut donc pas faire voir la réalité vivante autrement que toujours sous le même angle, à savoir, dialectique. Or, la vie n'est ni logique, ni dialectique puisqu'elle est complexe et nuancée. L'outil, par exemple ici la raison, force sa loi sur la réalité qu'il tente d'atteindre. C'est par le vivant organismique que l'humain peut percevoir et saisir le mieux la vie. Il n'est pas égocentrique mais altero-centrique à la vie, c'est-à-dire que pour connaître, pour faire la vraie science, pour découvrir et comprendre, l'homme doit douter de lui-même et, d'une certaine façon, développer une capacité de tout oublier ce qu'il sait pour aller plus loin dans la connaissance et l'appropriation de la vie.

Le domaine du vivant est large et multi-forme. Pour tendre vers lui et pour contacter ses multiples facettes, l'ensemble de l'organisme doit être mobilisé. Il s'agit d'ouvrir tous les outils de la relation *à l'être*: le cœur comme l'esprit et la main autant que l'œil. La vie n'est pas exclusivement d'une seule nature, ni d'un seul univers. Elle est tout autant concrète, physique et matérielle que logée dans l'esprit, les idées, la pensée, la réflexion et même dans les bizarreries de l'imaginaire et de la fantaisie. Elle n'est pas irréelle, ni vaporeuse, ni imprécise, ni vague et ni illusoire.

La tendance vers la vie pousse à rejoindre la vie à travers toutes les ressources de l'humain, à savoir celles du *corps*: du tactile à l'odorat, du corps qui bouge et qui s'ouvre dans toutes ses possibilités de souplesse, de forme et de dextérité; celles de *l'émotif*: des différentes nuances affectives allant de la colère à la tendresse, de la joie à l'agressivité; celles du *cognitif*: l'abstraction, la synthèse, l'analyse, la réflexion; enfin celles des *niveaux de conscience* chez l'être humain. Aucune des ressources et des capacités de l'être humain ne peut rester étrangère au passage de cette tendance vers la vie, gourmande et inépuisable. Partout où se trouve la vie, la *tendance vers* entre en action et le goût naît. Constamment rejointe sur l'une ou l'autre de ses facettes et alors sans cesse stimulante pour l'une ou l'autre des innombrables ressources humaines, la vie continue d'appeler ailleurs ou autrement sans jamais s'arrêter dans la manifestation d'une ou l'autre de ses formes. Il est donc futile voir même impossible de parvenir à la river à un seul aspect et ainsi, espérer l'enfermer. S'intéresser à vivre, suivre et poursuivre *sa tendance vers* la vie, c'est aussi s'ouvrir, s'élargir et déployer toutes les antennes disponibles pour «saisir» un bout de vie et de cette «saisie» s'élargir encore plus et croître par cet apport nouveau de la vie en soi.

Ouverture, souplesse et mouvement

Le goût de vivre, cette abondance de la vie et cette multi- dimensionnalité de la tendance vers la vie, repose sur le potentiel de bioénergie, renouvelable à l'infini par la caractéristique *de système ouvert sur le milieu*[4] du vivant. Ainsi, le vivant ne peut jamais être comblé par aucun de ses aspects aussi élevé soit-il dans l'ordre des choses. On ne peut pas vraiment aimer la vie si on s'isole dans ses abstractions. On ne peut pas non plus vraiment goûter la vie si on ne fait que s'alourdir par l'absorption de nourriture. L'ordre et l'harmonie dans un domaine vital ouvrent nécessairement au goût de l'ordre et de l'harmonie dans un autre.

> Claude s'arrête quelques instants pour réfléchir à sa vie. Depuis qu'il apprécie avec plus de nuances l'ordre qu'il a créé dans son plan de carrière, depuis les différents apprentissages à faire jusqu'aux relations à développer, il ressent avec plus de polyvalence son goût de contact corporel, depuis la caresse de la tête de ses enfants jusqu'à l'étreinte de l'épaule de son ami, Jean. De plus, il constate aussi que son désir sexuel pour la femme se raffine et s'enrichit d'indices variés. Il savoure avec plus de délectation le spectacle des parfums de la féminité: ces beaux corps de femmes qui se balancent sur de longues jambes. Il apprécie le glissement de ces petites robes toutes fraîches sur ces hanches bien rondes. Il scrute furtivement ces bouches souriantes et devine à distance le contraste

---

4.   Voir St-Arnaud (1982).

de la fraîcheur des lèvres et de la chaleur de la langue. Il complète l'image de ces seins rebondissants sous les chemisiers. Puis en lui, dans son sexe, il ressent le goût d'ouvrir avec délicatesse et de pénétrer lentement comme devant une petite résistance que l'on ouvre en appuyant au bon endroit. *Dans ce seul petit moment*, son goût de la vie s'est promené de sa carrière, au goût de l'autre, de celui-ci à son désir érotique.

Si l'ordre et l'harmonie d'une facette du vivant sont réalisés, respectés et savourés, la tendance vers la vie se poursuit ailleurs; elle continue autrement vers d'autres domaines de l'organisme et de la vie. Celui qui tente de l'enfermer dans des domaines élevés ou précis risque seulement de la tarir. La tendance vers la vie ne se bloque nulle part. Lorsqu'elle devient obsédante sur une seule de ses facettes, il y a de fortes possibilités que l'organisme soit dans son ensemble en train de marquer le pas et de se préparer à la régression et même à la stagnation. Dans ce contexte, le goût de vivre ne peut pas fleurir.

En somme, si nous pouvons savourer la vie c'est quelque part parce que nous lui reconnaissons (et lui donnons) un ordre et une harmonie. L'ordre et l'harmonie sont ce qui donnent une constance et une continuité au vivant. Mettre de l'ordre ou faire de l'harmonie, c'est une tendance aussi spontanée que celle qui fait tendre vers la vie. Ordre et harmonie assurent la continuité mais ne doivent jamais devenir rigidité. Ordre et harmonie commandent au contraire de la souplesse car ils servent la vie et la vie elle, est mouvement.

CHAPITRE 3

LE GOÛT DU MOUVEMENT

La vie est mouvement. Des matins ensoleillés aux soirs de pluie, des fleurs du printemps aux couleurs de l'automne, des rondeurs du visage de l'enfant aux rides du vieillard; la vie bouge, change, se transforme, se déplace et se meut. Or, s'intéresser à la vie implique tout particulièrement que la personne la suive dans son mouvement et dans son changement, c'est-à-dire qu'elle accepte et épouse les transformations que le vivant manifeste, qu'elles soient prévisibles ou non. Nul ne peut demeurer animé par le goût de vivre s'il tente d'enfermer sa vie, de retenir le vivant autour de lui, de coincer le mouvement et d'empêcher le changement. Tout comme la rivière qui ne peut pas être, ni poussée, ni harnachée, sans éclater de toute part en électricité; la vie arrêtée, prisonnière, même de ses plus beaux moments, s'étiole, se fane, s'éteint ou se révolte.

La vie est mouvement et changement

Pourtant, le vivant conscient qu'est l'humain, justement parce qu'il sait les limites de son existence, voudrait bien arrêter le mouvement et le changement de la vie pour se sécuriser dans le statique et le constant. C'est une attitude bien humaine qui émerge de notre condition de finitude et de notre conscience de l'anxiété existentielle qui lui est reliée.

Graduellement, Louise a refermé son monde en mouvement. Incapable de conduire sa voiture, elle restait chez elle; angoissée de sortir sur son balcon, elle fermait et verrouillait portes et fenêtres. Finalement, le seul endroit confortable, c'était dans sa salle de bain aux meubles d'acier et de porcelaine, coincée entre son plancher de pierre, son lavabo et sa toilette. Là, elle se sentait sécure puisque rien ne bougeait ou ne pouvait bouger. Ce voyage vers le stable, le statique, l'avait, par peur de se dissoudre dans son changement personnel, amenée à stabiliser tout son extérieur. Graduellement, l'acceptation du changement en elle l'a conduite à accepter le changement de son monde et ainsi à retrouver le goût de vivre.

La vie ne s'enferme d'aucune manière et de nulle part. La vie assure, parfois malgré nous, sa complexité, son ordre et son harmonie par son mouvement et son changement. Système ouvert, le vivant maximise la multiplicité de ses contacts avec l'extérieur. Plus élevé est son niveau de vivant, plus ce mouvement et ce changement de lui-même et de son milieu lui sont nécessaires. Il s'assure de complexités plus variées et ainsi favorise sa continuité. Chaque situation vitale est par ce mouvement nouvelle, c'est-à-dire qu'elle n'a jamais existé ainsi auparavant et n'existera jamais de la même façon plus tard. Martin Buber, le philosophe, écrit:

Toute situation vivante a, comme un enfant à la naissance, un nouveau visage qui n'a jamais existé auparavant et qui n'existera jamais plus. Elle te demande une réaction qui ne peut pas être préparée à l'avance. Elle ne demande rien de ce qui est dans le passé. Elle demande la présence, la responsabilité; elle te demande.[1]

---

1. Traduction par l'auteur à partir de: «Every living situation has, like a newborn child, a new face, that has never been before and will never come again. It demands of you a

Pourquoi en est-il ainsi? Pourquoi le vivant est-il condamné au mouvement et contraint au changement? Cela dépasse le simple jeu du hasard ou de la fortuité de l'accident. Pour continuer, la vie a besoin de changement. Sans cesse nourrie par son milieu, lorsqu'elle est d'un niveau élevé, elle se déplace constamment pour découvrir d'autres milieux, d'autres nourritures à sa continuité. Équipé de ses antennes, le vivant scrute son monde à la recherche du nouveau. Le vivant croît par le jeu d'équilibre entre l'assimilation de son milieu et son accommodation interne à ce nouveau assimilé en lui. En conséquence, il est lui-même en transformation continue puisqu'il épouse des formes différentes ou modifie ses structures pour mieux continuer et pour favoriser encore plus la complexité de ses nuances. Le mouvement assure donc au vivant une plus grande adaptation à sa finalité de continuer[2].

Il est étrange que l'être humain, l'accomplissement du vivant et le plus vivant parmi les vivants, soit si apeuré et mal à l'aise face à sa propre fluidité et à celle de la vie. Il cherche par tous les moyens à se harnacher, à se domestiquer, à se soumettre à ses prévisions et à son contrôle tout autant qu'il le fait pour les outils et les instruments qu'il a créés et qu'il utilise. Ainsi donc l'humain se traite exactement de la même manière qu'il traite ses choses et en cela il se traite exactement comme s'il était identique à ce qu'il y a de spécifique à la chose, c'est-à-dire non-vivante et statique. L'enracinement de la vie humaine dans la conscience de ses limites, particulièrement de sa finitude, explique cet effort pour stopper la vie et pour la rendre consistante et prévisible. Stériles efforts, puisque l'humain est processus et mutation. Malgré nos multiples tentatives, rien ne résiste à ce processus. Tenter de le ralentir et de le faire disparaître, bloque la vie elle-même.

> Marielle se sent bien. Elle est heureuse et goûte chaque moment depuis que Mathieu est dans sa vie. Depuis tellement d'années qu'elle ressentait cette tristesse d'un autre: le manque de l'altérité. Maintenant, elle l'a! Tous ces sentiments de paix, de goût, de calme, elle voudrait les retenir, les enfermer, les garder. Et pourtant, elle sait que cela est impossible, qu'il y aura d'autres temps de tristesse, que Mathieu ne sera pas toujours ce qu'il est présentement et même qu'il ne sera pas toujours là! Elle se sait processus, *ressentant* maintenant, *pensant* maintenant à Mathieu et demain, sera demain. Le prix à payer pour ressentir sa vitalité, c'est de laisser aller la vie faire son chemin de vie en elle sans la retenir, pas plus que Mathieu d'ailleurs.

Accepter et suivre le mouvement

Le goût de vivre repose ainsi sur les caractéristiques du vivant. Il suit le changement et le mouvement de la vie. Parce qu'il est tendance qui se meut, bouge et se déplace, le goût de vivre ne peut pas s'enfermer. Pourtant, le doute intérieur et l'insécurité face au nouveau peuvent s'associer pour chercher à le rigidifier.

---

reaction which cannot be prepared before hand. It demands nothing of what is past. It demands presence, responsability; it demands you.» (Buber, 1965A, p. 114).

2. Les peuples primitifs, observe Jung (1962), ont donné à l'âme humaine le nom du mouvement — le souffle et le vent, moteur de la vie. «Le nom donné à l'âme évoque la représentation du vent agité, du souffle glacé des esprits... On comprend facilement que la respiration qui est signe de vie, serve à la désigner, au même titre que le mouvement ou la force créatrice du mouvement». (p. 43).

Cependant, lorsqu'il y a rigidité ou sclérose d'un aspect du goût de vivre, ailleurs il y a le vide, le néant et la mort. Ainsi le goût de vivre avance et se transforme de lui-même par son contact avec la vie et le vivant. Sans cela, non seulement le goût de vivre s'effrite et disparaît, mais c'est la vitalité même qui est en péril.

Au hasard d'un déménagement, Jean s'est intéressé à la santé plutôt pâle de ses plantes vertes. Il a essayé de leur redonner une bonne santé: équilibre de lumière et d'humidité, etc. Graduellement, son intérêt s'est développé. Il achète alors un livre sur les plantes vertes et y découvre toute une gamme de nouvelles plantes d'appartement qu'il ne connaissait pas. Maintenant, le matin à son départ pour le travail, il scrute ses plantes, surveille leur croissance. Puis un jour, il s'étonne de sa curiosité pour les arbres de sa rue. Il observe leur mouvement d'avril à mars: les bourgeons, les floraisons, la chute des feuilles et il les compare les uns aux autres: l'érable au peuplier... Son intérêt pour ses plantes vertes s'est élargi aux arbres des rues et des forêts.

La souplesse de l'intérêt à la vie s'élargit spontanément pour suivre le rythme et la largeur de la vie. Par ses similitudes, ses contrastes, ses analogies, la vie tire vers le mouvement. Elle suscite l'extension du goût de vivre et en élargit sans cesse les facultés. La densité du vivant augmente en fonction de son mouvement. Dans son goût de vivre l'humain doit se reprendre plusieurs fois et sous plusieurs angles pour contacter cette vie, là et en lui. La vie c'est un peu comme ces objets qui sont si polyvalents qu'il faut les examiner sous tous leurs côtés, les tourner et les retourner, pour vraiment les percevoir et les saisir. Les facettes et les angles de la vie sont en effet si nombreux qu'il nous est jamais possible de les percevoir tous, mais également chacun dans toute leur richesse. Même si pour l'espace d'un moment une des présentations de la vie est prise en soi et avec soi (com-prise), la vie appelle automatiquement le moment suivant ailleurs et autrement.

La vie, l'organisme, la tendance, le goût sont chacun mouvement. Cela ne signifie cependant pas pour autant qu'ils sont désorganisation. Même dans ce mouvement, la vie n'est pas désorganisée puisque parallèlement à sa perpétuelle mouvance, elle ne cesse pas non plus, comme nous le disions précédemment, de s'harmoniser et de s'ordonner par ses cycles. Tous les cycles vitaux s'organisent autour de trois processus: l'assimilation de l'extérieur; l'accommodation de l'intérieur, à savoir de la structure vivante; le relâchement. C'est Jean Piaget (1961), psychologue suisse dont nous avons déjà parlé[3], qui le premier a mis en évidence ces processus. Il les a cependant surtout limités au développement de l'intelligence. Nous pensons plutôt que ces processus sont en jeux dans bien d'autres domaines, notamment l'amour et le désir sexuel. Tous les thèmes de fusion, de séparation et d'individuation semblent effectivement se rapporter à ces cycles de *tension vers*, de prise en soi, d'assimilation, de modification de la structure et de relâchement pour contacter ailleurs et autrement, donc vivre.

Celui qui tourne, un tant soit peu, son regard vers une facette de la vie qu'il goûte, voit toujours apparaître une autre dimension, un autre point de vue. Toute situation vitale regorge de nouveauté et l'être humain qui s'unifie à sa tendance à la vie change ainsi sans cesse ses situations et ses points de vue, augmentant toujours et encore ses possibilités de nouvelles interactions avec son milieu et avec lui-

---

3.   Voir p. 27 sur le goût de l'ordre chez l'humain.

même. Par contre, celui qui attend tout d'une situation et qui n'abandonne pas l'obsessivité de ses désirs, ne peut pas extraire et puiser toute la richesse propre à chacune des situations.

Pour faciliter son contact avec des milieux de plus en plus différents, l'être humain, à travers sa longue évolution, a constamment refusé de se spécialiser et ainsi de profiter d'un seul milieu particulier. L'humain est le moins spécialisé des vivants[4]. Cette absence de spécialisation sert bien le mouvement du vivant car elle favorise la possibilité d'une multiplicité de milieux. Ainsi, l'humain a préféré la polyvalence de son organisme plutôt que de s'adapter parfaitement à un milieu donné. Il a donc, d'une certaine manière, accepter de perdre sur les plans de la stabilité, de l'efficacité et de la sécurité pour y gagner sur le plan de la multitude de possibilités de se mouvoir, de changer et de s'accommoder d'un milieu à un autre. Comme tous ses systèmes (émotif, cognitif, etc.) sont disponibles pour le mouvement, s'il ne les utilise pas à cette fin particulière, il ressentira de l'anxiété et de la tristesse.

L'exemple du désir sexuel

Le désir sexuel fournit un bel exemple de ce goût de mouvement. Pour que le désir continue, il importe de dépasser le statique, le répété et le semblable pour rejoindre le mouvement et le changement de l'objet désiré (ou dans notre langage, le sujet désiré, voir Bureau, 1991), c'est-à-dire la multiplicité de ses dimensions.

> Je l'examinais de la tête aux seins, de l'intérieur de ses cuisses au sourire de son visage. J'écoutais en moi l'émotion qui faisait bondir son cœur. Je scrutais dans ses yeux le flottement de ses pensées. Je savourais sa langue et sa salive. Je touchais délicatement du bout des doigts la raideur de son mamelon. J'arquais ma main sur la courbure de ses fesses. Je respirais son haleine de menthe et de miel. Je fouillais les images dans sa tête tout en bougeant ma langue sur la courbure de ses oreilles. Je dansais avec la pulsation de sa vie et de sa chaleur. Je mordillais la chair de son cou. Je n'avais pas assez de sens, assez de ressources, pour toute la goûter, toute la prendre et l'accueillir en moi. Là, au centre de moi, je n'étais que désir d'elle.

Comme pour le reste, le goût sexuel ne peut pas se figer sur une seule dimension car dès qu'il tente de rejoindre et de contacter une partie de l'«autre», il est automatiquement appelé, pour continuer, à bouger et à se mouvoir sur cet «autre». Le corps de l'autre est polyvalences, nuances et mouvements. Il étonne sans cesse à chacune de ses révélations. Il s'ouvre comme un trésor à celui qui sait le regarder, le sentir, le toucher. De sa vie, il anime la vie en nous. Et le temps ne sera jamais assez long pour épuiser son désir. La personne de l'autre (ses images, ses émotions, ses idées et ses manières d'être-au-monde) regorge de nuances et le goût qu'elle suscite n'a pas de cesse.

Tant qu'il est collé sur le goût de vivre, le désir sexuel ne s'arrête pas. Il s'étend inlassablement à la beauté des corps, à leurs différences et à leurs nuances qui, toutes, varient comme d'ailleurs les motivations qui sous-tendent ces goûts. L'élan vers l'autre c'est autant pour le bercer que pour le contempler, le saisir, le consoler ou le faire sourire. Cette richesse du désir sexuel qui bouge sur tout l'autre est telle

---

4.   Voir Bergounioux (1947), De Saint-Seine (1948).

qu'à certains moments elle doit se calmer, se reposer de *tendre vers* parce qu'elle est inépuisable. Pour éviter l'éparpillement, l'être humain se voit périodiquement dans l'obligation de freiner sa tendance vers la vie et d'en défaire le jeu en distrayant, presque complètement parfois, son attention de la vie toujours et encore stimulante autour de lui. La tendance vers la vie et son mouvement sont donc si perpétuellement renouvelés que c'est à chacun d'y imposer un frein sans quoi ils nous entraînent avec eux. Il existe heureusement des temps, tout aussi nécessaires, pendant lesquels la personne se tourne vers la routine pacifiante, le répété banal et anodin, pour calmer le rythme de la stimulation de vivre.

André aime se retrouver au bord de la mer pour écouter se répéter le bruit régulier et voir le mouvement sans cesse repris de la vague qui frappe la berge. Cela le calme et le détend suffisamment pour reprendre ensuite la marche vers la vie.

Différentes situations, différentes conditions, différents corps, différentes personnes; l'homme et la femme se révèlent et se découvrent dans leurs désirs. Nous nous révélons à nous-mêmes et nous nous vitalisons par ces rafraîchissantes découvertes de l'autre.

Le seul objet véritable et complet du goût de vivre, *c'est la vie* et justement la vie dans ce qu'elle a de bougeant, de mouvant et d'imprévisible. Aucune forme particulière de vie, peu importe sa qualité et son temps d'exposition, n'est suffisante pour remplir, combler et faire disparaître la tendance vers la vie. Aucun porteur de vie n'est absolu dans sa réponse qu'il présente au goût de vivre. Tout vivant est relatif et c'est dans sa relativité qu'il attire. Le rendre absolu lui fait perdre une grande partie de sa qualité de vivant.

Le désir qui se cabre et s'obstine rend la personne incapable de se centrer et de se déplacer sereinement dans la vie. C'est l'absolu de l'objet (ou du sujet désiré, Bureau 1991) qui suscite cette obsession. C'est la relativité des vivants, leur participation partielle et différente à la vie, qui assouplit le désir et le calme. S'harmoniser avec son goût de vivre réside non pas au niveau de la réponse concrète mais au niveau de la *tendance vers*. Les réponses concrètes profitent, énergisent et puis disparaissent; la tendance, elle, continue son chemin vers la vie.

La tendance vers la vie sera toujours présente et appellera toujours et sans cesse au mouvement puisque aucune réponse ne peut être complète et aucun vivant ne peut lui être absolu.

CHAPITRE 4

LE GOÛT DE LA DIFFÉRENCE

L'abondance de la vie, les innombrables variétés de vivants, les sortes, les types et les nuances de chaque support de la vie font que, du point de vue d'un vivant, il est toujours possible de pointer la différence entre lui et les formes de vie qui l'entourent. Le goût de la différence découle tout naturellement de ce que la vie est mouvement et changement. La vie présente effectivement sans cesse des différences qui servent de critères et de mesures à son mouvement. Quand il y a mouvement, il y a nécessairement différence; là où il y a différence, il y a automatiquement du nouveau.

C'est de la différence qu'émerge le nouveau et de là, le principal stimulus à l'émotion de l'intérêt. Si le danger est le stimulus de la peur; la beauté, celui de la contemplation; le nouveau est ce qui suscite l'intérêt, c'est-à-dire cette émotion dont la présence est essentielle à la vie de l'être humain. S'il n'y a plus de nouveau, il n'y a plus d'intérêt et en quelque sorte, il n'y a plus rien de vitalisant chez l'humain.

Ainsi la différence se crée à partir de l'heureux mariage de la nouveauté, du mouvement et de la complexité.

LA DIFFÉRENCE ET L'INDIVIDUALITÉ: SOI ET L'AUTRE

Parmi les vivants, c'est évidemment l'être humain qui possède en lui-même les différences les plus innombrables. Plus particulièrement, ce sont ses formes variées (son sexe, sa race, ses valeurs, ses mœurs) qui font de tout être humain une entité quoique semblable, totalement différente des autres êtres humains. C'est justement cette différence propre à chacun qui suscite le goût de l'*autre* dans sa différence qui lui est également propre.

En ce dimanche matin d'automne, Louise examine la semaine à venir: ses rencontres, ses moments et ses travaux. Elle cherche à pointer ce qui l'intéresse: ce nouveau film à l'affiche? ce dernier livre à lire? cette compagne qu'elle vient de connaître? la marche qu'elle projette au parc? Évidemment, tout ce nouveau l'intéresse mais particulièrement les nouvelles et différentes personnes à connaître.

Entre la différence et la similitude, un juste équilibre

La différence est en interaction avec l'identité. Cela signifie que ce qui est *moi*, donc ce que je suis, et, ce qui est l'autre, donc le différent, sont si étroitement reliés que nous pouvons affirmer que l'identité d'une personne existe pour lui permettre de préciser ce qui n'est pas elle, à savoir l'autre, le différent. À partir du différent, de l'autre, la personne nourrit son identité et c'est par la fermeté de son identité propre qu'elle précise et polarise encore plus ce différent.

Cette relation réciproque entre le soi et le différent est nécessaire pour saisir la vie dans son interaction. La différence ouvre le regard, attire l'attention et engendre l'élan d'atteindre, de rejoindre, de saisir ou de s'approprier. La différence *est* ce que *n'est pas* le sujet et pour cela elle est mère du désir.

Je suis homme pour me permettre de me nourrir de ta féminitude. Ta différence de moi me nourrit et me fait grandir. Plus tu es femme, plus je me sens homme. Si tu cesses de l'être, j'éteins et j'affadis ma masculinitude. Lorsque je perçois ta féminité, je me vivifie et je deviens élan. J'ai le goût de toi.

Le goût de la différence (l'altérité) et le goût de la similitude (l'identité) se réconcilient au niveau du bien de l'organisme. En effet, pour affirmer la communion, il faut cultiver la différence. Sans elle, c'est-à-dire si l'autre n'existait pas en tant qu'autre, serions-nous en *commune-union*? Bien sûr que non puisque nous ne serions qu'un parce que deux semblables.

La différence engendre donc le désir. Mais pour que cela soit, il faut qu'il y ait, en plus, une certaine distance entre le désirant et le différent, c'est-à-dire entre celui qui désire et l'autre qui est désiré pour sa différence. Si chacun doit trouver son propre point d'équilibre entre similitude et différence; chacun doit également se situer par rapport à proximité-distance face à l'autre différent. Ainsi, s'il est vrai que dans tout désir il y a le goût de la différence, de se voir nourrir et fructifier par elle; il est également vrai que trop de proximité étouffe le désir, trop de distance effraie.

C'est lentement que je me suis laissée apprivoiser par toi. Au début, ta détermination et ta fougue m'effrayaient. Tu me bousculais par tes manières et par tes déclarations. Puis, j'ai découvert tes moments de tendresse et ton amour pour la poésie et la peinture. Je me reconnaissais en toi et je me sentais confortable avec toi. Aujourd'hui, je te veux entier, passionné et doux, fougueux et délicat. Aussi étrange que cela puisse être, c'est à distance que je t'apprécie le mieux, même si mon désir te veut aussi si près. À distance, pour que j'intègre dans ma perception de toi ce qui me ressemble, et, ce qui t'appartient; mais pas trop loin, pour que tu ne deviennes pas un étranger.

C'est encore une fois chez l'être humain que la vie atteint son sommet, mais cette fois, dans l'expression de la différence. Si chaque espèce ou chaque sorte de vivants est différente de l'autre, si chaque individu de chaque espèce diffère; l'espèce humaine est celle qui pousse le plus loin cette différence entre elle et les autres espèces et entre les individus de son espèce. En comparaison avec les autres vivants, il n'y en a aucun qui soit aussi différent que deux êtres humains, deux vies humaines. Par exemple, que l'on songe seulement au visage humain. Chacun sait qu'un visage humain est unique, différent de tous les autres visages humains. Tous ont bien deux yeux, un nez, une bouche mais cette similitude sur plusieurs facettes n'empêche pas l'existence de si nombreuses particularités qui font qu'aucun visage humain n'est tout à fait semblable à un autre visage, même à l'intérieur d'une même famille. Si, en plus du visage, on considère toutes les autres facettes du corps et toutes les dimensions de l'émotif, du cognitif et de l'imaginaire; si on s'arrête à cela, on réalise tout de suite combien *l'individualisation de chaque personne humaine et la différence entre une personne et une autre atteignent leur plus haut niveau.*

Pourquoi la différence?

Pourquoi la vie, particulièrement la vie humaine, s'est-elle organisée pour manifester une telle abondance de particularités et de différences entre les porteurs de vie? Un visage humain, du point de vue de sa fonctionnalité, ne serait pas moins un visage s'il était tout à fait semblable à un autre visage humain. D'ailleurs, plus on descend dans l'échelle phylogénétique, plus on retrouve de similitudes entre les individus de la même espèce. Cependant, chez l'humain, la différence est portée à son maximum. Pourquoi tant de différences sinon pour qu'elles soient, d'une manière ou d'une autre, au service de la vie et de son évolution? La vie est effectivement mieux servie par la différence que par la similitude. Étant un système ouvert vers l'extérieur, le vivant, à cause de ses nombreuses différences, peut davantage identifier l'autre (le non-soi), tendre vers cet autre, s'en nourrir et ainsi progresser et continuer encore plus.

En somme, par la richesse de sa différence, donc son individualité, chaque personne représente pour une autre un objet[1] de tension vers. Un porteur de vie différent est attirant et attire un autre porteur de vie différent lui aussi. C'est à cause de mon individualité et de ma différence que je suis pour l'autre source de goût, de désir.

> Bien installé sur une banquette de métro, Yves balaie son regard sur toutes les personnes qui l'accompagnent dans ce wagon: tous ces visages si différents les uns des autres et toutes ces personnes aux postures différentes! Dans cet examen, il se nourrit de leurs particularités. «Si au moins ces gens savaient qu'ils m'intéressent par leur individualité», se dit-il, «peut-être seraient-ils plus contents d'eux-mêmes, plus fiers d'être ce qu'ils sont et moins attirés par la conformité et le semblable!»

Chaque élément d'une personne qui diffère d'une autre est pour cet autre une source d'intérêt. Loin de diminuer et d'éloigner, les différences d'un être humain sont pour lui de nombreuses assurances quant à son unicité et à l'apport qu'il laisse aux humains. St-Exupéry, dans une lettre à un otage, disait:

> «Si je diffère de toi, loin de te léser, je t'augmente.»
> (Cité par Jacquard, 1978, p. 206)

La différence enrichit. La porter avec fierté et noblesse augmente nécessairement la contribution à l'humanité. C'est un besoin bien humain, lorsqu'il se joue à l'intérieur des limites de la condition humaine, que *d'être et de se sentir unique et spécial*. Chaque personne humaine éprouve ce besoin d'unicité quelle que soit sa conformité avec les autres. Or, ce sont justement nos différences qui nous rendent uniques. Les sacrifier, au nom d'un confort tout douillet afin d'éviter les conflits ou encore de typéfier ce qui est original, risque de taire une grande richesse de l'humanité. Le conflit, dans ce contexte, est sain; il constitue cette bataille de laquelle émergera plus de vitalités et de richesses. La «platte» similarité édulcorée d'opposition sert peu la croissance de la personne et de l'espèce humaine pas plus d'ailleurs que l'affrontement et le heurt des différents qui ne s'exerceraient que pour des besoins de compétition et de domination et qui alors ne susciteraient pas la croissance. Le plus bel hommage que l'on peut recevoir d'une autre personne,

---

1. et même un sujet, voir Bureau (1991).

c'est qu'elle confirme notre unicité et son apport *en étant et en demeurant différente de nous.*

Le piège de l'uniformité

La pression vers la similitude et l'uniformité des êtres humains, c'est-à-dire celle qui cherche à ce que tous soient semblables pour probablement les rendre prévisibles et contrôlables, ne s'exerce pas uniquement sur l'extérieur pour modeler la conduite mais aussi sur l'intérieur et sur le psychisme humain. Les gens savent quelque part qu'ils doivent être uniformes dans leur *paraître* et même dans leur *être.* Or, cela est un jeu d'autruche. Autant les êtres humains diffèrent dans leur paraître, autant ils diffèrent dans leur être au point tel qu'il est possible d'affirmer qu'il y a autant de réalités qu'il y a de personnes.

> Paul contacte sa façon de percevoir le monde, la vie autour de lui, ses connaissances et ses amis. Il sait que c'est là sa façon bien particulière et que nécessairement elle diffère de celle des autres. Il se rend compte que ce qui attire son attention, que les émotions qu'il ressent, que les pensées qui l'animent devant «la réalité» sont vraiment les siennes et qu'un autre voit cette même réalité tout autrement. Cela lui donne le goût d'écouter celle des autres et de contacter la réalité des autres personnes autour de lui.

Cette manière de forcer la similarité des intérieurs et des perceptions pour répondre à ce souci des «belles» uniformités a causé bien des ravages dans l'humanité. Elle force à tordre l'authenticité, à mentir le vrai soi et à porter des masques. Ces soucis d'uniformité risquent d'engendrer toutes sortes de troubles émotionnels: dépression, somatisation, violence conjugale, anxiété et toutes les nuances des conflits d'identité.

L'uniformité est un piège efficace, mais pourquoi? Si l'uniformité est si envoûtante à divers degrés pour nous tous, c'est en fait, au plus profond de nous-mêmes, parce que la différence, au lieu d'attiser notre désir comme cela devrait l'être au niveau de la conscience, fait peur. Autrement dit, la différence nous questionne. Elle nous questionne parfois si intensément qu'elle suscite une peur panique comme si parce que les autres perçoivent une réalité différente, la nôtre n'avait plus aucune validité. Pourtant, nous savons que l'acceptation de la différence de ces réalités ne peut que nous enrichir. Ainsi connaître une autre personne, c'est connaître une autre réalité et simplement cela, c'est en soi un enrichissement. Le souci spontané de l'humain de se tourner vers son semblable et d'en prendre soin ne naît pas seulement de sa similitude mais de l'estime qui émerge pour lui parce qu'il est différent.

LE DIFFÉRENT ET LES ÉMOTIONS

Comment cela se fait-il que la différence suscite parfois tellement de peur qu'elle nous mène automatiquement vers la similitude alors qu'à d'autres moments, elle nous intéresse, nous attire et attise notre désir?

Tout dépend de notre degré de sécurité personnelle à tel ou tel moment de notre vie. Toute différence ne suscite effectivement pas, tout le temps, de l'intérêt. Au-delà d'une certaine frontière, premièrement délimitée par le degré d'insécurité d'une personne avec elle-même, elle engendre aussi le mépris, le dégoût et principalement la peur. Chaque être humain installe ses propres limites ou frontières à la différence qui suscite son intérêt et son goût de l'autre. Plus loin que ces frontières, même juste un peu, la différence de l'autre devient trop grande pour qu'il puisse la désirer. Il peut l'accepter, si elle ne dépasse pas une certaine étendue, mais même là, il ne la désire pas, il ne fait que l'accepter.

Marie aime bien voyager au Moyen-Orient. Elle apprécie connaître des cultures et des mentalités différentes de la sienne. Elle reconnaît que la nourriture et la façon de la préparer reflètent ces mentalités différentes mais elle n'arrive pas à apprécier cette nourriture. Elle aime bien étudier la composition de leurs menus mais elle n'a pas le goût de les déguster. Elle s'arrange pour toujours prendre ses repas dans des restaurants nord-américains.

Un continuum qui varie selon la solidité de l'identité

En fait, lorsque la différence est juste là où la personne l'a fixée, elle est désirée; plus loin, elle est tolérée; au-delà, elle fait peur. Pour calmer cette peur, la personne peut mépriser la différence ou s'en dégoûter. La relation propre à chacun face à la différence peut donc s'inscrire sur une sorte de continuum. La différence soulève la peur; de là, le mépris et le dégoût; puis, elle se tolère; ensuite, elle s'accepte; finalement elle intéresse, suscite le désir, se goûte et énergise.

Qu'en est-il du goût de vivre d'une personne lorsque la différence n'est pas désirée, ne l'intéresse pas, se tolère, s'accepte ou lui fait peur? Eh bien, la tendance vers *la vie* de cette personne, en somme son goût de vivre, se replie et devient une tendance de *survie*, une sorte de protection contre le différent.

Entre les êtres humains, la tolérance de la différence et l'intérêt qu'elle suscite varient énormément d'un individu à l'autre tant dans l'étendue que dans les nombreux domaines de l'humain et de la vie. Pour certains, c'est au niveau de la race que la différence se tolère moins; pour d'autres, c'est au niveau du sexe; pour d'autres, des caractères, des mœurs, des coutumes. Chaque dimension humaine dans laquelle s'exerce la différence peut devenir lieu de goût, ou bien de dégoût, de mépris ou de peur.

La raison fondamentale de ce continuum d'émotions et principalement la place qui y occupe l'individu reposent essentiellement sur la sécurité qu'il éprouve quant à la force et à la largeur de son sens d'identité personnelle. Ainsi, plus son identité est bien enracinée, plus sa sécurité est grande et plus il peut tolérer, accepter et goûter la différence; inversement, plus son insécurité est prononcée, plus son identité est diffuse, plus il craint la différence et plus les lieux de cette différence l'inquiètent et plus il craint pour sa survie.

Depuis que Paule sait ce qu'elle veut de sa vie, qu'elle a accepté ses limites et qu'elle contacte ses ressources, elle s'étonne de constater comment le nouveau l'intéresse. Elle sait qu'elle a changé de la jeune fille timorée et inquiète qui paniquait devant de nouveaux visages ou devant des tâches neuves à accomplir à celle qui graduellement souhaitait et désirait connaître de nouvelles amies et rencontrer des races et des cultures différentes. Elle goûte maintenant avec plus de raffinement ceux qui diffèrent d'elle.

Pour qu'ils puissent s'installer, l'intérêt et le goût pour la différence impliquent un juste équilibre entre cette différence et la similitude. La similitude doit être contactée pour assurer la sécurité suffisante pour aller vers la différence. Trop de similitudes finit par engendrer l'ennui et la perte de goût; trop de différences invite la peur et son cortège. Ce *trop* de similitudes ou ce *trop* de différences s'individualise pour chaque être humain selon le contrat qu'il établit avec sa sécurité et son sens d'identité.

Chaque personne possède donc, tout dépendant de la fermeté de son identité, son propre point d'équilibre entre similitude et différence. Quand ce point d'équilibre penche davantage vers un axe (similitude) ou vers l'autre (différence), c'est toute la perception de la différence qui est changée. Chez la personne insécure possédant une identité diffuse, la différence, comme la similitude d'ailleurs, sont perçues d'une façon globale et non nuancée, c'est-à-dire en laissant de côté toute la richesse des particularités. Il suffit alors de quelques indices pour identifier et regrouper ce qui est différent et le fuir ou le mépriser. Cela laisse en friche toutes les autres caractéristiques du différent.

Le phénomène de la codification

Ce phénomène de codification à outrance du différent à partir de quelques indices seulement est présent aussitôt que la différence n'intéresse plus et qu'elle devient source de menaces. Ces différences peuvent à ce moment-là être de tous ordres: différences sexuelles, sociales ou autres. Par exemple, on reconnaît une race qui nous fait peur par la forme du nez, par le type de chapeau ou quel qu'autre détail qui peut sembler insignifiant à celui qui aime et goûte la différence. Ainsi la peur bloque et réduit la perception en grossissant les indices. Cela est bien utile lorsque la menace est réelle, à savoir que la personne ne doit pas perdre son temps à scruter et à détailler la menace pour ne pas se mettre en danger. Cela déconcerte toutefois la personne lorsque la menace de la différence ne loge que dans l'insécurité ou la diffusion de son identité, c'est-à-dire quand la menace est subjective, donc non objectivement réelle et que la personne s'est privée de se nourrir de la différence.

Chez la personne insécure - lorsque, à partir de seulement quelques indices, elle en vient automatiquement à codifier la différence et s'apprête à s'en éloigner, à la fuir ou à la mépriser - il s'installe une raideur, une sorte de rigidité à conserver sa catégorisation. En effet, il est par la suite difficile pour cette personne de revenir sur sa perception première globale et de reconnaître les individualités qui se dégagent de l'autre tout comme si son insécurité la rivait désormais à cette première conception.

Par ailleurs, une sécurité étayée sur une identité ferme permet de tolérer le différent dans des limites plus étendues, de l'accepter et de cette façon d'en percevoir les nuances, les particularités et les individualités. C'est là que réside tout le pouvoir d'attraction qu'exerce la différence. La personne s'ouvre alors à des saveurs de vie qu'elle ne connaissait pas et cela enrichit sa tendance vers la vie et son goût de vivre. Reconnaître et découvrir la différence, particulièrement les multiples et innombrables différences qui existent entre les êtres humains (les plus évolués sur l'échelle de la différenciation et de la manifestation du différent), restent sans contredit un enrichissement perpétuel qui élargit la personne, active sa tendance vers la vie et favorise ainsi sa progression et sa continuation.

Pour que le désir naisse

La différence engendre le désir. De l'appel du différent naît le goût pour l'autre et à partir de lui émerge le désir. Plus on perçoit la différence et plus on la prend en nous, plus on se polarise avec l'autre, le non-nous. De cette polarité, s'énergise la tendance vers l'autre et se nourrit le goût de l'autre. Le porteur de cette polarité ressent une force intérieure qui le pousse à se poser comme un désirant de la vie et de ses différences. Il actualise ainsi une autre potentialité de vie en lui. L'actualisation est maintenant goûtée par l'intérieur.

Depuis que Luc s'intéresse aux multiples différences entre les êtres humains, il apprécie davantage les contacts avec chacun d'eux: les longues conversations avec ses amies comme les contacts fortuits et courts avec les vendeuses et les pompistes. Tout l'intéresse et il trouve toujours quelque chose à prendre de ces rencontres.

Il y a désir que s'il y a différence. Si la différence n'est pas évidente, nous la cherchons et la trouvons là où elle existe, c'est-à-dire dans ses plus subtiles nuances.

Rodrigue s'étonne de son désir pour Jean-Paul. D'une certaine façon, Jean-Paul lui ressemble tellement: il paraît même être son frère. D'ailleurs, tous ses amants ont des airs de famille avec lui-même. Pourtant avec Jean-Paul, ce désir est d'une rare puissance. Ce qui est semblable dans le sexe (un homme) dans le rôle et dans l'allure physique (même type) est dissemblable et différent dans l'émotif: Rodrigue se voit comme fragile et émotif et il perçoit Jean-Paul comme fort et rationnel.

La différence est si nécessaire au désir qu'elle est à certains moments presque inventée; du moins, sur-investie dans ses détails quand elle ne peut pas être facilement et objectivement perçue. Cela mène à une certaine prudence face à ceux qui nient leurs différences et tentent par tous les moyens de se rendre semblables aux autres. Si la différence est niée ou reniée, elle se manifestera ailleurs et autrement. Inévitablement, une tension vers naîtra à un autre niveau ou sur une autre dimension.

Doux et romantique, Pierre cherche à taire toutes les différences avec ses compagnes. Il cherche par tous les moyens à être «un parmi elles». Pourtant, à certains moments, il se sent envahi par une poussée de *s'exhibitionner*, de montrer son pénis à de petites filles impubères. Il s'excite à la pensée qu'elles sont curieuses et étonnées de lui, qu'elles s'arrêtent et le regardent dans sa différence, son «gros pénis».

Une juste perception de la différence

L'altérité ne diminue en rien l'identité. Au contraire, elle la renforce, la consolide et la fructifie. En d'autres mots, plus l'autre est autre, c'est-à-dire différent, plus il est possible et souhaitable d'être soi-même. Cet enracinement de l'identité s'applique tout autant aux individus qu'à une collectivité.

Chacun connaît le «nombrilisme» et l'enfermé des peuples ou des races tournées sur eux-mêmes qui sont incapables d'échanger avec l'autre, le différent, par peur de perdre leur propre identité et de là, leurs propres valeurs. Par le rejet de l'autre et par la projection sur cet autre de toutes leurs misères, ces peuples croient de cette manière renforcer la «pureté» de leur identité mais en réalité, ce mouvement tourne à vide puisqu'une identité se nourrit surtout par ses racines et plus par l'interaction que par l'opposition. On se souvient, par exemple, des étapes franchies par le peuple québécois. D'abord refermé sur sa religion et sa culture, il dénonçait et méprisait tout ce qui n'était pas catholique et francophone. Puis progressivement, parallèlement à l'émergence lente d'une identité québécoise plus ferme, se sont développées une reconnaissance et une ouverture face à la réalité anglophone, américaine ou européenne. Rassuré quant à sa propre identité culturelle, le peuple québécois se trouve davantage capable d'interagir avec ces différents et de s'élargir par cette interaction avec l'étranger plutôt que de s'asphyxier dans l'infantilisme asséchant et étouffant d'une seule vraie religion, d'une seule langue pure, du seul «pure laine».

Christian reconnaît son plaisir d'être avec des québécoises: leur fraîcheur et leur spontanéité. Cependant, depuis qu'il s'est ouvert aux multiples possibilités du monde féminin, il délecte l'ardeur de ses compagnes italiennes, la sérénité et la chaleur des chiliennes, la profondeur et la justesse des allemandes. Il est content de la largeur de son désir et se sent encore plus fier d'être un homme, maintenant qu'il est capable d'aimer des femmes de différentes races.

Face à la différence, comme d'ailleurs pour chaque domaine humain dans lequel les nuances et les émotions sont fortes, les équilibres sont nécessaires. Par rapport à la différence, les positions se polarisent trop souvent et catégoriquement entre les tenants de la différence d'un côté et de l'autre, les tenants de la similitude. Les idéologies pullulent pour tenter de récupérer le plus vite possible les tenants de l'une ou de l'autre des positions pour malheureusement ensuite les enfermer dans une étiquette. Pourtant, nous n'insisterons jamais assez pour dire combien il importe de se sentir en équilibre sur les nuances et les subtilités humaines et de conserver sa sérénité malgré l'ambiguïté du complexe. Ceci peut cependant difficilement se faire, il est vrai, sans amour de l'humain et de l'humanité.

Ici, la logique cartésienne sert donc bien peu. Face à la différence, répétons-nous le, plusieurs attitudes sont possibles et c'est avec chacune d'elles que nous devons composer. Les différences, on peut les voir sur certaines facettes, en inventer, en créer, en exagérer, les déformer, les dénaturer ou les surmonter. Il s'agit seulement, et c'est là tout un travail, de savoir comment établir une juste perception de la différence, c'est-à-dire claire, débarrassée de préjugés ou de projections et qui permette une harmonisation avec le semblable, avec l'identité.

Ce qui sert de fil d'Arianne dans ces labyrinthes d'attitudes, ce sont les critères de la vie et principalement le mariage de la différence avec le vivant et le goût de vivre. C'est là que la différence prend tout son sens. Pourquoi une différence à cet endroit plutôt qu'ailleurs? Pourquoi une similitude à l'autre sur telle facette et une différence sur une autre? *C'est avant tout la vie (surtout la mise à son service) et répondre à son objectif de vie qui est de continuer qui l'expliquent.* Cela se comprend assez facilement pour les différences sexuelles qui servent à la continuité de la vie par la reproduction. Elles sont là pour permettre le rapprochement des sexes nécessaire à la reproduction. Ainsi, elles engendrent le désir qui suscitera plus tard la rencontre. Dans ce contexte, on le voit bien, la vie est bien servie; la différence est appropriée à la vie et ses frontières sont nettement précises.

La différence sert la vie

Il n'y a pas de différence inutile. Prenons, par exemple parmi les rongeurs, les souris, une espèce nocturne. Le mâle se distingue de la femelle non pas par des indices visuels mais par des indices olfactifs. L'odeur du mâle diffère de celle de la femelle et ainsi les sexes peuvent se reconnaître et se «désirer». C'est tout autre chose chez les cervidés: la différence est visuelle puisque c'est une espèce diurne. Le chevreuil, avec ses mille panaches, se distingue de la biche par des indices visuels. En plein jour, le chevreuil doit être vu; alors qu'à la noirceur, la souris doit être sentie. Quant à l'être humain, la complexification du symbolique, de l'émotif et du cognitif élargit la dimension sexuelle (le corps) à la dimension somatique, et celle de l'individu corporel à celle de la personne qui habite un intérieur. Les différences qui suscitent le désir se complexifient d'autant. L'existence et le lieu de la différence se précisent.

Le sens de la différence des vivants repose essentiellement sur le besoin qu'a la vie de la variété, de la nouveauté et de la nuance pour stimuler l'organisme à tendre encore plus vers la vie. Le pareil, le semblable, le monotone et la répétition finissent par ennuyer et par couper la tendance vers la vie. Le vivant, parce qu'il est un système ouvert, doit irrémédiablement pouvoir continuer son interaction avec des niveaux différents pour progresser et continuer la vie. La vie éclate par ses différences et le goût de vivre la rejoint tout comme l'étonnement des spectateurs devant les couleurs et les formes des feux d'artifices ou le promeneur tranquille dans un jardin de fleurs qui délecte et contemple les variétés et les formes différentes. La différence est bonne pour la vie.

Anne se ravit de la polyvalence de son monde. Elle ne cesse de s'étonner de ses découvertes. Elle est curieuse de tout connaître: des tissus différents aux multiples métiers des hommes, des animaux de toutes espèces aux nuances des plantes et des styles musicaux. Elle se sent gourmande de la vie et de vivre. Elle n'a pas de journée assez longue pour profiter de tout ce qui l'intéresse. Puis, quand elle revient à son petit appartement, dans la paix et la sérénité, elle écrit ses poèmes. Elle participe et contribue ainsi, à sa manière, aux multiples variétés et différences de la vie.

En fait, si le bien fondé de la différence s'explique aussi par ce qui sert à une espèce, à un peuple, à un vivant pour *continuer*; si *se continuer* est le propre de la vie; si la vie est vénérée et respectée; tout ce qui distingue les êtres vivants devrait, en principe et particulièrement chez les humains, être également vénéré. Par son association étroite avec la vie, la différence s'ennoblit. De là, l'ennoblissement de la différence bien sûr, mais de la vraie différence, c'est-à-dire celle qui permet la continuité et non celle qui ne sert qu'à diagnostiquer, isoler et dominer.

Pourtant, vous vous en doutez bien, la différence ne fait pas que soulever la vénération. Comme nous le notions plus tôt à propos du différent qui insécurise et qui fait peur, la différence engendre toute une gamme d'émotions contraires. Et, le contraire de la vénération, c'est évidemment le mépris (voir aussi, p. 84). La différence attise le désir mais aussi la haine, l'hostilité, le dégoût et parfois un besoin irrésistible de la réduire, de la taire et de la rendre, sinon inexistante du moins, semblable. Lorsque déferlent ces émotions, il est bien difficile de comprendre que l'être humain, comme espèce, puisse en même temps cultiver la différence et tenter de la détruire. C'est là, un autre des paradoxes des humains. Chacun se négocie un mode d'être avec la différence qui varie selon le degré de sécurité de chacun, mais qui va venir complètement déterminer la manière de vivre la différence qui sera une occasion de croissance et de développement, ou bien, une occasion de crainte, de peur et de régression et même, par mal d'identité, un véritable lieu d'esclavage.

LA DIFFÉRENCE SEXUELLE

Pour bien comprendre le goût pour la différence (ou l'attitude propre à chacun face au goût pour la différence), il est de toute première importance de l'étudier particulièrement sous l'angle de la prégnance et de l'impact de la différence sexuelle. En fait, être un homme ou être une femme, la manière de l'un et de l'autre de se vivre comme homme ou comme femme et de se percevoir mutuellement dans leur différence, jouent un rôle prépondérant dans le goût (ou son absence) pour ce qui est, en général, différent.

Il suffit simplement de faire ressortir quelques-unes des nombreuses dimensions liées à la différence sexuelle pour s'en convaincre et voir combien une attitude saine et positive ou bien une attitude confuse et négative face au différent sexuel peut en grande partie déterminer une attitude identique à tout ce qui est différent. Par exemple, la quotidienneté de l'être homme et de l'être femme c'est, entre autres, tous les jeux d'amour et de haine de l'autre sexe; tout l'échafaudage d'idéologies sur la solidarité sexuelle, la similitude sexuelle ou la différence des sexes; la grande part de l'émotif dans le désir et la peur de l'autre; les faits bruts des différentes manifestations des rôles sexuels, des plus classiques en passant par toutes les nuances de l'indifférenciation: la bisexualisation, le féminin nié jusqu'à l'extrême féminité, l'extrême masculinité qui veut par tous les moyens et de toutes les manières marquer la différence ou bien l'autre extrême qui cherche à rendre le plus semblable possible et à tuer tout ce qui est différent; toutes les interactions entre le corps et le psychique: le goût du corps de l'autre sexe, le goût d'être de l'autre sexe ou bien la conformité et l'uniformité la plus béate tuant le spécial, l'unique, le sans-pareil; finalement, la rencontre sexuelle coïtale pendant laquelle deux différents sexués, sexuels et érotiques se rencontrent l'espace d'un moment en s'unifiant le plus intimement possible pour reprendre par la suite, leurs différences et leurs identités. Tout cela illustre bien la prégnance de la différence sexuelle et son impact sur la compréhension du goût pour la différence.

Au-delà de la polémique, les liens avec le goût de vivre

Il existe bien des manières de s'opposer à la différence sexuelle mais la plus subtile, et la très contemporaine, c'est de la dénoncer implicitement par l'affirmation, la déclaration et la *mise en vertu* de la solidarité sexuelle, de la fraternité humaine, du semblable et de le faire au point que d'accepter, de chercher et d'aimer la différence sexuelle deviennent presque sacrilège[2].

La différence sexuelle conserve pourtant, et pour plusieurs, son côté positif d'être intrinsèquement liée à la vie. Elle se loge et s'harmonise comme partie

---

2.   Dans son livre, *Jonathan le Goéland*, Richard Bach (1980) raconte la hargne de la communauté des goélands contre un des leurs, Jonathan, qui aimait la différence et voulait faire fructifier la sienne.

intégrante d'une longue chaîne dont l'ultime but vise la continuité de vivre et de reproduire la vie (voir figure 1).

Figure 1: Le cheminement du vivant chez l'être humain

La vie cherche à *continuer*

↓

L'assurance de la continuité par le *mouvement* de l'organisme

↓

Le mouvement engendre le changement

↓

Le changement suscite la différence

↓

La différence engendre l'autre

↓

L'autre en tant qu'autre se polarise

↓

La polarité favorise le désir

↓

L'homme désire la femme

↓

La femme et l'homme se reproduisent

↓

La vie continue

Il est facile de voir dans ce cheminement combien le goût de la différence peut activer le goût de vivre qui à son tour réclame que cette différence se maintienne avec le plus de force possible pour que le goût qu'elle suscite et le goût de vivre qui en émerge se maintiennent et se développent, encore plus. Là encore, le paradoxe humain fleurit: le différent favorise la continuation du même.

Stéphane est toute tension devant Suzanne. Il pense à elle, s'imagine sa voix. Il joue avec les images de son corps, de son mouvement rond lorsqu'elle se déplace. Il voudrait la voir, la toucher, l'entendre. Il la désire. Puis là doucement, il sent bouger son désir, il le sent s'élever d'un niveau comme si tout ce qui l'allume chez Suzanne était en fait sa différence avec lui-même. Il ressent tout à coup que cette femme désirée ne se nomme ni Suzanne, ni Claudine; son nom est *femme*. Il ressent d'une part comme une détente de sa tension précédente et un élargissement de sa polarité avec elle. Femme est partout, femme n'est pas absente, au loin, avec un autre. Femme est là, au coin de cette rue, dans ce magasin, sur ces photos. Femme ne se laisse pas enfermer dans un seul lieu, un seul corps. Et c'est la femme, sa différence, la stimulation à vivre; ce n'est ni Suzanne, ni Sylvie, ni Claudine. Aujourd'hui, il rencontrera *femme* un peu partout, ici et là et son goût de la vie et sa vie continuent. Il n'a même pas à sacrifier son goût de Suzanne, à le couper, parce que si c'est *femme* qu'il désire, c'est *femme* qu'il reconnaît en Suzanne.

Voilà ce qui trop souvent tronque le goût de la différence et le goût de vivre, c'est-à-dire la focalisation sur une seule facette de la vie.

Dans les relations homme-femme cela s'appelle, entre autres, l'exclusivité. Une exclusivité qui résulte finalement d'un intérêt à vivre mal pointé. Il ne s'agit pas ici d'un plaidoyer en faveur de la non-exclusivité, donc quelque part, une sorte de justification pour l'infidélité, mais il s'agit de la dénonciation d'une forme d'exclusivité trop rigide qui bloque la vie et son abondance. Ce type d'exclusivité où les deux partenaires se retraitent en eux-mêmes et dénoncent mutuellement tout regard qui n'est pas figé l'un sur l'autre. Il s'agit plus alors d'une insécurité et d'un sentiment de fragilité de son amour que d'une vraie fidélité à l'autre. La tentation consiste alors à posséder et avoir l'autre plutôt que de le laisser être *autre*. Pour calmer cette insécurité, le goût du différent et par conséquent le goût de vivre s'étouffent et s'étranglent par la focalisation trop constante sur une seule personne. C'est là le drame de bien des amours. Or, la tristesse trop pleine et la frustration trop fragile de ne pas *avoir*, de ne pas posséder, mobilisent tout le cœur qui n'est plus disponible pour vraiment aimer. Lorsque l'*avoir* est là et la possession établie, le goût de l'autre malheureusement se désintéresse.

L'être humain a tellement peur de ne pas avoir qu'il se coince la conscience sur un seul aspect de la vie et il y tient mordicus alors que la vie est abondance et que la différence ne se tarit jamais. Celui ou celle qui ne retient personne a plus de chances de retrouver cette abondance de la vie. La gourmandise pointée sur une seule personne ou sur un seul aspect de la vie risque, si toutefois l'autre se laisse posséder telle une chose (ce qui est peu probable) l'indigestion ou, si l'autre se referme ou se retire (ce qui est beaucoup plus probable), la famine.

La personne dont le désir s'enferme sur une seule facette de la vie, un homme particulier ou une femme particulière, et qui tend vers cette facette de vie comme si toute «sa» vie en dépendait, se joue le tour de l'*avoir* au profit de l'*être*. Dans sa vérité et sa notion, le goût de vivre ou la tendance vers la vie crie vers la vie, veut la vie. C'est donc au service et pour satisfaire la vie que ce goût pour elle existe.

Ce que la personne invente ou crée c'est la forme du désir et c'est de cette invention que naissent son mal et sa misère tout autant que son plaisir.

Le goût de vivre se spécialise dans la vie peu importe ses formes. C'est la même chose pour le goût du différent; ce qui l'intéresse, c'est le différent peu importe ses formes. La paix et la sérénité du désirant ne résident pas dans l'arrêt de son désir et de sa *tendance vers* mais dans le fait de lui redonner sa réalité, à savoir la vie et le différent, la vie qui habite partout, en nous et ailleurs en l'autre. Quel que soit le lieu où habite la personne, quel que soit son compagnon ou sa compagne, quelle que soit sa situation, ce sont tous des supports de vie, des participations à la vie et c'est à travers eux que le désirant goûte à la vie et s'enrichit.

Sans elle, ni vie ni continuité: la procréation

Pour que la vie, particulièrement la vie humaine, puisse continuer à fournir des supports de vie - un autre être humain - elle a choisi comme mode suprême la reproduction sexuée, c'est-à-dire la rencontre de deux nécessaires différences: le corps de l'homme et le corps de la femme. De cette rencontre, rendue possible par la perception, le respect et le désir de leurs différences réciproques, naît un autre vivant: une personne, différente d'eux mais à son tour, allumeuse et porteuse de désir.

La reproduction sexuée est un des phénomènes les plus extra- ordinaires. C'est la création sans cesse du nouveau, d'un différent du père et de la mère qui continue inlassablement la vie. Même dans l'instant de la conception, lors de la rencontre de l'ovule et du spermatozoïde, c'est par la différence que s'ouvre la porte. Le spermatozoïde est attiré par le dissemblable, l'ovule. Le vivant, particulièrement l'humanité comme espèce, s'enrichit par la diversité. Ce n'est pas l'accumulation, la quantité ou la grosseur qui nourrit la vie, mais la diversité, la différence et le dissemblable. C'est comme si la vie avait prévu que l'humanité ne serait pas à l'aise avec les différences et qu'elle avait alors à organiser la différenciation comme en un sous-bassement: le génotype. C'est le pouvoir du *génotype* qui continue et qui poursuit son flux de différenciation et son maintien de la diversité de chaque être humain quelle que soit la pression exercée sur le *phénotype*. Le modèle de la procréation se retrouve dans toutes les différences sexuelles réelles:

«Les différences sexuelles, en plus d'offrir une polarisation des styles de vie et la maximisation du plaisir réciproque (lequel plus que jamais peut être séparé de la procréation) ne retiennent pas moins la morphologie de la procréation.»[3]

Malgré toutes ses misères et ses abus, c'est de la différence sexuelle que naît et se continue la vie de l'humain. Seulement pour cela, elle devrait être célébrée, vénérée et susciter les hommages qu'elle mérite. Redonner à la différence sexuelle le rôle et l'importance qui lui reviennent n'enlève rien à la solidarité humaine, à la fraternité, à la beauté et à la sécurité chaude de la *similitude*.

3.   Traduction par l'auteur à partir de: «Sexual differences, however, besides offering a polarisation of life styles and the maximization of mutual enjoyment (which now more than ever can be separated from procreation) nevertheless retains the morphology of procreation.» Erikson (1968), p. 279.

Marie, toute nue, se regarde dans le miroir: son corps fait de rondeurs et de courbures, de douceurs et de creux. Elle aime ce corps, instrument de plaisir et de vitalité. Elle est contente d'être femme, solidaire de toutes les femmes: de leur corps célébré comme de leur corps battu et humilié. Elle peut presque ressentir leur plaisir ou leur souffrance. Puis aussi de ces corps de femme qui accouchent la nouvelle vie, un peu partout sur la terre. Elle est fière de ces corps de femme, celui des noires et des blanches, des brunes et des jaunes.

Puis elle pense à toutes les jouissances de ces corps de femme lorsque le plaisir les vibrent et les cabrent de la tête aux pieds. Tous ces membres se raidissent pour conserver le plus longtemps possible le plaisir. Elle entend ces cris de joie, de toute cette vie qui déborde et qui éclate. Elle sait que de ce plaisir naîtra d'autres vies. Elle est fière de son corps de femme!

Et là, elle ressent à distance le goût de ce pénis de l'homme qui se gonfle et cherche entre ses cuisses de femme l'endroit chaud et humide. Elle pense à tous ces pénis de l'univers qui chercheraient à se glisser entre ses cuisses. Elle s'imagine toutes les femmes de tous les pays de la terre au creux chaud et humide qui reçoivent en elles ces pénis et elle est contente de ces corps d'homme: ces pénis portés par ces corps droits et angulaires, le corps de l'homme qui tend vers le corps de la femme, la tient sur lui, la serre et partage sa chaleur.

Elle est contente d'être femme, donneuse de vie. Elle est fière d'être de cette espèce pleine de différences: l'espèce humaine avec ses deux variétés si différentes et en même temps si proches, l'homme et la femme.

Les liens entre la vie et la différence sexuelle sont en fait si étroits qu'il n'est pas du tout étonnant que l'espèce la plus marquée sur le plan de la différence sexuelle[4], l'humain, soit également celle qui a atteint le plus haut niveau de vivant, le plus complexe mais aussi le plus harmonieux.

Il arrive pourtant qu'une personne cherche tellement à fuir son intérêt et son désir qu'elle pousse la différence à l'extrême. Dans ce cas, elle le fait de façon telle que la différence rejoint la zone de l'opposé au vivant, l'entropie ou la désorganisation, et cette différence finit par susciter davantage le dégoût et la mise à distance que le désir. Tout se passe comme si rendre le différent tellement différent protégeait la personne de son propre désir. Pour fuir son désir, une personne peut effectivement transformer une différence désirable en une étrangeté inaccessible - ce qui conséquemment éveille chez elle soit du dégoût, de la peur ou de l'idéalisation, mais pas du désir. La différence marque alors la distance, l'impossible à rejoindre. Pour certains adolescents, par exemple, la femme devient d'essence tellement différente qu'elle est vécue presque comme un extra-terrestre ou une divinité. La femme (ses idées, ses émotions, ses goûts et son corps) est perçue d'une nature tout à fait autre que la sienne. La similitude, ce qui permet d'approcher, est alors rendue impossible parce que niée. C'est souvent le résultat de l'absence de contact réel entre les sexes au profit d'un contact rêvé et fantaisié.

En somme, les grands critères de la réalité et de la justesse de la différence sexuelle s'organisent autour du principe d'être au service de la vie. Sont réelles et justes les différences sexuelles qui permettent de reconnaître l'autre sexe, de susciter le désir, de favoriser le rapprochement et par cela de continuer la vie. Sont

---

4.   L'espèce humaine est celle où les différences sexuelles sont les plus marquées (voir Sullerot, Evelyne 1978).

donc réelles et utiles, toutes les différences sexuelles qui favorisent l'un ou l'autre de ces critères; sont inutiles, toutes les autres.

Variété du rapport à la différence sexuelle

Chez la personne humaine, à cause de la riche complexité de son émotif et de son symbolique, les différences s'organisent en *un style personnel* composé de nombreux ingrédients (corporels, émotifs ou autres) qui viennent personnaliser pour chaque personne la différence d'une autre.

Lorsqu'il pense à Maude, Michel contemple bien sûr son beau visage, le mouvement gracieux de son flottement féminin, son rire cristallin et la douceur musicale de sa voix. Pourtant son goût de la différence de Maude va plus loin: c'est ce petit quelque chose de spécial qu'il appelle son *parfum féminin*. Il est fait de sa manière de parler tout en souriant, de ses attitudes face à ses enfants; de la caresse qu'elle donne à ses cheveux tout en le regardant droit dans les yeux; le sens qu'elle cherche à sa vie, le bien qu'elle transpire; sa capacité de laisser aller l'hostilité, l'agressivité; son sens inné de l'amour. Elle transpire la bonté. Michel est content qu'elle existe. Seulement penser à elle, le calme et le bonifie. Cela réveille aussi l'affirmation de lui-même. Elle aime la mer et le sable; lui, la montagne et le frais. Michel goûte sa différence à travers tout le style de la personne de Maude.

Le jeu des différences sexuelles chez l'être humain explique bien des choses. Par exemple, on se plaît à dire qu'au printemps, on se sent vivifié par le goût de l'autre sexe et même qu'on tombe en amour. Tout en respectant l'influence du jeu des hormones et du renouveau, il n'en demeure pas moins qu'une des caractéristiques de la conduite humaine au printemps, après le renfermé de l'hiver, c'est que chacun sort de chez lui et montre un peu plus *ses différences*. Le doux temps amène effectivement chaque personne à présenter davantage ses différences et cela n'est sûrement pas sans lien avec la naissance ou le déclenchement de l'intérêt sexuel. À partir de cet intérêt sexuel, chacun s'approche de l'autre et de ce rapprochement, chacun perçoit les subtiles différences qui le font en un deuxième temps «tomber en amour»[5]. En somme, c'est comme une sorte d'enchaînement. D'abord le dévoilement de la différence qui attise le désir; le désir qui suscite le rapprochement; le rapprochement qui fait que l'on découvre encore plus une autre personne dans ce qu'elle est et possède de spécifique; enfin, des sentiments se développent et on «tombe en amour». Un monde sans différence, un univers sans printemps pour présenter et montrer ses différences, serait bien morne puisque sans tension et sans polarité homme/femme.

La place qu'occupe une personne sur le continuum *du différent au semblable sexuel* explique le type d'émotion qu'elle éprouve devant la différence de l'autre. Par exemple dans le désir homosexuel, il existe une possibilité de colère et parfois même de haine suscitée chez la femme homosexuelle par l'homme efféminé et la même chose chez l'homme homosexuel, pour les femmes masculinisées. Ce type

---

5. Ce type d'explication, à notre avis, sert tout autant la compréhension du choix d'un conjoint ou de la genèse de l'amour que ceux qui font référence aux expériences du passé ou aux images parentales.

de colère se retrouve souvent aussi chez l'homme hétérosexuel devant le travesti ou le transsexuel mâle.

Denise, en cravate et pantalon, attend en file à l'entrée du cinéma. Elle est accompagnée de Maryse, sa partenaire. Devant elle, deux hommes discutent à voix élevée et tonalité chantante tout en déployant des gestes larges et amples. Ils sont colorés, voyants et féminisés. Denise sent la moutarde lui monter au nez «mais pour qui se prennent-ils ces hommes en mascarade? Venir se montrer ainsi en spectacle. Qu'ils disparaissent de mon regard». Elle est en colère. «Il faut le faire, se faire passer pour des femmes». Puis, elle sourit doucement. «Dans le fond, c'est que j'ai peur qu'ils me trompent, qu'ils me déjouent le désir que j'ai de la femme par leur prétention d'être femme; j'ai peur d'être jouée et bernée, c'est là la source de ma colère».

La colère vient de la crainte de se faire berner par la fausse différence et ainsi de se tromper de partenaire. L'homme homosexuel, non intéressé à la femme, peut sourire devant ce spectacle de deux hommes efféminés qui pour lui ne représentent rien d'autre qu'un spectacle. Lui, c'est devant la femme masculine que se soulève sa colère puisque c'est là qu'il peut se faire jouer le désir par l'apparence, c'est-à-dire confondre cette femme d'allure masculine avec un homme et alors se méprendre quant à l'objet de son désir. Cette fragilité toute humaine à l'erreur (en autant que chacun ne prenne pas ses peurs pour des sagesses et ses haines pour des saintes colères) peut même nous faire croître en raffinant nos perceptions. D'ailleurs la vie se chargera bien de défaire nos trop pleins d'émotions si nous y sommes fidèles.

Le contexte de vie d'une personne explique bien les repères qu'elle choisit pour loger sa différence et celle de l'autre sur le continuum du différent au semblable sexuel. Par exemple pour l'homme homosexuel, la différence qui suscite le plus son désir, c'est l'homme masculin et même hétérosexuel, point extrême de sa différence et donc, de son désir; puis, c'est une sorte d'indifférence, comme un point zéro émotif pour la femme hétérosexuelle et féminine; finalement, c'est de la colère et de la haine pour la femme masculine et homosexuelle. Tous les hommes et toutes les femmes, homosexuels ou hétérosexuels, se placent ainsi, en fonction de leurs propres critères, sur le continuum qui va de ce qui est désirable à ce qui suscite l'indifférence et à ce qui soulève la colère.

Quand la différence devient menaçante : l'anxiété existentielle

Si la différence est riche de possibilités pour susciter la vie et le goût de vivre, elle soulève également une bonne dose d'anxiété existentielle car, sur certains aspects, elle menace - tout comme la similitude d'ailleurs. La similitude et la différence possèdent effectivement chacune leur versant d'angoisse. D'un côté, sur l'axe de la différence, l'être humain est seul et séparé; de l'autre côté, sur l'axe de la similitude, il est partie d'un tout, d'un ensemble. Mais d'un côté comme de l'autre, l'angoisse est au rendez-vous même si elle se manifeste différemment. En effet, séparé, il risque d'être isolé, coupé de l'autre et de l'ensemble donc, seul et dépourvu ou encore aux prises avec les angoisses de rejet, d'abandon ou de vide; partie d'un tout, il risque d'être réduit justement qu'à une simple partie sans identité propre, autonomie ou indépendance et se voir, par le fait même, noyé dans l'autre. En somme, il sera toujours séparé et distant des autres tout en étant incomplet et en manque sans les autres. C'est là le destin de tous et chacun.

La personne qui conscientise que les autres sont différents d'elle réalise encore plus qu'elle n'est qu'une partie et qu'elle a besoin de l'autre, du différent; non pas comme une dépendance mais avec un souci d'harmonie subtile et de complétude. C'est aussi là que réside sa principale source de distorsion. Plutôt que de réaliser et d'accepter qu'elle est séparée et seule tout en étant une partie d'un ensemble, la personne tait et refuse toute différence et ainsi se voit comme dans un tout, sans conscience de sa solitude. Ou encore, elle exagère sa différence avec l'autre et ainsi éteint son anxiété de ne pas être acceptée par les autres. Elle forcera alors l'autonomie et l'auto-suffisance. Elle est différente et ce qui n'est pas elle sera dorénavant méprisable et méprisé. L'anxiété est ainsi bien sûr diminuée mais la peur de l'autre fleurit et croît. Écartelée entre l'anxiété d'accepter l'autre en tant qu'autre et celle de disparaître dans la similitude, elle devra choisir la position existentielle de réconciliation de ses paradoxes dans une unité transcendante d'éléments disparates et inter-reliés.

Tant que Paul mettait sur le dos de son manque de confiance en lui ses difficultés à se trouver une compagne, il tournait en rond: «J'ai besoin de confiance en moi pour conquérir» se disait-il «mais la conquête d'une femme m'est nécessaire pour avoir cette confiance. Si je considère les femmes comme de simples copines, je ne veux rien savoir de leurs misères et si je les désire, je les vois comme des déesses, donneuses de vie et extraordinaires». Mais le jour où il a accepté qu'une femme est en grande partie comme lui, c'est-à-dire humaine et soumise aux mêmes misères de l'existence de vivre et de mourir et que par ailleurs, une femme est aussi différente par sa féminitude et son besoin de l'homme, Paul s'est trouvé une compagne à désirer, à chérir et à aimer. «C'est ce que je pense de moi-même qui est changé: je ne suis ni un misérable ver de terre indigne d'une femme, ni un petit roi qui a besoin de dominer pour exister; je suis un homme ordinaire et limité et j'apprécie la merveilleuse différence de la femme, cette compagne de mon humanité».

Identité et rôle: cohérence et congruence

Le rôle sexuel, la féminité ou la masculinité, est à l'identité sexuelle ce que le langage est à la pensée. Il sert à exprimer son être et son appartenance sexuelle tout en étant aussi créateur d'identité sexuelle. L'identité sexuelle suscite le rôle sexuel et le rôle sexuel raffine l'identité sexuelle. Toutefois, si le langage ne peut pas facilement s'éloigner de ses liens avec la pensée; le rôle sexuel, chez l'homme comme chez la femme, peut servir à bien d'autres choses qu'à l'expression de l'identité sexuelle et répondre alors à toute une panoplie de motivations qui vont bien au-delà de la mise-au-monde de son être-homme ou de son être-femme.

Chez la femme, on retrouve plusieurs sortes de féminité toutes aussi différentes les unes que les autres que le sont les fleurs d'un jardin. Dans la féminité poussée à l'extrême, par son opposition, l'homme peut rapidement devenir une menace, un danger. La femme extrêmement féminine se vit comme une pure délicatesse, une fragilité telle que, quelque part en elle, elle croit que l'homme ou la masculinité, par le caractère intrusif de sa sexualité, ne pourrait que la briser, voire même la détruire. Le rapprochement ne pourrait donc, à la limite, venir que d'une autre femme, tout aussi délicate. C'est l'attrait pour la similitude qui, elle, n'est pas menaçante. C'est comme si elle se disait que seule une femme sait caresser ce corps de porcelaine sans le blesser; un homme, c'est trop différent.

Lise a toujours poussé à l'extrême sa féminité: dans ses vêtements, sa voix et ses manières. Elle a toujours cherché à être le plus femme possible. Toute petite, sa famille la voyait déjà tellement fragile qu'elle lui interdisait de sortir dehors par grands vents de peur que le vent l'emporte. Ainsi, entourée et sur-protégée, elle découvrit que plus elle insistait sur sa féminité, plus elle recevait protection et sécurité. À 30 ans, elle s'étonne de n'avoir jamais connu de vrais désirs sexuels pour un homme. Elle n'a jamais connu de passion. Ses amants sont toujours trop présents, trop vulgaires, trop brusques. Ce qu'elle désire, c'est une caresse par la délicate main d'une femme. Seule une femme peut éviter de meurtrir la délicatesse de ses chairs et de l'écraser sous son poids.

Ce type de féminité engendre une telle fragilité que la femme ne risque pas de rencontrer la différence sexuelle, l'homme, de crainte de se défaire sous son impact. Si, à cette perception d'extrême délicatesse s'ajoutent les valeurs véhiculées par des idéologies qui présentent l'homme comme un brutal, un brusque et un dur qui humilie, bafoue et abuse du différent de lui, la femme; on peut comprendre que le désir ne se soulève peu, pas ou jamais par peur d'une telle différence, et qu'il soit alors impossible de s'abandonner au plaisir avec une telle menace déchirante. Ces idéologies éloignent malheureusement l'homme et la femme. Pour en connaître la genèse et la vérité, il faudrait toujours parvenir à déceler à qui profite une telle idéologie qui en faisant de la différence sexuelle un synonyme de menace ne peut que nuire aux rapports homme-femme déjà si complexes.

Quand la féminité atteint ce point extrême, le désir de la femme, si elle se risque à rencontrer l'homme, pourrait être parfois utilisé pour obtenir de l'homme qui l'aime des garanties quant à son engagement. C'est comme si la femme s'attendait à ce que - si elle s'abandonne à son désir en offrant à l'homme son corps - l'homme lui garantisse en retour fidélité et sécurité, affective et financière. C'est comme si, parce qu'elle donne son corps, elle serait en droit de recevoir et d'exiger tout de l'autre. Ce serait alors une forme de narcissisme féminin porté à l'extrême.

Claire connaît tout le désir de Philippe pour elle et elle s'en réjouit. De ce désir qu'elle entretient de temps en temps, elle peut continuer à obtenir la sécurité et la protection. Un jour, devant la mesquinerie de Claire dans l'offrande de son corps, Philippe se ressaisit et décide de rencontrer d'autres femmes. Claire, tout étonnée de cette coupure, l'apostrophe: «Mais nous avons fait l'amour... tu me dois un meilleur sort!» «Oui nous avons fait l'amour» rétorque Philippe «et puis après? J'espère que tu as été heureuse de le faire; pour moi, ça finit là!» Il a brisé le joug de se laisser enfermer par son désir pour Claire. Celle-ci, toute défaite, réalise que son corps pouvait lui servir effectivement de marchandise d'échange pour la sécurité et, Philippe n'est plus là!

Cette différence sexuelle poussée encore plus loin à son extrême limite, plutôt que de la porter de manière appropriée et harmonieuse avec soi-même, soulève habituellement chez l'adulte tout à fait le contraire de ce qui est souhaité. L'homme *exagéré dans sa masculinité*, au lieu de soulever la confiance et la dépendance de la femme, suscite la peur et la mise à distance; la femme *extrême dans sa féminité*, au lieu de soulever la protection, la tendresse et la délicatesse de l'homme, risque de susciter la brusquerie, la dureté, la haine et parfois même le sadisme.

À 45 ans, Pierrette se fait refaire les seins. Depuis son adolescence, elle étale à grands coups sa délicatesse et sa fragilité. Ses vêtements cherchent toujours à marquer sa féminité. Son ami, qu'elle a connu dans un échange de lettres, est incarcéré pour vol avec violence. Elle trouve en lui toute la force et la sécurité pour la protéger. Voilà qu'un jour, lors d'une de ses sorties, il se déchaîne. Avec un de ses comparses il l'oblige à des obscénités effarantes. Il force la fille de Pierrette à lécher sa mère. Plus Pierrette déclare son impuissance, plus il s'acharne sur elle. Il l'a détruite. Depuis, Pierrette se demande comment tout cela a été possible alors qu'elle a toujours offert sa féminité.

Le rôle sexuel, féminin ou masculin, constitue, répétons-le, un langage qui doit servir à la personne pour exprimer son être et son appartenance intérieure, c'est-à-dire son identité sexuelle. Se servir du rôle sexuel à d'autres fins risque tout simplement de rendre muette l'identité sexuelle. La cohérence et la congruence entre l'identité et le rôle qu'exprime la personne authentifient son message. Lorsqu'elle est vraie et honnête, l'autre perçoit sa réalité intérieure et son harmonie entre être et paraître, et cela suscite le désir d'elle.

Il y a dans la manière de Marie de manifester sa féminité une présence sobre et discrète tout en étant bien marquée. Le maquillage de ses yeux et de ses lèvres s'harmonise avec son regard et son sourire. Sa démarche ronde et posée n'empêche pas de sentir sa direction. Assise, elle accueille tout en étant réservée. Elle attire et suscite le goût d'elle. Lorsqu'elle parle, sa voix est légèrement chantante mais sans plainte ni étirement. Elle a l'odeur de la féminité qu'elle porte bien. Elle soulève chez l'homme qui la désire, sa masculinité et sa fierté d'être différent d'elle.

Désirer le différent fait croître, soi et l'autre

La joie est double dans le désir. Il y a celle de se *reconnaître* dans l'autre par la similitude et il y a celle de *connaître* l'autre par sa différence. Cela revient à dire que pour l'homme comme pour la femme, c'est là l'occasion ultime de reconnaître chacun *leur* humanité (similitude), et de connaître chacun *leur* sexualité (différence). Nous pourrions même ajouter une troisième joie, c'est-à-dire que le désir de la différence permet au sujet désirant de se découvrir lui-même, encore plus, dans sa propre différence. Par exemple, un homme qui désire une femme se reconnaît et se vit encore plus comme homme puisque la féminité de celle qu'il désire mobilise en lui toute la masculinitude que déjà il possède. Désirer le différent rend donc l'implicite, explicite, c'est-à-dire, principalement, termine l'incomplétude première et selon son sexe, la masculinitude ou la féminitude. Encore plus, désirer ce qui est différent éveille la personne à de nombreuses ressources et/ou sensations non pas nouvelles, parce qu'elles existaient déjà, mais méconnues ou non utilisées jusque là. En désirant, le désir du différent s'élargit pour croître encore plus mais aussi pour s'assurer plus de continuité. Dans le désir du différent, la personne éprouve, entre autres, un plaisir d'être touchée intimement par un autre qui diffère d'elle et elle expérimente un éveil, une chaleur, fait de tremblements, de contractions, de relâchements et de vibrations de son corps et de sa personne.

Pascale ressent bien le plaisir que déclenche son goût pour Luc. C'est comme un éveil d'émotions subtiles en elle. Elle se sent plus vivante par ce désir et plus large par cet émotif. Elle est pleine par la différence de Luc tout comme une plante est gonflée par l'humidité et, à cause d'elle, présente encore plus le contraste de ses couleurs.

Ainsi, la conscience du manque, de l'incomplétude fondamentale liée au fait de n'être que d'un seul sexe, n'appauvrit pas la personne. Bien au contraire, elle l'ouvre et l'oriente vers le désir de la différence. La conscience du manque constitue la source première du désir. Le désir de la différence est en fait plus profondément un désir, illusoire bien sûr, de mettre fin, l'espace d'un moment, à l'état d'incomplétude. En même temps ou en plus, répétons-le, le désir pour l'autre, le différent sexuel, permet à la personne de découvrir et de dévoiler des potentialités et des ressources qui en elle sommeillaient. Le désir permet la rencontre de l'autre sexuel et alors permet au sujet désirant de devenir encore plus lui-même, c'est-à-dire de s'approprier de ses sensations, de ses émotions et de toutes les nuances affectives inscrites au plus profond de son être. Ainsi désirer le différent, c'est se découvrir soi-même par et avec l'autre.

Chez tout être humain, il y a la vie qui palpite pour venir au monde et des potentialités qui «crient» pour s'actualiser. Cette mise-au-monde de soi n'est pas possible sans le désir du différent qui amène la prise de conscience de ses ressources, particulièrement de toutes ses émotions qui n'étaient que possibilités mais qui par lui (le désir) deviennent réelles, existent.

Désirer le différent est donc entièrement au service de la vie et essentiellement une caractéristique et un puissant stimulant au goût de vivre. Désirer ce qui diffère de nous (en général et en particulier le différent sexuel) nous permet non seulement de nous soulager temporairement (quoique illusoirement) de notre état fondamental d'être séparé et incomplet, mais cela nous permet en plus de connaître l'autre, de le créer à lui-même comme il nous permet aussi à nous-mêmes d'exister encore plus, donc de vivre. C'est peut-être plus clair maintenant en quoi des attitudes de méfiance, de mépris ou d'hostilité envers la différence, bien qu'elles s'expliquent et se comprennent par l'insécurité, nuisent davantage qu'elles aident au goût de vivre.

Si désirer le différent c'est effectivement se contacter pour advenir encore plus, il y a tout avantage à désirer. C'est justement par le désir qu'on devient plus, qu'on croît plus et en cela qu'on participe plus à la vie et à l'humain. Le désir fait croître, soi et l'autre.

Vous vous dites peut-être que tout cela est bien intéressant mais n'est-ce pas là une vision très idéalisée du désir de la différence? Que faites-vous du désir qui demeure sans réponse ou dont la réponse est frustration? Le désir qui frustre, épuise ou vide de sa vitalité le désirant est un désir mal pointé. En fait, si l'*avoir,* dans le sens d'*avoir ce que l'autre a et que le désirant n'a pas,* structure le désir, il y a cette retombée qui permet au désirant de mieux *s'avoir* lui-même. Par son désir, son goût d'avoir l'autre, il s'approprie lui-même; il devient par le contact avec le sujet désiré; il actualise un possible et un potentiel en lui-même. Par contre, le *«vouloir avoir»* peut perdre sa noblesse lorsqu'il n'y ajoute pas *«pour être»*. Si le vouloir avoir n'est pas pour être davantage, il devient désespérant et c'est là qu'il tourne à vide. Il s'oppose alors à la croissance de la personne. Si ce *vouloir avoir* devient trop insistant, trop envahissant et trop absolu, il prive la personne du contact avec elle-même, lequel contact lui est nécessaire pour être et devenir ce qu'elle peut devenir.

> Louis désire la masculinité de Jean. La sienne lui est comme insuffisante, incomplète. La sienne, il la rejette, la méprise et doit la taire pour *vouloir avoir* celle de l'autre. Or justement la masculinité de Jean ne s'intéresse pas à celle de Louis puisqu'elle cherche la féminité, et Louis se défait sans cesse par son désir sans réponse.

Devant ce tournage à vide, le désirant est réduit à se camoufler et à se mentir pour donner à l'autre l'illusion de sa différence.

Sébastien s'affuble des atours féminins, vêtements et maquillage, pour susciter le désir chez l'homme, surtout l'homme hétérosexuel. Il cherche par ses gestes et ce camouflage à ce que le désir hétérosexuel porte sur lui. Et sa tragédie, c'est qu'il soulève plutôt la haine et le mépris que le désir des hommes qu'il croise. Désespérance!

On ne peut pas voler quelquechose à l'autre en cachant quelquechose de soi-même. Comme le droit d'aînesse, ce qui s'obtient par la mascarade demeure un leurre et l'illusion d'un droit. Seule l'authenticité permet de savourer pleinement la rencontre de l'autre, du différent.

L'altérité, ou la limite du désir de l'autre

Désirer repose en définitive sur trois choses: être authentique, être davantage et l'acceptation de la limite imposée par le désir de l'autre. Pour être en mesure de continuer par son désir, la personne doit effectivement accepter que l'accomplissement de la plénitude de son désir (même si celui-ci peut exister sans le désir de l'autre) dépend justement du désir d'un autre. C'est l'altérité qui le veut ainsi. Or la réponse à ce désir d'être ne peut venir que de celui ou celle pour qui l'être du désirant se respecte et se veut, donc se désire. Le désir tourne à vide, frustre et épuise chaque fois qu'il est pointé sur ceux ou celles qui sont indifférents à l'être du désirant, mais aussi, à chaque fois que le sujet désirant n'accepte pas que l'autre, parce qu'il est autre, a le droit de ne pas répondre à son désir même si cet autre est aimant plutôt qu'indifférent. Le désir du désirant prend sa limite là où commence le désir d'un autre. L'autre ne peut pas être réduit à une chose dont on dispose en fonction de son propre désir. Il est autre, en soi, et justement parce qu'il est autre, il est libre de répondre ou non à l'appel du désir du désirant. Le désirant doit l'accepter.

Tant que l'humain ne se réconcilie pas avec cette limite qu'impose l'altérité, son désir l'épuisera. Si, au départ, il accepte que la réponse à son désir est nécessairement limitée à ceux ou celles pour qui son être et son devenir importent, mais que même là, il accepte aussi de confronter l'état incontournable du désir de ces autres dans leur altérité; s'il accepte tout cela, il aura plus de chance de continuer son chemin avec calme et sérénité. Ces deux limites acceptées, il cesse de tendre vers la possession pour se laisser être davantage. Il énergise encore plus son désir qui s'enracine alors dans les profondeurs de son existence.

L'altérité n'est, bien entendu, jamais facile à accepter. Cependant, elle l'est encore moins quand le désir du désirant dépend totalement et entièrement du désir d'un autre. C'est particulièrement le cas lorsque l'essentiel du désir du désirant consiste à «vouloir être désiré».

Quand il occupe entièrement l'espace de la conscience, l'ennemi le plus direct du désir de la différence de l'autre, c'est certainement le «vouloir être désiré». Il y a sûrement un plaisir sain, une forme de contentement de soi-même lorsque nous parvenons à susciter le désir de l'autre; cela se reçoit comme un cadeau. Par contre, lorsque ce *vouloir être désiré* s'exerce au détriment du désir propre, la conscience, en se fixant sur *vouloir* que l'autre désire, prive son propre désir de sa vitalité et de ses racines. La personne s'installe alors dans un rapport de dépendance face à l'autre. Elle dépend de son regard et de son attention pour se sentir quelqu'un, à ses propres yeux et à ceux de l'autre en général, et de cette façon, son potentiel de désir pour l'autre différent d'elle laisse place ou se change en hostilité à chaque fois que cet autre ne la désire pas.

Ce *vouloir être désiré*, ou si l'on veut, le désir du désir de l'autre, peut aussi signifier plusieurs autres choses. Par exemple chez certaines personnes, aussi étrange que cela puisse paraître à première vue, le désir du désir de l'autre peut être recherché comme une permission nécessaire pour être, pour actualiser ses ressources. C'est un peu comme si, par son désir, l'autre vient signifier à la personne que ce qu'elle est a suffisamment de valeur, non pas seulement pour être désirée mais, pour advenir, pour être: «Si tu me désires, ce que je suis vaut la peine; je peux me permettre d'être.» Chez d'autres personnes, ce vouloir être désiré semble plutôt mis au service d'un certain refus de répondre ou de prendre la responsabilité de son propre désir. Le désir n'est permis que s'il est initié par l'autre. Ainsi, puisque l'autre désire, le sujet peut désirer à son tour. Il ne se sent pas responsable parce que, justement, la responsabilité c'est entièrement à l'autre qu'il l'attribue.

En somme, le goût de la différence, de l'autre comme différent parce que autre, doit être conscientisé et énergisé par l'identité de la personne qui désire. Sans cela ou plutôt sans un sujet qui s'approprie ce désir, le goût de l'autre se transforme en vapeur, perd sa substance et se détourne de sa finalité première (la croissance du sujet vivant et désirant) pour à certains moments se transformer en son opposé, c'est-à-dire, au lieu du désir, de l'hostilité et de la rage face à l'autre; ou bien, au lieu d'un sujet qui désire, un sujet qui se laisse désirer, ou dont le seul désir est d'éveiller celui d'un autre. Celui qui se coupe ainsi de son propre désir pour se focaliser sur l'attente du désir de l'autre prend le risque de se voir constamment flotter au gré du désir d'un autre. L'insistance sur le *vouloir avoir* prive de l'énergie nécessaire au simple *vouloir*: «si je veux trop qu'elle me désire, je n'ai plus d'énergie pour simplement, moi, «vouloir». «Vouloir être désiré» à tout prix, risque donc de placer la personne dans le désir de l'autre et c'est alors l'autre avec son désir et sa forme de désir qui occupera tout son espace. Le pouvoir de désirer soi-même est ainsi laissé à l'autre dont le désir peut envahir la personne, la happer littéralement; sinon, la rendre totalement confuse parce qu'elle est si loin de son propre désir.

Tout jeune adolescent, Paul désirait toutes ces belles femmes - depuis ses cousines jusqu'aux voisines, ses compagnes de classe tout comme les vedettes de cinéma. Il s'imaginait des scènes d'intense érotisme avec chacune d'elle - profitant de leurs beaux corps et des sensualités incommensurables qui en émergeaient. Il ne portait jamais jusqu'au bout son désir, il le stoppait et le coupait avec ces petites phrases: «À quoi ça sert, elles ne voudraient jamais de moi. Elles me rejetteraient à la moindre approche et surtout, elles me mépriseraient pour ma vulgarité de désirer ainsi leur corps». Il se ravalait le désir tout en ajoutant «si un jour, j'en attrape une, elle paiera pour toutes les autres, je la mépriserai à mon tour. Je la snoberai et lui ferai payer les rejets des autres». Cette rage, aussi réelle que puissante, ne prenait source que dans sa tête et ses pensées, même si effectivement il n'avait jamais été rejeté. Puis lentement, ce désir s'est transformé en un goût *d'attraper* l'autre, la femme, un goût du tape à l'œil, d'attirer le regard. Servi par un physique avantageux, un grand blond aux yeux bleus, il s'employait à tenter de séduire. Tant que le désir de la femme était assez fort, cela se passait bien; mais il est fréquent dans notre contexte culturel que la femme n'exprime pas son désir. En conséquence, Paul éprouvait bien des déceptions et cela énergisait sa rage. Bien plus, un tel déploiement de charme lui valait des avances de certains homosexuels. Cela le conduisait à une plus grande confusion.

Désirer et être désiré : un doux équilibre

Il existe un doux équilibre entre désirer et être désiré. Il s'installe dans l'harmonie entre *être soi-même* et *recevoir de l'autre*. Bien sûr, une conscience plus fine et plus nuancée de notre propre capacité d'attractivité, du sentiment d'être désirable pour l'autre, aide particulièrement à développer en soi une forme de pouvoir qui rend notre désir plus efficace et plus adéquat pour atteindre l'autre, celui ou celle qui compte vraiment. La femme semble parvenir plus facilement que l'homme à cet équilibre harmonieux, ce point limite entre rester ce que l'on est tout en recevant de l'autre. Voyez ce que Erikson (1968) en dit:

> La féminitude s'accomplit lorsque la désirabilité et l'expérience ont réussi à choisir ce qui peut être bien venu dans l'espace intérieur (p. 203). Une large part de l'identité d'une jeune femme est déjà définie par sa sorte de désirabilité et par la nature sélective de sa recherche pour l'homme (ou les hommes) par qui elle souhaite être désirée (p. 283).[6]

Lorsque l'harmonie s'installe, se crée en même temps un jeu de synergie entre le désir que l'on ressent et celui que l'on perçoit chez l'autre. Chacun s'entraîne mutuellement comme l'illustre si bien cet extrait de travaux sur le désir de jeunes femmes étudiantes :

> Le désir commence par ce sentiment tout particulier que notre objet érotique éveille en nous, avec tout ce qui le caractérise. Ce désir prend forme en nous.
>
> C'est dans la pensée portée sur notre objet d'amour, c'est dans la vision de lui, dans son odeur qu'on devient encore plus complice de notre propre intérêt sexuel. Ainsi la reconnaissance de ses propres ressources risque souvent d'intensifier, d'affermir et de motiver le désir pour l'autre. Ainsi, c'est dans l'acceptation de ce qu'elle est comme être humain que la personne s'approprie son intérêt pour l'autre. Elle arrivera ensuite à établir avec cet autre une relation réelle et aussi symbolique, de façon harmonieuse et enrichissante.[7]

La polarisation

Comment comprendre ce jeu entre un homme et une femme en dehors de l'appel de leur différence réciproque? Le désir s'éveille effectivement par la différence complémentaire que l'autre présente et offre. La femme présente à l'homme ce qu'il n'a pas et veut: sa féminité; l'homme présente à la femme ce qu'elle n'a pas et veut: sa masculinité. D'abord dans leurs corps formés de contrastes: rondeurs, courbures, creux et humidité chez la femme; angles, carrures, raideurs et vigueur chez l'homme. Plus profondément, à la base du désir de la différence se loge le besoin de durer, de se continuer le plus possible en tant que vivant et surtout, répétons-le, de compléter ses manques, ne fut-ce que l'espace d'un

6. Traduction par l'auteur à partir de: «Womanhood arrives when attractiveness and experience have succeeded in selecting what is to be admitted to the welcome of the inner space (p. 203). Much of young woman's identity is already defined in her kind of attractiveness and in the selective nature of her search for the man (or men) by whom she wishes to be sought». (p. 283). Erikson (1968).

7. Adaptation synthétique de travaux d'étudiantes en sexologie. UQAM.

instant. Le désir repose donc sur le goût de l'enrichissement du moi par le non-moi, plus particulièrement, le besoin de féconder l'inachevé en soi par l'autre en tant qu'autre. Comme l'hydrogène «crie» après l'oxygène pour devenir eau afin d'éviter de se volatiliser par sa propre gazéité et pour plutôt «s'incarner» dans l'humidité; un peu de la même manière, l'homme et la femme à travers la rencontre sexuelle, l'espace d'un court moment, se complètent mutuellement pour toucher à l'extension de la vie, en eux, et pour se continuer encore un peu plus.

La polarisation qui s'établit ainsi entre le corps de l'homme et le corps de la femme s'élargit à mesure que la personne se développe à l'être-homme, à l'être-femme et à l'interpersonnel. Par extension, la personne de l'autre devient un sujet désiré, pôle correspondant au sujet désirant. La polarité du désir s'exerce d'abord dans le corps pour ensuite lentement s'élargir aux autres dimensions de la personne: l'intérieur, le subtil, le complexe et même le spirituel. L'apport important de l'intériorité dans le désir ne nie pas celui du corps. Au contraire, l'intériorité informe et densifie le corps du sujet désirant tout autant que celui du sujet désiré. Le corps qui est habité par une personne obtient une densité plus forte et l'intériorité qui habite un corps, une réalité plus enracinée.

Certaines personnes s'étonnent d'entendre qu'une femme soit, par exemple, attirée par l'intelligence d'un homme ou qu'un homme soit, par exemple, attiré par la profondeur d'une femme ou vice et versa. Cela n'a rien à voir avec le romantisme ou le spiritualisme, et le sujet désiré pour l'expression ou la manifestation de son intelligence ou de sa profondeur, ne devient pas pour autant vaporeux, c'est-à-dire sans corps. L'intériorité éveille le désir qui par la suite se corporalise, et c'est alors bien évidemment dans le corps qu'il se vit par des chaleurs pelviennes et des tensions musculaires avec un *élan vers* et un goût du contact corporel avec la personne dans ce qu'elle est, son intelligence ou sa profondeur. La femme est peut-être plus authentique dans l'expression de ce qui stimule son désir en la personne de l'homme. Lui, l'homme, est peut-être plus discret mais tout autant qu'elle, il peut être attiré par la personne et l'intériorité de la femme.

> Paul a lentement découvert son désir pour Maria. Au départ, il s'étonnait de la personnalité de celle-ci: sa générosité, son souci respectueux de l'autre tout en étant assurée d'elle-même. Il aimait rencontrer cette femme. Puis avec le temps, le goût de la rencontre s'est corporalisé. Il admirait son sourire et voulait se rapprocher de son corps plein de chaleur. Le désir né de la personne s'étendait maintenant au corps de Maria.

L'interpersonnel réconfortant, le rapprochement et la chaleur ressentie pour une autre personne, ouvrent les yeux et tendent les mains vers le corps de l'autre. L'inverse est aussi vrai, c'est-à-dire que le désir pour ce corps du sujet désiré peut également orienter la personne qui désire vers l'intériorité de l'autre. Alors, ériger l'interpersonnel, l'intériorité, ou le corps en absolu et le rendre l'unique critère de la rencontre sexuelle biaise nécessairement la réalité humaine. Les voies humaines qui unissent les personnes sont variées et nombreuses et aucune ne peut s'ériger en empereur sur les autres et énoncer ses dictats qu'il s'agisse de l'espace du corps ou de l'espace intérieur. L'important, c'est que l'ensemble des voies soit respecté.

En somme, il importe de retenir que le désir humain crée des relations interpersonnelles et à leur tour les relations interpersonnelles créent le désir; que le désir qui naît du corps s'élargit à l'intériorité et le désir éveillé par l'intériorité se corporalise. L'ensemble de la personne enrichit le désir sexuel, et le désir sexuel élargit la conscience d'être.

LE MÉPRIS DE LA DIFFÉRENCE

Identité fragile, insécurité et projection

Il n'y a évidemment pas que le sexuel qui éveille toute la problématique de la différence, c'est-à-dire les attitudes contrastantes qu'elle soulève, dans le désir que l'on a pour elle ou bien, dans son mépris qui mène alors trop souvent au rejet de l'autre ou à sa mise à distance parce que sa non-similitude est trop angoissante. Pour éloigner le différent, le mépris, cette émotion de rejet de l'autre, souvent s'installe. Cela se constate régulièrement dans le domaine des races[8], des cultures et des mœurs, et peut d'ailleurs facilement dégénérer en racisme. L'étranger, c'est le non-familier, de l'inconnu (ou plus précisément du non-connu) qui pour une personne insécure et mal identifiée, peut rapidement susciter la peur et encore plus des craintes d'anéantissement. Quelqu'un qui ne sait pas très bien ce qu'il est, risque effectivement de se sentir d'autant plus menacé par l'étranger qu'il sent cette différence comme un danger imminent de perdre sa propre spécificité, son identité. De là, cette peur tronque et réduit la perception de la différence qui se voit dès lors amplifiée, multipliée et exagérée. Une sorte de cercle vicieux s'installe: poussée à l'extrême, la différence augmente encore plus la peur, laquelle focalise encore plus la perception sur la différence. Non seulement sa peau est différente, sa religion l'est, mais ses mœurs, ses habitudes alimentaires[9] et ses émotions le sont également. Tout n'est que différence et motif à la distance. Puisqu'il n'y a que distance, tout le côté ombragé de la personne est projeté sur l'étranger et cela la plupart du temps à son plus grand détriment. Que l'on songe seulement aux allemands ou aux japonais durant la guerre 1939-45! Tout ce qui a été projeté, dit, sur eux qui en fait n'étaient que (mis à part ce que l'on savait de l'holocauste des juïfs) des «différents». La projection sur l'autre compense ce que la perception de cet autre sacrifie. Moins on perçoit, plus on projette; plus on projette, moins on perçoit.

Ce qui est dit d'un peuple, peut aussi facilement l'être pour une autre personne. Parce qu'elle dérange nos habitudes et brise la continuité avec nous-mêmes, *la différence* peut devenir pour une personne insécure un lieu privilégié de projection mais aussi, l'objet tout désigné pour recevoir invectives, apostrophes et étiquettes:

8. Selon Albert Jacquard (1978), géniticien, il est abusif de parler de races chez les êtres humains, du moins en termes de patrimoine génétique, parce que la distance entre les différentes «races» n'est pas assez grande: «La leçon première de la génétique est que les individus, tous différents, ne peuvent être classés, évalués, ordonnés: la définition des *races*, utile pour certaines recherches, ne peut être qu'arbitraire et imprécise». p. 207. Il est préférable de parler d'ethnie plutôt que de race.

9. D'ailleurs le différent culinaire est une des principales sources du mépris et du dégoût. La nourriture est une affaire symbolique qui entre en nous. Devant le différent constaté (par exemple lorsqu'on ne reconnaît pas ses ingrédients habituels) dans les mets de différentes cultures, on lève le nez ou le cœur, on se dégoûte. Les «French Pea Soup» se souviennent bien de cette époque de mépris.

«granolas», «phallocrates», «macramé power», «tapette», «nègre», «yuppis», etc. Et si on ajoute à cette capacité, une certaine facilité au diagnostic psychologique, l'arsenal est tout prêt.

Robert aime bien rencontrer les gens. Il s'enorgueillit de pouvoir mettre en catégorie tout ce qui l'entoure, particulièrement les étrangers. «Il a le diagnostic facile», disent ses amis. Le malaise qu'il éprouve devant les personnes de cultures différentes, il le réduit en accentuant leur distance de lui-même. Si ces autres sont peu soucieux de la compétition, ce ne sont que des «lavettes». S'ils le sont trop, ce ne sont que des «money makers». Peu importe ce qu'il en dit, il trouve toujours le moyen de blâmer les autres... pour leur différence.

De l'intolérance anxieuse à l'espoir d'une solidarité

Comme les êtres humains sont éminemment dissemblables, que les possibilités de voir des différences malgré les similitudes sont fort grandes et que les risques d'intolérance due à l'insécurité face au dissemblable restent toujours potentiellement élevés, la problématique soulevée par le rapport à la différence est sérieuse, peut-être même, à certains égards, inquiétante, notamment dans les relations interculturelles mais également dans les relations quotidiennes entre les hommes et les femmes.

En somme, la chaîne des attitudes se déroule ainsi: de l'identité fragile émerge l'insécurité; de l'insécurité, la peur; de la peur, la crainte de la différence; de la différence, l'exagération de la distance; de la distance, la projection. Le malheur d'une telle chaîne, c'est qu'elle coupe la possibilité du goût de vivre parce qu'elle nuit au développement et à la croissance de la personne dont un des plus puissants stimulants reste le différent. C'est effectivement par l'acceptation de la différence, quelle qu'elle soit, et son respect, que l'autre et, plus fondamentalement, la vie deviennent intéressants. D'ailleurs, c'est pour plusieurs (voir Bugental, 1970) le défi de la civilisation du 21e siècle: accepter, respecter et même cultiver les différences humaines.

À ces attitudes individuelles qui vont à l'encontre du goût pour la différence, attitudes essentiellement rattachées à l'insécurité quant à l'identité personnelle, s'ajoute une certaine valeur démocratique qui à son tour survalorise une aséchante égalité qu'elle oppose d'ailleurs à la différence. La démocratie plaide à la limite effectivement une conformité qui dénonce et refuse tout ce qu'elle perçoit comme différence, que ce soit l'élitisme ou le marginal. Quelque part pour elle, tous doivent être égaux. Pourtant, différence n'est pas synonyme d'inégalité. Ce qui est différent n'est pas nécessairement inégal, meilleur ou moins bon, mais autre et parce que autre il possède sa propre valeur. Nous pouvons être à la fois égaux quant à nos droits, et c'est bien qu'il en soit ainsi, et différents quant à notre sexe, race, culture, mœurs ou autres.

Si nous persistons à croire, et ce serait à tort, que «similitude» est synonyme de «égalité» et «différence» de «inégalité»; si nous continuons dans cette voie, toutes les belles civilisations et les cultures multicolores que l'humanité a secrétées dans la diversité et la différence, et qui ont conservé jusqu'à maintenant leur hétérogénéité dans la masse humaine - eh bien tout cela risquerait de disparaître rapidement ou du moins de se confondre dans une platitude uniforme.

Dans le désir d'un être humain pour un autre être humain, d'une différence pour une autre différence, il y a toute l'espérance de la solidarité universelle de l'humanité face au tragique de la conscience d'être d'une race de mortels, de finis et de séparés. Du goût pour la différence d'un autre émerge l'espoir de la réconciliation et de la disparition de la haine, de la violence et de la guerre. L'espoir que la vie, par le goût pour elle à travers un autre différent, gagne sur la mort. Le désir humain, c'est l'outil de la paix, de l'amitié et de la fraternité. Le désir va à l'encontre de la division, de l'inégalité et de la dichotomie, qui d'ailleurs ne tiennent plus devant le goût pour l'autre.

CHAPITRE 5

LE GOÛT DE L'AVENIR

La vie se pointe toujours vers l'avenir, vers le devenir. Bien sûr, elle s'enracine dans le présent, se «souvient» du passé mais dans son mouvement de vie, c'est vers le devenir qu'elle s'oriente. Et c'est vraiment pour l'avenir qu'elle est le mieux équipée. Le passé existe et sa valeur réside dans ce qu'il est la préparation au maintenant mais le mouvement de la vie, lui, tire encore et toujours vers le devant. Sans cela, sans cet élan vers l'avenir, même le passé n'aurait pas existé parce qu'il n'aurait pas pu se construire. En fait, le passé est le résultat de la continuité bâtie sur une série d'élans vers l'avenir. Le passé équipe l'avenir; l'avenir sans passé n'a rien à continuer et il ne cesse jamais de recommencer.

> Il n'y aura plus de ces fins de semaine ennuyantes comme celle que Louis vient de traverser. «C'est fini!» se dit-il «il en n'est plus question. Dorénavant, je les préparerai, je m'organiserai, je projetterai et je les rendrai à mon goût. Mes fins de semaine sont à moi et elles me ressembleront. Ce n'est que mercredi et j'ai déjà hâte à mon samedi. J'ai le goût qu'il arrive!»

La personne: un être sans cesse en devenir

Depuis le tout début de son existence, le vivant s'organise effectivement pour continuer vers l'avenir. Son système de reproduction, rappelons-le, se développe d'ailleurs avant tous ses autres systèmes comme pour d'abord s'assurer de sa continuité. Malgré cela, le vivant conscient, l'humain, oublie qu'il est préparé pour le devenir. Trop souvent, il s'accroche à son passé et trop souvent, dans sa rumination, il laisse une bonne partie de son énergie. Trop souvent il s'épuise à geindre de son présent et/ou à se plaindre de son passé et du même coup néglige impitoyablement sa perspective d'avenir.

Le goût de l'avenir, qu'il soit immédiat ou lointain, fonde le goût de vivre. Évidemment l'avenir reste plein d'incertitudes, de contingences et d'inconnus, et pour se tourner vers lui, la personne doit nécessairement posséder ou acquérir une sécurité de base, une foi en elle et en ses capacités d'adaptation. Chez la personne sécure, l'équilibre s'installe entre les racines du passé, la vitalisation du présent et l'appel vers l'avenir. Un avenir qui s'anticipe alors avec intérêt et avec un soin particulier pour ce qui adviendra, pour elle et dans sa vie.

> Tant que Pierre se coinçait dans la préoccupation exagérée de son présent et dans la honte de son passé, l'avenir n'était pour lui que la possibilité d'autres menaces. Sa vie était bloquée, sans horizon. Refusant de continuer sa vie dans cette morosité, il cherchait par tous les moyens à se vivre avec plus de satisfaction. Que dois-je faire? Qui dois-je être pour sortir de ce marasme? Un virement s'imposait. Il décida fermement de se tourner vers l'avenir, vers le devenir. Aujourd'hui, il est tout aussi intéressé à vivre ses journées qu'à préparer ses lendemains.

L'être de continuité qu'est le vivant, lorsqu'il est conscient, trouve sa spécificité par sa projection dans l'avenir. Sans cette projection, la vie se réduit de plus en plus. En d'autres mots, c'est parce que nous projetons que nous construisons notre avenir et qu'ainsi notre vitalité s'accroît. Par exemple, la personne déprimée se vit comme sans avenir, et enfermée dans un présent de lourdeurs, un présent statique qui ne possède ni espoir, ni fin, un présent qui ne cesse jamais. L'avenir n'existe pas, pas plus que ses manifestations: les projets, l'espérance et la capacité d'envisager ce qui vient. Il n'y a qu'une impuissance totale qui coupe la personne de sa vitalité pour l'orienter vers le terne, le statique et le morbide d'un présent mortifère parce que arrêté.

> Marie désespère de cette journée qui ne finit plus. Les heures s'égrènent lentement et s'étirent de plus en plus. Quand donc viendra la nuit pour faire cesser cette journée! Elle ne pense même pas à dormir — juste finir ce présent, cette journée trop longue — si lourde de difficultés et de problèmes.

L'avenir n'est pas seulement l'avenir éloigné. C'est aussi bien l'avenir immédiat — le «tantôt», le «ce soir», le «demain» — que le lointain — «l'an prochain,» «à la fin de mes études», etc.. Qu'il soit immédiat ou lointain, se pointer la conscience sur le devenir active l'impression de mouvement de la personne. Elle va de l'avant, elle marche vers, elle se dirige vers, qu'il s'agisse du projet de l'heure qui vient ou de celui de l'an prochain. Or comment expliquer les différences individuelles entre ceux et celles qui se pointent vers l'avenir et expriment ainsi leur vitalité, et, ceux et celles qui se vivent sans avenir, empêtrés dans le présent et coincés dans le passé? Une bonne partie de ces différences s'expliquent par l'usage ou non que ces personnes font de leur faculté d'intentionnalité. Bien oui, tout dépend de *l'intentionnalité*. C'est par l'intentionnalité que l'être humain forme et fabrique ses intentions lesquelles servent de pont entre la personne, là, présentement, et son projet, son avenir.

Se projeter dans l'avenir: une question de confiance et d'espoir

Celui qui n'intentionnalise pas, ne se construit pas d'avenir. Sa vie est une succession de présents tout aussi sclérosants les uns que les autres. Or, si l'intentionnalité est une faculté humaine, comme la volonté et l'intelligence, pourquoi certains n'intentionnalisent pas? Qu'est-ce qui favorise le fonctionnement de l'intentionnalité? Comment naît une intention? Répondre à ces questions c'est plonger jusqu'aux racines du goût de l'avenir, cet ingrédient du goût de vivre.

Il peut y avoir impossibilité de ressentir le goût de l'avenir, donc pas d'avenir ni de devenir, quand une personne a, par exemple, accumulé tellement de misères et d'échecs dans son passé que, pour éviter leur répétition, elle bloque en elle son intentionnalité et son projet.

> Pendant de longs mois, Pierre a rencontré échecs sur misères. Chaque coup de téléphone, chaque lettre qu'il recevait, chaque visite d'un ami transportait sa mauvaise nouvelle. «Tant que je continue» se disait-il, «j'accumule les déceptions, les problèmes et les misères. J'en ai assez. Je n'arrive même pas à trouver l'énergie pour régler les problèmes qui sont là; pas question d'en accumuler d'autres.» Au début, il ne craignait que l'avenir: l'arrivée du facteur, le début de la semaine, le retour à la maison. Cette crainte ne l'empêchait pas de collectionner des problèmes. Graduellement, il se ferma à l'avenir. Il se forçait à ne plus penser à ce retour à la maison, à l'arrivée du facteur, etc. Il refusait d'être conscient du devenir. Puis, cette attitude le conduisit à ne plus faire de projets, à

ne plus avoir d'intention. Il se figeait complètement dans un présent morose et il perdait lentement et graduellement son goût de vivre.

Ce qui emprisonne la personne dans le présent n'est pas autant l'accumulation de problèmes et de misères que le sentiment incessant de ne pas pouvoir les surmonter. C'est l'impression écrasante d'être tout à fait incapable d'en venir à bout et que les problèmes sont à ce point envahissants que la personne se sent littéralement noyée par eux ou sous eux. Elle a l'impression d'un trop qui l'écrase et la laisse impuissante, mais surtout lui fait perdre conscience et confiance en ses ressources. Elle abandonne alors encore plus l'espoir dans l'avenir. L'être humain a pourtant besoin d'espérance, et de se pointer vers l'avenir pour ressentir ses possibilités et surmonter ses problèmes. Le paradoxe est donc le suivant: l'être humain a besoin de cet espoir dans l'avenir et de confiance dans ses ressources pour s'en sortir; or, quand il considère ses problèmes, la première chose perdue c'est justement cet espoir. Pour surmonter ses difficultés, l'être humain doit trouver une manière de résoudre le paradoxe puisqu'il a besoin de son goût de l'avenir pour se donner et ressentir son énergie et ses capacités et pour effectivement les utiliser. Espérer l'avenir énergise la personne et lui aide à s'utiliser pour défaire ses difficultés et ses problèmes. Le goût de l'avenir est essentiel pour que la personne sente sa vitalité bien présente, accessible et pour qu'elle soit en mesure de puiser toute la vie qui existe en elle et autour d'elle.

> Brigitte adore espérer! Elle a hâte à ses vacances; elle rêve de son Noël tout blanc; elle compte sur son temps libre en fin de semaine: elle ne cesse de projeter et elle aime tellement le faire. Son espérance soutient son quotidien lorsqu'il est trop pénible — ça lui permet de mettre des fleurs dans la grisaille de son présent.

L'intentionnalité, ou le pouvoir de l'intention

Peut-on aller plus loin dans la compréhension de ce qui bloque l'espérance à propos du demain? Lorsque la vie n'est plus perçue autrement que comme une succession de présents suffocants, la personne en vient à craindre que l'avenir la remette sans cesse en contact avec de nouvelles misères et de nouvelles souffrances, comme si le ciel ne promettait à l'horizon que tempêtes et orages. Pour sortir de cette prison, la personne doit arriver à utiliser davantage son intentionnalité. Elle doit parvenir à former des intentions qui la tiennent et la portent dans le présent. Qu'est-ce que cela veut dire? L'intentionnalité, c'est plonger dans notre propre subjectivité[1], là où il n'y a pas de manière de faire, il n'y a que manière d'être et c'est donner un sens, une signification à notre expérience, à savoir à ce que nous ressentons, éprouvons, imaginons ou pensons. Par l'intentionnalité, la personne est saisie vers et par le devant (presque littéralement empoignée par ce devant) tout autant qu'elle saisit le devenir pour être plus pleinement.

> Jacques se réveille dans la chaleur de son lit et le froid du matin. Il hésite. Doit-il se lever et affronter ce froid? Il est si bien au chaud dans ses couvertures. Il n'aurait qu'à refermer les yeux et il s'endormirait encore pour de longues heures. Pourtant, trottent dans sa tête les événements de sa journée: ses rendez-vous, son travail. Il faudrait bien qu'il se lève. Pourquoi et comment? D'une part, il pourrait cesser d'hésiter et se tirer

---

1.   Voir le chapitre 10: La subjectivité, p. 215.

en dehors de son lit par une froide volonté d'agir. D'autre part, il ne pourrait qu'écouter le besoin de son corps et rester bien au chaud dans son lit. A-t-il d'autre choix que celui entre la froide volonté et le besoin corporel? Oui, celui où il serait tiré vers l'avant, stimulé par la journée, par le goût de cette journée où, entre le besoin corporel et la froide volonté, le devenir deviendrait une force. Ces événements de la journée ne peuvent le tirer vers l'avant que si Jacques les «intentionnalise», les voit comme attirants et s'il a le goût qu'ils adviennent, qu'ils existent. Peut-il les vouloir ces événements? Peut-il installer entre eux et lui, un pont, une signification à ce qu'il ressent et à ce qu'il envisage pour finalement l'amener à se lever? Il peut y parvenir à la condition qu'il «intentionnalise» ces événements, à savoir qu'il les considère sur leurs facettes appétissantes qui l'engagent à désirer leur mise-au-monde. Par sa participation, il fera qu'aujourd'hui ces événements obtiendront une existence. Il réalise qu'il est le seul à pouvoir leur donner cette existence particulière. Pour cela, il se lève d'un bond et se prépare pour sa journée. Le froid du matin n'est plus un obstacle mais une simple circonstance de son lever.

On voit bien que l'intention n'est pas une simple fantaisie, un simple souhait, mais qu'elle contient un engagement qui change et transforme tout autant la personne que l'objet considéré de l'avenir. C'est l'intention qui établit le pont entre le présent et l'avenir. L'intention fait que l'avenir se joint et s'unit au présent. On peut assez aisément comprendre que la personne se transforme via son intention, qu'elle devient autre à travers elle; mais, lorsqu'il est question que l'objet intentionnalisé se transforme aussi par l'intention, s'agit-il d'un jeu de l'esprit, d'un faire accroire? Non, l'objet se transforme véritablement par l'intention. Il prend vraiment une autre forme dictée par l'intention qu'on lui donne.

Imaginons, par exemple, que je rencontre aujourd'hui une personne bien précise, à telle heure et à tel endroit. Tout dépendant de l'intention que je pose sur cette rencontre, je me prépare à considérer différemment cette personne. Si j'ai l'intention de l'engager comme secrétaire, je tenterai de vérifier en elle certains critères qui m'apparaissent importants pour que je sois satisfait de ses services. Si je cherche par contre une gardienne pour mes enfants, je remarquerai plutôt ses qualités de douceur et de fermeté et je noterai toutes sortes d'autres caractéristiques de cette même personne si c'est elle qui devait m'engager comme jardinier. Pourtant, dans chacune de ces situations, il s'agit vraiment de la même personne. Ce qui change et transforme cette personne d'une situation à l'autre, c'est l'intention que j'ai à son endroit: secrétaire, gardienne ou jardinier. L'intention que j'attribue à l'objet ne modifie pas seulement l'objet de l'intention, dans l'exemple plus haut la personne qui la reçoit, mais me change aussi moi-même en tant que *Je* qui donne l'intention à l'objet. En effet, cette personne est tout à fait différente parce que j'envisage, par exemple, la future secrétaire plutôt que la future gardienne; mais, moi aussi, je suis différent parce que en donnant l'intention «secrétaire» plutôt que «gardienne», je conscientise la partie[2] «patron» de moi-même et non la partie «père». C'est donc la première qui est appelée à l'existence par le fait que cette personne est envisagée comme secrétaire.

Si la transformation mutuelle du sujet et de l'objet par l'intention portée est admise, avons-nous pour autant pleine liberté pour former ou non des intentions?

---

2.   Ou encore le soi «patron» parmi tous mes sois, présidés par mon Je (voir Bureau, 1978).

Sommes-nous toujours sous l'emprise d'intentions? D'une certaine façon, non, puisque nous pouvons toujours refuser de préciser nos intentions et demeurer alors sous l'influence de nos états émotifs du présent. Prenons l'exemple précédent. Si, par mes intentions, je considère cette rencontre à venir comme une complication ou une difficulté de plus à mon quotidien; eh bien, je me trouve à globaliser grossièrement l'objet qui se voit ainsi réduit à une source de complications et je laisse tomber du même coup toutes les possibilités autres qu'il présente: secrétaire, gardienne, jardinier. Nos intentions sont donc cruciales dans la façon dont nous percevons la réalité. Elles laissent leur empreinte sur le monde extérieur et sur nous-mêmes.

Le goût de l'avenir repose donc essentiellement sur le pouvoir de l'intention, et cette intention repose elle-même sur ce que nous sommes. En effet, il faut intentionnaliser pour que le goût de l'avenir se ressente. Cependant, tout autant qu'elle nous plonge dans l'avenir, toute intention dépend, somme toute, de ce que nous sommes. C'est effectivement à partir de ce que l'on est comme personne que l'on fabrique notre avenir, nos objets de connaissance, comme ils nous fabriquent eux-mêmes aussi d'ailleurs. Or, si nous sommes craintifs, inquiets ou peureux, notre avenir et ses objets se conforment nécessairement à ces modes d'être et de compréhension. Il est bien difficile alors, voire même impossible, de ressentir un goût pour ce que nous craignons et qui nous fait peur. Tout dépendrait donc en quelque sorte de la nature de l'intention.

Ainsi, toute intention n'impliquerait pas nécessairement le goût de l'avenir? Ceci est plus ou moins juste parce que lorsque nous craignons ou avons peur de l'avenir, du devenir, c'est avant tout parce que nous adoptons face à nous-mêmes une position particulière, à savoir que nous sommes fragiles, incapables ou impuissants et que, ultimement, cet objet de l'avenir, ce qui adviendra, ne pourra que nous retrouver défaits, brisés et détruits. Or, si cette image de nous-mêmes existe, c'est parce que dans le passé, peut-être aussi dans le présent, nous avons été, peut-être aussi le sommes-nous encore, défaits et détruits. Mais même là, pourquoi continuerions-nous à estimer que nous le serons également dans l'avenir? Pourquoi sommes-nous tellement insécures face à ce qui n'est pas encore là mais qui adviendra? Nous sommes inquiets, la plupart du temps, parce que nous ne croyons pas assez à la caractéristique spécifique de l'avenir qui est sa *nouveauté*.

Désirer le nouveau plutôt que craindre la répétition du même

Nous comprenons trop l'avenir à partir du modèle du passé ou du présent et alors nous l'empêchons d'ouvrir et de manifester ce qui lui est propre, c'est-à-dire sa fraîcheur d'existence, sa nouveauté, ce qui n'a jamais existé ainsi auparavant. L'avenir, parce qu'il est nouveau et non connu, justement parce que *à venir,* peut représenter le plus appelant des écrans pour inscrire nos projets. En d'autres mots, nous craignons l'avenir parce que nous lui faisons perdre sa qualité propre d'avenir pour le réduire aux schémas du présent et du passé.

L'heure du coucher approche et, encore une fois, il faudra faire l'amour. Répéter les mêmes paroles et les mêmes gestes que ceux de la semaine dernière. Puis, viendront les caresses qui commencent par en haut et finissent par en bas. Enfin, il y aura le sursaut du plaisir et chacun ensuite s'endormira de son côté. Toujours la même recette! Il n'y a plus rien là, si ce n'est de répéter ce qui était là! J'ai perdu le goût du plus grand plaisir humain; que me reste-t-il? Il reste que cette rencontre d'amour qui s'en vient n'a jamais existé auparavant. Elle est toute neuve et à cause de cela, elle peut s'inventer de A à Z. Toutes mes paroles, toutes mes caresses peuvent être renouvelées et peuvent même créer de nouveaux plaisirs et de nouvelles joies. Que j'ai hâte à ce doux moment où tantôt nous inventerons une rencontre d'amour! C'est comme un beau cadeau bien emballé que j'ouvrirai.

L'avenir est inquiétant quand nous refusons de le prendre pour ce qu'il est pour plutôt l'anticiper comme le lieu ultime de la répétition du même, présent et passé, et le plus souvent dans ses aspects malheureux. Ceci d'autant plus que ce présent et ce passé ne sont pas objectivement remémorés, c'est-à-dire que la rigidité de la personne a fait en sorte que son présent et son passé étaient eux-mêmes attendus selon un certain mode et qu'en cela, ils avaient déjà probablement perdu une bonne part de ce qu'ils étaient vraiment et de leurs stimulations réelles d'alors. Ainsi toute une partie de notre présent et de notre passé nous a probablement échappé.

L'avenir — à condition bien sûr de lui laisser toute son existence et alors de le libérer le plus possible du jeu de la projection des schèmes du passé — parce qu'il est *à venir* est justement nouveau, différent et particulier, et donc à prendre et à savourer tel quel! Si, dans l'avenir, nous persistons à chercher et à nous attendre à retrouver les caractéristiques du passé ou du présent, nous risquons presque inévitablement de les retrouver effectivement. C'est l'intention au service de la répétition du même. L'intention est alors utilisée pour créer l'avenir en tant que même, présent ou passé, qui se répète et, qui en fait, stagne. L'intention peut par contre, et c'est là qu'elle respecte davantage l'avenir dans ce qu'il est, se mettre au service de la nouveauté. Là, elle est utilisée pour créer l'avenir en tant que quelque chose de neuf et donc d'auparavant inexistant. L'avenir est alors *créé* plutôt que *re-créé*. Si j'accueille l'avenir tel qu'il est et se présente, je n'ai pas à le craindre puisqu'il est nouveau; c'est en toute liberté que je peux *l'intentionnaliser* c'est-à-dire, établir un pont avec lui, m'y intéresser, avoir de l'intérêt pour lui. Je craindrai le nouveau qui caractérise l'avenir que si je n'y vois que de l'inconnu insécurisant qui le sera que dans la mesure où j'y projetterai par anticipation la répétition de mes expériences malheureuses du passé.

Septembre! Paul se prépare à une nouvelle année scolaire. Il repasse dans sa tête tout ce qu'il trouvait pénible les années précédentes. Il pense aux malaises et aux tensions qu'il éprouvait avec ses confrères et ses consoeurs étudiants; aux humiliations lorsqu'il n'arrivait pas à répondre en classe aux questions que soulevait le professeur; au pénible de se rendre à ses cours, comme s'il devait s'arracher de son domicile. Il revoit ces corridors et ces salles de cours qui l'attendent. L'inquiétude s'éveille en lui. Il craint de retrouver les mêmes difficultés et il n'a aucun goût pour ce mois de septembre. Pourtant, c'est une nouvelle année scolaire, de nouveaux cours, de nouveaux professeurs et, très probablement, de nouveaux confrères. Il peut, d'une certaine façon, ressentir une détente lorsqu'il s'entend dire «*nouveau*». La prochaine année scolaire ne demande pas mieux que d'être nouvelle — peut-être avec des humiliations, des malaises et des hésitations, mais aussi peut-être avec des gratifications, des satisfactions de comprendre, etc. Par sa nouveauté, elle transporte tout. Paul réalise que s'il ne fait que chercher les mêmes indices que ceux de l'an passé, il finira par les trouver et par revivre ce qu'il a vécu. S'il rencontre cette année dans toute sa nouveauté, il se donne, par contre, toutes les chances.

Cette attitude l'ouvre et il se surprend à avoir hâte qu'arrive et débute cette nouvelle année scolaire.

Vouloir se donner un avenir

L'intention établit donc un pont avec l'avenir. C'est une sorte de curiosité, de *tendance vers* et d'investissement dont les bases émotives sont celles de l'intérêt. L'intention est à la perception et à la connaissance ce que l'intérêt et le goût sont à l'émotion, à l'affectivité. Il semble, en effet, que trop souvent c'est par sa déformation et sa dénaturation que l'intention perd ses liens avec le goût et l'intérêt et donc, son pouvoir d'investissement. Intentionnaliser son monde c'est non seulement le percevoir et le connaître mais aussi l'investir, et c'est justement là que l'intention établit ses liens privilégiés avec l'intérêt et le goût de vivre. Intentionnaliser c'est investir; investir c'est avoir de l'intérêt pour. Bien intentionnaliser transporte donc nécessairement de l'intérêt. L'intention est une tension vers quelque chose, vers l'avenir. En autant qu'elle conserve sa pleine nature (percevoir, connaître, investir), l'intention soulève ou crée chez la personne le goût, le souci de prendre soin de l'avenir pour l'occuper pleinement.

Ainsi se pointer sur l'avenir par l'intention, y prendre intérêt et en avoir le goût, c'est nous inscrire également sur la voie d'une transformation personnelle, à savoir un nouvel intérêt et un soin accru à prendre pour nous-mêmes. Parce qu'il y a intention, nous avons la hâte et le goût de nous donner cet avenir et tout ce qu'il nous apportera puisque par elle, par l'intention, nous sommes transformés tout autant que nous transformons l'objet, l'avenir. La principale caractéristique de cette transformation de nous-mêmes, c'est que nous avons de l'intérêt et du soin pour ce que nous sommes et cela suffisamment pour nous accorder ou nous donner cet avenir, qui de droit, nous appartient. Celui qui cesse d'intentionnaliser risque fortement au contraire de se voir continuellement tourner à vide dans un présent et un passé qui se répètent et de devenir une personne qui ne s'accorde plus d'intérêt et de soin, ne se respecte plus elle-même et à la limite, plus du tout convaincue qu'elle mérite la vie.

Quand Luc ne s'aimait pas, il passait ses fins de semaine à se dorloter, à se «pomponner». Était-il assez bien mis? Son âge le trahissait-il? Toutes ses rides dans son visage! Puis, venait l'heure de son lavage et du repassage de ses chemises. Après, il sortait dans un club pour essayer de se faire remarquer, de se faire choisir par un compagnon d'un soir. Graduellement, devant l'inutilité de ces manèges de paraître, il en est venu à changer son cap de direction pour trouver une manière d'être bien avec lui-même. Il s'est donné une meilleure diète, s'est inscrit à un club sportif et s'est mis à la lecture. Depuis, il remplit ses fins de semaine et se donne lui-même ce qu'il a toujours cherché à l'extérieur: l'estime de lui-même.

C'est ici, plus précisément dans la fonction d'investissement de l'intention, qu'apparaît l'intégration de l'intentionnalité et de la volonté: plus ou mieux j'intentionnalise (j'investis), plus et mieux je veux. De la même manière, plus je connais, plus j'intentionnalise (puisque l'objet de connaissance et moi sommes interpénétrés [cum nascari: naître avec], l'intention, pont avec l'avenir continue encore plus la connaissance, donc l'interpénétration), plus aussi je veux. Pour vraiment connaître, il faut vraiment vouloir; tout comme, pour vraiment vouloir, il faut vraiment connaître. Il ne suffit pas de connaître une petite partie, ou une certaine facette comme, par exemple, celle qui nous inquiète, mais de connaître tout l'objet. Ce n'est pas un petit souhait ou une petite tendance, c'est un *vrai vouloir* de *tout l'objet*. J'ai besoin de tout le contenu de ma connaissance pour exercer toute ma volonté sur ce tout comme d'ailleurs j'ai besoin de toute la tendance de ma volonté pour anticiper tout l'objet de ma connaissance.

Ce qui est crucial, c'est la manière dont nous concevons l'avenir et donc, la nature de l'intention. Lorsqu'il est conçu avec toutes ses possibilités, l'avenir suscite et éveille en nous le goût et l'intérêt pour ce qui adviendra; conçu comme une répétition du présent et du passé, il risque d'en prendre essentiellement les schèmes et les formes. Cette routine ou répétition tronque une large partie de l'avenir et a surtout comme désavantage de ne pas utiliser, en nous, tout l'intérêt et tout le goût que suscite l'avenir tel qu'il est: nous l'attendons plutôt que nous l'accueillons.

Plus on «intentionnalise», plus on se sent vivant: la notion de pouvoir

Jusqu'à maintenant, nous sommes souvent revenu sur la vitalité de la personne; vitalité qu'elle ressent principalement par son goût de vivre. Mais, comment pouvons-nous la reconnaître cette vitalité chez une personne? Comment se manifeste-t-elle extérieurement? La plupart du temps, il suffit d'écouter ce que la personne exprime sur l'avenir pour déjà voir transparaître sa vitalité. En d'autres termes, il s'agit d'observer son «degré» d'intentionnalité. Plus elle exprime de projets (immédiats ou lointains), c'est-à-dire de liens avec le devenir, plus sa vitalité est présente; plus elle manifeste un arrêt sur le présent, un souci anxieux de ce présent et/ou une rumination du passé, plus sa vitalité est absente. Par son intentionnalité, elle manifeste l'intensité de l'expérience de vivre, la vigueur de vivre. Cette observation n'est cependant pas qu'une simple observation — visant à observer juste pour le plaisir d'observer — elle est beaucoup plus que cela, car elle signifie que la vitalité d'une personne a tendance à susciter la vitalité de ceux et de celles qui l'entourent. La vitalité possède la caractéristique de s'étendre et d'être contagieuse tout comme la morbidité d'ailleurs.

> Jean a toujours des projets. Que ce soit pour ses vacances ou pour son travail ou pour autre chose: il projette. Cela ne l'empêche pas de vraiment plonger dans son travail lorsqu'il est au bureau ou encore de s'abandonner à sa détente durant ses vacances. Il harmonise tout cela: avenir et présent. Etre avec lui, c'est ressentir un souffle nouveau comme si nos vies se re-vivifiaient. Il nous fait partager son enthousiasme et nous nous surprenons nous-mêmes à faire des projets tout en accordant un intérêt nouveau à ce que nous faisons.

Intentionnaliser l'avenir implique-t-il un désinvestissement ou encore plus, une fuite du présent? Celui qui prépare son avenir et son devenir en faisant des plans et des projets; qui pense et conscientise son devenir; qui espère son avenir; celui-là n'est pas pour autant en dehors de son présent. Le présent doit nécessairement et entièrement être utilisé pour aider à préparer l'avenir. Lorsqu'il n'est pas vécu comme une prison ou un enchaînement, le présent possède en lui toutes les caractéristiques pour servir de tremplin vers la continuité et se mettre ainsi au service de l'avenir plutôt que de se voir enfermé dans le registre de ses similitudes avec le passé.

Pour que l'intention se forme avec toute sa vigueur, il importe que la personne ressente un pouvoir, une capacité de mettre-au-monde l'effet de son intention. Revenons à l'exemple de la rencontre avec une secrétaire ou une gardienne d'enfants. Pour donner suite à l'intention relative à cette rencontre, il faut d'abord me savoir capable, avoir le pouvoir, de considérer la personne comme l'une ou l'autre, c'est-à-dire avoir l'argent nécessaire pour payer ses gages ou faire le genre de travail qui demande une secrétaire, ou bien, avoir des enfants s'il s'agit d'une gardienne. Sans ce sentiment de «pouvoir faire quelque chose» avec cette intention, je ne peux pas intentionnaliser. Il m'est possible alors de souhaiter, de réfléchir ou d'espérer, mais pas d'intentionnaliser. L'intention est impossible si je ne ressens pas cette capacité d'engagement dans l'avenir, engagement à le faire advenir. Plusieurs situations de l'avenir ne peuvent d'ailleurs pas s'intentionnaliser parce que nous n'en avons tout simplement pas les moyens ou le pouvoir.

Dans les valeurs contemporaines, l'intention peut facilement devenir l'objet de calomnies. Nous avons tous, un jour ou l'autre, déjà entendu dire: «l'enfer est pavé de bonnes intentions» ou encore «sois donc réaliste et cesses de rêver». Il s'agit là d'une fausse compréhension de l'intention qui finit malheureusement par réduire toute la portée et le sens de l'intention à un vague souhait ou pire, à un désir éphémère presque chimérique. L'intention est tout autre, et pour mieux le comprendre, il suffit peut-être de revenir simplement à ses racines étymologiques. L'intention (*in* dans, *tendere* tendre), tension vers l'avenir, s'enracine dans le présent et le pouvoir de la personne et, répétons-le, cherche en même temps, à transformer tout autant l'avenir que la personne. Rien n'est moins vaporeux et éphémère! Comme pour bien d'autres possibilités humaines, la mise-en-garde sociale contre les «intentions» risque de saper chez plusieurs une de leurs plus puissantes facultés — celle de l'intentionnalité, et de les réduire ainsi à piétiner sur place pour marquer le pas dans la prétendue «réalité» du présent. Dans l'intentionnalité, toute la personne est engagée: son conscient et son inconscient, sa réflexion et son agir, son corps et son affectivité, son passé et son présent; tous unis pour la continuité *vers* dans une perspective d'avenir. Portée par l'intention, la personne est donc loin de n'être qu'à rêver à la périphérie d'elle-même.

> Marie n'arrive pas à mordre dans la réalité. Elle ne se sent pas adéquate et elle se peine encore plus de ne pas se sentir capable de trouver quelque chose qui lui permettrait de s'en sortir. Tout ce qu'elle a à l'esprit, c'est cette phrase que sa mère répétait sans cesse: «Tu ne feras jamais rien de bon avec ta vie!» Et tout autour d'elle, depuis, lui rappelle cette promesse d'échec: la réussite professionnelle de son mari, les succès scolaires de ses enfants, etc. Elle n'arrive même plus à faire son ménage et même parfois à se brosser les dents! Pour ne plus ressentir ce «rien de bon», elle doit absolument défaire ce pouvoir qu'elle laisse encore à sa mère. Pour y arriver, elle doit accepter qu'elle est séparée de sa mère et qu'elle est seule pour faire sa vie. Elle doit se détacher du passé et s'arrimer à l'avenir qu'elle-même se donnera.

Si l'intentionnalité implique le pouvoir, celui-ci ne peut pas se ressentir et se conscientiser sans intentionnalité. L'aptitude à entrevoir et à construire son avenir suscite le *sens*[3] du pouvoir. L'impuissant ou plus précisément celui qui se sent

---

3.   Le *sens* du pouvoir, c'est le ressenti de ses capacités, de ses habiletés à mordre dans la réalité, à faire disparaître le hiatus entre le subjectif et l'objectif.

impuissant se vit subjectivement comme incapable de pointer l'avenir et de le construire. Rien n'est plus stimulant pour le *sens* du pouvoir personnel que d'établir un pont entre le présent et l'avenir par l'intention.

L'intentionnalité d'une personne est une force centrifuge. Elle est source de créativité et de construction du monde. Par l'intentionnalité, la personne sort d'elle-même, s'ouvre et laisse son empreinte sur le monde[4]. L'expansion de la personne à travers ses oeuvres et ses créations lui permet de rejoindre et de manifester un si haut niveau de vitalité que seul l'être humain, parmi tous les autres vivants, peut atteindre. Seul l'être humain, parce qu'il est capable d'intentionnalité, peut transcender n'importe laquelle des situations dans n'importe laquelle des directions, ce qui l'amène à créer bien au-delà de lui-même et à se continuer, en dehors de lui-même mais sans se perdre, se vaporiser ou disparaître. Ainsi, plus une personne ressent ce pouvoir ou cette force centrifuge qu'est l'intentionnalité, plus elle manifeste sa vitalité, sa nature de vivant et sa capacité de continuer et de faire continuer.

Depuis des temps immémoriaux, «être dans la lune» signifiait la rêverie, la fuite du contact avec la réalité. Aujourd'hui, «aller à la lune» veut dire la plus belle conquête de l'humanité. L'homme a intentionnalisé son voyage à la lune et il l'a réalisé. Il a mis au service de son intention toutes ses ressources d'intelligence et d'imagination et il a conquis la lune. C'est là, la plus récente manifestation de son goût de continuer, de son goût de l'avenir mis au service de son goût de vivre.

L'intention se distingue de l'attente

La notion d'*intention* peut parfois être confondue avec celle des *attentes*. Tout en étant deux manières de se relier à l'avenir, l'intention et l'attente n'en demeurent pas moins deux réalités psychiques fort différentes quant à leurs effets sur la personne. L'intention empoigne la personne, la saisit entièrement; elle la mobilise dans la totalité de ce qu'elle est. L'attente, elle, ne tourne que l'esprit vers le devenir; la totalité de la personne reste rivée au présent. L'intention énergise et actionne tout à la fois le corps, l'imagination, le conscient, l'inconscient, l'émotif, la connaissance, etc. L'attente, quant à elle, se réduit à imaginer et canalise ensuite le fruit de cette imagination. Elle fixe l'esprit au devenir de cet imaginaire. L'intention engage activement la personne à se donner l'avenir alors que l'attente réduit la personne à la passivité puisque, comme elle attend, tout en elle-même doit demeurer en suspension pour ne pas déranger l'objet de son attente, pour qu'il advienne. En somme, l'attente chasse l'intention tout comme l'intention chasse l'attente. Elles ne peuvent donc pas cohabiter en même temps chez une même personne pour le même avenir[5].

---

4.   Le mouvement est tout à fait différent chez la personne qui est inondée par l'angoisse et l'anxiété. Elle aura plutôt fortement tendance à se refermer sur elle-même en attendant que la menace disparaisse. À cause de son angoisse, elle ne peut pas alors intentionnaliser et ainsi manifester sa vitalité.

5.   Là aussi, les racines étymologiques peuvent nous éclairer puisque «in tendere» (intention) suppose «tendre dans et vers», ce qui s'oppose à «a tendere» (attente), c'est-à-dire «*sans* tension, sans tendre».

Même si les deux attitudes (intention *versus* attente) s'orientent vers l'avenir, elles diffèrent quant à leur portée respective: l'attente se limite à un regard plutôt passif posé sur l'avenir; l'intention constitue le premier pas d'un long processus vers la création et l'appropriation de l'avenir comme sien. Or, si l'intention se montre ainsi plus avantageuse que l'attente pour le développement de la personne et de son goût de vivre, comment une personne pourrait-elle parvenir à transformer ses attentes en intentions? En d'autres termes, l'attente peut-elle engendrer l'intention?

L'attente peut engendrer l'intention dans la mesure où deux conditions sont remplies: premièrement, réalisation que l'attente mène à la frustration; deuxièmement, réalisation que l'intention mène à la satisfaction. Qu'est-ce que cela veut dire? La première condition, c'est que la personne réalise que l'attente mène inévitablement, ou du moins dans la très grande majorité du temps, à un échec. L'attente — parce qu'elle reste sans réponse ou le plus souvent obtient une réponse autre que celle qui est désirée — échoue dans son objectif de *faire bien vivre* la personne puisqu'elle risque constamment de la placer dans une position de frustration quant à la réalisation de ses désirs. Ces frustrations sont cependant nécessaires pour aider la personne à cesser d'attendre. Il y a malheureusement presque une nécessité d'accumuler ainsi les frustrations et les manques de réponse à nos besoins pour se rendre compte et conscientiser qu'une attitude d'attente ne peut pas le plus souvent apporter autre chose que des déceptions. C'est effectivement à partir d'expériences répétées de déceptions et de frustrations que la personne parvient à conscientiser l'échec de sa position d'attente pour finalement cesser d'attendre[6].

La deuxième condition, c'est que la personne goûte à la grande satisfaction que lui procure le sentiment de posséder, de maîtriser ou de s'approprier son propre avenir — sentiment qui ne peut être présent que par l'intention. Il y a tellement de satisfaction à se donner soi-même son avenir que la personne qui éprouve cette satisfaction pour la première fois veut automatiquement la rééprouver, le plus souvent possible et dans le plus de circonstances possibles. L'intention mène à cette satisfaction particulière d'être ou de se sentir approprié à son identité — d'être propriétaire de soi-même. L'attente dépend au contraire d'une réponse attendue et en cela, elle dépend nécessairement d'un autre, d'un extérieur à soi-même; elle n'est donc pas assurément appropriée à l'identité de la personne, à ce qu'elle est, comme le fait l'intention qui elle, en réalité, ne peut dépendre de rien d'autre que de l'imagination de la personne, de sa capacité de se créer et donc de l'expression de sa propre identité. L'intention, parce qu'elle est appropriée à l'identité, prend et saisit toute la personne avec l'ensemble de ses ressources.

Suite à la conquête de sa solitude, Hélène n'attend plus que le regard de l'homme se pose sur elle. Que les hommes la regardent tant mieux, mais il n'est plus question qu'elle se fige la vitalité à attendre qu'ils daignent bien s'occuper d'elle. Dorénavant, elle réfléchit, choisit et réalise tout autant ses loisirs que ses conquêtes. Elle précise et pointe un homme agréable, tente de connaître qui il est et s'occupe à utiliser ses propres ressources (sa belle féminité et son intelligence) au service de son intention, c'est-à-dire

---

6. Il n'y a, en fait, que l'enfant qui puisse se permettre d'attendre et, le plus souvent, de recevoir une réponse à ses besoins. La position de dépendance propre à son étape de développement le lui permet. Il peut conserver (en autant qu'il en est conscient) l'estime de lui-même tout en étant qu'attente de réponse à ses besoins.

celle d'en faire un compagnon, un ami et peut-être même un amant. Elle s'occupe d'elle et de son intention.

Ainsi, l'intention d'écrire et de compléter ma pensée sur le goût de l'avenir requiert toutes mes ressources: mes souvenirs et ma mémoire, mon inconscient tout autant que ma conscience, ma réflexion et mes habiletés littéraires, etc.. Cela ne dépend que de moi. Ce serait tout à fait différent si je remplaçais mon intention par une attente. Par exemple, si je m'attends à ce que ce chapitre soit lu, compris ou accepté, je m'attends également à recevoir une réponse et cela ne dépend plus de moi mais de vous.

Finalement, l'attente court davantage la chance de disparaître pour laisser toute sa place à l'intention lorsque la personne réalise, conscientise et expérimente qu'elle est fondamentalement *seule* à continuer sa vie. La personne est effectivement seule pour goûter à la vie. Aucune autre personne qu'elle-même ne peut vivre sa vie à sa place, ni éprouver, à sa place, son goût de vivre. C'est au coeur de cette prise de conscience quant à l'état fondamental d'être séparé que surgit la nécessité ou la conviction d'un besoin d'intentionnaliser pour continuer à bien vivre sa vie, pour vraiment continuer tout court.

L'angoisse: un prix à payer pour être, et continuer

Malgré la vérité et la vigueur de nos intentions, chacun sait bien en même temps que nous ne parvenons pas, et ne parviendrons jamais, à mettre-au-monde la totalité de nos intentions. Chacun sait qu'il n'arrive pas à créer autant qu'il intentionnalise et que plusieurs de ses intentions tombent à vide et pire, qu'elles peuvent même se réaliser dans le sens opposé à celui qui était d'abord désiré ou à l'opposé de leur direction première, par exemple, c'est de l'amour qui est d'abord intentionnalisé mais c'est de l'hostilité qui est ressentie ou suscitée.

Nous vivons tous dans un univers parsemé d'actions parfois réalisées, parfois escamotées; d'intentions mises-au-monde, d'autres non-réalisées; d'attentes, de désirs et de besoins qui sont eux aussi parfois remplis, parfois déçus. Évidemment que placée au milieu de tout cela, la personne se voit inévitablement confrontée à l'anxiété et à l'angoisse: qu'adviendra-t-il? réussira-t-elle? fera-t-elle à nouveau face à un échec... et quoi d'autres? Cette angoisse fait partie de la condition humaine. Vouloir la fuir en refusant dorénavant d'intentionnaliser n'équivaudrait qu'à la faire croître ailleurs et dans d'autres domaines. La fuir, ce n'est donc rien d'autre que de la déplacer. Toutefois, si on ne peut pas la fuir, on peut tout de même la confronter. Il nous reste à la prendre avec nous et à lui faire face ou à l'affronter tout en lui donnant un sens, par exemple, celui du prix à payer pour la mise-au-monde de notre identité, de notre amour ou de notre créativité. Toute naissance se fait dans la douleur; la mise-au-monde de son identité se fait elle aussi dans l'anxiété et l'angoisse.

Serge sait qu'il aura à nouveau à affronter un milieu hostile et persifleur. Il sait qu'il sera tendu et qu'il cherchera ses mots. Il a beau essayer toutes les solutions (se détacher du milieu, mépriser ceux qui le méprisent, etc.), il sait bien qu'il sera anxieux. Il n'a pas vraiment le choix. Il devra accompagner son anxiété sans chercher à la fuir. Il l'intégrera à son effort d'être lui-même, de ne pas sacrifier son intégrité. Cette anxiété, c'est le prix à payer pour être lui-même et content de l'être.

C'est parce qu'il est limité que l'être humain est anxieux de vivre. Savoir qu'il peut perdre autant que gagner; savoir qu'il peut posséder autant que ne pas avoir; savoir qu'il est vivant autant qu'un jour, il ne le sera plus; tout cela alimente l'angoisse existentielle d'être limité, c'est-à-dire celle de ne pas avoir *toutes* les ressources et *toutes* les forces. Nous ne pouvons pas tout être, tout faire et tout avoir. Nous sommes limités et mortels. Pourtant, malgré cela et avec cette conviction au coeur, nous continuons à intentionnaliser et à essayer de mettre au monde nos projets.

Le courage humain de vivre, c'est justement d'être conscient de nos limites tout en continuant à espérer l'avenir, à le fabriquer et à nous hisser, même si c'est souvent à force de bras, au-dessus de nous-mêmes et de notre présent. L'échec de nos intentions à nous donner l'avenir dans la direction que nous avions fixée fait tout autant partie de notre réalité que ce que nous avons créé et mis au monde. Les nouvelles intentions résulteront de nos échecs comme de nos créativités. L'échec et l'anxiété qui en découlent, doivent être confrontés et intégrés à ce que nous sommes. Essayer à nouveau et recommencer à vivre pour l'avenir après l'échec sont évidemment des sources d'anxiété, mais c'est à ce prix que nous pouvons vraiment avancer et continuer. Fuir la pensée de l'échec, la refuser par toutes sortes d'intellectualisations, c'est se priver de sa richesse pour nous développer. Si nous évitons de limiter ou de réduire notre définition de nous-mêmes à nos anxiétés et à nos échecs, une force et un pouvoir en ressortiront toujours puisque l'anxiété, indice de notre conscience de vivre, et l'échec, indice de nos limites, sont justement là pour nous servir à exploiter encore plus nos ressources. En effet, il y a à l'intérieur même de cette forme de *consentement* à l'échec et à l'anxiété tout le pouvoir nécessaire pour les transcender. C'est d'ailleurs là une qualité spécifiquement humaine même si elle va à l'encontre de toutes les valeurs primaires contemporaines.

Même si Pierre s'est longtemps considéré comme un Don Juan, toutes les rencontres qu'il a faites, toutes les paroles d'amour qu'il a inventées et toutes les générosités qu'il a eues ne lui ont pas pour autant donné une compagne. Les nombreux refus de la part des femmes et quelquefois même les rejets ne l'ont toutefois pas épuisé. Il continue. Il cherche encore une compagne. Les échecs à ses désirs l'ont même raffiné et amené à plus de gentillesse et à plus d'empathie pour les autres. Ses échecs en amour lui ont même permis de développer de grandes amitiés avec celles qui refusaient de partager sa vie. De plus, il obtient un bénéfice marginal: il connaît ses limites et ne se prend plus pour un autre.

Consentir à l'échec et à l'anxiété ne fait pas de nous des impuissants, des naïfs et encore moins des masochistes. Au contraire, quand on accepte (et même qu'on veut) que cela soit ainsi (parce qu'on consent à ce que un échec soit un échec) on n'en souffre pas moins (que si on refuse de le reconnaître ou qu'on se met en colère contre l'échec) mais notre souffrance et notre douleur prennent un sens. Par le consentement ou l'acceptation de l'échec, souffrances et douleurs sont transcendées et c'est à ce niveau de transcendance que la souffrance de l'échec et de l'anxiété est récupérée et mise au service de la connaissance de soi-même et du développement de ce que l'on est selon nos limites et nos frontières.

Tout cela est bien intéressant, direz-vous, mais la non-réalisation répétée de nos intentions antérieures ne risque-t-elle pas de mener inévitablement à la longue à l'effritement de notre capacité d'intentionnaliser notre avenir? Eh bien non, car l'échec, soit-il répété, peut toujours être considéré comme une résistance suffisamment stimulante pour mobiliser la personne et l'amener, à nouveau, à intentionnaliser. Devant la résistance de l'échec, la personne doit ré-utiliser sa capacité à intentionnaliser pour se re-mobiliser à nouveau vers son avenir. Ce recours répété à notre capacité à intentionnaliser est nécessaire pour continuer et donc pour répondre à l'essence même du fait de vivre. L'échec ne doit pas détruire et arrêter, mais servir de tremplin pour construire à nouveau par l'intention et pour continuer.

Un intérêt tellement plus plein à vivre

En somme, cette exploration à propos de l'usage et de la puissance de l'intentionnalité confirme avec force le rôle du goût de l'avenir dans le goût de vivre. Profondément ancrée dans le passé et consciente de toutes les caractéristiques du présent, la personne désire l'avenir et par son intentionnalité le met au monde et le goûte. Évidemment, l'équilibre entre la préservation de l'attitude qui consiste à tout prendre le présent dans toutes ses facettes et celle d'intentionnaliser le devenir pour le goût de l'avenir, demeure difficile à atteindre. Pour parvenir à cet équilibre, la personne doit, c'est certain, engager tant son imagination que son courage, mais, quand elle y arrive, il en résulte un intérêt tellement plus plein à vivre.

CHAPITRE 6

L'ÉMOTION DU GOÛT DE VIVRE

Le contact avec la vie, en soi et à l'extérieur de soi, s'exerce primordialement par la voie royale de l'émotion ou de l'affectif. Le goût de vivre baigne dans l'émotif et s'en imbibe. *La vie se goûte et se ressent.* Par l'émotion du goût de vivre, la vie se soulève, se colore et se densifie. Ainsi, tout en faisant appel au corporel et à l'intelligence, l'intérêt à vivre se structure fondamentalement à partir de l'émotif qui lui donne d'ailleurs son ressort et tout son dynamisme. C'est par son émotif que la personne peut s'approprier la vie, la sienne.

Découvrir l'infrastructure affective qui imprègne le goût de vivre en identifiant et en précisant ses lois peut bouleverser complètement la façon habituelle de concevoir la vie et l'intérêt qu'on lui porte. Connaître cette infrastructure c'est une condition nécessaire pour qui ne veut rien perdre de la réalité humaine du goût de vivre.

Qu'est-ce que l'émotion du goût de vivre? Comment apparaît-elle? Comment affecte-elle la personne? Quelle est son importance? Pour définir le spécifique, il est souvent nécessaire de définir le général sur lequel il repose. Nous ne pouvons donc pratiquement pas répondre à ces questions portant sur l'émotion spécifique du goût de vivre sans s'arrêter auparavant sur ce qu'est l'émotion en général.

L'émotion? Un contact automatique et un caractère souvent ambigu

D'abord, l'émotif est une manière de prendre contact avec la situation. Celle-ci est nécessaire pour que l'émotif se forme et devienne explicite. S'il n'y a pas de situation, il n'y a pas d'émotion. L'émotion est cette voie de contact, plus rapide et plus globale — parce qu'elle bouge l'ensemble de l'organisme: corps, sensations, perceptions, intellect et imaginaire — qui permet à la personne de réagir spontanément, d'identifier certaines caractéristiques d'un milieu, intérieur ou extérieur, et de mettre immédiatement en branle l'ensemble de ses ressources. L'analyse intellectuelle — parce qu'elle fait référence au passé, aux contenus mnésiques et aux lois de la logique, de la synthèse, etc. — est plutôt un processus lent qui ne peut pas permettre à la personne de réagir spontanément et à son organisme de mobiliser rapidement ses ressources. L'analyse intellectuelle implique une mise à distance de la situation; l'émotion, elle, n'agit pas à distance de la situation. Au contraire, que la situation soit intérieure ou extérieure, pour qu'il y ait émotion, il faut qu'il y ait contact. C'est le contact automatique et serré avec la situation qui permet à l'émotion de devenir explicite, donc, qui la crée.

L'émotion est donc irrémédiablement reliée et attachée à la situation. C'est la réaction ressentie par l'individu devant et dans une ou des situations. Les émotions ne constituent donc pas des entités fermées sur elles-mêmes dedans l'individu; elles impliquent toute la personne et toute la situation dans leurs innombrables possibilités de variation. C'est une manière d'être dans cette situation telle qu'elle est perçue par telle personne.

C'est bien à tort que le sens commun présente l'émotion comme toujours aussi précise et cernée que le cognitif et ses concepts. On parle alors d'amour, de joie, de haine ou de colère comme s'il s'agissait de billes dans un sac — chacune bien précise et nettement différenciée des autres. L'émotif est loin d'être aussi clair et aussi cerné qu'on veut bien habituellement le croire. Souvent la personne peut ressentir beaucoup d'émotif sans trop savoir de quoi il s'agit et sans comprendre ce qu'elle ressent. C'est là le caractère ambigu de l'émotif que de naître et de résider aux frontières du conscient et de l'inconscient.

Habité par cet étrange malaise, Jean n'arrive pas à se sentir bien «dans sa peau» quel que soit l'endroit ou le lieu où il se trouve, quelle que soit la qualité de ses compagnons et de ses compagnes. Sans cesse déchiré par ce malaise qui l'accompagne partout, il s'observe sans arrêt, écoutant et auscultant chaque facette de son corps et de son esprit. Il cherche bien un nouveau style de vie, différent, qui lui permettrait de se vivre en intérêt avec la vie. Chaque fois pourtant, reviennent ses valeurs de succès, d'estime des autres, d'accomplissement. Il se cache et se camoufle, fermé sur lui-même et aux autres. Un jour, placé dans une tout autre situation — la campagne, la nature et le soleil — il éprouve à l'occasion des disparitions brusques de cet étrange malaise. Il apporte à cette découverte toute son attention pour saisir que cet étrange malaise est sa réaction à une situation permanente: la honte de ne plus répondre, de n'être plus capable de répondre aux besoins des autres, et ceux-ci ne sont pas là, à la campagne, dans la nature, au soleil. Son malaise n'est pas seulement «en lui» mais en lui dans la situation. Il découvre qu'il peut changer la situation en changeant son attitude fondamentale de se définir à partir de sa capacité de répondre aux besoins des autres, tout cela pour être aimé et considéré. Il détruisait justement ce qu'il voulait qu'on aime: sa personne globale.

La transformation — transaction

En somme, l'expérience de l'émotion du goût de vivre, comme toute autre émotion d'ailleurs, transforme la relation de la personne à son monde que celui-ci soit d'autres personnes, des objets, des événements ou des actions. Ces transformations sont les mouvements du goût de vivre, tout comme chaque émotion reflète une sorte différente de transformation. Il importe cependant de noter qu'une *trans-formation* n'est pas qu'une simple réaction passive à un stimulus mais plutôt une *trans-action* entre la personne et l'autre de telle façon que la réponse elle-même ressentie donne un sens à la situation-stimulus: être par exemple debout dans un jardin (situation stimulus) ne prend tout son sens que lorsque la personne s'approche pour en sentir les fleurs (transaction); l'émotion qui est alors ressentie (réponse) donne un sens à la situation-stimulus, celle d'être debout dans un jardin. Par le passage en elle de l'émotion du goût de vivre la personne mais aussi son milieu sont désormais différents.

La transformation-transaction effectuée par le goût de vivre n'est toutefois pas isolée mais reliée aux autres transformations du monde, à savoir aux autres émotions de la personne. Par exemple le goût de vivre, par la transformation de son contact avec la vie, empêche que la tristesse et sa transformation spécifique du monde s'effectuent. Il en est ainsi pour plusieurs émotions qui disparaissent ou bien apparaissent par le ressenti du goût de vivre. Celui-ci fait donc partie d'une structure[1] qui gouverne l'être-au-monde du vivant. C'est d'ailleurs ce qui explique la nécessité des émotions, car elles servent à l'organisme pour gouverner ses relations avec le monde des autres, celui de la matière et son propre monde intérieur. Le goût de vivre comme émotion agit sur la personne pour transformer sa situation d'une manière bien particulière, à savoir celle de développer sa propre vie et par ce contact avec la vie et le vivant, lui permettre de continuer. La survie de l'espèce d'ailleurs est probablement non sans lien avec ce raffinement du système émotif humain qui graduellement aurait permis qu'une émotion comme celle du goût de vivre puisse se développer.

S'ouvrir, éprouver et conceptualiser

À travers l'émotion du goût de vivre, la personne permet à son monde émotif en général de se développer, de se différencier et de se raffiner. Le répertoire émotif d'une personne s'élargit par le contact avec les situations et la vie qui l'entoure. Plus la personne ressent l'émotion du goût de vivre, plus elle est en contact avec les situations et plus son répertoire émotif s'élargit.

> Plus Jean avance dans la vie, plus il élargit son répertoire émotif. Avant il était de bonne humeur ou de mauvaise humeur. Tous ses états émotifs se réduisaient à l'une ou l'autre humeur. Aujourd'hui, il peut ressentir et nommer ses nombreuses émotions: de la joie, de l'exaltation, de la satisfaction ou du contentement. Ce sont toutes des nuances de sa bonne humeur. Il se sent plus équipé pour conduire sa vie même qu'il ne tombe plus aussi souvent en amour. Il est capable de ressentir des émotions diverses devant les femmes qu'il aime sans partir en peur et vouloir se marier.

Cependant, comme le territoire de l'émotif reste une zone de clair-obscur, il ne laisse pas toujours au conscient la capacité de délimiter la nature de l'émotion en cause. C'est seulement à travers une certaine collaboration avec l'inconscient que le conscient peut parvenir à mieux cerner les frontières de l'émotif. Pour identifier et connaître l'émotion qu'elle éprouve, la personne doit rétablir le contact avec son inconscient. L'inconscient compense le conscient. L'inconscient lance des messages au conscient par le biais du ressenti. C'est un peu comme si, chaque fois qu'un éprouvé n'était pas clair, il transportait avec lui un sens que la personne aurait à découvrir en se demandant qu'est-ce que, consciemment, elle exagère ou elle refuse de prendre pour que son inconscient vienne ainsi la mettre au pas par tel ou tel ressenti[2].

Ce qui est ressenti n'est pas seulement *senti* mais il peut et il le demande d'ailleurs, se conceptualiser par la pensée. La conceptualisation du ressenti permet à la personne de comprendre et surtout, de se comprendre. C'est la même chose

---

1. Cette structure doit se comprendre dans le sens piagétien comme un système de transformation, avec ses lois et ses propriétés. La structure est maintenue et enrichie par le jeu de ses lois de transformation. Donc les trois éléments majeurs d'une structure sont: l'idée d'un tout, l'idée d'une transformation, l'idée d'une auto-régulation. (voir Piaget, 1968).

2. «Chaque fois que surgit un sentiment d'infériorité, non seulement celui-ci indique l'exigence dans le sujet d'assimiler un facteur jusque là inconscient, mais il indique aussi la possibilité de cette assimilation». Jung (1964), p. 42.

pour le goût de vivre: une émotion qui prend son ampleur lorsque, en plus d'être éprouvée, elle est conceptualisée par la pensée. Le goût de vivre est alors non seulement vaguement ressenti mais identifié, nommé, et à cause de cela, il peut permettre à la personne de se comprendre mais aussi de se vivre plus.

Dans le goût de vivre, la personne n'est pas seulement en intérêt, en ressenti, elle est en intérêt pour quelque chose, à savoir la vie ou une de ses manifestations. Le goût de vivre, émotion-ressort, réside dans la personne-en-situation, c'est-à-dire qu'il accompagne la personne qui change sans arrêt (par exemple ses différents états de fatigue ou de repos à divers moments de la journée, du lever au coucher) et la situation (par exemple les différentes lumières du jour, les lieux divers qu'habite la personne). Parce qu'il s'adapte, bouge et varie selon les événements et selon les états de la personne, l'intérêt à vivre prend toutes les couleurs de la vie car constamment en contact avec les diverses apparitions de la vie dans les différentes situations.

Ce qui toutefois allume fondamentalement le goût de vivre, c'est la vie, quelle que forme qu'elle prenne. Le goût de vivre ne se contente pas d'une seule caractéristique, quelle que soit sa qualité, car il cherche la vie dans absolument toutes ses manifestations partout où elle passe et non pas là où elle s'arrête.

> Benoît déborde de vitalité en vacances sur le bord de la mer. Il goûte à toutes les nuances du soleil, à toutes les sortes de mer, aux différentes textures du sable. Tout le fait pétiller mais cela ne dure que deux semaines par année. Aux autres cinquante semaines de l'année, il est terne et aplati. Il ne peut pas se soulever l'humeur pour et dans aucune situation. Même la nuit de Noël lui tape sur les nerfs avec ses cantiques doucereux et sa sentimentalité. Benoît a tellement accroché son goût de vivre aux vacances à la mer qu'il passe à côté de toute la vie toute l'année — des beaux matins d'hiver froid à la chute des feuilles l'automne.

Polarité sujet-objet

Comme toute émotion, celle du goût de vivre se loge essentiellement dans la polarité sujet-objet. Toutes les émotions humaines peuvent effectivement se départager entre celles qui ont un objet extérieur (par exemple, la colère ou le mépris) et celles qui n'ont pas d'objet extérieur mais qui sont dirigées vers ou contre le sujet, la personne elle-même (par exemple, la tristesse ou la honte). Prenons l'exemple de la honte. Elle est ressentie par rapport à soi-même, sujet de l'émotion. D'une certaine façon, elle n'a pas d'objet. Elle est plutôt la conséquence du mépris éprouvé par l'autre *internalisé*, à savoir un objet antérieurement extérieur comme un parent ou un idéal ou un archétype. Les émotions face à soi-même (sujet) seraient donc quelque part le résultat de la transformation ou de l'introjection des émotions objectales, c'est-à-dire celles vécues dans le cadre d'une relation à l'autre (l'objet).

> Pierre a honte de sortir dehors et de se montrer aux autres. Pourtant tout va bien dans sa vie. Qu'est-ce que cette honte qu'il éprouve comme ça sans aucune raison manifeste? Il s'arrête sur cette honte. De quoi a-t-il honte: de lui, de sortir dehors, qu'on lui reproche qu'il se promène plutôt que de travailler? Qu'est-ce que ce «on lui reproche»? Puis là, arrivent à son esprit, les bonnes vieilles valeurs familiales: un homme est un homme en autant qu'il travaille. Il sourit doucement à sa découverte, met son manteau et sort faire une promenade réconcilié maintenant avec lui-même. Il n'a pas à se faire régir par les valeurs de son père.

Le goût de vivre s'inscrit tout à fait dans cette polarité sujet-objet. L'émotion du goût de vivre se nourrit aussi bien de l'objet, du sujet et de la relation qui s'établit entre eux deux à l'extérieur comme à l'intérieur de la personne. La vie est autant à l'extérieur de la personne qu'à l'intérieur d'elle et la goûter se fait tant par la perception de l'extérieur (l'objet) que par le contact avec l'intérieur (le sujet). De là, la richesse et la densité du goût de vivre![3]

L'émotion du goût de vivre n'est donc pas, encore une fois, une entité isolée et refermée sur elle-même mais plutôt une composante essentielle d'un système complexe et ouvert qui gouverne les relations des vivants entre eux, à l'intérieur d'eux et avec la vie qui les entoure dans toutes ses manifestations. C'est une structure qui ne peut manifestement être comprise que si nous acceptons de l'analyser dans son entière complexité, c'est-à-dire à travers ses nombreuses ramifications dans le sujet, dans l'objet, dans leurs relations réciproques à l'intérieur comme à l'extérieur, et bien plus dans leurs rapports incessants avec tout ce qui est vivant en eux et en dehors d'eux.

Du côté du sujet: l'alliance du corps, du psychisme et de l'intellect

Prenons juste ce qui se passe à l'intérieur de la personne elle-même. Il est bien évident que l'émotion du goût de vivre fait appel à la participation du psychisme et à celle du corps. Corps et psychisme souvent présentés et vécus comme en opposition n'en restent pas moins deux aspects qui peuvent mettre en commun leur mode respectif de perception pour aider la personne dans le ressenti et le développement de son goût de vivre ou encore dans l'identification de ce qui peut lui faire obstacle. Définir l'émotif ne peut donc se contenter de rester dans l'ordre abstrait même s'il importe de ne pas additionner des faits isolés ou accidentels mais d'atteindre l'essentiel, le cœur, le sens de la situation. C'est le sens de la situation pour la personne qui soulève et précise l'émotion mais un sens concret, même corporel.

Denis se sent mal devant ses étudiants. C'est un malaise qu'il n'arrive pas à préciser. Il a beau compter le nombre de ses étudiants, considérer chacune des caractéristiques du local de son cours, les murs, les fenêtres, etc.; rien n'y fait! Il est toujours aussi mal à l'aise. Puis là, il fait référence à son corps. Il a comme une impression de froideur et de

3. Que l'émotion du goût de vivre se nourrisse en tant que sujet de la vie tout autant qu'en tant que la vie extérieure devient un objet à goûter, c'est vrai dans le meilleur des cas; mais au pire, il est aussi vrai que cette polarité sujet-objet peut fortement nuire au goût de vivre même parfois l'étouffer au point tel de le détruire dès ses premières manifestations. Cela arrive par exemple — et entre autres — quand le sujet est dominé par des idées de lui-même d'éparpillement et d'impuissance qui ne suscitent que de l'anxiété et de l'insécurité. La vie (l'objet) alors n'est perçue que sous ses aspects menaçants, inquiétants et lourds. Ou encore lorsque la personne (le sujet) se représente comme indigne et inadéquate et qu'ainsi elle n'éprouve que culpabilité. La vie (objet) alors peut être perçue comme pleine de richesses et de vitalités mais en même temps, interdite à l'accès et au droit d'en profiter et de pleinement en prendre plaisir. Ce qui est crucial pour spécifier et déterminer d'une certaine façon l'émotion que l'on ressent, c'est ce que nous pensons de nous-mêmes, notre identité.

recroquevillement. Voilà! Il a «froid» psychologiquement parce que ses étudiants ne sont pas chaleureux et accueillants face à ce qu'il enseigne. Il a retrouvé le crucial, non pas dans les éléments mais, dans le sens corporel et la relation à l'autre. Acceptant de ne pas être accueilli dans ses idées, il éprouve maintenant un soulagement de son malaise.

Les sensations corporelles peuvent donc se prolonger à travers l'émotif et alors rejoindre les manières psychiques d'être-au-monde. Les données de l'anatomie ou de la physiologie prises isolément ne signifient presque rien; mais ré-introduites dans l'être-au-monde de la personne, elles prennent un sens et donnent une explication[4]. Par exemple, le sourire d'une personne prend son sens non pas dans le type d'ouverture de sa bouche ou dans le niveau de l'élévation de ses muscles faciaux, mais bien dans le contentement de la personne. La manifestation physiologique (le corps) prend tout son sens quand elle s'accompagne du psychisme (l'esprit); le psychisme (l'esprit) s'exprime à l'extérieur et se raffine à travers les manifestations physiologiques (le corps). L'émotion renvoie ainsi à toute la réalité humaine connue: le corps, l'esprit et la situation. *C'est une manière organisée de toute la personne à exister.* L'émotif du goût de vivre n'est donc pas une collection de données hétérogènes mais plutôt un ensemble organisé qui situe la personne dans le monde.

> Yves cherche à comprendre la panique qu'il a ressentie lorsqu'il s'est perdu en forêt. Il tremblait, était couvert de sueur, son cœur et son pouls accéléraient; il bougeait et se déplaçait avec rapidité, changeant souvent de cap. Malgré qu'il essaie de scruter chacune de ses réactions corporelles, il n'y trouve aucune signification. Peut-être était-ce dû à l'excès de sucre dans son sang? à l'excitation de son système nerveux? Pas de réponse. Toutefois, quand il a contacté l'importance qu'avait pour lui la forêt; le goût qu'il avait d'y bâtir maison et d'y vivre; que cette perte en forêt venait comme saccager ses goûts; il *comprit* clairement sa panique.

Nous reviendrons plus loin sur le jeu du corps dans l'émotion du goût de vivre mais ce qui importe de retenir ici, c'est comment les indices corporels peuvent nous aider à mieux cerner l'émotion.

Certains voient l'émotion comme une perception des caractères propres aux représentations intellectuelles. Tout se passe comme si l'émotion résultait de la perception, et qu'elle se manifestait par des réactions corporelles. Ce n'est toutefois pas tout à fait juste puisqu'une émotion déborde de beaucoup le simple perçu. En fait, aucune idée ne saurait être par elle-même émotive; si elle le devient c'est en vertu de l'action du corporel sur le psychisme. C'est probablement pourquoi William James (1890) croit que l'émotion est la conscience des troubles corporels qui agitent l'individu. Par exemple, je souris donc je suis content; c'est le sourire conscientisé qui fait le contentement[5].

---

4.   Gendlin (1962) considère que tout point de tension corporelle contient d'une façon implicite son message, qu'il porte un sens pour l'individu. De l'attention au corps, suit un focus tensionnel lequel s'ouvre en images et en mots pour donner à la personne le sens émotionnel. Celui-ci participe étroitement à la vie de l'organisme.

5.   William James (1890): «Bodily changes follow directly the perception of the exciting fact, and... our feeling of the same changes as they occur *is* the emotion», p. 449. Il ajoute que l'abondance des manifestations corporelles (v.g. les sanglots abondants) indique la force de l'émotion (v.g. le chagrin).

Pourtant comme l'ont montré d'autres chercheurs, l'émotion est beaucoup plus que la conscience des réactions *périphériques* du corps. La conscience d'une émotion pouvait naître en laboratoire par la stimulation de l'hypothalamus. C'est une hypothèse psychophysiologique comme celle de James (1890) mais du système nerveux central plutôt que périphérique[6]. À l'intérieur de cette hypothèse la séquence devient: «je vois une manifestation de la vie; j'en éprouve de l'intérêt; je souris; parce que je souris, je continue à m'intéresser». Cette explication quant à la sensibilité de l'hypothalamus qui varierait en intensité selon le type d'émotions est aussi valable qu'intéressante mais, malgré cela, elle ne peut pas vraiment permettre d'identifier laquelle des émotions est précisément en cause: de la joie? de la colère? La colère est autre chose que la joie, et plusieurs événements les séparent. L'émotion signifie quelque chose. *Elle se pose comme une relation de la personne avec son monde* que le corps permet de ressentir sans qu'elle s'y réduise.

Lucile est triste et broie du noir. Toutes ses idées sont tristes et lourdes et tournent sans cesse dans sa tête. Son ami Robert a beau lui mettre la main sur l'épaule et tenter de défaire avec elle par la logique chacune de ses idées tristes mais cela ne change rien. Lucile n'est pas triste parce qu'elle a des idées tristes; elle est triste *et* elle a des idées tristes. Sa tristesse est une manière d'être-au-monde. Si celle-ci peut changer, sa tristesse disparaîtra. En modifiant le cap de sa vie — du «faites-moi plaisir» au «je me fais plaisir» — la tristesse et les idées qui l'accompagnaient sont disparues.

Le sens de l'émotion n'est pas dans l'insistance sur une idée, ni dans le lieu corporel proprement dit, mais dans l'interaction de ces données (idée, lieu corporel) avec celles de la situation particulière en cause. Le sens de l'émotion se trouve là où se rejoignent l'idée, le corps et la situation, c'est-à-dire la personne-en-situation. Il naît de l'interaction du symbole avec l'expérience concrète et réelle. Aucun système humain — quels que soient sa complexité et ses degrés d'organisation et de hiérarchisation — ne saurait effectivement *expliquer* toute la personne-en-situation. C'est identique en ce qui concerne le système émotif. Il ne peut absolument pas être réduit à un simple fait parmi d'autres, car il permet de rejoindre la réalité profonde et entière de la personne. C'est le sens qui est l'essentiel d'une émotion particulière. Le sens permet d'identifier toutes les instances concrètes et quotidiennes par où naît l'émotion comme celle du goût de vivre par exemple.

Une mise-en-mouvement qui vient de l'intérieur

Quel est l'essentiel du goût de vivre? Quelle structure particulière commune à toutes les expériences du goût de vivre doit exister pour que cette expérience soit un goût de vivre plutôt qu'une peur ou une tristesse? L'essence du goût de vivre repose sur *le contact incessant avec des situations intrapersonnelles, interpersonnelles ou matérielles qui permet à la personne de continuer encore plus comme organisme vivant.*

La mouvance est une autre des caractéristiques essentielles du goût de vivre, comme de toute émotion d'ailleurs. L'émotion nous émeut (*e — movere*), nous remue et nous bouge pour nous sortir de notre état statique et figé. Ressentir le goût

6. Voir les travaux de Cannon (1929).

de vivre, c'est donc, nous-mêmes, nous mettre en mouvement[7]. Cet état de mise en mouvement par l'intérieur contraste avec la mise en mouvement de l'individu par des forces extérieures dont la personne ne ressent pas l'appartenance. Lorsqu'elle est demandée ou précipitée par des forces extérieures, la mise-en-mouvement risque de devenir une contrainte plutôt qu'un goût de mouvement et de vivre.

> Quelle différence entre cette présentation de rapports administratifs et la rédaction de ses petits poèmes! Pour les premiers, Michel se sentait contraint par les délais et les formes, obligé par les tâches de sa fonction de directeur, enfermé dans un style sec et rigide. Lorsqu'il écrit ses poèmes, il est mû par l'intérieur. Ses mots et ses phrases se construisent à partir de ses propres nuances émotives. Les pages s'accumulent comme s'il s'ouvrait le cœur: il a le goût de ses poèmes. Ses poèmes, c'est *vraiment* lui-même.

Quel est le mouvement fondamental suscité par le goût de vivre? Clairement, c'est un mouvement vers la vie. C'est un mouvement pour contacter la vie, pour la rapprocher de la personne comme dans un équilibre de forces: centripètes pour aspirer la vie vers la personne et centrifuges pour pousser la personne encore plus vers la vie. C'est un heureux alliage entre un désir de posséder la vie et un désir de s'abandonner à la vie. Ces subtils mécanismes du mouvement de la personne révèlent aussi les nombreuses nuances de l'émotion du goût de vivre: du désir de vivre à la fascination de vivre; de la contemplation de la vie à la délectation de la vie[8].

Le mouvement de l'émotion du goût de vivre fonctionne à partir des mêmes processus développementaux que ceux de l'intelligence tels que découverts par Piaget (1961), c'est-à-dire le processus *d'assimilation* et le processus *d'accommodation* qui, par leur équilibre, permettent *l'adaptation*. Appliqués au mouvement de l'émotion du goût de vivre: par l'assimilation, les données de la vie reçoivent une signification en accord avec la structure déjà existante du goût de vivre et ainsi la vie s'incorpore au vivant; par l'accommodation, les données de la vie forcent un changement dans la structure du goût de vivre et celui-ci s'enrichit à la mesure des données reçues[9].

> Philippe tente par tous les moyens de profiter de la vie. Il adore que ses journées pétillent d'activités intéressantes. Dans ses différentes occupations tout autant que dans ses diverses rencontres avec les gens, il tente de se nourrir la vitalité. En tout et partout, il cherche son bien. Cela le conduit à développer une générosité bien particulière: rendre les gens heureux. Il profite alors de leur bonne humeur. En prenant plus de la vie, il devient plus vivant et en devenant plus vivant, il donne plus de vie autour de lui.

---

7.   Le mouvement ressenti par une personne sous l'influence d'une émotion entretient un rapport paradoxal avec l'action. Plutôt que nettement agissante — c'est-à-dire plutôt que nettement en action sur la scène extérieure — la personne est comme bougée passivement par ce qui la bouge et qui semble venir de l'intérieur d'elle.

8.   La richesse de l'émotion du goût de vivre trouve beaucoup de similitudes avec l'émotion de l'amour (voir Bureau, J.,1978A)

9.   Les mêmes phénomènes s'observent sur une échelle plus grande dans l'équilibre entre l'autonomie de la personne et son harmonie avec l'univers: «To be apart and a part» (voir Bugental, 1976).

Un lieu: l'organisme tout entier en interaction

Dans son développement, la vie s'est dotée d'un système émotif non pas comme un équipement de luxe, superflu et dérangeant l'unité de l'organisme mais pour accomplir des fonctions particulières et pour être au service de l'organisme tout entier[10]. En d'autres mots, on peut dire que c'est la fonction qui fait apparaître l'organe et non l'inverse; c'est l'adaptation à la vie qui a fait naître le système émotif et non l'inverse. Le système émotif ne résulte pas simplement de l'excitation de l'hypothalamus ou d'une autre région corporelle mais de l'usage de la vie et de la fonction vitale. L'organisme tout entier avait besoin du système émotif.

> Sylvie est débordante de goût de vivre. Elle ressent bien la vitalité de ses jambes, l'ouverture de son regard, sa respiration abondante, mais elle ne peut pas loger ni là en elle ni ailleurs ce goût de vivre. Il est *tout elle*; *elle est en goût partout*: dans son cœur comme dans sa tête, dans ses bras comme dans son visage. Elle est en goût de vivre.

Le véritable lieu de l'émotion du goût de vivre, c'est l'organisme tout entier, et c'est tout l'organisme qui l'exprime, pas seulement l'organisme physique ou corporel mais la totalité du champ des relations intrapersonnelles, interpersonnelles, sociales et même culturelles. D'ailleurs, c'est par la parole (outil social et culturel) que s'exprime suprêmement l'émotion. Le langage, héritage social et culturel, reste certainement le mode le plus approprié pour nommer et pour dire notre état émotif et, parce qu'il est capable d'une grande variabilité, il s'adapte facilement aux personnes et aux circonstances qui nous entourent. Il peut même arriver, si la culture ou la société particulière ne nomme pas (c'est-à-dire ne propose ni l'existence, ni l'étiquette) une émotion, que celle-ci ne se ressente pas et ne s'exprime pas.

Toutes les interactions de la personne avec les situations, de surcroît les interactions humaines, sont sources de vécus émotifs, et pour bien comprendre un vécu émotif particulier, il faut se référer à la situation d'interaction en cause. Le vécu émotif peut effectivement être différemment compris, interprété et vécu selon qu'il s'éprouve dans telle ou telle situation particulière. L'éclat de rire d'un homme paraîtra insolite et incongru et peut-être un indice de son trouble psychoaffectif si cet homme est seul et qu'il rit[11]; le même éclat de rire de ce même homme mais, cette fois, dans une situation d'échange entre deux personnes sera et paraîtra tout autrement: l'éclat serait probablement et paraîtrait adapté et cet homme, sociable et chaleureux. L'émotion doit donc obligatoirement être située dans le très large cadre de la personne-en-situation-dans-le-monde. Nous devons toujours nous garder de morceler la réalité humaine existentielle.

La conscience de l'émotion n'est pas une conscience réflexive, cela veut dire que ce n'est pas parce qu'on réfléchit à une émotion qu'on l'éprouve. C'est aussi

---

10. «L'élément essentiel du moi paraît être l'état affectif: c'est lorsque nous sommes en proie à un affect que nous prenons conscience de nous-mêmes avec le plus d'acuité, que nous nous percevons nous-mêmes avec le plus d'intensité». Jung (1964), p. 93.

11. Ce lien entre «rire tout seul» et «trouble psychoaffectif» n'est évidemment pas absolu. On peut très bien «rire tout seul» tout en étant sain d'esprit et approprié à la situation. La situation est alors une situation intérieure, par exemple un souvenir d'un quelque chose de drôle.

cela pour le goût de vivre: ce n'est pas parce qu'on réfléchit sur le goût de vivre qu'on a le goût de vivre. La conscience de l'émotion est une *conscience du monde*, c'est-à-dire que le goût de vivre se ressent parce que la vie est là, tout comme la peur se ressent parce que la menace est là, réellement ou en fantaisie. Pour que la conscience de l'émotion du goût de vivre demeure, elle doit toujours garder contact avec les manifestations de la vie. Il est faux de croire que l'émotion d'abord déclenchée par l'objet (le signal) s'en éloigne ensuite pour s'absorber en elle-même. Au contraire, l'émotion revient sans cesse s'alimenter à l'objet. Il y a union entre le sujet ému et l'objet émouvant.

> La très grande beauté de Sandra et sa vivacité mobile comblent le regard de Paul. Il a le goût d'elle, même en son absence. Ce goût le fait tendre vers elle. Par le désir qu'il éprouve envers elle, il réunit dans une synthèse indissoluble son goût d'elle et l'image ou la perception de la beauté et de la vivacité de Sandra.

L'équilibre du couple pensée-émotion: le sens

Le sentiment d'être unifié reste pour la personne le principal critère pour départager harmonieusement le rôle de la réflexion de celui de l'émotion dans le jeu du couple pensée-émotion sur le goût de vivre. La personne doit parvenir à établir l'équilibre entre la pensée et l'émotion en leur donnant respectivement la place qui leur convient. Pour se sentir unifiée la personne a besoin de vivre *penser* et *ressentir* harmonieusement intégrés à l'ensemble de sa personnalité. C'est de là qu'émerge le sens qui mène à l'équilibre. Sans cela, ce que la personne pense du goût de vivre et ce qu'elle ressent du goût de vivre risquent de prendre des directions opposées et alors de diviser la personne au lieu de l'unifier. Si la réflexion réprime massivement l'émotion, la pensée et la connaissance perdent leur sens puisqu'elles sont coupées de leurs racines existentielles réelles, c'est-à-dire l'état émotif. Mais l'état émotif ne disparaît jamais totalement; il reste toujours présent quelque part derrière et potentiellement prêt à s'exprimer, et occasionnellement à jouer le trouble-fête.

> Lorraine a décidé que les hommes ne l'impressionneraient plus. «Plus jamais, je ne me laisserai monter sur la tête par un homme», se disait-elle. Et pourtant à chaque fois qu'elle rencontre un homme plus âgé qu'elle, surtout s'il est en autorité, elle devient tout anxieuse. Sa voix brise, elle rougit et ne sait plus que dire. Elle a refoulé sa peur par sa décision mais elle est envahie par l'anxiété.

À l'inverse, si l'émotion prime sur la réflexion, la personne ne peut que très difficilement — et la plupart du temps pas — se détacher des données immédiates de la situation concrète et elle se voit plutôt emportée par son émotivité et sa contrepartie, l'impulsivité. L'émotion est immédiate et surtout aveugle dans son adhésion[12]; à cause de cela, elle peut très rapidement et facilement placer la personne dans une situation qui lui est défavorable.

> Marc ne peut pas être en présence d'hommes qui ressemblent à son père. Il devient alors complètement désemparé. Il scrute chacune de leurs paroles ou de leurs gestes et y trouve

---

12. «Plutôt que de se laisser emparer par l'humeur... l'humeur devrait révéler et préciser de quoi elle est faite, et en fonction de quelles analogies fantasmatiques, on pourrait tenter de la cerner et de la décrire». Jung (1964), p. 200.

toujours du reproche ou du blâme. Marc ne se possède plus. Il lui arrive même d'agresser verbalement ces hommes aussitôt qu'il les rencontre. Cette perte de contrôle lui vaut bien des ennuis.

L'intégration de la pensée et de l'émotion est nécessaire pour atteindre et maintenir l'équilibre harmonieux des deux tendances, mais elle ne saurait l'être autant que le *sens* qui en émerge. Plus que de la simple intégration, l'équilibre émerge effectivement du *sens* de la situation personne-milieu. Le *sens* s'enracine dans l'état émotif et fait que l'émotion se nomme par la pensée et le langage.

Toute sa vie, Henri a tenté de conserver un juste équilibre entre ses pensées et ses émotions. Il cherchait à retrouver les proportions et les circonstances qui faisaient que la porte intérieure s'ouvrait ou pas sur la réflexion ou bien sur l'émotif. À partir de là, il en est venu à départager sa vie en secteurs: à la maison, avec ses enfants et sa femme, il se permettait d'être émotif; au travail, pas question de sentiments, il n'était que raisonnable. Cette dichotomie l'a conduit graduellement à perdre tant le goût de travailler que celui de retourner chez lui. Mais lentement, il a privilégié la voie de l'unité: autant le raisonnable que l'émotif autant au bureau qu'à la maison. Il sentait que d'un accent bien particulier sur l'émotif émergerait son raisonnable. Depuis, son goût de vivre avec sa famille et à son travail s'est densifié.

Le vieil atavisme voulant séparer l'émotion de la pensée, en leur accordant des champs d'activités tellement différents et opposés qu'ils ne pouvaient alors être placés autrement que dans un rapport dichotomique, a sûrement contribué à installer des principes d'éducation dont les adultes d'aujourd'hui font les frais. Ce rapport d'opposition, en réduisant l'émotion à une sorte de langage archaïque et infantile, ne pouvait évidemment que mener l'adulte à privilégier la raison et la pensée pour s'éviter de régresser dans la contagion et la confusion émotive de l'enfant. L'émotif n'est cependant pas synonyme de primitif, d'infantile, d'archaïque ou de magique. L'émotif se transforme et s'adapte au développement de la personne comme les capacités cognitives ou les ressources relationnelles. L'émotif s'intègre à la croissance de la personne et avec elle, il évolue et se raffine dans ses ressentis, ses identifications et ses expressions. Se méfier de l'émotif en l'associant au monde de l'enfance et à ses modes de percevoir et de penser c'est faire comme si l'homme ne se raffinait et ne se développait qu'intellectuellement en laissant en friche l'émotif. Bien sûr, il n'en est rien. Le domaine émotif croît chez l'humain pour le rendre plus approprié à la personne tout comme l'intelligence passe à travers certaines étapes pour atteindre son plein développement chez l'adulte.

Quand il s'agit du goût de vivre...

Face au goût de vivre, l'émotion et la réflexion — les deux — se raffinent et se nuancent à la fois par l'effet de l'interaction avec les situations — toutes les situations — et à la fois par l'apport du langage. Cela n'empêche pas son rôle de saisie (le raptus) de la réalité avec laquelle la personne interagit. En d'autres mots, l'émotion travaille à sa propre maturation et se développe aussi par elle-même avec la même densité que l'intelligence, et elle le fait non pas contrôlée par l'intelligence mais activée par elle tout comme l'apport de l'émotif permet à l'intelligence de se *développer harmonieusement*.

Les erreurs émotives sont du même ordre que les erreurs intellectuelles, c'est-à-dire qu'elles ne relèvent pas de la nature même de l'émotif — ou de l'intellect — mais de l'accident, des circonstances.

Marcel se transporte dans la vie avec toujours le même air grognon et marabout. En toute situation, il a toujours une attitude disponible à exprimer sans être obligé de chercher bien longtemps: *il n'est pas content.* Un jour sa façade se fissure. Dans certaines circonstances, il connaît des crises de pleurs tellement bousculantes qu'il ne réussit même pas à les faire cesser. Cela le conduit à vraiment s'arrêter sur son comportement émotif. Il réalise que s'il ne se fige pas volontairement dans sa mauvaise humeur, il peut connaître toutes sortes d'émotions: certaines agréables, d'autres moins mais cela ne l'écrase pas pour autant. Il demeure encore là, lui Marcel, même après le passage d'une émotion. Lorsqu'il regarde la télévision avec sa famille et qu'une situation suscite ses larmes, il accepte de perdre la face toute rigide habituelle et il en profite pour se comprendre davantage en identifiant ce qui le fait pleurer. Ses larmes lui servent à se comprendre. Se comprenant mieux, il s'accepte plus et s'acceptant plus, il sourit davantage: des larmes aux rires.

Quand il s'agit du goût de vivre, l'émotion semble toutefois devancer d'un pas l'intellect[13]. Le goût de vivre comme émotion semble en effet précéder le goût de vivre comme manière de le penser, de l'organiser ou de le planifier. C'est le goût de vivre comme émotion qui le mieux permet à la personne d'utiliser avec ténacité les circonstances pour la conduire et la soutenir dans sa réalité tant qu'elle n'a pas atteint son but. L'organisation et la compréhension intellectuelles sont évidemment essentielles pour cela mais elles sont secondaires au goût et à l'appel de vivre et de continuer propres au goût de vivre comme émotion. Toutefois, la représentation intellectuelle complète et nourrit, par l'abondance de ses concepts, l'émotif du goût de vivre et ainsi, élargit et densifie le goût de vivre.

Quelle beauté que ces plumages d'oiseaux! Quelle grâce dans leur vol et leur allure! Quelle délicatesse de leur corps et de leur bec! Et la connaissance des noms des différentes espèces, de leurs habitudes et de leurs comportements de cour augmente l'intérêt à les contempler.

L'intellect passe obligatoirement par l'émotion — du moins, quand il y a goût de vivre. Les composantes émotives du goût de vivre peuvent bien sûr être masquées, cachées, niées, voilées ou restées comme en état d'incubation derrière *mais*, s'il y a goût de vivre, elles sont là, toujours.

Le jeu du langage, de la parole, des mots

La pensée et le langage servent donc l'émotif, mais l'émotif garde sa priorité pour unifier la personne. *Nommer* son goût de vivre c'est éviter l'angoisse, cette sorte de piétinement sur place avant d'agir ou d'exprimer. Le sens émerge de l'interaction entre le concept et l'émotif; il n'est ni complètement dans l'un, ni complètement dans l'autre[14]. C'est toutefois l'émotif qui assure la continuité et qui favorise l'émergence du sens; c'est l'interaction entre le symbole (v.g. les mots utilisés) et le ressenti qui donne le sens logé au cœur de tout acte thérapeutique (voir

13. L'équilibre de la raison et de l'émotion au plan du phénomène du goût de vivre n'empêche pas une certaine priorité de l'émotion au plan de sa genèse existentielle.
14. Voir Gendlin (1962).

J.A. Nisole, 1981). La parole sert donc à «réveiller» l'émotion et à susciter sa vitalité affective.

L'émotion c'est d'abord une espèce de foi, souvent aveugle, qui adhère spontanément à la situation, sans aucun sens critique. Elle a donc besoin de la pensée, du mot, de la parole pour être nommée, se transformer et se perfectionner, et pour alors se retrouver au service de la personne. L'émotion de l'amour pour son enfant illustre bien cette adhésion aveugle. Toutefois cet amour se transforme (change de forme) et se perfectionne par l'étiquette «amour maternel» et par l'intégration de ses responsabilités et de ses ressentis face à son enfant.

Alice se définit comme une *donneuse*. Elle se considère prisonnière de donner. Y a-t-il quelqu'un en besoin, elle veut donner. C'est spontané et automatique. Toute son éducation l'a formée à s'oublier pour s'occuper des autres et leur donner. Même à ceux qui continuent leur vie sans ses dons, elle veut les assurer qu'ils peuvent toujours compter sur elle. Cette générosité connaît toutefois des ratés. Certains de ses enfants s'envient entre eux et mesurent la quantité des dons qu'ils reçoivent. D'autres lui reprochent de les priver par sa trop grande générosité. Elle ne leur donne pas assez de temps. Le jour où Alice a réussi à mettre en priorité la recherche de son bien, elle commença à ressentir sa liberté. Elle pouvait dire non, refuser ou dire oui et accepter selon l'harmonie de ses *oui* ou de ses *non* avec son propre bien. Elle s'aimait plus et identifiait mieux ceux de ses enfants qui l'aimaient vraiment et ceux qui n'étaient que des profiteurs de sa générosité.

L'émotion du goût de vivre et son élan garantissent la réalisation et la continuité de la vie à condition qu'ils se laissent féconder par la pensée (réflexion, volonté, etc.) et que s'ajoutent ainsi à la foi spontanée et à l'adhérence de l'émotion des actes secondaires appropriés. Fondamentalement, pour se sentir unifiée et en continuité — c'est-à-dire non pas morcelée et en discontinuité — la personne doit maintenir le contact avec son émotif tout en permettant qu'il soit fécondé par la réflexion plutôt que de s'éparpiller par la stimulation des circonstances extérieures.

Une manière d'appréhender le monde

L'émotion du goût de vivre est une manière d'appréhender le monde. Par son mode particulier de contact, elle permet à chaque personne de prendre, de saisir et de s'approprier la réalité, la sienne. C'est une appropriation qui demeure donc relative à la personne et à sa situation. À cause de cette appréhension, l'émotion du goût de vivre n'est donc pas que passive et réceptive. L'émotion active la conscience et, dans ce sens, elle construit son monde. Cela implique que l'émotion meut, bouge et active la personne. C'est l'aspect ressort de l'émotion du goût de vivre. Celui qui fait que la personne change les rapports de son identité avec le monde pour que le monde aussi change ses caractéristiques. Dans l'émotif, il s'agit donc d'une certaine structuration de la personne qui cherche à organiser le monde ambiant dans une structure qui favoriserait le contact entre la personne et son monde.

Martine voudrait bien confier à son médecin toute l'admiration qu'elle a pour lui et le goût qu'elle ressent d'être proche de lui. Mais cela lui est impossible à dire, car après tout ce médecin est un étranger retranché derrière un statut professionnel qui l'attire et en même temps l'éloigne. C'est à l'homme qu'elle veut parler et l'homme devant elle garde le silence. Il écoute et attend ses confidences. Ce monde est trop difficile pour

Martine; il lui faut échapper à cette tension; elle se coiffe d'un beau sourire et d'un regard en coin. Elle allonge lentement ses jambes en direction du médecin. Elle cherche à transformer ce médecin gênant et froid en *un désirant d'elle*. Elle tente de le séduire sexuellement parce qu'*elle* ne peut rien dire et parce qu'*elle* se sent incapable d'exprimer simplement son admiration; mais aussi *pour* ne rien dire. Sa séduction sert à la transformer elle-même (son goût de dire son admiration) et à transformer l'autre (le médecin gênant et froid). Mais l'essentiel est sauvé puisque le contact est devenu possible.

Ainsi l'émotion possède une explication, un *parce que*, mais aussi une fonctionnalité, un *pour quelque chose*, et elle est significative à condition d'être replacée dans l'ensemble de l'être-au-monde de la personne[15]. L'émotion du goût de vivre transforme et cette transformation, répétons-le, s'effectue tout autant dans le sujet qui s'intéresse à la vie que dans l'objet d'intérêt que cela soit une autre personne, un milieu ou un beau paysage. Pour effectuer cette transformation, la personne doit se rencontrer elle-même et, d'une certaine façon, se réfugier dans son propre corps. Reprenons l'exemple précédent. La femme utilise son corps (les gestes de séduction) pour amener l'autre (le médecin froid) à s'approcher d'elle, à devenir chaleureux et à la désirer. Tant que cette femme est préoccupée de séduire ou de la réussite de sa séduction, elle n'est pas à parler de l'admiration qu'elle éprouve; cela sera pour plus tard le cas échéant si le contact espéré via la séduction s'établit[16]. Par crainte d'une véritable rencontre avec elle-même, avec ce coin d'elle-même où elle admire et où elle reconnaît les qualités de celui qu'elle admire, elle préfère utiliser des moyens détournés toujours par l'entremise du corps (la séduction) pour tenter de changer son interlocuteur — le médecin froid — plutôt que de transformer vraiment son monde et elle-même en conséquence: reconnaître et exprimer au médecin, l'admiration qu'elle éprouve pour lui.

Choisir ses émotions

Mais qu'en est-il de la question du choix de l'émotion? Peut-on choisir l'émotion du goût de vivre? Est-ce possible de prendre la décision de ressentir le goût de vivre? Sommes-nous esclaves de la situation ou de l'état corporel qui déclenche les racines de ce goût? Quand il s'agit du fonctionnement de l'intelligence ou de l'exercice de nos conduites, personne ne doute de la possibilité de décider ou de choisir. On peut effectivement choisir d'exécuter telle action plutôt que telle autre ou bien de réfléchir sur tel problème plutôt que sur tel autre. Mais quand il s'agit de l'émotion, pouvons-nous vraiment choisir? Peut-on choisir

---

15. Voir Bureau, 1978.

16. Simone de Beauvoir dans son livre classique (*Le Deuxième Sexe*, 1949, Vol. II, p. 434), décrit de la même manière les jeux intrapersonnels et interpersonnels des larmes: «Douces à la peau, à peine salées sur la langue, les larmes sont aussi une tendre et amère caresse; le visage flambe sous un ruissellement d'eau démontée; les larmes sont à la fois plainte et consolation, fièvre et apaisante fraîcheur. Elles métamorphosent la femme en une fontaine plaintive, en un ciel tourmenté; ses yeux ne voient plus, un brouillard les voile... ils se fondent en pluie; aveugle, la femme retourne à la passivité des choses naturelles... elle sombre dans sa défaite... se noie... échappe à l'homme qui la contemple, impuissant, comme devant une cataracte».

d'éprouver l'émotion du goût de vivre plutôt qu'une autre, plutôt que de la tristesse par exemple?

D'une certaine façon, le choix est possible même dans le registre de l'émotion. Une personne peut choisir de ressentir une émotion particulière, ici le goût de vivre, tout dépendant de la manière dont elle organise ses relations avec l'autre et avec la situation qu'elle soit intrapersonnelle, interpersonnelle ou matérielle. Toute situation implique ou possède en effet plusieurs interprétations possibles rendant compte chacune d'une partie de la réalité. Une personne peut donc *choisir*, et même d'une certaine façon *doit choisir*, l'une ou l'autre des interprétations possibles. La personne n'est pas toujours consciente qu'elle effectue ce choix mais si elle le devient, son choix se transforme en décision consciente. Une fois ce choix ou cette décision effectuée, l'infra-structure émotive de la personne se met en marche et elle ressent telle ou telle autre émotion qui correspond à telle ou telle autre des interprétations.

Anne voit un homme s'approcher d'elle. Il marche d'un pas rapide tout en la regardant bien droit dans les yeux. Que se passe-t-il? Est-il dans une mauvaise situation et a besoin d'aide? A-t-il l'intention d'attaquer? Est-il ravi par sa beauté? De toutes ces interprétations, Anne en choisira une qu'elle attribuera ensuite à l'attitude de cet homme et selon elle, ressentira de la compassion, de la peur ou du contentement d'être elle-même. C'est son choix de l'une ou l'autre des interprétations qui déterminera l'émotion qu'elle ressentira.

Quelle que soit l'analyse intellectuelle qu'il est possible de faire quant aux caractéristiques d'une situation, il est très souvent nécessaire d'y ajouter l'action. La conduite ou l'action, est effectivement souvent très utile pour aider à départager les caractéristiques d'une situation et ainsi favoriser l'une ou l'autre des interprétations possibles pour pouvoir ensuite ressentir l'émotion qui nous semble la plus appropriée à la situation. Agir, poser un geste, faire une action aident à identifier ce que l'on ressent.

Paul pense à la rencontre prévue avec Louise ce soir. Il ne parvient pas à voir clair dans les émotions qu'il ressent face à Louise: tristesse et lourdeur? joie? détente? rejet? Tout cela tourne en rond dans sa tête jusqu'au moment où il décide de lui téléphoner pour vérifier ce qu'il peut espérer d'une rencontre avec elle. Au premier contact, le ton plaintif de Louise amène Paul à ressentir de la tristesse. Le geste qu'il a posé en téléphonant à Louise le conduit à préciser sa propre émotion et à réaliser toute la triste pesanteur qu'il éprouve finalement, en général, dans le lien avec Louise.

En fait, choisir le goût de vivre dépend certainement de la position qu'adopte une personne face à l'*autre*. Selon la position qu'elle choisit, la personne organise une structure émotive qui transforme la situation et qui alors lui demande de réajuster ses comportements. Plus précisément, la personne doit choisir la distance optimale entre elle et l'autre c'est-à-dire si la distance entre elle-même et l'autre doit augmenter ou diminuer pour favoriser le maintien de son espace personnel nécessaire au développement de son goût de vivre. La personne doit également choisir le sens du mouvement qu'elle désire donner à sa relation, à savoir si elle sera le sujet du mouvement ou si elle doit tenter de faire mouvoir l'autre.

Tant que la relation avec Claire était symbiotique, Antoine réagissait à toutes les émotions de celle-ci comme si elles étaient les siennes. De cette proximité, émergeait en lui de l'hostilité parce qu'il avait sans cesse l'impression d'y sacrifier sa propre vie. Le jour où il décida de briser cette symbiose et de vivre dans un autre appartement, il commença à pouvoir ressentir toute une gamme d'émotions et d'intérêts à vivre qu'il ne se connaissait pas auparavant. Son choix de distance l'avait conduit à un choix d'émotions.

Chez l'être humain, l'étendue de la liberté émotive est beaucoup plus grande qu'on peut le penser à première vue puisque vivre, c'est faire des choix existentiels et choisir, c'est multiplier sans cesse les possibilités émotives.

L'émotion agit la personne, la transforme, la crée

Toutes les nuances émotives utilisent le comportement comme un moyen d'échange affectif avec le milieu et le monde. Mais le comportement et la conduite — comme la conscience du comportement d'ailleurs — ne sont pas l'émotion. Il y a bien sûr des conduites qui feignent de transporter une émotion mais en fait, la véritable émotion se trouve ailleurs à un autre niveau.

Jacques ne cesse de combler Maryse de cadeaux: des fleurs, des bijoux. Chaque petit événement est une occasion pour lui offrir quelque chose. Il tente ainsi de lui prouver son amour, mais l'irritation qu'il ressent face aux différentes réactions de Maryse devant les cadeaux le confond. Enfin, il réalise que sa véritable émotion n'est pas son amour pour Maryse mais une façon de ne pas lui faire de la peine. Or, lorsque la réaction de Maryse n'est pas joyeuse et débordante, la conduite de Jacques, son don, n'a pas atteint sa cible: «ne pas lui faire de peine». Le comportement de Jacques paraissait transporter de l'amour mais la véritable émotion était une crainte de blesser Maryse et de lui faire de la peine.

Comme le montre cet exemple, l'émotion implique une croyance en ce sens qu'elle s'accompagne d'une foi que l'objet sera transformé. C'est une croyance primitive donc très peu raffinée mais qui, par l'ascèse du doute et de la réflexion, évolue vers une croyance adéquate et appropriée à la situation. Elle devient alors adhésion à la réalité. La force de l'adhésion d'une véritable émotion peut devenir si puissante que la personne ne se sent plus capable de s'en libérer à sa guise. C'est presque un envoûtement. Le lien que la personne établit avec la situation à travers l'émotion est effectivement captivant et envoûtant. C'est comme si la situation s'emparait de la conscience. L'adhésion entre la personne et son monde s'effectue avec la même intensité quand il s'agit de l'émotion particulière du goût de vivre. Dans le goût de vivre, les caractéristiques de la vie s'unissent à la conscience de la personne qui alors ne peut plus s'en libérer par un simple élan de volonté.

Depuis que Gaston s'intéresse à l'origine de l'univers, ces questions ne le quittent plus. Dans sa douche, il réfléchit à certaines de ses découvertes; dans les conversations avec ses amis, il glisse des observations pour obtenir leurs commentaires. Il est habité par son intérêt pour le genèse de l'univers. Cette émotion l'amène tout autant à être possédé par ce thème que ce thème le possède. Il fonde cette vérité tout autant qu'il est fondé par elle.

L'émotion du goût de vivre introduit la personne dans la vie tout autant que la vie s'introduit en elle. La personne se marie avec la vie, comme si elle était entraînée dans une danse. Le goût de vivre ne captiverait sûrement pas tant la personne si elle n'était que préoccupée par des caractéristiques saisies intellectuellement. Le goût de vivre déborde l'intellect. Il saisit en la vie ce quelque chose qui déborde infiniment la conscience émotive.

Dans le goût de vivre, tout le corps est affecté par un bouleversement ineffable. Les manifestations physiologiques et corporelles de l'émotion représentent le sérieux de l'émotion; mais cela, sans qu'elles puissent constituer pour autant l'ipséité de l'émotif et sans qu'alors il faille les considérer isolément. Ce sérieux fonde et corporalise la personne émue pour la porter à agir. C'est l'aspect efficient de l'émotif. L'émotion n'est donc pas qu'une simple magie fondée sur une croyance sans pouvoir réel sur les choses. L'émotion agit la personne. Le goût de vivre fait vivre encore plus la personne comme ressentir l'amour fait aimer davantage la personne que l'on aime. Ainsi, un thème comme *la vie vécue émotivement* se mesure à son pouvoir et à sa capacité de transformer la personne et son monde. Lorsqu'elle est bien enracinée dans la personne et bien pointée sur la vie, l'émotion du goût de vivre possède un pouvoir créateur, créateur du devenir de la personne.

Ce soir, Paul doit rencontrer Suzanne. Il est plein de goût pour elle: la regarder, l'écouter, la toucher. Son goût pour elle se loge partout en lui, il s'enracine dans tout son corps, il se promène dans sa tête et ses idées. Il émerge aussi de son bien-être d'avoir travaillé à son goût cet après-midi et de continuer ce travail demain. Son goût le pousse à agir, à se préparer à cette rencontre avec Suzanne et à contacter, par sa propre vitalité, la réalité de Suzanne.

Cette conscience émotive possède le même effet que, par exemple, la conscience fatiguée qui s'endort. Toutes les deux se plongent respectivement dans un univers nouveau et transforment le corps de façon à vivre l'un ou l'autre de ces mondes: dans l'exemple précédent, rejoindre une personne; dans la conscience fatiguée, se coucher. Le monde de l'émotion — comme le monde du rêve ou le monde de la folie — contacte la réalité d'une façon particulière; cette réalité offre des qualités affectives qui fascinent la personne et maintiennent l'émotion; l'émotion tend alors à se perpétuer et à se renchérir elle-même. Ainsi, plus on aime, plus on continue à aimer; plus on goûte, plus on continue à goûter. À cause de ses qualités spécifiques de perpétuation et de renchérissement, le système émotif sert tout à fait adéquatement la finalité de la vie, à savoir, continuer.

Lorsque la personne vit émotivement son goût de vivre, c'est une qualité particulière de la vie qui pénètre en elle et la dépasse de toute part. C'est une saveur émotive qui oblige la personne à se dépasser et à se prolonger en projetant cette qualité de la vie vers l'extérieur d'elle-même dans les autres personnes, son milieu ou son monde[17].

L'émotion explicite du goût de vivre révèle le monde. Elle engendre des idées et des actions. Par exemple le créateur voit d'abord surgir en lui une émotion avant de la traduire ensuite dans une musique ou dans un texte; si cette musique rejoint l'auditeur ou ce texte, le lecteur, c'est parce que cette musique ou ce texte atteint et ébranle leur émotif.

Depuis que Serge se permet de traduire en poésie ses émotions, il apporte dans sa vie et dans celle de ses lecteurs des expériences qui bouleversent les conceptions du monde que lui et ses lecteurs se faisaient. Il devient témoin redoutable de toute une zone vitale négligée par la vie quotidienne du métro-boulot-dodo. Par son propre émotif et par la couleur particulière qu'il transmet, Serge rejoint l'émotif des autres. L'autre, le lecteur,

---

17. Cela pourrait expliquer cette idée de Bergson (1934): que toutes les grandes créations naissent toujours d'une émotion.

n'est alors plus libre de rejeter ce contact émotif avec ces nouvelles conceptions du monde.

L'émotion du goût de vivre n'est donc pas qu'un regard éphémère sur le monde. Elle intuitionne le monde. L'émotion du goût de vivre et le monde sont en constante interaction et à travers cette interaction l'émotion du goût de vivre mais aussi le monde se raffinent et se différencient[18].

Pour toute personne, l'émotion du goût de vivre est donc une façon de comprendre et de construire son être-au-monde. La ressentir ouvre et développe son être affectif et son univers. Le goût de vivre saisit la vie et transforme chacun des mondes de la personne: intrapersonnel, corporel et interpersonnel. Le goût de vivre ne résulte donc pas uniquement de ce que la vie est stimulante, belle et savoureuse — bien qu'elle le soit — mais en partie de l'inverse, c'est-à-dire que c'est en partie le goût de vivre qui constitue la vie par sa fonction émotive. La vie est signifiée par le goût de vivre. La vie est bonne parce que j'en ai le goût.

En somme, c'est du dedans, dans la situation émouvante elle-même, qu'il faut chercher avec souplesse et empathie à comprendre (*cum* avec, *prehendre*, prendre) les faits émotifs. De l'extérieur, les significations sont trop souvent rigides et, à cause de cela, elles peuvent bloquer l'accès de la personne à son propre sens émotif. Les significations qui nourrissent le mieux l'émotion du goût de vivre sont celles qui se révèlent au fur et à mesure que la personne reste en contact avec son émotif.

> «Il faut se cultiver dans l'art de se parler à soi-même, au sein de l'affect, et d'utiliser celui-ci en tant que cadre de dialogue, comme si l'affect était précisément un interlocuteur qu'il faut laisser se manifester, en faisant abstraction de tout esprit critique» Jung (1964) p. 174[19].

Que le goût de vivre soit essentiellement une émotion et que celle-ci change tout autant la personne que la vie en elle et autour d'elle, il n'en fait plus de doute. Si nous sommes libres de le ressentir, nous ne le sommes pas d'être transformés par son apport en nous.

---

18. Dévaloriser l'émotion au profit de la raison et de l'intellect, la refouler ou la couper pour l'isoler dans un concept facile à manipuler ou à maîtriser ne sert à rien. L'énergie de l'émotion revient toujours un jour ou l'autre pour mettre au pas ce «trop» d'interprétations ou d'intellectualisations, et alors, tout le bel édifice de la logique et du concept perd son sens et parfois, pire, s'écroule. Quand cela arrive, l'émotion originelle ne peut pas apparaître, et être, autrement que débridée et confuse en plus d'être mal adaptée à la réalité de toute la personne.

19. Et Jung (1964) continue: «Il faut alors consciencieusement soupeser ses dires comme s'il s'agissait d'affirmations énoncées par un être qui nous est proche et cher.» p. 174.

CHAPITRE 7

L'ÉNERGIE VITALE

La notion d'énergie est devenue courante. Les limites des ressources énergétiques et les crises internationales suscitées ces dernières années ont certes conscientisé davantage la population au problème de l'énergie, mais aussi favorisé une certaine conception de l'énergie. On discute alors d'énergie électrique, d'énergie solaire ou d'énergie atomique en désignant par ces termes les ressources à l'intérieur desquelles l'énergie s'emmagasine plutôt que de désigner l'énergie elle-même.

Réelle mais difficile à préciser, à décrire

L'énergie proprement dite demeure obscure et difficile à définir; elle fait référence à une certaine possibilité d'action, de travail ou de production. Le concept d'énergie, quelle que soit son application, est en effet une abstraction. Il exprime des rapports quantitatifs concernant le mouvement des substances mais pas l'énergie elle-même, qui elle est enclose dans l'atome (ou ailleurs) mais toujours sans qu'il soit possible, par l'analyse ou par la saisie, de séparer l'énergie de ses supports, et ce bien qu'elle soit différente de chacun d'eux. L'énergie existe par elle-même et elle n'est pas à confondre avec ses supports même si les supports sont identifiables facilement et pas l'énergie elle-même. Cette difficulté d'isoler l'énergie ne la rend pas moins réelle et discernable quant à ses effets. Sa conséquence est tellement claire qu'il est possible de mesurer, du moins indirectement, sa force et son intensité, et de les comparer selon leurs différentes sources. De cela, personne ne doute. Il est possible de constater sa présence continuelle par le travail produit et par la transformation en activités nouvelles qui diffèrent de la source dont elles émanent; par exemple, la lumière suscitée par l'électricité, générée par le barrage d'eau érigé contre le cours naturel de la rivière.

Tant que l'on s'en tient au domaine physico-chimique, la question de l'énergie ne soulève pas trop d'opposition et se comprend assez facilement; il en est tout autrement quand on aborde le domaine du vivant et de l'être humain. Certains mettent en doute l'existence d'un réservoir d'énergie chez le vivant. Ils préfèrent nier tout ce qui n'est pas les activités, organique et matérielle, des phénomènes physiologiques. Pour eux, l'énergie vitale n'est qu'un épiphénomène donc accessoire et sans rien d'essentiel pour le vivant, et ce parce que la preuve matérielle n'est pas faite. La difficile saisie de l'énergie ne tronque en rien sa réalité; il y a une différence entre l'absence des preuves matérielles d'une réalité et la preuve de l'absence de cette réalité. Ce n'est pas parce qu'il y a absence de preuve matérielle d'une réalité que cette réalité n'existe pas! Le concept d'énergie, par son essence même, sert la continuité de la vie. La conception énergétique de la vie, tout comme l'intérêt pour la vie, interprète l'événement en allant de l'effet à la cause, et ainsi elle aide la poursuite de la vie. Réduire l'énergie vitale à un épiphénomène de «sécrétions» cérébrales est tout aussi asséchant de la réalité que de réduire la vie à un épiphénomène de la chimie du carbone.

L'énergie du vivant qui est ressentie dans le goût de vivre est tout aussi réelle que l'énergie électrique, par exemple — mais elle est infiniment plus difficile à préciser, à cerner et à décrire parce qu'elle répond aux lois d'un système ouvert, et non pas à celles d'un système clos sur lui-même qui verse sa quantité d'énergie puis s'épuise. Il en est autrement de la vie et du vivant. Le fait que l'énergie vitale opère au sein d'un système ouvert — celui de la vie et du vivant — amène nécessairement des complications que plusieurs cherchent vainement à éviter en tentant de nier l'existence de l'énergie vitale ou encore, de la réduire à une dimension unique quelconque, comme à la libido sexuelle, et la traiter alors comme si sa quantité d'énergie était fixe et pouvait s'épuiser. Or le système de l'énergie vitale est ouvert; à côté des principes de conservation de l'énergie et d'entropie, il faut ajouter le principe de l'intégration d'énergie du milieu; même plus, celui d'une *synergie* de l'être vivant avec le monde du vivant. L'énergie vitale est en dialogue constant avec le milieu, le monde et la matière.

Le vivant: un réservoir d'énergie

L'énergie vitale, *l'élan vers* et le goût de la vie habitent la personne comme l'énergie loge dans la matière. Le goût de vivre énergise et place le vivant en tension vers la vie. Mais qu'en est-il exactement de l'énergie du goût de vivre? Le vivant est un système doté d'un potentiel énergétique dont chaque être vivant dispose durant toute la durée de sa vie. Plus particulièrement, chez l'être vivant conscient (l'humain) se déroulent une activité continuelle (saine ou morbide) et des transformations multiples; la somme d'énergie dont chaque être humain dispose varie selon les contacts qu'il établit avec la vie et selon les limites de ses ressources pour la retenir ou pour s'en laisser habiter[1].

Assis dans le métro en ce début de semaine, Jean-Pierre est tout concentré en lui-même. Il savoure une espèce de mouvement de forces de toute sa personne — il pourrait se projeter à corps perdu dans une joute de football; il pourrait lire avec avidité un traité scientifique; il pourrait discourir avec passion sur un sujet qui l'intéresse. Il sait que cette énergie en lui peut prendre plusieurs directions, qu'il n'a qu'à décider la voie qu'il choisit. Il préfère rester bien en contact avec cette puissance en lui et attendre que la situation s'offre à lui. Il est bien de ce pouvoir.

Le vivant est un producteur. Parce qu'il est porteur de vie, il est porteur d'énergie; parce qu'il est porteur d'énergie, il produit et il crée. Les créations humaines les plus diverses en témoignent et elles ne peuvent pas se comprendre sans l'idée d'une énergie de la vie — une forme de bio-énergie — qui se transforme sans cesse, selon la créativité de chacun, en cathédrale, en poésie, ou en travaux

---

1.   Certains réduisent le concept de l'énergie vitale à celui de l'instinct. À notre avis, il s'agit de deux concepts différents. L'instinct implique une réaction de tout ou rien, à savoir qu'une fois déclenché, il se déroule en toutes circonstances avec son intensité particulière, sans égard et sans relation avec le stimulus qui l'a déclenchée; l'énergie vitale implique au contraire une relation de tension et de finalité entre le sujet et l'objet — entre les deux sujets quand il s'agit de l'humain.

ménagers. C'est l'énergie vitale qui est responsable de ces richesses accumulées comme des actions quotidiennes de tous et chacun. Le vivant apparaît donc comme un réservoir d'énergie. Chaque être vivant le possède et y puise selon ses ressources et ses limites. La quantité d'énergie du vivant, particulièrement du vivant conscient, est incommensurable. Comme dans tous les autres domaines de la réalité (la matière, la nature, etc.), l'abondance et la générosité en sont la marque. Tout cela dépend évidemment de la manière dont cette énergie est utilisée. Lorsqu'elle est utilisée adéquatement la plus infime des parties de cette énergie — dans la vie symbolique de l'homme par exemple — se renouvelle à l'infini puisqu'il n'est jamais possible d'arracher plus qu'une toute petite partie d'énergie de l'écoulement naturel de l'énergie vitale globale. On ne peut *jamais assez* désirer, aimer ou être en intérêt pour la vie, en autant qu'on respecte, bien entendu, les besoins de repos et les limites de notre organisme.

Les analogies frappantes entre cette énergie de la vie et l'énergie de la matière doivent être replacées dans le modèle qui est propre à la vie, c'est-à-dire, comme nous le disions plus tôt, celui d'un système ouvert sur le milieu. Chaque vivant conscient transporte avec lui sa mini-centrale d'énergie qu'il utilisera au besoin pour produire ou pour activer ou mobiliser une région quelconque de lui-même ou de l'existence: la beauté, la bonté ou la vérité.

À l'assemblée de son syndicat dont il est président, Éric balaie du regard ses compagnons de travail assis devant lui. Il connaît chacun de ces hommes et il sait qu'ils ont construit des maisons, élevé de nombreux enfants, fourni des heures et des heures de travail pour monter cette compagnie et la faire fructifier. «Si au moins», se dit-il, «ces gens connaissaient leurs pouvoirs, leurs énergies et leurs forces. S'ils se réveillaient et constataient tout ce qu'ils ont fait et tout ce qu'ils peuvent faire; quelle force serait engendrée et pourrait servir à améliorer leurs conditions de travail!»

Ainsi sont les êtres humains; il leur est si difficile d'accepter et de conscientiser le pouvoir qu'ils transportent. Ils préfèrent se dire impuissants et incapables plutôt que de savourer leur puissance et leur énergie. Il n'est pas facile d'ouvrir sa personne totale pour rencontrer la vie. Cela requiert souvent un accueil discipliné de la conscience qu'il n'est pas toujours facile d'avoir et encore moins de maintenir. De plus, malheureusement, il y en a toujours un quelque part pour dire et pour convaincre un autre de son incapacité ou de ses petitesses comme personne. Celui-là croit s'approprier du pouvoir en l'enlevant ainsi à un autre.

Pourtant, il suffit de s'arrêter quelques instants devant un seul être vivant conscient, une personne, pour en saisir toutes les potentialités. Cet unique exemplaire de vie peut produire des idées, des images et des actions. Par son imagination, il peut fabriquer des scénarios fantastiques et trouver des solutions à des problèmes multiples; par son émotion, il peut susciter de la chaleur, de l'amour, et il peut réconforter, encourager et stimuler la vie chez d'autres comme chez lui; par ses bras, il peut construire des cités; par ses mains, peindre des couleurs et métamorphoser la matière. Ce potentiel d'énergie qu'est la personne humaine peut pendant des années et des années créer, construire et transformer son monde[2].

---

2.   Bien sûr, cette énergie peut également se détourner de son but premier d'être au service de la vie et alors, au lieu de lier — de construire et de créer — servir à briser, à détruire et à défaire la vie. Certains parlent du jeu entre la pulsion de vie et la pulsion de mort.

Déambulant sur cette rue de grands magasins, Brigitte croise toutes ces personnes affairées ou détendues et aux visages fermés ou souriants. «Ces centaines de personnes», se dit-elle, «sont combien plus puissantes, d'une certaine façon, qu'une bombe atomique; plus diversifiées dans leur énergie qu'un barrage hydro-électrique». Elle se réjouit le cœur d'appartenir à cette race d'énergie. Elle se sait elle-même pleine de pouvoirs — qu'elle utilise pour mettre au monde encore plus de vie.

Un ressort intérieur pour investir la vie

Logée quelque part à l'intérieur de chaque personne, l'énergie du vivant ne fait pas de doute; elle est là. Elle peut même se palper ou se percevoir dans chacun des effets qu'elle produit et surtout, elle peut se ressentir dans le goût et l'intérêt pour la vie. L'énergie vitale engage la personne et l'investit dans la vie. La personne se sent liée à la tâche de continuer la vie; elle est impliquée dans l'œuvre à faire et de cette implication, elle conscientise encore plus son énergie et augmente son sentiment intérieur d'être vivante et en goût de la vie. Ce mordant à la tâche rend la personne plus adéquate dans son geste ou sa parole. Les obstacles et les embûches se fondent et disparaissent alors davantage d'eux-mêmes qu'ils sont rejetés. La concentration et la focalisation — qui évitent l'éparpillement et l'effritement — se déclenchent d'elles-mêmes portant la personne comme poussée par ce ressort intérieur à être encore plus en contact avec la réalité vivante.

Depuis son réveil, Marie pointe en elle le goût de lire son nouveau livre. Tout en faisant sa toilette, la pensée de son livre la stimule. Elle a hâte de s'y attaquer. Puis là, tout son petit monde en place, elle se plonge dans la lecture. Plus elle lit, plus elle ressent son goût de lire. Les idées se synthétisent et les applications abondent. Elle est pleine de son livre et elle se savoure elle-même dans son goût de lire autant qu'elle déguste les idées de l'auteur.

La personne en énergie de vivre se porte à l'existence tout autant qu'elle continue la vie. S'il en est autrement, c'est que le processus spontané de la vie, de son mouvement et de l'énergie qui la continue est pour une raison ou pour une autre, entravé. Par exemple, la sous-utilisation de l'énergie vitale ou la pauvreté de la conscience[3] de cette énergie peut reposer sur la peur qu'entretient la personne par rapport à son propre pouvoir. Elle craint la plupart du temps de retrouver l'angoisse existentielle de la solitude si elle s'octroie tout son pouvoir[4]. Si devant toute apparition d'une nouvelle énergie, la peur chez l'homme surgit et il s'invente des histoires; devant le constat de sa propre énergie, la personne a peur et se fait souvent

---

Plutôt que de voir deux pulsions opposées nous préférons parler en termes d'énergie du goût de vivre et surtout de *forme unique d'énergie* qui est en soi au service de la vie, de la construction et de la création; ce n'est que lorsqu'elle est détournée de son but premier que la vie cesse, que l'ordre arrête et que le désordre s'intalle. Cela arrive particulièrement quand la créativité est impossible.

3.   Effectivement, les gens recherchent beaucoup l'énergie de vivre et la force pour rencontrer la vie. Il est même possible d'affirmer qu'il s'agit là d'un phénomène contemporain lié au besoin d'une plus grande individualisation des personnes et à une perte de l'appui de la collectivité: «Today, the typical patient seeks a sense of identity, a sense of autonomy, a sense of strength to meet life». Gendlin, 1967, p. 143.

4.   Voir Bureau, J. (1992).

des «accroires» — des «accroires» restent cependant des «accroires» puisque l'énergie vitale peut être déplacée, détournée, entravée mais ne peut jamais s'éteindre[5]. En somme, l'intérêt à la vie et le goût de vivre motivent et orientent la conduite du vivant conscient, et l'essentiel de ce goût de vivre repose sur l'énergie vitale. L'élan vers la vie s'explique par cette énergie disponible à tout organisme vivant — selon les limites et les caractéristiques de ce vivant — et l'énergie vitale s'explique par le jeu de la *polarité*. L'énergie vitale constitue en effet une expansion de la polarité fondamentale en jeu à l'intérieur de toute réalité. Comme l'exprime Carl Jung:

> «Dans la conception que j'ai du monde, il y a un extérieur immense et un intérieur qui est tout aussi immense; entre ces deux pôles se situe l'homme, tantôt tourné d'un côté, tantôt de l'autre, et toujours à nouveau tenté, en fonction de son tempérament et de ses sens, de tenir soit l'un, soit l'autre pour la vérité absolue et de nier corollairement ou même de sacrifier tantôt l'un, tantôt l'autre... Le monde pour moi est un tableau fait de contrastes; il en découle pour moi l'idée d'une énergie psychique qui ne peut jaillir que de la tension existant entre des contraires, tout comme l'énergie des processus physiques suppose toujours une pente et un décalage, entre haut et bas, chaud et froid par exemple»[6].

Le modèle de la polarité

Le jeu de la polarité peut servir de modèle pour une plus grande compréhension de la notion de l'énergie vitale. La polarité, avec ses contrastes et ses contraires, se manifeste plus clairement dans l'énergie électrique et dans certains phénomènes physiologiques que dans l'énergie vitale. Dans l'énergie électrique, la tension circule entre un pôle positif et un pôle négatif; dans certains phénomènes physiologiques comme la faim par exemple, l'organisme déclenche spontanément sa quête et sa tension vers la nourriture passant donc d'un pôle négatif — la faim, l'estomac vide — à un pôle positif — la nourriture qui remplit le vide. La polarité qui se joue au sein de l'énergie vitale est plus complexe. Plus complexe parce que les contrastes de la polarité énergétique vitale ne s'installent pas seulement entre l'intérieur et l'extérieur; l'énergie vitale fleurit d'une polarité multidimensionnelle qui englobe les différents et nombreux contrastes humains — entre l'intérieur et l'extérieur mais aussi, entre le conscient et l'inconscient, l'homme et la femme, le sec et l'humide, le plein et le vide, et finalement entre la mort et la vie.

> Tous les hommes que Nancy rencontre la courtisent; toutes ses amies l'adorent; elle est jolie, intelligente et gagne bien sa vie. Pourtant, Nancy se sent morte dans la vie. Elle circule à travers ses journées et ses aventures en suppliant à grands cris l'univers de lui donner un peu de passion et un peu de vitalité. Ce n'est pas ce qu'elle a qui la défait;

---

5.   Même si la peur peut couper la personne de son énergie, celle-ci ne disparaît effectivement jamais. Ne disparaissant jamais, elle peut tout au plus se renouer ailleurs dans des conflits intra-psychiques ou personne-situation. L'énergie vitale n'est plus alors disponible pour le goût de vivre. Distraite de sa finalité, servir la vie, retournée ailleurs paradoxalement souvent contre elle-même — à savoir justement pour éviter que l'intérêt à vivre s'installe sur ses vraies fondations — la personne vivante est alors vidée et sans dynamisme. Seule la résolution de ses conflits pourrait lui permettre de retrouver l'accès et la disponibilité de son énergie.

6.   Jung, C. (1976), pp 185-186.

c'est ce qu'elle est! Elle est profondément isolée malgré la présence des autres et elle refuse sa solitude. Elle est pauvre d'elle-même et riche des autres. Elle réussit à sortir de cette aliénation en devenant enceinte. Pour la première fois de sa vie, elle s'installe en polarité avec quelqu'un, son enfant. Elle brûlait d'envie de procréer et tant qu'elle ne le fit pas, elle se dépersonnalisait.

La caractéristique fondamentale et spécifique de la polarité propre à l'énergie vitale reste la confrontation de la mort par la vie; confrontée sans cesse à la mort, la vie vibre encore plus d'énergie. Cela s'observe avec davantage d'intensité chez le vivant conscient, c'est-à-dire la personne. La conscience qu'a la personne de sa propre mort la nourrit d'énergie et de tension vers la vie; plus elle en est consciente, plus elle est énergisée par la vie et le vivant. C'est d'ailleurs ce qui explique le mieux sa très grande créativité et ses potentialités inouïes d'énergie dont les transformations sont si nombreuses et si variées.

Depuis que Jim est en amour avec la vie, il se sent plus précieux et prend un meilleur soin de lui. Sa démarche s'est assurée, et par son assurance intérieure, il semble nous dire: «Vous avez *quelqu'un* devant vous». Il le dit avec tellement de douceur, qu'il soulève encore plus notre amour. Ses études le passionnent tout autant que la construction de sa maison. Il observe les saisons et les oiseaux avec le même intérêt qu'il écrit des poèmes. Il transforme la vie qui à son tour le transforme et l'énergise. Jim n'a cependant pas toujours été si polarisé sur la vie. C'est comme ça surtout depuis la mort de son frère François. Il a pris alors conscience que la vie, *sa* vie, avait elle aussi une fin, que son temps de vie était limité et qu'un jour, comme François, il va mourir. Confronté directement à la mort, il réalise la sienne et à cause de cela, il choisit de vivre — et de vivre encore plus intensément.

La polarité s'installe aussi entre les différents vivants — entre tous ces porteurs de vie, plein de contrastes et de diversités les uns par rapport aux autres. Deux vivants différents installent entre eux une tension de polarité qui est en fait une source d'énergie qui pousse chacun d'eux à chercher à se connaître, à se rencontrer et à échanger entre eux leurs différences réciproques. Dans le désir sexuel, par exemple, l'énergie fait tendre l'un vers l'autre comme pour séduire (*se ducere*: conduire à soi-même) s'approprier, rendre soi; l'énergie polarise l'un, le sujet désirant et l'autre, le sujet désiré. Pour que la polarité soit là, présente et active, cela implique donc trois éléments: un premier pôle qui tend et qui désire; une tension et une *tendance vers*; enfin, un deuxième pôle, différent, qui polarisé par le premier le rejoint et s'élance à son tour vers lui, le premier pôle. De là, naissent le désir humain — celui qui existe entre deux personnes qui se désirent[7] — et l'énergie du goût de vivre.

Examinons plus particulièrement les trois éléments — premier pôle, tension vers et deuxième pôle — de la polarité spécifique au goût de vivre. Ces trois éléments ne sont pas simultanés mais répondent au contraire à une séquence précise quant à leur ordre d'apparition réciproque dans le processus de la polarisation à la source de l'énergie du goût de vivre. Dans le goût de vivre, la formation du premier pôle précède nécessairement la naissance de la tension qui précède nécessairement

---

7.   Bien des désirs ne se complètent que par le désir par l'autre. Le désir de l'homme n'est à sa plénitude que par le désir pour lui de la femme. Un désir univoque, unilatéral n'obtient pas toute son essence de désir. Voir Bureau (1991).

la création et l'identification du deuxième pôle. Effectivement, pour qu'une tension vers puisse se développer, il faut essentiellement qu'il y ait d'abord un sujet (un *Je*) qui existe, avec sa propre identité — un sujet qui existe pour tendre vers (désirer), car sans sujet qui existe, il y a impossibilité que se développe une tension vers; pour qu'un deuxième pôle (l'autre) soit perçu, créé et identifié, il faut essentiellement qu'il y ait d'abord une tension vers, qui se soit développée à partir du premier pôle, c'est-à-dire du sujet qui polarise.

Tant que je ne suis pas *Je*, le désir ne peut pas venir. Si je peux, dans un premier temps, vraiment dire *Je*, lentement l'élan vers apparaît dans un deuxième temps. De là, je peux exprimer, *Je désire*. Puis dans un troisième temps, tu nais pour moi, tu arrives et je peux déclarer: *Je désire toi* (Je te désire).

Le sujet désirant (premier pôle)

Dans le goût de vivre, le vivant conscient c'est-à-dire la personne se polarise à travers le sens de son identité. C'est par son identité, spécifiquement sa nature de vivant, que la personne se centre sur elle-même et sur ses caractéristiques de vivant. Elle se ressent comme vivante. Par ailleurs, dans le désir sexuel, c'est autour du sens de son identité sexuelle — son être-homme ou son être-femme — que la personne se polarise.

Plus je ressens ma masculinitude, mon être et mon appartenance à la masculinité, plus j'ai le goût de rencontrer ta féminitude à travers ta féminité et par ta féminité, ton beau corps de femme. J'ai tout avantage à me sentir bien d'être homme et tu profites de ce bien-être puisque je désire encore plus ta féminité.

Ainsi se forme dans un premier temps le premier pôle de la polarité — le pôle A — et par ce départ, la personne sait déjà par ce qu'elle est, son identité, ce qu'elle pourra accueillir et choisir d'accueillir en elle de la vie. Elle se prépare ainsi à organiser les informations qu'elle recevra de l'autre, le sujet éventuellement désiré.

C'est donc à partir de et à travers son identité de vivant, son sens d'être de la vie et en vie, que la personne accueille et privilégie telle ou telle autre facette de la vie; c'est un peu comme si la personne s'organisait à l'avance et que, d'une certaine façon, elle préparait ses antennes pour rendre plus sélective sa perception. Ainsi, à travers une variété de la vie ou une de ses manifestations s'amorce déjà — dès le tout début de la polarisation et même si ce n'est que sous une forme embryonnaire — un sujet désiré[8]. Mais pour que le premier pôle se forme, c'est-à-dire pour que

---

8.   Au départ, pour le sujet du premier pôle, c'est-à-dire la personne qui polarise, il n'y a pas encore d'objet de désir. Ce n'est que lorsque le premier pôle devient un sujet désirant, une personne qui commence à désirer, que le deuxième pôle devient graduellement un objet de désir. Par la force de son désir, le sujet désirant transforme l'autre d'abord en objet ferme de désir, puis par la qualité humaine de la rencontre le transforme en sujet désiré. Finalement, par son propre désir, le sujet désiré devient à son tour un sujet désirant. La boucle de la polarité se trouve bouclée quand la rencontre se fait entre deux sujets désirants. D'inexistant, l'autre devient objet, sujet désiré, et sujet désirant. C'est dans ce contexte qu'on peut parler de la création de l'autre personne par le désir qu'on éprouve pour elle. Cela peut de plus permettre de comprendre que dans un certain désir sexuel, la *tendance vers* ne cherche qu'un «objet» plutôt que de laisser advenir tranquillement un autre sujet. Tant que l'autre ne demeure qu'objet, il est moins bouleversant pour la personne du sujet désirant et peut plus se «contrôler».

LE GOÛT DE VIVRE

la personne soit en mesure de polariser, elle doit s'accepter et se sentir bien, appropriée et adéquate sur la facette spécifique de son identité qu'elle polarise: dans son être-homme ou son être-femme s'il s'agit du désir sexuel; dans sa nature de vivant, s'il s'agit du goût de vivre. Pour que son pôle de vivant s'ouvre sur l'extérieur d'elle-même, la personne doit donc cesser de se questionner sur la valeur de son identité — «suis-je correcte?» «suis-je adéquate?»

Toute personne a besoin de conscientiser son identité, d'investir cette identité et ainsi de mieux *sentir* ce qu'elle est elle-même. Sachant ce qu'elle est, elle sera davantage en mesure de sentir et de reconnaître ce qui n'est pas elle, le différent. Ainsi le jeu de la polarité se dévoile entre le soi et le non-soi. La polarité raffermit l'identité et suscite l'approche, puis le désir du différent, donc de la vie. C'est pourquoi nous pouvons dire que l'identité naît de la nécessité de désirer, et que la perception du même est surtout utile pour percevoir la différence et s'en nourrir.

> Depuis que Lucile s'est réconciliée avec son être-femme et qu'elle se sent bien et fière d'être une femme, elle remarque que son désir fleurit. Elle a le goût de l'homme; elle flaire la réalité autour d'elle pour trouver l'homme et savourer sa différence. Quel contraste entre ce désir et celui de l'époque où elle niait sa féminité, refusait de regarder l'homme et se traînait dans la vie sans ne rien désirer.

Une fois que la personne s'est bien déterminée ou conscientisée elle-même dans son identité de vivant — premier pôle — quels sont ses critères pour trouver son deuxième pôle? Quelle facette de ce pôle tentera-t-elle de retrouver à l'extérieur d'elle-même et comment pourra-t-elle reconnaître ce deuxième pôle, différent d'elle? Ce qu'elle pointera à l'extérieur est, d'une certaine façon, déjà contenu en elle-même mais d'une manière implicite et imprécise. Ce qu'elle cherchera à l'extérieur d'elle-même est déjà en elle et éveillé[9] mais latent; c'est l'ombre d'elle-même, la partie non-éclairée de la lune, c'est-à-dire ce qui est présent en elle mais encore peu conscientisé quant à son appartenance. C'est la rencontre avec l'autre, le différent, et sa polarisation qui amèneront pleinement à la conscience ce qui auparavant était, chez la personne, latent. Celui qui goûte à la vie et qui s'élance vers elle, d'une certaine manière — de façon latente — sait donc déjà ce qui l'intéresse dans la vie.

Désirer, c'est une façon de crier après soi-même pour advenir. Le sujet désirant est comme entraîné à retrouver ses propres possibilités et à s'unir avec ce dont il fait partie, c'est-à-dire avec des personnes dont le lien et le rapport permettront le propre accomplissement personnel. C'est essentiellement là que se situe le dynamisme de la personne. Ce dynamisme est ce qui la *pousse vers* l'autre et ce *dynamisme* évoluera justement par le contact affectif avec l'autre, différent d'elle-même et par l'interaction avec l'autre, en *énergie*, avec lui. Finalement, lorsque l'autre devient à son tour un sujet désirant, l'énergie de cette interaction devient de la synergie.

---

9. «Éveillé» implique que ce n'est pas tout l'inconscient qui est utilisé; c'est une partie éveillée mais pas encore pleinement conscientisée. Pourquoi cette partie plutôt qu'une autre? À cause d'un heureux mélange d'intérieur et d'extérieur, de corps et d'esprit, de perceptions et de sensations qui se focalisent dans le contraste, ou la différence avec ce sur quoi le conscient insiste, investit, dynamise.

Philippe désire Sylvie. Il peut bien penser à elle et à sa beauté, mais il sait très bien que son désir est enfermé à l'intérieur de lui: ce goût de courbes et de rondeurs, cet élan vers le chaud de son corps et la fraîcheur de sa bouche. Cet appel à la courbure est bien logé en lui; il n'a qu'à contacter l'implicite en lui pour nourrir son désir et ensuite l'appliquer à Sylvie, et à ses courbures et à ses beautés.

L'état de désirant est donc premier — avant que naisse la *tendance vers* et la polarisation de l'autre; suivent, successivement, la précision de cet autre et la polarisation de tout le système d'interaction duquel émerge l'énergie. C'est la tendance inhérente à la vie qui consiste à s'accroître elle-même par le contact avec la vie qui explique ce jeu singulier. Puisqu'il croît, à savoir qu'il peut davantage continuer par l'apport en lui de d'autres manifestations de la vie, le vivant se précise et se focalise pour ensuite cerner ce qui n'est pas lui, ce qui est différent de lui. Ainsi, au départ, il y a dans le premier pôle une certaine similitude avec la vie qui fait que ce premier pôle s'ouvre au processus de polarisation. Une certaine dose de similitude doit effectivement être conscientisée pour que la personne (premier pôle) se mette à la recherche du différent[10].

La largeur du goût de vivre de la personne du premier pôle dépend proportionnellement de la largeur qu'elle s'attribue dans sa conscience de vivant. Moins elle se sent recroquevillée sur une seule facette de la vie — c'est-à-dire plus elle conscientise la multitude de manifestations de sa nature de vivant; plus son goût de vivre sera présent et plus ce qui est désiré, le deuxième pôle, sera étendu quant à la richesse de ses manifestations. Par exemple dans le désir sexuel, la polarisation sur une seule facette de l'autre (les seins) est en congruence avec une identité sexuelle réduite parce que *coincée* sur cette seule différence de l'autre. Plus l'identité sexuelle s'élargit, plus le désir de l'autre et ses sources s'accroissent[11].

> Pierre est fasciné par les seins des femmes. Depuis son adolescence, il collectionne des photos de filles aux poitrines généreuses. Lorsqu'il rencontre une femme, sa première réaction est de plonger son regard sur ses seins. Il ressent alors une tension spéciale dans ses mains pour se saisir de ces seins et dans sa bouche pour les sucer. Il ressent son corps d'homme comme une bouche et une paire de mains. Le jour où son amie Marie confronta sa manière de la regarder, Pierre se sentit mis à nu. Il se sentait un tout petit garçon pris en flagrant délit de regarder. Il décida alors de se laisser grandir! de devenir un homme!

Exagérer une des manifestations de la vie n'est cependant pas plus nourrissant pour le goût de vivre que de réduire sa vie à une seule de ses facettes. En effet, si celui qui goûte à la vie et qui s'y intéresse exagère une des manifestations de ses caractéristiques de vivant, par exemple sa force physique, il risque de ne pouvoir retrouver chez l'autre que et uniquement que le complément de cette force, par exemple la faiblesse; il se réduit lui-même à sa force et il réduit en même temps à sa faiblesse le sujet désiré.

---

10. Dans ce contexte de l'énergie du goût de vivre, il est plus juste de parler en termes de différences et de contrastes plutôt qu'en ceux de contraires et de rejets.

11. Ainsi ce qu'on prétend être «l'objet» du désir sexuel féminin, l'*envie du pénis* peut bien exister pour certaines dans certains contextes, mais l'élargissement et l'enracinement de l'identité sexuelle féminine ouvrent son désir à tout l'être-homme.

La tendance vers

La *tendance vers*, deuxième élément de la polarité, ne deviendra tension que lorsque le deuxième pôle sera précisé et, dans la relation humaine, lui-même en tension et en désir. Tant que ce deuxième élément demeure une *tendance vers*, le vivant explore le monde à la recherche du nouveau et du différent qui seront susceptibles de susciter son intérêt[12].

> Au lit mais tout éveillée, Nicole pense à Jean-Yves. Elle se rappelle ses tendresses tout autant qu'elle désire découvrir de nouvelles splendeurs. Son pressant besoin d'union l'ouvre à toute la tendresse du monde. Elle n'a aucunement sommeil; le goût de contacter la tendresse, d'où qu'elle vienne, la tient en éveil.

Cette *tendance vers* existe donc avant que le goût complet et la pleine tension apparaissent. Si cette tendance est trop assiégeante et/ou obsessive, elle se rive trop rapidement sur tout objet qui peut ressembler de près ou de loin à ce qu'elle cherche. De là, bien des erreurs de perception et de sélection à propos de ce qui est approprié à sa nature de vivant. La tendance obtient sa force ou sa faiblesse de la conscientisation que fait le vivant conscient de son sens *vaporeux ou ferme* d'identité de vivant; dans le désir sexuel, de son sens *obscur ou enraciné* d'identité sexuelle.

En somme, une fois éveillé, l'organisme tend vers l'extérieur et cette tendance existe avant même la naissance du sujet désiré. La force et la constance de cette tendance dépendent de la plénitude chez la personne de son identité comme vivant donc, de sa conscience de vivre. Cette *tendance vers* n'a rien de désagréable et ne cherche pas du tout à disparaître — contrairement à cette conception du désir sexuel qui propose que ce que la personne cherche quand elle est en état de désir serait le relâchement de la tendance, la réduction du goût et la disparition de l'état de désir par l'acte afin qu'un état de détente s'ensuive. Au contraire, cette *tendance vers* cherche non seulement à durer mais à augmenter. La personne qui désire et qui tend vers aime désirer et tendre parce que tendre l'amène à tendre davantage avec encore plus d'intensité et d'étendue. C'est un état d'accroissement de stimulation et à cause de cela, un état d'existence vivifiant. Dans le plaisir sexuel, l'orgasme n'est donc pas une fin, mais un état d'actualisation de cette *tendance vers*, de cette énergie du goût de l'autre.

> Alain savoure en lui son goût de vivre. Il sait bien que toutes ses activités de la journée en seront habitées parce qu'il sait aussi que les choses qui l'attendent sont intéressantes et remplissantes. Il ne veut pas taire ou faire disparaître sa tendance; au contraire, il veut conserver son goût. Il préfère continuer à délecter à travers sa journée, sa passion de vivre.

C'est la même chose pour la tendance vers en jeu dans le désir sexuel. La *tendance vers* qui sous-tend le désir sexuel n'est effectivement pas plus encline à disparaître que celle qui sous-tend le goût de vivre en général. Lorsque cette *tendance vers* se pointe vers le sexuel, elle recherche l'union avec l'autre et la procréation de nouvelles facettes de l'existence par l'élargissement des deux

---

12. C'est à ce type de polarité et de *tendance vers* que la psychanalyse fait référence lorsqu'elle parle de relation objectale; la psychologie cognitive, de la notion d'objet (voir Thérèse Gouin-Décarie, 1962).

personnes dans la passion et le délice de l'autre. La tendance vers dans tout désir, même le sexuel, est donc beaucoup plus qu'une tension désagréable dont l'organisme chercherait à se débarrasser pour retrouver un état antérieur de détente.

Le sujet désiré (deuxième pôle)

Le troisième élément en jeu dans la polarisation, le deuxième pôle, se forme quant à lui au contact de la *tendance vers*. Le deuxième pôle — celui qui est désiré — tout en étant différent, conserve une certaine similitude avec le premier pôle — celui qui désire. La *tendance vers* se pointe et s'engage sur un *continuum similitudes-différences* fait de plusieurs nuances; pour que la tendance s'engage, il faut qu'il y ait juste assez de similitudes et juste assez de différences. Si le deuxième pôle est trop semblable, il n'attire pas — il peut susciter la joie de la reconnaissance mais il ne peut pas être polarisé; trop différent, il suscite l'éloignement et la peur et mène parfois au dégoût.

La *tendance vers* doit donc rencontrer une certaine résistance; résistance qu'elle trouve dans son contact avec le différent. Pour que la tendance se polarise sur une réalité particulière, il faut que cette réalité représente une forme d'obstacle de départ pour la personne qui polarise (premier pôle). Si cette réalité répond à ce critère d'opposition et donc de résistance par la différence, la *tendance vers* devient tension et énergie, c'est-à-dire que la personne (premier pôle) en *tendance vers* se polarise, encore plus, devant et avec la réalité particulière pointée (deuxième pôle). La tendance est en quelque sorte fascinée par l'obstacle de la différence. Sans la résistance de la différence, persiste un risque de stagnation et même, de pourrissement: il n'y a plus de vitalité. C'est comme si l'absence de contraste et d'opposition entraînait la mort partout où elle s'étendait; la bataille et la lutte avec l'obstacle et la résistance avivaient l'énergie et ravivaient la personne. C'est là un autre jeu de la différence.

Pierrette a réussi à donner un cours difficile sur le goût de la différence. Au début, ses étudiantes s'opposaient à ce thème au nom de la solidarité féminine. Ce cours était difficile à préparer et difficile à présenter mais Pierrette a réussi à sensibiliser ses étudiantes sur ce thème. Puis là, le cours terminé, elle est contente. Elle est pleine de goût d'un autre cours ou d'un autre thème à faire passer; elle se ré-installe avec intérêt à sa table de travail pour préparer cet autre cours.

L'obstacle initial suscité par la différence du deuxième pôle permet à l'organisme du sujet désirant de ramasser ses ressources éparpillées et de les focaliser encore plus sur la tâche à accomplir, à savoir rejoindre le différent. Se sentant en pleine possession de ses ressources, la personne tend encore plus vers son objectif et cela lui permet encore plus de continuer. Lorsque c'est trop facile, trop ouvert ou trop accueillant, donc trop semblable, le désir fond et disparaît. Le désir a besoin de résistance et d'opposition pour se polariser et se développer; c'est pourquoi la différence est nécessaire au désir. L'absence d'opposition et de différence dilue — plutôt qu'elle ne polarise — les ressources, et elle les fait flotter un peu partout dans l'organisme. Sans l'appel de la résistance qui, elle, polarise, la tendance vers et le désir qui en découlent sont peu probables. L'énergie vitale n'existe pleinement que si les deux pôles sont bien cernés, d'une certaine façon concentrés, et qu'ils manifestent leurs différences l'un à l'autre.

Tant qu'Odette s'occupait à ses travaux, classait ses documents, répondait au téléphone, Paul confrère de travail, la désirait avec intensité mais n'osait lui parler. Dans
son goût d'elle, il pointait entre autres sa bouche et la bretelle de son soutien-gorge
qui l'amenaient vers des extases de désir. Un jour, près de Noël, à une réception
sociale, il peut enfin approcher Odette. Celle-ci, toute réjouie par l'alcool, étalée sur
un fauteuil, les jambes légèrement écartées l'accueillit avec beaucoup d'enthousiasme, de rires et de séduction. *Mais Paul ne la désirait plus* — ni sa belle bouche
ni la bretelle de son soutien-gorge ne l'excitaient.

Pourquoi le différent et le nouveau sont si importants? Pourquoi la tendance
vers en aurait absolument besoin pour se développer, s'impliquer et se loger? La
force du nouveau et du différent repose, entre autres, sur la possibilité qu'ils offrent
au sujet du premier pôle de projeter. Sur le différent et le nouveau, le sujet désirant
peut facilement projeter son ombre, son côté implicite. Tant que le deuxième pôle
est nouveau, et en autant qu'il le reste et qu'ainsi il soit différent, la personne
désirante peut projeter avec abondance ce qui est implicite en elle. Quand la
personne désirante (premier pôle) connaît[13] le sujet désiré (deuxième pôle) celui-ci
devient un peu elle, comme elle; le sujet désiré est alors en quelque sorte à l'intérieur
d'elle (puisqu'il est *connu*); il peut susciter ainsi de la joie et de l'extase mais il
n'éveille plus, ni le désir de la personne désirante ni sa tendance vers, car le sujet
désiré n'est plus nouveau ou inconnu. Pour re-susciter la *tendance vers* et le désir
de la personne désirante, le sujet désiré devra redevenir nouveau. Or comme le sujet
désiré est une personne humaine, riche de possibilités, de potentialités et donc de
nouveautés, elle peut toujours[14] présenter des différences et du nouveau. La projection, le mécanisme essentiel de la tendance, se nourrit du nouveau.

Lucie se souvient du début de ses différents amours; particulièrement, de l'intensité du
désir qui l'habitait et du goût qu'elle éprouvait pour ces hommes. Puis lentement chacun
de ses désirs diminuait au fur et à mesure qu'elle connaissait mieux ses amants.
Aujourd'hui, elle réalise que la force de son désir reposait à ses débuts justement sur le
fait de la nouveauté de ses amants. Parce qu'ils étaient nouveaux, elle pouvait tout
projeter sur eux l'ombre d'elle-même; plus elle les connaissait, moins elle pouvait
projeter et moins elle désirait[15].

13. Dans le vrai sens de «connaître» (*cum*, avec; *nascere*, naître), c'est-à-dire dans le sens
de naître avec l'objet de connaissance.
14. Le sujet désiré peut aussi se figer dans le même, dans le semblable à lui-même, refusant
de se développer et de croître. De là, il s'empêche d'être nouveau. De la même façon,
le sujet désirant (le premier pôle) peut tenter de coincer son sujet désiré dans le même
et le répétitif; il finit ainsi par épuiser son propre désir faute de nouveauté de celui ou
celle qu'il désire.
15. La sexualité humaine représente un peu le porte-parole de tous ces autres instincts, et à
ce point de vue, elle peut sembler la principale ennemie du spirituel, de l'esprit. À ce
titre, l'esprit flaire en la sexualité un opposé de taille, une différence de qualité tout en
lui étant apparenté — tout comme la sexualité ressent en l'esprit un digne chevalier qui
peut l'écraser sous ses principes et sous son pouvoir. De cette belle bataille entre l'esprit
et son noble adversaire, la sexualité, naît la personne humaine sexuée, sexuelle et
érotique — capable d'amour, de tendresse mais aussi de tension, d'énergie et d'agressivité.

Connaître une autre personne que sous l'aspect de sa différence énergise le désir par la possibilité de tout projeter sur elle. Au début dans le désir sexuel ce n'est pas une personne précise qui est désirée; c'est plutôt une «reine», une «princesse», une «amoureuse incommensurable» ou une «bonté infinie». Ce n'est qu'avec le temps que la personne qui désire parvient à une connaissance réelle et plus approfondie de l'autre dans ce qu'il est comme personne. L'autre reprend alors ses proportions de personne ordinaire (ni «reine», ni «princesse») et le sujet désirant ré-intègre à l'intérieur de lui les proportions de son ombre projetée et il reprend ses rêves. Il n'en demeure pas moins que le sujet continue à désirer cette personne «ordinaire» mieux perçue et son désir pointe maintenant des caractéristiques plus appropriées: la donneuse de chaleur, le sourire envoûtant, la belle individualité, etc.

L'énergie vitale naît du désir de la différence, de la polarité

La différence joue également un rôle particulier dans le processus de création et de transformation de l'énergie vitale. La différence s'apparente effectivement à une sorte de «machine» qui transforme l'énergie venant du sujet désirant en un «travail», c'est-à-dire une forme de production qui éventuellement renouvelle cette énergie en la décuplant par la synergie entre son propre désir et celui du sujet désiré. Par exemple, chez l'animal, le castor — par ce qu'il possède de spécifique dans sa machine de vivant — abat des arbres, et par son activité il finit par arrêter le cours naturel de l'eau et par créer des barrages. Par son rôle de transformateur, le castor transforme l'énergie naturelle du cours d'eau, et une nouvelle énergie naît de ce barrage, résultat de la différence entre le castor et l'eau.

L'énergie vitale naît donc du désir de la différence et de la polarisation de ce qui est différent. Évidemment, désirer le différent ne s'acquiert pas spontanément ou automatiquement. C'est un processus lent et plein d'écueils qui commence au tout début de la vie.

C'est par étapes que le goût de vivre et la polarisation énergétique du vivant s'établissent, plus précisément cinq, allant de la non-existence de l'autre jusqu'au désir de l'autre pour sa différence en tant qu'autre. Chez le jeune bébé, il n'y a pas de sujet désiré (deuxième pôle) parce qu'il n'y a pas de sujet désirant (premier pôle). Il n'y a pas encore de soi, il ne peut donc pas y avoir de non-soi; il n'y a pas de non-soi parce qu'il n'y a pas encore de soi — c'est la période du *narcissisme fondamental sans Narcisse*. Quand l'identité (le soi) et la personne commencent à advenir, le soi est narcissique, c'est-à-dire que le soi se limite et se contente de se désirer lui-même; le soi se comble par lui-même; l'autre n'existe pas encore. Par exemple, l'enfant qui s'étonne et s'intéresse avec ferveur à ses doigts de pied: *Narcisse prend toute la place.* C'est le mien et uniquement lui, qui est voulu et qui occupe la conscience. À l'étape suivante l'autre, le vivant, commence à exister mais le soi va *vers l'autre en autant que cet autre soit semblable*; l'autre existe pour le soi dans la mesure où il confirme et gratifie le soi dans ce qu'il est. Puis graduellement, par cette confirmation de lui-même par le semblable, le soi se consolide et s'élargit; plus solide quant à ce qu'il est, le soi devient une personne et alors peut se risquer à aller *vers l'autre*, non pas en tant que semblable *mais en tant que différent de lui-même*. Et finalement, le soi est devenu une personne pleine non seulement capable mais en quête de relation avec une autre personne pour ce qu'elle est comme personne, et *la différence est désirée.*

Ce n'est cependant pas parce que le soi est devenu une personne capable de désirer le différent que de désirer et de polariser la différence deviennent des choses simples. Dans certains cas, la différence du sujet désiré (deuxième pôle) est trop lourde et menaçante pour être contactée et portée. Le sujet désirant recherche alors une différence plus facile à polariser parce que moins menaçante quant à son identité de vivant. Il goûte à la vie en autant que ses ressources lui permettent d'intégrer cette vie. Si la vie est trop abondante ou trop riche, le sujet désirant craint de se noyer par son contact et il préfère alors se réfugier sur une seule de ses facettes. La difficulté du contact avec la différence peut aussi faire que le sujet désirant (premier pôle) recherche une différence très marquée, flamboyante ou frappante dans le but de combler la propre imprécision de son identité; il désire les différences les plus marquées parce que lui-même est imprécis et diffus. Il cherche alors la différence la plus apparente possible parce qu'il est incapable de contacter toutes les subtilités et les nuances du différent.

> Claude, adolescent rébarbatif à toute sociabilité, n'aimait que la musique rock — la plus saccadée et la plus «hard» possible. Il s'ennuyait avec toute autre musique. Il ne voulait rien savoir des ballades et des chansons — et il trouvait fade et insipide toute musique classique jusqu'au jour où il tomba en amour avec Hélène. Il découvrit à son contact qu'il était bien d'autres choses qu'un dur et un rebelle. De là, il se trouva des goûts de plus en plus subtils pour toute la musique contemporaine et il finit même par s'acheter un violon.

Quand l'identité est diffuse, la différence qui est recherchée est donc une différence intensément différente, marquante ou contrastante. C'est souvent le cas de celui qui cherche les feux d'artifice, les activités aux émotions fortes, les choses les plus étranges possibles, les plus différentes possibles, afin de conscientiser, de focaliser, de dé-sidérer et de défiger ce que lui-même est. Ce qu'il cherche en fait, c'est à être secoué par ce différent. C'est ce qui se passe, entre autres, dans le désir sexuel lorsque l'identité sexuelle du désirant est diffuse et obscure, le sujet désirant cherche souvent le plus grand contraste possible chez le sujet désiré pour allumer sa propre identité sexuelle[16].

En somme tout est une question de nuances et de subtilités dans le goût du différent, de la polarité ou de vivre. Le sujet désiré (deuxième pôle) est intéressant et goûté dans ce qu'il est — dans le désir: une autre identité sexuelle, un autre corps, une autre individualité — pour enrichir le sujet désirant (premier pôle). Le désir et la polarité du sujet désirant se complètent par le désir et le goût du sujet désiré qui, à son tour, devient sujet désirant. Que ce sujet désiré devienne à son tour sujet désirant par le désir du premier (sujet désirant) — comme cela arrive dans le désir sexuel réciproque — représente certainement l'apothéose du goût de vivre et de la polarité. En effet, seuls les êtres humains — parce qu'ils sont sujets de leur expérience — peuvent atteindre ce niveau de désir mutuel et alors susciter une telle

---

16. Toutes les difficultés du désir n'épuisent pas la totalité de l'énergie du désir. L'énergie reste, mais elle peut se diviser *d'une part*, dans le désir inachevé, *d'autre part* ailleurs, par exemple dans la somatisation ou dans un narcissisme infantile.

énergie; du sujet désiré devenu sujet désirant[17], la polarité est établie et de cette tension maximale, l'énergie abonde. C'est cela l'énergie vitale.

Ce doux moment de la pénétration pendant lequel lentement et fermement, Sylvain habite Lucie — moment du paroxysme de leur désir: le désir de Lucie rejoint le sien; la fusion se réalise corporellement. Ils débordent d'eux-mêmes comme si tout l'univers se sentait attiré par leur rencontre. Lorsqu'il pense à ce temps-là, Sylvain se souvient évidemment du plaisir et de l'orgasme de ces rencontres mais le temps fort de leur désir, c'était le «doux moment de la pénétration» — parce que c'était celui de la tension entre lui et Lucie qui atteignait son sommet à travers leur désir et que de cette tension naissait une énergie qui constellait le monde et les êtres.

Plus forte est la tension entre les différents, plus grande est l'énergie qui s'en dégage; plus grande est l'énergie, plus puissantes sont ses forces d'attraction et de constellation.

C'est vers la vie que le sujet tend, qu'il se polarise

Dans le goût de vivre, c'est vers la vie que le vivant tend; c'est vers la vie, que le sujet désirant se polarise. Il goûte à la vie pour se compléter encore plus et pour continuer, pour faire durer ce qui est initiée et débutée en lui — la vie. De ce point de vue, le coup de foudre entre deux personnes, c'est plutôt un *coup de vie* entre deux vivants. Un partage d'être a lieu et un nouveau champ d'énergie est créé et soutenu par cette polarité, un champ de synergie entre deux personnes[18].

Pour exprimer l'énergie du goût de vivre, le modèle de la polarité s'applique au vivant conscient (l'être humain) et à la vie à l'intérieur de lui, mais aussi aux polarités entre ses différentes dimensions, par exemple entre son conscient et son inconscient ou entre son corps et son psychisme. Dans l'intrapersonnel comme dans l'interpersonnel ou ailleurs, les lieux d'exercice de l'énergie vitale sont multiples. Si la polarisation (et l'énergie qui s'ensuit) ne s'effectue pas dans un domaine

---

17. Accepter, profiter et jouir de ce que son objet de désir devienne un autre sujet désirant implique une très grande sécurité chez le premier sujet désirant. Ceci parce que le désir implique que le sujet désirant soit d'une part, sujet de son propre désir, et d'autre part désiré par un autre sujet, lui aussi sujet de son propre désir; le désir entre ces deux sujets engage les deux personnes dans une synergie débordante. Ceux et celles qui, par insécurité, se logent dans leurs carapaces, leurs rôles, leurs images ou qui cherchent à obtenir du pouvoir sur les autres risquent de sombrer ou de s'éteindre devant cette synergie du désir entre deux sujets désirants. Etre sujet désirant devant un autre sujet désirant implique une souplesse et une capacité de mouvance de soi-même tout en étant ancré dans son identité, solide dans cet ancrage. Cette sécurité n'est pas nécessaire lorsque l'autre n'est qu'objet désiré, plus concentré, moins exigeant de mouvance du sujet désirant qui ne risque alors aucunement de se perdre.

18. Certains peuvent rapidement ranger dans l'«idéal» un modèle qui appelle une telle intensité de présence entre deux personnes. Si «idéal» signifie une utilisation maximale de la capacité symbolique de l'homme pour transformer toute l'énergie possible — cela est juste et il s'agit bien d'un idéal. L'être humain vit par ses symboles; il s'est libéré de plusieurs de ses angoisses insensées par la formation progressive de symboles. Cet «idéal» constitue un pôle d'attraction pour établir une nouvelle polarité énergétique entre la part animale de l'humain et sa part spirituelle lesquelles forment un couple d'opposés nécessaire à l'énergisation.

propre à la vie — la sexualité ou la connaissance, par exemple — c'est que la personne est polarisée ailleurs; polarisée ailleurs avec une si grande intensité que l'énergie n'est plus disponible pour se polariser sur un des aspects de la vie et du goût de vivre.

> Mariette est inquiète d'attraper des maladies par les microbes transmis par les hommes. Elle a développé tout un rituel pour se protéger. Elle ne lève jamais le regard sur eux et cherche par tous les moyens à les éviter. Elle croit que les hommes transmettent la maladie sur la terre. Elle se consume à les surveiller et n'a plus de force pour rien d'autre. Elle a cessé de travailler, ne voyage plus dans les transports en commun et ne sort que la nuit. Elle s'éteint de plus en plus, toute concentrée qu'elle est sur sa peur des microbes.

Les conflits et les combats que la personne se livre à différents niveaux peuvent donc nouer des quantités d'énergies qui ne sont alors plus disponibles pour le goût de vivre.

Toutefois tout ne peut pas être polarisé. En effet, malgré le très grand pouvoir humain de symbolisation et de codification, ce qui est polarisé et qui ensuite devient énergie doit nécessairement retrouver certaines analogies — aussi faibles soient-elles — avec les «instincts»[19] de la vie. Par exemple, pour récupérer l'énergie des cours d'eau, l'usine hydro-électrique doit imiter, jusqu'à un certain degré, la pente naturelle ou la chute du cours d'eau. De la même façon dans ses transpositions d'énergie et dans les déplacements de cette énergie, l'humain doit retrouver des points semblables aux caractéristiques de ses instincts de vie; si on peut retrouver du désir sexuel intense et énergétique par exemple pour un fétiche comme une petite culotte de femme — à cause de l'analogie possible avec la vulve et la pénétration — on a rarement vu des fétiches intenses et énergétiques pour des murs blancs ou des calendriers.

La transformation de l'énergie vitale par le symbole se fait donc en dirigeant cette énergie sur une similitude quelconque avec la vie ou l'instinct de vie. Pour s'emparer de l'énergie vitale, il faut au moins imiter la vie. C'est d'ailleurs le plus souvent pourquoi la personne passionnée pour un objet similaire à la vie — dans le désir sexuel, par exemple pour la femme, un fétiche symbolisant l'homme; pour l'homme, un fétiche symbolisant la femme — détourne son regard et sa conscience — de l'homme véritable, de la femme véritable — de ce qui est véritablement la vie.

> Diane rejette et méprise toutes les allusions au pénis — que cela soit un texte scientifique, une drôlerie d'un confrère ou n'importe quoi d'autres. À chaque fois, elle devient ironique ou en colère; mais avec sa compagne, elle éprouve toujours un désir fou de la pénétrer avec son vibrateur.

Détourner son regard de la vie et de la réalité dilue l'énergie vitale pour l'attacher au substitut — bien plus, et c'est bien malheureux, cette distraction du regard, s'appuie trop souvent sur la haine et l'hostilité envers le réel. De là, la personne développe une relation belliqueuse avec la réalité.

---

19. Les instincts, c'est-à-dire les choses naturelles qui résultent des forces biologiques ou physico-chimiques et qui dirigent la conduite animale.

Pour libérer l'énergie vitale: repos et complicité avec l'inconscient

Pour que l'énergie vitale soit à nouveau mise au service de la vie et du goût de vivre, certaines conditions générales doivent être remplies. Le repos physique ou corporel est par exemple nécessaire à la personne pour qu'elle renaisse à son goût de vivre et qu'elle rapatrie son énergie. Le repos restitue la personne; il la ramène à ses fondements et la remet en contact avec ses ressources. La fatigue, au contraire, distrait de ses potentialités, de sa capacité de saisir sa réalité et de la perception nuancée de son monde; cette fatigue l'empêche de faire la part entre le réel, le vivant et le fantaisiste. La fatigue déforme le rapport à la réalité puisque son cours normal est de conduire au sommeil, c'est-à-dire justement là où la personne coupe avec la réalité, le monde autour d'elle et avec le vivant qui l'entoure.

La fatigue physique retourne donc la personne à elle-même et c'est d'ailleurs pourquoi elle favorise le sommeil; l'insomnie se produit plutôt quand le contact avec l'extérieur est maintenu avec trop d'intensité. Mais entre le moment de l'état de veille et celui de l'état de sommeil, plus précisément juste avant que le sommeil arrive — entre le langage conscient articulé et l'image fantastique du rêve — que se passe-t-il? Entre les deux, il existe un état secondaire pendant lequel la personne rumine ses pensées et ses problèmes en insistant sur un aspect particulier sans faire référence au contexte habituel plus global, c'est-à-dire à l'ensemble des données de la réalité comme elle peut le faire — et le fait habituellement — à l'état d'éveil complet. Même si au départ leur source est réelle, ainsi privées de leur contexte habituel les pensées et les préoccupations sont sans cesse ruminées et à cause de cela elles sont nécessairement déformées ou dénaturées.

> Phil n'arrive pas à s'endormir. Il retourne dans sa tête la dernière rencontre avec sa fille. Cette impression de fermeture qu'elle lui laissait. Il revoit son visage sévère où elle coupe sans cesse la perche qu'il lui tend. L'image de ses yeux durs et de sa bouche raidie le martelle comme s'il en était prisonnier. Il est toute tension devant ce visage. Agacé de rester couché, il se lève et grille une cigarette. Puis lentement il réalise tout l'amour qu'il a pour sa fille. Elle est tellement plus qu'un regard dur s'il cesse lui-même de tenter de la convaincre de faire une vie comme, lui, Phil aimerait bien qu'elle fasse. Il sourit et retourne se coucher et il s'endort.

En d'autres mots, le problème est grossi, exagéré et finit par être disproportionné par rapport à la réalité; c'est l'anxiété qui prend le dessus. L'état secondaire, à la limite de l'éveil et du sommeil, représente donc un lieu privilégié pour les émotions négatives et lourdes. Cet état ne peut être évité autrement que par un certain abandon. Ce n'est effectivement qu'en laissant tomber le besoin de prise et de maîtrise constante sur le réel, c'est-à-dire en acceptant d'abandonner la volonté de contrôle sur la réalité que les ruminations peuvent s'estomper et laisser place aux fantaisies en tant que fantaisies, justement celles qui conduisent lentement au sommeil et puis aux rêves[20].

---

20. Si une personne s'installe avec plus ou moins de rigidité sur l'un ou l'autre des points du continuum — contact total avec la réalité extérieure ou contact total avec la vie intérieure (fantaisies, rêves) — elle peut aussi y laisser plus ou moins de son énergie

En somme, le repos et la détente du corps[21] permettent d'atteindre un niveau de conscience plus fin, plus articulé et plus approprié à la réalité, et de libérer une énergie vitale qui sert à la personne dans la conduite de sa vie. Profitant alors de toute cette énergie, le contact avec le réel se trouve enrichi et densifié.

Une autre condition nécessaire pour que l'énergie vitale soit disponible à la conduite de la vie et au goût de vivre, c'est l'amitié et la complicité que la personne développe entre le conscient et l'inconscient. L'énergie vitale ne cesse pas d'exister là où commence l'obscur de l'inconscient. Se cabrer avec toute sa volonté et toute son énergie pour ne pas sombrer dans l'inconscient dessert le contact avec la vie. Maintenir cette division entre le conscient et l'inconscient, en plus de coûter à la personne des sommes folles d'énergie, l'empêche de se nourrir de celle, énergie aussi vitalisante, qui loge dans l'inconscient. La complicité avec l'inconscient — avec tout ce qui s'y loge, même les peurs et les angoisses — dynamise la vie consciente, la ressource, et harmonise l'individu avec lui-même. L'inconscient, c'est de la vie et la vie finit par se retourner contre la personne si la personne veut l'enchaîner. Chercher à dominer l'inconscient par la conscience c'est chercher à enchaîner la vie elle-même. Le progrès de la personne implique l'élargissement le plus complet possible de la conscience par l'appropriation la plus constante possible de l'inconscient. L'inconscient humain est en partie celui de l'espèce et en partie celui de l'individu, c'est-à-dire qu'il contient à la fois des éléments de l'histoire de la collectivité (inconscient collectif) et à la fois des éléments de l'histoire personnelle individuelle (inconscient individuel). Accepter son inconscient et ses contenus, c'est s'en sentir à divers degrés propriétaire et c'est ainsi accorder une vertu spéciale (une force) et une puissance particulière au contact conscient avec la vie. Le vivant peut alors profiter du dynamisme de l'inconscient et de ses «démoneries».

> Conscient de ses contradictions et de ses paradoxes, Claude a appris lentement à les accepter sans se battre avec acharnement contre le côté obscur de ceux-ci. Tout aussi généreux qu'égoïste, tout aussi honnête que malhonnête, tout aussi délicat que brusque, il s'est graduellement réconcilié avec lui-même: d'une part, son énergie issue de cette tension entre ses contraires s'est décuplée; d'autre part, il peut maintenant réduire la force de ses défauts en acceptant qu'il n'est ni parfaitement généreux, ni parfaitement honnête, ni parfaitement délicat.

Voir dans la complicité du conscient avec l'inconscient une menace de déséquilibre de la personne par l'envahissement du conscient par l'inconscient explique le besoin de certaines personnes de chercher à dominer leur inconscient plutôt que de s'en faire complice; mais le problème est que c'est justement plutôt en cherchant à taire l'inconscient par la domination du conscient que la personne risque un jour ou l'autre d'être déjouée par son inconscient et d'être alors plus ou moins conduite dans sa vie comme si elle était habitée par ses rêves. La complicité du conscient avec l'inconscient permet l'équilibre de la personne, pas sa perturbation; ni d'ailleurs son envahissement[22].

---

vitale; énergie qui risque alors de s'accumuler et de se bloquer — à l'un ou l'autre des points du continuum — et donc de ne plus être disponible pour la vie et son mouvement.

21. Tout ce qui est dit du repos corporel doit l'être aussi du repos de l'esprit et même, du vrai repos de l'âme.

22. Pour établir cette réconciliation entre le conscient et l'inconscient, la personne doit souvent accepter la peur (il n'y a pas de courage s'il n'y a pas de peur) d'explorer sa

Tout comme la conscience humaine est née graduellement de l'inconscient, de la même façon, l'énergie vitale naît des polarités de l'inconscient; l'inconscient demeure toujours d'ailleurs une source particulièrement féconde d'énergie vitale. Cette énergie vitale issue de l'inconscient est bien sûr au départ débridée, mais elle peut lentement se mettre au service du vivant conscient.

En effet, plus nous devenons conscients, c'est-à-dire plus nous prenons prise sur les images en nous — les différentes poussées que nous ressentons, les images fantaisistes — plus non seulement nous comprenons nos peurs irrationnelles et nous gagnons ainsi dans notre capacité à départager le réel de la fantaisie, mais nous permettons de surcroît que se libère une partie importante de l'énergie qui était auparavant liée et retenue dans l'inconscient.

Depuis que André cherche à travailler ses peurs et ses «gamineries» pour comprendre leurs raisons et leurs sources; qu'il tente de remettre dans la réalité, les proportions et les facettes de celles-ci sans les disproportionner et les rendre excessives; il s'est approprié une masse d'énergie qu'il ne se connaissait pas avant. Maintenant, plutôt que de rêver sa vie, il la construit, et depuis, il l'apprécie.

L'énergie liée dans l'inconscient ne peut cependant pas être totalement déliée ou libérée; elle ne peut être que partiellement soustraite à l'inconscient. Celui-ci reste toujours actif et efficace, et personne ne peut se vanter d'en avoir défait complètement l'influence. La prise de conscience ne peut donc libérer qu'une partie de l'énergie vitale; l'autre reste liée dans l'inconscient. À ce propos Carl Jung — à partir de ses travaux sur les civilisations comparées et sur l'histoire du religieux, mais aussi à partir d'études cliniques — arrive à une conclusion fort éclairante:

«Dans l'humanité originelle, il y avait quelque chose comme une âme collective à la place de notre conscience individuelle qui n'émergea que graduellement au cours du progrès de l'évolution comme un archipel d'images isolées émergeant des flots. Cette conscience (individuelle) contemporaine n'est qu'un petit enfant qui commence à peine à dire "Je".» (1962, p. 61)

Pour mieux utiliser l'énergie de l'inconscient, il faut donc établir une certaine complicité avec l'inconscient; mais en même temps, il faut savoir le garder suffisamment à distance pour pouvoir engager le dialogue avec lui — une distance suffisamment grande en tout cas pour être capable de se dire: «Qu'est-ce qu'il me veut?» ou encore, «qu'est-ce qu'il désire?»

L'inconscient est constitué d'innombrables contenus dont plusieurs sont issus de l'histoire personnelle individuelle — différente pour chaque personne — mais dont la grande majorité sont des dérivés ou des reliquats de l'héritage collectif de l'humanité. Plusieurs des attentes issues de l'inconscient découlent donc du versant collectif et à cause de cela risquent de se voir davantage mises au service de la collectivité qu'au service de la personne elle-même. Les aspects collectif et individuel de l'inconscient doivent se maintenir en équilibre pour rester au service de la personne. Prendre individuellement, en tant que Je, l'entière paternité de ce qui existe et de ce qui vient de l'inconscient risque de gonfler la personne d'orgueil — par une tentative de maîtrise toute-puissante sur l'inconscient — à l'inverse,

---

propre caverne. Il est souvent avantageux qu'elle soit accompagnée d'un guide rassurant et bienveillant.

prendre l'inconscient que comme porteur de l'héritage collectif, sans le «personnaliser», risque de détruire l'individualité de la personne au nom de la collectivité.

Pour être utile au développement de la personne, l'accès à l'inconscient doit s'effectuer sur les deux fronts: collectif et individuel. Les aspects individuels sont cependant souvent plus rapidement accessibles. La personne peut utiliser plusieurs moyens comme écouter ses peurs irrationnelles, s'arrêter sur ses exagérations et ses absolus, surveiller ses projections, et à travers tout cela, chercher à comprendre — comprendre pour découvrir non seulement le message mais l'enseignement de son inconscient.

La personne peut donc d'une certaine manière tirer des leçons de ces exercices. Elle peut par exemple installer en elle plus d'humilité par rapport aux conceptions qu'elle se faisait d'elle-même et, en puisant ainsi en dedans d'elle, croître par l'énergie qui jusque-là était réservée à maintenir ses images rêvées d'elle.

En pleine santé malgré ses 50 ans, Paul se vante de sa forme physique à qui veut l'entendre. Au cours d'une excursion en haute montagne, rendu au sommet, Paul est tout à coup pris d'un certain vertige. Il ressent la crainte bizarre que l'amie qui l'accompagne et qui se balade le long des arêtes tombera, et que lui, Paul, à cause de sa propre frayeur, ne pourra pas la secourir. Il est coincé: fuir et laisser son amie à ses malheurs avec tout le blâme qu'il se fera; affronter sa peur et la laisser parler. Il découvre alors que sa vantardise d'être en pleine forme est un peu exagérée, qu'il a des limites à sa santé et qu'il doit les intégrer et les assumer.

Pour que notre inconscient ne nous projette pas dans des peurs et des angoisses qui lient et emprisonnent notre énergie vitale, il est nécessaire de ramener les conceptions de nous-mêmes à leurs plus justes mesures. Par exemple, il s'agit de défaire nos attentes incommensurables face aux autres parce qu'inévitablement, l'activité de l'inconscient est coordonnée à celle du vivant conscient «avec lequel elle entretient en particulier des rapports essentiels de compensation» (Jung, 1964, p. 25)[23]. Cela veut dire que l'inconscient ramène pour ainsi dire le conscient à la raison; si le conscient exagère d'un côté, l'inconscient renchérira de l'autre; conscient et inconscient seront en conflit et nécessairement, la personne aussi. Par exemple, pour toute attitude fausse et provocante, pour toute vanité ou prétention exagérée, l'inconscient devient hostile et manque vraiment d'égard pour cette pauvre conscience, et la personne qui l'habite est déchirée par le conflit. En somme, créer un lien d'amitié entre le conscient et l'inconscient c'est installer une condition supplémentaire pour que l'énergie de l'inconscient passe au service de la vie.

Si la complicité amicale entre le conscient et l'inconscient libère l'énergie vitale essentielle à l'établissement et au maintien du goût de vivre, le jeu de compensation entre le conscient et l'inconscient peut aussi inversement expliquer les disparitions soudaines d'intérêt à vivre, c'est-à-dire ces pertes subites de goût de vivre qui surgissent à n'importe quel moment sans que la personne puisse vraiment en comprendre les raisons. Cette évanescence est brusque et soudaine.

---

23. Et Jung (1964) continue: «[L'inconscient] se borne à créer une image [il ne pense pas] qui répond, un peu à la manière d'un écho, à la situation du conscient, image qui recèle aussi bien des sentiments que des idées, et n'est rien de moins qu'un produit de réflexions rationnelles. Une telle image se rapproche plus d'une vision artistique que de la réflexion intellectuelle». pp. 127-128.

Toutes les circonstances demeurent les mêmes et tout est bien en place comme avant; pourtant le goût n'y est plus, l'élan est défait et l'énergie que l'on ressentait est disparue.

Annie est tellement ardente pour Pierre qu'elle le désire de tout son être; elle voudrait éclater avec lui et se fusionner dans une étreinte éternelle. Puis soudain, sans rien y comprendre, elle perd tout désir. Elle sent se dissoudre son élan et son énergie, et elle n'a plus le goût de Pierre. Pierre est le même et elle est la même, mais pourtant! Serait-ce lorsqu'elle sentait qu'elle voulait se fusionner en une étreinte éternelle? éternelle égale impossible? Tout ce qu'elle sait, c'est que lentement elle ressent en elle un goût de distance de Pierre; elle sait aussi que c'est un besoin aussi fort que l'était son désir premier.

Cette évanescence brusque et soudaine s'explique par le refus de l'inconscient de laisser le conscient exagérer. L'inconscient compense le conscient; l'inconscient ressaisit l'énergie que le conscient utilise à tort ou par erreur. Il ne s'agit cependant pas d'une perte totale d'énergie pour la personne, mais plutôt de la disparition d'une certaine quantité d'énergie qui aurait pu, s'il y avait eu conscientisation, être utilisée à bien, donc au service de la vie et de la personne. L'énergie dite disparue ne disparaît toutefois pas véritablement puisque en réalité, elle se transforme, c'est-à-dire que cette disparition d'énergie vitale est suivie par l'apparition d'une quantité correspondante d'énergie mais, de forme différente, et qui reste alors enfermée dans ou engloutie par l'inconscient.

Lieu d'énergie et en équilibre avec le conscient, l'inconscient regorge d'une densité de potentialités qui cherchent à advenir. Grâce à un effort persistant et à de nombreuses prises de conscience de plus en plus fortes, répétées et suivies, la personne parvient graduellement à élargir sa conscience et à démanteler l'influence dominante et excessive de l'inconscient, pour finalement modifier sa personne et la rendre plus riche, plus individualisée, remplie d'énergie vitale et capable désormais de transcender les données trop limitées d'une conscience auparavant réduite par sa fermeture à l'inconscient[24]. Ce pouvoir obtenu par une conscience accrue ressemble au pouvoir que gagne la personne lorsqu'elle peut se dégager de la seule perception de ses sens ou bien de ses percepts pour intégrer *aussi* ou bien sa capacité de penser (à ses sens) ou bien sa capacité de ressentir (à ses percepts); cela évite l'illusion des sens ou celle de la pensée ou celle de l'émotif.

Nier l'énergie de l'inconscient ou vouloir à tout prix lui imposer la loi du conscient, c'est risquer que l'inconscient réagisse — qu'il réagisse un peu peut-être à la manière d'un estomac qui se venge des excès ou des erreurs inassimilables que le glouton lui impose sans respecter ni ses ressources, ni sa nature d'estomac. D'une

---

24. Cette vision particulière de la conquête de l'inconscient et de la libération qui s'ensuit s'oppose fondamentalement au modèle énergétique commun emprunté à la matière. Système fermé plutôt qu'ouvert, ce modèle énergétique est soumis à la loi thermo-dynamique selon laquelle l'énergie de l'univers se détend constamment. Lorsqu'appliquée à l'instinct vital, cette même loi soutient que tout instinct tend à rétablir l'état antérieur, c'est-à-dire retrouver l'état inanimé pré-existant duquel émergerait la vie, donc le retour à une sorte d'état de mort. C'est une vision qui est bien entendu tout à fait contraire à la nôtre qui, elle, insiste pour faire ressortir combien le goût de vivre pousse vers l'avant et l'énergie de l'inconscient sert la vie, pas la mort.

certaine façon, les contenus et l'énergie de l'inconscient jouissent sur le plan mental de la même force que les instincts sur le plan biologique. Notre volonté de les utiliser et de les canaliser au service de la personne ne doit aucunement avoir la prétention de les enfermer et encore moins de les taire.

Donner une telle place à l'inconscient et à ses contenus soulève immanquablement la peur. Si au niveau conscient, la personne est capable d'évaluer ses goûts et ses tendances, et alors de se sentir relativement harmonieuse, il en est tout autrement pour son inconscient et ses contenus; l'inconscient est un territoire inconnu. L'explorer d'accord, mais qu'en ressortira-t-il? Quel démon cache-t-il en lui? Si dans l'inconscient tout est à l'envers, et si c'est vrai que l'inconscient compense le conscient, comment maintenir ou pire qu'adviendra-t-il de l'estime de soi c'est-à-dire celle que consciemment la personne pense connaître? Et ce ne sont là que quelques-unes des innombrables questions tout aussi angoissantes les unes que les autres.

Quoi répondre? Établir un pont entre le conscient et l'inconscient ne peut pas s'effectuer d'emblée; c'est un processus laborieux et parsemé de nombreuses difficultés. La personne ne peut d'abord pas a priori faire une évaluation subjective de son inconscient — comme elle le fait pour ses contenus conscients auxquels elle a accès, par exemple ses amours ou ses haines. Ensuite pour accepter son inconscient et découvrir ses complexes, cela implique au départ une certaine humilité chez la personne. De plus, ces complexes inconscients sont porteurs d'énergie; ce qui peut arriver, c'est que pour profiter indirectement de cette énergie, la conscience ne permette aucunement à la personne d'avoir accès à ses complexes inconscients. La personne craint de s'écraser, de déprimer si elle est authentique. La conscience peut également bloquer l'accès aux contenus inconscients simplement à cause de l'hostilité, de la menace ou de l'angoisse qu'ils risquent de soulever s'ils deviennent conscients.

Il se peut aussi que justement parce qu'il n'existe pas encore de pont entre le conscient et l'inconscient, tout complexe inconscient, peu importe ce qu'il est, est nécessairement nouveau donc risqué, et que pour cela, la conscience préfère le maintenir là où il est, dans l'inconscient, même si du même coup, l'énergie directe et vitale y demeure enfermée.

Pour toutes ces raisons — qui n'en sont évidemment que quelques-unes parmi de nombreuses — ce n'est que lentement *et* peu à peu *et* péniblement *et* dans un climat de complicité qu'un pont pourra graduellement s'installer, s'établir, s'élaborer et se maintenir entre le conscient et l'inconscient.

L'élan vers la vie et le goût de vivre se ressentent par une énergie vitale qui pousse la personne vers la vie pour être encore plus fidèle à sa nature de vivant, c'est-à-dire de continuer sans cesse par l'apport de la vie en elle. Des conditions de repos physique et d'harmonie entre le conscient et l'inconscient — même si elle ne s'acquiert qu'à travers un processus lent et laborieux — libèrent inévitablement une bienfaisante énergie fondamentalement et essentiellement au service de la vie.

DEUXIÈME PARTIE

LES SOURCES DU GOÛT DE VIVRE

Capturer l'étincelle qui suscite le goût de vivre et découvrir les facteurs qui déclenchent la tendance vers la vie — goût et tendance qui organisent ou refont souvent toute l'existence d'une personne selon de nouvelles formes et de nouvelles manières d'être-au-monde — constituent tout un défi pour toutes les sciences de l'homme et l'enjeu premier de celui qui cherche à découvrir l'essentiel de l'art de vivre. On peut dire du goût de vivre et de l'émotion de l'intérêt à vivre qu'ils s'exercent principalement selon deux modalités: l'une, spontanée et naturelle, et qui se retrouve chez l'adulte mais plus facilement chez l'enfant sain; l'autre, intentionnalisée, organisée, créée et établie par l'intention et la capacité de symbolisation de la personne. Certains événements de la vie possèdent plus que d'autres cette subtile qualité de stimuler spontanément le goût de vivre[1]. L'arrivée du printemps et la naissance d'un amour font par exemple partie de ces événements particuliers porteurs d'espérance en la continuité, donc d'intérêt à vivre. Ce spontané du goût de vivre est évident et nettement perceptible chez plusieurs personnes dans certaines situations. Le goût de vivre intentionnalisé, celui qui résulte de la capacité symbolique de l'être humain, n'est pas par contre aussi évident même s'il peut se construire, s'édifier et se placer au service de la personne. C'est à cette modalité particulière du goût de vivre que s'adresse toute la problématique des sources. S'arrêter aux sources du goût de vivre, c'est avant tout chercher à comprendre qu'est-ce qui le crée. Savoir ce qui est à la base du goût de vivre, c'est savoir ultimement comment le développer. C'est essentiellement là que se situe notre objectif: trouver comment bâtir le goût de vivre et le susciter — s'il ne se manifeste pas ou plus spontanément.

Les êtres humains sont effectivement bien différents et bien individualisés quant à l'usage qu'ils font des possibles sources du goût de vivre et quant à l'aisance qu'ils manifestent à fréquenter l'une, l'autre ou plusieurs de ces sources possibles. Chacun a ses préférences et ses facilités dans les réponses qu'il s'octroie face à ses besoins, dans les préséances et la hiérarchie qu'il établit dans ses goûts et finalement, dans l'investissement qu'il fait de ses conduites et de ses activités. Chacun découvre au fur et à mesure de sa vie, même s'il leur porte trop souvent peu d'attention ou s'il les fréquente trop modestement, des sources de beauté et d'harmonie, de satisfaction et de contentement. Ce sera dans la contemplation pour certains, dans les arts ou les métiers pour d'autres; mais peu importe exactement dans quoi, les sources du goût de vivre s'individualisent[2], et elles doivent se

---

1. Si bien sûr nous n'y mettons pas d'obstacles comme par exemple une surconscience de soi ou un souci trop grand d'accaparer et de retenir.

2. Cette individualisation résulte de toute l'histoire de la personne, c'est-à-dire non seulement des événements du passé mais aussi des manières dont la personne s'est construite, s'est fabriquée, pour rencontrer la vie et l'existence. Ces sources sont donc actives, là dans le présent de la personne. Tout comme les racines de l'arbre ne se

personnaliser pour chaque personne humaine. À chacun sa ou ses sources privilégiées du goût de vivre et à chacun de les exploiter le mieux possible. Bien prétentieux serait celui qui croit pouvoir à lui seul cerner toutes les racines du goût de vivre de tous et qui tente de les imposer ensuite de façon absolue aux autres. La réalité se situe beaucoup plus dans la nuance et le respect de l'individualité de chacun. Pour rendre service aux personnes et les aider à développer leur propre spécifique humain — ceci pendant une période où la vision technique a tendance à robotiser l'être humain — il faut un effort de réflexion et de synthèse qui s'accompagne d'humilité; c'est le seul type qui permet de débroussailler le terrain pour en faire ressortir certains jalons de la connaissance quant aux véritables sources de la vitalité en nous, aux racines du goût de vivre, et qui en même temps respecte la spécificité essentielle de l'être humain, celle d'être personnelle, individuelle.

Le goût de vivre naît de la confrontation de la réalité présente et de la condition humaine contemporaine. Les fuir transporte de grands risques de déceptions[3]. L'homme est contemporain et le zest de vivre doit naître dans les conditions actuelles de la civilisation — là où habite et vit l'humain. C'est dans le monde qu'elle se construit que la personne loge, et c'est dans ce monde, malgré certains de ses atavismes, qu'elle doit se donner le goût de vivre. Les circonstances extérieures à la personne importent dans l'émergence du goût de vivre[4] mais les rendre nécessaires et indispensables à la naissance du goût de vivre, c'est prendre le risque de tout réduire le vivre à l'état primitif de vie; c'est la facilité de tout faire reposer la naissance du goût de vivre sur l'extérieur de la personne (sur son monde matériel et physique ou sur son monde interpersonnel). Le monde matériel et le monde interpersonnel jouent un rôle dans l'émergence du goût de vivre mais le monde intrapersonnel également et surtout — ce que nous sommes parfois spontanément portés à oublier. Il importe donc de ne pas renoncer au monde intrapersonnel, à ces sources qui sont à l'intérieur de la personne et qui d'une certaine façon sont sous sa responsabilité — responsabilité de faire naître le goût de vivre.

---

réduisent pas à un rôle de cause mais participent à l'être-là de l'arbre et sont nécessaires à son existence immédiate, de même les sources du goût de vivre nourrissent celui-ci et en assurent la qualité et l'intensité à chaque moment de la vie. Trop souvent la recherche des causes des réalités humaines réduit la découverte au passé et enferme les personnes dans le déterminisme.

3.   Pour atteindre ces sources, pour les rejoindre et les faire sourdre, certains prônent une certaine dé-civilisation — par exemple un retour à la vie primitive, un appel à la terre, un retour à la simplicité d'antan de vivre — pour enlever tous les obstacles contemporains à la naissance du goût de vivre. Malgré tous les avantages de la vie simple, de la vie rurale ou de celle d'antan, il y a dans cet appel à la régression, un espoir utopique.

4.   Voir les chapitres 11 et 12, pp. 385 et suivantes.

A) LE MONDE INTRAPERSONNEL

Le monde intrapersonnel de l'être humain, c'est le monde de la personne avec elle-même — son univers intérieur. Il est fort peu connu malgré l'abondance des théories qui semblent l'expliquer. Sous l'ensemble de sa facture, de ses influences et de sa genèse, il demeure encore une terre inconnue[1] et mystérieuse comme une caverne inexplorée. Tous connaissent la très grande importance de leur subjectivité, par exemple les émotions qu'ils ressentent, les fantaisies et les pensées qui les habitent, mais personne n'est assuré des lois qui gouvernent toute cette vitalité intérieure et encore moins des chemins qui y mènent pour la développer et la faire croître et fructifier. C'est un peu partout à travers ces nombreuses difficultés concernant ce monde intérieur de l'être humain que nous tenterons de dégager les sources du goût de vivre et de les mettre au service du pouvoir des personnes.

---

1. Voir May, Angel, Ellenberger (1958).

CHAPITRE 8

LE SENS À VIVRE

Se poser la question du sens à vivre, le sien, conduit presque inévitablement à une zone de soi-même pleine d'interrogations: qu'est-ce que c'est ça, un sens à vivre? À quoi ça sert? Et même, comment arriver à en trouver un? Dans les pages qui suivent, nous tenterons de répondre à trois questions sur le sens à vivre: sa nature, le *quoi*; son utilité ou son usage, le *pourquoi*; sa découverte ou sa naissance, le *comment*.

QU'EST-CE QU'UN SENS À VIVRE?

Pour ressentir le goût de vivre, il faut que la vie ait du sens. Pour qu'une personne prenne du plaisir à vivre, il faut que sa vie ait un sens. Ceci est tellement clair, logique et évident. Pourtant, trop de gens conduisent leur vie comme si de rien n'était en se laissant mener au gré des événements. C'est après tout si facile de se laisser aller à conduire sa vie dans toutes les directions sans se poser la question si cette vie que l'on mène se vit en fonction d'une visée particulière, d'un sens ou d'une véritable direction. Éviter ainsi la question du sens à vivre — de ressentir une direction et une signification à sa propre vie — c'est à la limite, troquer un goût de vivre pour un désespoir, un ennui à vivre qui risque en plus d'être contagieux pour les autres.

À 40 ans, divorcée et mère de deux garçons qu'elle n'arrive plus à éduquer, Hélène cherche un sens à vivre: «Ma vie est plate et je ne pourrai pas continuer comme ça pendant bien longtemps. Même mes garçons ont plus besoin de leur père que de moi. À quoi sert alors la vie? Pourquoi vivre? Quelle différence pour cette terre que je vive encore 10, 20 ou 30 années? Aucune!» Et elle se traîne dans la vie sans trop savoir comment se donner une direction et cesser de se lier les pieds dans les petits détails quotidiens de son travail ou de l'entretien de sa maison.

Des questionnements comme celui de Hélène ne sont pas aussi rares qu'on peut le penser et sont encore moins une fantaisie de notre temps. C'est depuis le tout début de l'humanité que l'être humain se questionne sur son sens à vivre, et en fait il n'a jamais cessé de le faire; depuis toujours il cherche une signification à son existence. Les réponses ont cependant été plus facilement disponibles à certaines périodes de l'humanité qu'elle le sont devenues maintenant. Auparavant, à la question du sens à vivre correspondait toujours une réponse, à certaines époques dans les croyances magiques et à d'autres dans les religions; mais depuis quelques temps et pour plusieurs, il n'y a plus de réponse. La question reste et se pose encore mais elle demeure sans réponse. Cette absence mène plusieurs au désespoir, certains au cynisme et d'autres à l'absurdité. Le résultat est navrant car trop de vies s'écoulent et se perdent dans la morosité du non-sens et d'un non-sens la plupart du temps non-avoué.

Pourquoi vivre? Le demander à la vie c'est presqu'inutile parce que, pour plusieurs d'entre nous, la vie en soi, n'a pas véritablement de sens ou de signification. La vie n'a qu'une direction: continuer le plus possible, le plus longtemps possible; cela ne lui donne pas nécessairement de sens. La continuation de la vie pour la continuation de la vie est d'une certaine façon *insignifiante*. Pourquoi continuer? Pourquoi tant d'efforts à reprendre sans cesse si cela ne sert qu'à continuer? À la limite, tout cela peut même devenir absurde lorsque l'on sait qu'un jour chacun de nous disparaîtra et que l'inexorable mouvement des astres finira bien par engouffrer la terre et toutes les réalisations de l'humanité. Ainsi, non seulement la durée des individus est limitée mais celle de toute l'humanité comme espèce l'est également. L'être humain comme individu et comme espèce est donc condamné à prendre conscience de sa propre finitude, abandonnant du même coup tout rêve d'immortalité pour ce qui meurt: le vivant, la vitalité et la vie.

Or, la personne humaine n'accepte pas de se contenter de cette condition absurde. Elle continue, malgré le tragique et la fragilité de son état, à chercher un sens: un sens à sa vie, un sens à vivre dans cet univers totalement indifférent et sans aucune préoccupation quant à ses inquiétudes existentielles.

Paul a beau se révolter et crier sur tous les toits son désespoir de vivre, cela ne donne rien. Pendant longtemps il a vécu comme un robot indifférent à la vie et aux autres — tout comme l'univers est indifférent à ceux qui l'habitent. Cela aussi n'a rien donné. Après tous ses questionnements, il découvre qu'il lui reste pourtant au moins une solution: vivre avec dignité l'absence de sens de la vie et se trouver pour lui-même, un sens à vivre — un sens qui fait qu'il vaille la peine, sa peine à lui, de vivre.

Au-delà de l'indifférence de l'univers à son égard[1], le vivant conscient, l'être humain, peut donc — et pour vivre pleinement il doit — trouver pour et par lui-même un sens à sa continuité. Chaque personne doit trouver un sens qui lui appartienne et qui l'accompagne partout dans son bout de vie qu'elle a et aura à vivre; c'est un sens propre à elle-même, c'est-à-dire un sens qui rendra signifiants tous ses efforts quotidiens pour vivre sa propre vie.

La personne est seule pour trouver et se trouver un sens: seule pour exercer ce pouvoir créateur de sens, seule pour ressentir ce sens et encore seule pour poursuivre ce sens. La vie en elle-même ne peut pas lui en fournir un ni les autres humains non plus; les autres ne peuvent que favoriser la découverte d'un sens à vivre mais c'est seule que la personne doit se débrouiller. A-t-elle vraiment un sens à vivre sa vie ou n'est-ce qu'un leurre ou un faire accroire? Comment être assuré d'avoir vraiment son sens à vivre? Évidemment, pour cela, il faut d'abord savoir ce qu'est un sens à vivre.

---

1.   Tout être humain même sans fantaisie de grandiosité et sans narcissisme incommensurable — tout en étant et en se percevant comme bien ordinaire — désire, souhaite que les milieux dans lesquels il vit, soient amicaux ou tout au moins accueillants, que ces milieux soient sa famille, son village, son pays ou même l'univers. Or le cosmos, lui, continue sa destinée de cosmos dans une complète indifférence à l'humain. L'être humain, ce chercheur de sens, éprouve de la tristesse devant cet état des choses: l'indifférence de l'univers.

Faire du sens pour soi

Qu'est-ce que c'est qu'un sens à vivre? Tout adulte conscient sait spontané-ment que certaines choses *font du sens*, qu'elles ont de l'allure. «Faire du sens» cela veut dire que l'idée examinée, le projet espéré ou tout simplement, l'action à entreprendre s'intègre dans un ensemble comme une partie qui s'harmonise à un tout. *Cela fait du sens* signifie donc la cohérence et l'harmonie de ce qui est considéré dans un ensemble, quel que soit cet ensemble en autant que l'action ponctuelle ou l'idée particulière ou le projet précis s'articule (pour la personne pour qui *cela fait du sens*) avec harmonie dans un certain ensemble (lui-même prédéter-miné par cette même personne pour qui *cela fait du sens*). La personne particulière est donc la seule en mesure de juger tant de *l'harmonie* que de *l'ensemble qui intègre*[2]. Elle est seule à le faire; personne ne peut la remplacer pour que cela fasse du sens; personne en dehors d'elle-même ne peut décréter que cela est harmonieux et que cela est un ensemble.

Personne n'arrive à comprendre pourquoi Guy, 45 ans, s'entraîne avec autant de vigueur et de constance à la course à pied. Pourquoi mettre tant d'énergie pour un sport plus ou moins solitaire et sans trop grand avenir pour un homme de son âge. Pourtant, pour Guy, courir fait du sens. Cela est bon pour sa santé respiratoire et pour la force de ses muscles. De plus, courir lui permet de réaliser qu'il a du pouvoir pour se donner une bonne santé — tout en l'amenant à sentir dans ses exercices réguliers et constants qu'il met de l'ordre dans sa vie. Courir fait du sens pour Guy parce que cela s'harmonise avec l'ensemble de son identité, avec ce qu'il aime penser de lui-même.

Lorsque par extension, *faire du sens* s'applique au sens à vivre d'une personne, ce jeu d'harmonie de l'individu avec un ensemble est tout aussi caractéristique. Il y a sens à vivre lorsque la personne ressent que le thème identifié comme un sens à vivre lui permet de se percevoir elle-même comme harmonieuse avec un ensemble qu'elle-même choisit. Elle ressent que sa vie constitue une partie d'un tout (un ensemble) et qu'il est utile voire même nécessaire que sa vie continue pour que l'ensemble en profite — que le tout puisse profiter de son apport et à travers lui également continuer harmonieusement. *Son sens à vivre lui fait du sens.* La personne participe au développement et au bien de l'ensemble et à cause de cela, elle a un sens à vivre. La personne ne se sent plus isolée, en dehors et inutile; par sa vie, elle sert l'ensemble.

Thérèse s'occupe des repas de sa maisonnée avec autant d'intérêt et de soin que si chaque jour elle construisait une maison neuve qui ferait la joie de ses occupants. Elle pense et réfléchit à l'équilibre des mets, aux besoins alimentaires de chacun et aux préférences et aux goûts de chaque membre de sa famille. Ainsi elle crée de la santé dans les corps, de la satisfaction dans les cœurs et de la joie chez les beaux vivants de sa famille. Elle est rarement insatisfaite et à peu près jamais routinière: elle aime cuisiner, cela lui donne un sens — un sens parce qu'elle participe à un ensemble: le bien-être et l'harmonie de sa famille.

2. Le langage illustre bien le lien particulier qui existe entre une unité et son ensemble; lien duquel le sens émerge. Un mot par exemple prend tout son sens du fait qu'il s'intègre à la phrase qui l'incorpore; tout comme la phrase tire son plein sens du fait qu'elle s'intègre au paragraphe et à l'idée présentée. On dira alors que ce mot et cette phrase font du sens, c'est-à-dire que nous les comprenons.

En plus de permettre que la vie de la personne fasse partie d'un ensemble, le sens à vivre permet également à la personne de prendre conscience de son unicité. Par son sens à vivre, la personne se sent spéciale et particulière. Elle est ni anonyme, ni noyée dans l'ensemble. Son sens à vivre fait du sens parce qu'elle est unique et qu'elle ne peut vraiment pas être remplacée par quelqu'un d'autre. Il y aura toujours quelque chose de différent si quelqu'un d'autre la remplace; il manquera son unicité à elle différente de celle d'un autre. Le sens à vivre fait vraiment du sens quand il y a conscience de cette unicité. Par sa complexité et sa densité, tout être humain est unique. Ceci reste vrai même s'il n'en demeure pas moins que sous certaines facettes, les personnes sont également entre elles semblables. Cela n'enlève effectivement rien au fait que dans leur essence elles sont toutes différentes et uniques, et c'est de cette conscience que le sens à vivre peut naître. Lorsqu'une personne ressent que son sens à vivre lui est approprié et lui est juste, c'est qu'elle perçoit qu'il met en valeur son unicité, c'est-à-dire qu'il exploite la personne particulière et individuelle qu'elle est. *Cela fait alors du sens.*

Marie sait bien qu'elle est un professeur de première année comme le sont des centaines de professeurs de sa ville. Pourtant pour elle enseigner à ses «mousses» de première année et les initier à la connaissance donnent tout un sens à sa vie parce qu'elle se sent bien particulière dans cette tâche. Tous les Pierre et les Louise, les Stéphane et les Suzanne qui apprennent à lire avec Marie, tous ces enfants, ils n'en ont qu'une maîtresse de première année et c'est Marie. Elle établit avec chacun d'eux une alliance éducative bien particulière: elle éveille en eux leur potentiel de lire et elle participe à la création de leur pouvoir de lire. Quelle belle tâche! Pour chacun d'eux, Marie est irremplaçable par sa façon bien particulière de les appeler à la connaissance. Un autre professeur ferait autrement. Cette unicité encourage Marie à se lever tous les matins pour reprendre sa tâche. Enseigner en première année fait du sens pour elle — cela devient un sens à vivre.

Est donc sens à vivre ce qui utilise les particularités et même l'unicité[3] d'une personne. Or, le sentiment de son unicité résulte de la place privilégiée qu'une personne occupe dans le cheminement original de sa propre vie. En d'autres mots, nous nous sentons unique d'avoir l'histoire, le présent et l'avenir que nous avons. Le sens à vivre constitue une sorte de fil d'Ariane à travers tous ces nombreux méandres et détours passés, présents, mais surtout futurs de notre vie. Par ses qualités de souplesse et de facilité à l'adaptation aux différents événements, le sens à vivre fait en sorte que la personne ressent de l'ordre dans sa vie. Il permet donc non seulement de se sentir en lien avec un ensemble mais aussi de ressentir de l'ordre parmi les différents accidents et événements de la vie. Comme la trame principale d'une histoire intéressante aux multiples rebondissements, le sens à vivre guide et sert à organiser la vie tout en lui assurant de l'ordre et de la cohérence.

Le sens à vivre aide aussi la personne à intégrer plus harmonieusement les traumas de son existence (une maladie grave, un accident, une perte) en permettant de retrouver, malgré un trauma, un monde ordonné et intentionnalisé (voir Thomp-

---

3.   La personne humaine est consciente d'être unique, individuelle, et elle est la seule à être également consciente que comme tous les vivants, elle est mortelle. À cause de cette finitude partagée avec tous les autres vivants — personne ni rien de vivant n'échappe à la mort — la personne se trouve à perdre, d'une certaine façon, son sentiment d'être unique et spéciale. Voilà un autre de nos nombreux paradoxes!

son, Janigian, 1988). Pour la plupart des gens, le monde est ordonné en autant qu'il soit juste (approprié à nos comportements) et cohérent (qu'on peut le prévoir et qu'il sert la personne). Il est intentionnalisé en autant que les événements qui surviennent servent une fin et qu'il permet à la personne d'atteindre ses buts. Si la personne réalise qu'elle ne peut plus atteindre ses buts, elle perd un bien-être subjectif et risque, si les buts sont importants, de déprimer.

> Louis s'est toujours intéressé aux enfants. Il considère que le temps le plus vivant, le plus authentique et le plus rafraîchissant à vivre, c'est l'enfance. Etre avec des enfants, ça réveille sa vitalité et son goût de vivre! À l'adolescence, il s'occupait de scoutisme. Comme jeune adulte, il était instructeur au hockey mineur. Sa «carrière» avec les enfants a cependant connu bien des hauts et des bas. Par exemple, il a été injustement accusé d'abus sexuel; il s'en est sorti — puis avec ses propres enfants qu'il adorait, il connut tous les problèmes qu'un père moderne pouvait connaître: drogues, abandon scolaire, etc. Il continue pourtant à adorer les enfants. Il essaie par ses recherches de mieux comprendre cette période magique et merveilleuse de la vie de l'humain: l'enfance.

Parce qu'il suscite la référence à l'ensemble, à l'ordre et à l'harmonie de sa vie et à la cohérence des unités de vie, le sens à vivre joue également un rôle d'évaluateur-évaluateur dans le vrai sens du terme, c'est-à-dire de donner de la valeur, de reconnaître de la valeur à une chose. Le sens à vivre permet donc aussi d'accorder de la valeur aux différentes conduites de sa vie. Les comportements, les actions, les projets et les efforts prennent de la valeur par le lien qu'ils établissent avec le sens à vivre. Ainsi le sens à vivre, en plus de *faire du sens* de ce qu'est, fait et vit la personne, donne de la valeur à ce qu'elle est, fait et vit.

> Marie se remet de nouveau à étudier la grammaire française. Elle plonge pour une nouvelle fois, après des centaines et des centaines d'exercices, dans les accords difficiles et les orthographes compliquées. Chacun de ses efforts vaut la peine parce qu'ainsi elle développe encore plus ses qualités de communication, et c'est d'ailleurs pourquoi elle accepte avec bonheur de consacrer tous ses loisirs à cette tâche.

En fait, le sens à vivre agit comme un principe organisateur dans la vie d'une personne. Avec son sens à vivre, la personne sait ce qu'elle veut et ce qu'elle désire tant dans le moment présent que dans ses projets, qu'ils soient immédiats ou lointains. Le sens à vivre permet de transcender les réalités quotidiennes concrètes et routinières pour placer la personne en état de projet. La fonction organisatrice particulière du sens à vivre fait effectivement que la personne se situe comme au-dessus du quotidien et porte un regard neuf, global et plein de perspective sur sa vie, et c'est ce qui lui permet de se donner elle-même une direction[4].

Le sens à vivre entretient une relation d'inter-créativité avec l'identité: l'identité permet l'émergence d'un sens à vivre — le sens à vivre naissant à partir de l'unicité de la personne — et le sens à vivre consolide et enracine l'identité (l'unicité) de la personne. La personne se confirme donc comme personne par son sens à vivre; elle devient pleine de significations. C'est ce que la langue anglaise nomme très justement *meaningfullness*: le sens à vivre devient pour la personne — meaningfullness — c'est-à-dire rempli et débordant de significations.

---

4. Voir plus loin (p. 223 et ss) en ce qui concerne la fonction de transcendance associée au sens à vivre.

C'est parce qu'il s'enracine dans toute la personne — qu'il occupe et demande l'apport de tout ce qu'elle est comme personne — que le sens à vivre provoque un tel sentiment de plénitude. Le sens à vivre transcende le quotidien mais pas la personne[5]. Le sens à vivre n'est jamais au-dessus de la personne car il s'enracine à l'intérieur d'elle dans sa totalité de personne: son corporel, son imaginaire, son cognitif, son spirituel, etc. Le sens à vivre mobilise toute la personne qui, à travers lui, devient toute pleine de significations. Il serait même plus juste de dire que la personne ne se choisit pas un sens à vivre par un acte d'intelligence pure comme on choisit par exemple un objet sur les rayons d'un magasin libre-service; la personne est *saisie* par son sens à vivre — par une implication et un engagement de tout son être particulièrement le cœur et l'esprit (l'âme).

> Me lever le matin, bien déjeuner, faire de l'exercice en me dirigeant à mon bureau tout autant que le silence et le calme que je me donne pour réfléchir et organiser mes données de recherches, la qualité de mon écriture ou les images de mon imagination — tout cela fait du sens pour mettre au monde mes recherches et faire avancer la connaissance de l'humain. C'est ma vie qui a du sens par mes recherches; ce n'est pas seulement ma réputation de chercheur auprès de mes collègues.

Quelques notions limitrophes

À cause de la plénitude qu'il crée à l'intérieur de la personne, le sens à vivre n'est pas à confondre avec *la raison de vivre, le but de sa vie, le projet de vie, la signification ou la significativité de sa vie, le schème de vie et l'idéal de vie.* Ces notions possèdent toutes évidemment des liens avec le sens à vivre mais elles s'en distinguent également toutes sur plusieurs points. Il n'est donc pas inutile de les départager pour saisir encore plus ce que nous entendons par *sens à vivre*.

La *raison de vivre* s'organise autour de principes cognitifs ou intellectuels. Elle met l'accent sur l'expression consciente d'un thème ou d'une idée qui conduit la vie de la personne. Elle n'implique toutefois pas la totalité de la personne. Un homme[6] pourrait par exemple dire que sa femme et ses enfants sont sa raison de vivre. Cette raison est tout ce qu'il y a de plus légitime mais malheureusement elle résiste bien mal aux échecs ou à la perte. Si un divorce ou une séparation d'avec les enfants survient, que restera-t-il de ce qui avait été une raison de vivre? Cette situation pourrait conduire cet homme à désespérer de la vie et peut-être même si ce désespoir devient trop important l'amener à la limite à tenter de se suicider. Le sens à vivre — plus remplissant parce que plus enraciné dans tout ce que la personne est en tout et partout — résiste beaucoup mieux aux crises et aux traumas. Par exemple pour cet homme, un sens à vivre aurait pu être l'exercice de l'amour pour une femme et la mise-au-monde de sa paternité, c'est-à-dire un sens à vivre qui loge plus à l'intérieur du sujet, dans la personne qu'à l'extérieur de lui, dans l'épouse et

5. Si le sens à vivre est «self-transcendent» — au-dessus des sois ou d'une certaine sur-conscience de soi — il ne transcende pas l'ensemble de la personne: l'expérience, le Je, les sois, les rôles, etc. (voir Bureau, 1978). De plus, la transcendance implique toujours l'intégration de ce qui est transcendé en le transformant. Le transcendé n'est pas nié, il change de forme.
6. Voir le cas de Marcel p. 133.

les enfants; un sens à vivre qui en soi fait autant référence au cœur et à l'imaginaire qu'au corps et à l'esprit. Le sens à vivre n'est ni seulement un raisonnement logique — même si l'esprit y prend part; ni une seule foi cabrée et obstinée — même si l'adhésion fulgurante de l'esprit (l'acte de foi) y loge.

Le sens à vivre n'est effectivement pas qu'un exercice pour intellectuels, qu'une «raison logique» d'exister. Il n'émerge ni seulement de l'intelligence, ni seulement du cœur, ni seulement du corps puisqu'il surgit de toute la personne, de tout l'organisme, car tout l'organisme est vivant et cherche à continuer. La direction de l'organisme est ainsi plus assurée et son bien a plus de sécurité quand la personne se baigne dans le sens donné par l'ensemble de sa vie.

Tout autant que l'hypertrophie du cognitif déracine le sens à vivre, celle de l'affectif lui, joue le même tour. En effet, le cœur peut devenir le seul lieu de la raison de vivre. Les motivations émotives, conscientes ou inconscientes, se transforment alors en des «raisons» de vivre. Les personnes s'y accrochent alors avec opiniâtreté, rejetant toute autre perspective. La rigidité de ces «raisons» de vivre et leur manque de souplesse dénotent, d'une certaine façon, le peu de profondeur de leurs assises. Or, il arrive souvent dans ces situations que ce qui constituait la «raison de vivre» pour quelque temps, à la suite d'un échec ou d'une misère, change complètement et le contraire apparaît comme une «nouvelle raison de vivre». Sa volatilité indique alors que la «raison de vivre» n'était qu'affective.

Pendant de longues années, Marcel n'avait été que l'époux de sa femme. Ayant quitté sa famille en chicane et en opposition, il avait tout misé sur son épouse. Là, dans leur lien, tout s'expliquait, toute sa vie et toutes ses énergies y étaient consacrées. Ardent militant des mouvements de couples, des services de préparation au mariage, il mesurait toute la société sous l'angle du couple et se mesurait lui-même pour l'estime de lui-même, à sa fidélité d'époux, à sa générosité et à son amour marital. Y avait-il des problèmes de drogues, de sexe, de délinquance dans la société? Cela était dû à la faiblesse des couples ou à leurs carences. Y avait-il des frustrations, des dépressions, un mal de vivre? Cela dépendait du malheur chez les couples. «Reprenons le couple, rebâtissons les couples et nous sauverons la société et les individus», aimait-il répéter. Un jour, comme un coup de tonnerre, son épouse demande le divorce. Elle prétendait qu'elle n'aimait pas vivre avec un homme si zélé et si rigide. Elle voulait vivre seule et sans enfant. Désemparé, Marcel s'est senti attaqué au cœur de son existence. Tout ce qu'il tenait enfermé en lui-même depuis tant d'années pour poursuivre sa mission de «sauveur de couple» et ne pas déranger sa femme a explosé: son érotisme, sa masculinité, son ambivalence face à la femme, etc. De là, il a changé du tout au tout sa raison de vivre. Le problème maintenant de l'humanité, c'était l'existence des couples, une solution archaïque collée sur des besoins modernes de liberté et d'érotisme. Le couple, pour Marcel, était devenu la pire aliénation qu'un individu pouvait s'offrir. C'était pour lui une manigance des femmes pour retenir les hommes et les forcer à les faire vivre. «Le couple, c'est une manière pour la femme de prendre possession du portefeuille d'un homme», répétait-il maintenant. Il est devenu un apôtre de la vie avec les enfants — les hommes seuls et leurs enfants — la monoparentalité. Voilà, l'altruisme combiné à la liberté: un enfant, ça suscite la liberté plutôt que la limite. Il participait à toutes les rencontres de familles monoparentales masculinistes et ne vivait que pour ses enfants.

Lorsque la mère repentante a voulu reprendre ses enfants, que ceux-ci souhaitèrent vivre avec leur mère, et que le juge a accordé à la mère leur garde, Marcel s'est écrasé. Il a passé de longues années dans cet état de dépression, de regret et de sentiment de futilité de toute sa vie brisée. Il avait écouté son «cœur» et avait échoué. Il avait aimé et son amour lui était relancé à la figure. Comme il arrive souvent dans le primitif de l'émotion, l'exagération est possible et il avait exagéré. Il a réalisé qu'aucune femme, aucun enfant, ne peut devenir tout le «sens à vivre» d'une autre personne. Marcel a repris lentement et péniblement le chemin de l'ensemble de ce qu'il était et il a découvert que son vrai sens à vivre était *l'amour*. Or, plusieurs personnes peuvent être aimées sans qu'il faille se river le cœur sur une seule femme ou seulement ses enfants. Il était maintenant plus serein et plus nuancé dans la conduite de sa vie.

La souplesse et les nuances qui caractérisent un sens à vivre assurent sa solidité. Jung disait «qu'une forte conviction prouve sa solidité grâce à sa souplesse et à sa malléabilité et, comme toute autre vérité, ce sont ses erreurs librement reconnues qui la font le mieux se développer»[7]. Les limites et les faiblesses de la personne lui appartiennent autant que ses qualités et ses ressources. Les reconnaître et les accepter densifient l'individu, le personnalisent et enracinent le sens à vivre qui en émerge. Les frontières du sens à vivre seront plus harmonieuses avec ce qu'est vraiment la personne, si elles tiennent compte de la totalité de la personne, c'est-à-dire autant ses limites que ses ressources. Ce sens à vivre aura plus de chance de tirer et de conduire la personne, avec plus de constance et de solidité vers la continuité.

Le *but de la vie* renvoie directement à l'avenir; ce sont les objectifs que la personne se propose d'atteindre. Entièrement orienté vers le futur, le but de la vie se trouve d'une certaine façon à minimiser l'appel et l'importance du présent. Lorsqu'une personne est habitée par le but de la vie, le présent n'est le plus souvent effectivement que toléré — un espace temps nécessaire à passer pour qu'enfin le but soit atteint. Contrairement au but, le sens à vivre influence et agit sur le présent — ou le quotidien, le jour après jour. Chaque morceau de vie participe au sens et le présent y est privilégié. Ainsi, une personne pourrait dire: «le but de ma vie, c'est de devenir à 50 ans PDG de la compagnie»; un sens à vivre consisterait plutôt à chercher à utiliser ses ressources et à se développer à travers le plaisir à prendre dans son travail — ce qui se réalise ici et maintenant, aujourd'hui comme demain et non pas en fonction de ses 50 ans, dans 20 ou 25 ans. Le but de la vie néglige donc le présent au profit d'un avenir éloigné tandis que le sens à vivre, même s'il soulève l'élan et le goût de vivre, se nourrit dans le présent. Encore plus précisément le sens à vivre s'inscrit dans une perspective temporelle qui tient compte à la fois du passé duquel il tire de l'enseignement, du présent auquel il se nourrit sans cesse et du futur dans lequel il désire la poursuite et la continuité de sa vitalité.

Le *projet de vie* quant à lui implique un plan, des étapes et surtout une fin. Il hypertrophie encore plus l'avenir que le but. La personne se jette littéralement devant (projette) vers le futur, mais ce qui caractérise encore plus le projet de vie, c'est qu'il a une fin, et c'est d'ailleurs là qu'il s'oppose particulièrement au sens à vivre. Par exemple, celui dont le projet de vie est de fonder une famille devra inévitablement découvrir un autre projet une fois que ce premier sera réalisé, ici une fois que sa famille sera fondée. Le sens à vivre, lui, n'entrevoit pas sa fin; sa finitude est celle de la personne. Pendant qu'il s'exerce, il est d'une certaine façon *éternel* — même s'il arrive souvent que la personne change et modifie sa perspec-

---

7.   Jung (1976), p. 309.

tive ou son orientation au cours de sa vie. La personne alors change de sens à vivre, mais le thème du sens à vivre lui, demeure.

La *signification ou la significativité de la vie* est liée à la dimension spirituelle de l'être humain. Elle concerne spécifiquement la question de la valeur ou de l'importance accordée à sa vie. La personne dira par exemple que sa vie est significative parce que, comme parent, elle sert de modèle d'honnêteté ou de stabilité pour ses enfants. La significativité nomme l'effet ou la conséquence estimée de la conduite de sa vie sur une autre réalité, en particulier les autres. La signification est en fait un processus de devenir un signe, de représenter symboliquement. Elle renvoie donc à une réalité plus large et plus abstraite tout en reflétant un certain dépassement du concret d'exister et de vivre. Par exemple la personne qui donne à sa vie la signification de témoigner de la qualité de son Créateur ou de la puissance de la science, transcende le quotidien de vivre. La signification réfère a une évaluation; le sens, à une compréhension. La significativité sert à évaluer ma vie — sa valeur propre; le sens à vivre, à la comprendre (*cum*: avec, *prehendere*: prendre). En somme, la significativité de la vie privilégie uniquement la facette spirituelle de la personne, tandis que le sens à vivre s'énergise par la présence vivante et concrète de toute la personne — il repose plus sur la cohérence des différentes dimensions du vivant conscient en impliquant la totalité de son être-au-monde.

Toute personne possède un *schème de vie*, c'est-à-dire une histoire de vie qui lui permet de savoir d'où elle vient et vers où elle s'en va à travers les buts implicites ou explicites qu'elle s'est fixée. Ce schème de vie exerce principalement deux fonctions: celle d'organiser ce qui n'est pas relié dans un tout cohérent et compréhensif (il propose ainsi un contexte pour évaluer, comprendre et déterminer les événements qui arrivent) et celle de contribuer à maintenir le souci d'atteindre efficacement les buts fixés. D'une certaine façon, le schème de vie précède le sens à vivre. Moins dynamique, il propose une grille d'interprétation, comme une philosophie de vivre, qui tout comme le sens à vivre peut se confirmer[8] ou se défaire[9] à la suite d'un trauma important. Le sens à vivre, même s'il utilise certaines composantes du schème de vie, implique toujours toute la personne pour la conduire à l'agir: elle se donne de la vie par le sens à vivre plutôt que de n'être qu'accueil comme dans le schème de vie.

---

8.   C'est par leur schème de vie que les personnes s'établissent des croyances comme le monde est bon, qu'elles-mêmes sont bonnes, qu'elles contrôlent leur vie ou qu'elles sont invulnérables aux désordres. Ce sont des a priori dont la personne se sert pour atteindre ses buts. Lorsqu'un trauma survient et vient bousculer un a priori, la personne doit changer son schème de vie ou changer sa perception de l'événement traumatique pour lui permettre de conserver de la signification et de ne pas se sentir ballotée et confuse. Par ailleurs, un sens à vivre lorsqu'il est bien intégré, permet à la personne d'assimiler le trauma à l'intérieur de son identité et de sa conception du monde. La largeur, la densité et la souplesse de l'identité et de la conception du monde permettent à la personne d'associer l'événement traumatique à son sens à vivre.

9.   Ce n'est cependant pas parce que le sens à vivre résiste mieux aux traumas qu'il y résiste toujours. Devant un trauma important — un qui touche la personne dans ce qu'elle a de plus sensible — la personne peut voir se défaire son sens à vivre.

L'*idéal de vie*, c'est ce qui sert à composer avec certaines des caractéristiques essentielles mais pénibles à accepter de notre condition existentielle fondamentale — celles d'être des personnes limitées, séparées et mortelles. L'idéal de vie sert effectivement trop souvent à fuir notre condition humaine en tentant de répondre à notre besoin de combler l'impuissance naturelle (être limité), la solitude fondamentale (être séparé) et la finitude existentielle (être mortel). Prendre conscience de nos limites, de notre solitude et de notre finitude propres à la condition humaine soulève une telle anxiété que nous cherchons par tous les moyens à l'éviter. Par exemple, pour fuir ou éviter cette anxiété si prenante, on tente de passer outre nos limites par l'infatuation personnelle, la grandiloquence ou un souci d'étonner et d'impressionner pour se faire voir et remarquer par les autres. Cela est bien humain, mais hélas, ce n'est qu'un substitut — le substitut bien fragile d'un vrai sens à vivre qui lui seul peut calmer et diminuer l'angoisse de vivre.

L'idéal de vie est avant tout un produit de l'imaginaire; il est ce qu'il est, c'est-à-dire un idéal, pas la réalité et tout au plus nous permet-il momentanément d'y échapper. Le sens à vivre n'est pas un produit direct de l'imaginaire car il se crée à partir de l'unicité qui émerge de la personne entière donc de son imaginaire mais aussi du réel, et c'est d'ailleurs pourquoi, contrairement à l'idéal, il installe l'équilibre entre le rêve grandiloquent et son cruel envers, le «misérabilisme» de son insignifiance ou la dévalorisation excessive pour resituer la personne juste là où elle doit être, c'est-à-dire consciente de ses limites existentielles mais créatrice — juste entre la réalité et l'imaginaire.

L'idéal de vie n'est cependant pas uniquement et toujours néfaste car il conduit aussi parfois certaines personnes particulièrement douées à de grandes réalisations. Sauf que la plupart du temps, l'idéal de vie conduit les individus à se vivre — et alors à s'épuiser — bien au-delà de leurs possibilités et de leurs ressources en caressant des fantaisies grandioses néfastes à leur bien-être quotidien. C'est alors le besoin de réaliser des grandes choses sans quoi la personne a le sentiment de n'être rien du tout — cela peut être des fantaisies comme sauver l'humanité de la guerre, devenir un héros célèbre et admiré de tous, être et vivre sans effort, devenir millionnaire à trente ans sans ne rien sacrifier, être capable de tout en tout temps... Lorsque ces rêves deviennent des susbstituts au sens à vivre, la personne est parfois délivrée momentanément de son chaos intérieur mais cela ne dure qu'un temps parce que ce n'est qu'un rêve — cela n'a pas de racines.

Pierrette aime les enfants «pas trop les adolescents perspicaces et critiques» se dit-elle, «mais les enfants. Voilà l'humanité dans sa forme la plus pure». Elle les trouve vivants, spontanés, honnêtes. Ils ont toutes les qualités. Pour elle, s'occuper d'enfants, c'est sa vie. Elle ne rate jamais une occasion de leur rendre service, de leur donner quelque chose. En plus de se faire plaisir, elle obtient toute une reconnaissance sociale de ces gestes envers les enfants. On aime bien Pierrette de ce qu'elle aime les enfants. Pourtant quelque chose la tracasse: un rêve qu'elle fait souvent, à demi-consciente, d'être sur une estrade d'honneur et d'être acclamée par des milliers d'enfants qui l'applaudissent et lui vouent leur reconnaissance. Obsédée par ce rêve, elle tente de se comprendre et elle réalise que dans le fond, pour elle, un enfant risque moins de la critiquer qu'un adulte qui peut plus facilement déceler ses défauts et ses petitesses. Elle s'étonne de conscientiser qu'une large part de son amour pour les enfants répond à son besoin d'être acceptée inconditionnellement. Il n'y a donc pas que de la «pureté» dans son amour pour les enfants — il y a aussi ses propres besoins. Elle sourit intérieurement de sa découverte et décide que dorénavant son amour sera plus discret. Elle les aimera mais sans flamboyance avec un petit sourire intérieur sur ses propres limites et sur la limite de la qualité des enfants.

De la raison de vivre au schème de vie, ces notions sont toutes valables et utiles pour l'avancement et le développement du vivant conscient, mais par contre seul le *sens à vivre* — à cause de sa capacité d'intégration de toute la personne, sa globalité, et particulièrement son dynamisme — peut susciter avec autant de constance le goût de vivre, l'élan et la tendance vers la vie. Le sens à vivre utilise toute la personne, et il n'a pas de temps favori si ce n'est le temps vivant.

Ses liens avec l'identité: continuité et souplesse

Parler du sens à vivre, c'est aussi inévitablement parler de continuité et alors d'identité. Le sens à vivre puise avec abondance dans le présent ce qui ne l'empêche toutefois pas de garder des affinités et des liens privilégiés avec le passé, l'histoire de la personne. D'une certaine façon, le sens à vivre qui se vit présentement s'est longtemps préparé; il est en partie le résultat organisé de tout ce que la personne a vécu précédemment. Il y a donc continuité dans les racines du sens à vivre et ce, même si la manière-d'être-au-monde du sens à vivre peut changer tout au cours de la vie. Cette continuité s'explique d'ailleurs par l'identité de la personne — ce qu'elle est, ce qu'elle pense d'elle — qui est la principale source de son sens à vivre et qui s'articule elle aussi avec certaines facettes importantes de continuité. En d'autres mots, c'est un peu comme une chaîne: la continuité permet une grande partie de l'identité; l'identité permet le sens à vivre; le sens à vivre s'appuie sur la continuité et la renforce; la continuité ainsi renforcée par le sens à vivre renforce à son tour l'identité qui elle renforce le sens à vivre; ainsi de suite.

Que le sens à vivre s'inscrive dans la continuité — source et produit de l'identité — n'implique cependant pas qu'il soit rigide ou statique. Le sens à vivre n'est pas un état stable, fixe et inébranlable. Toujours à construire, il accueille plutôt le mouvement et le changement. Dans son paraître (ses manifestations), il fluctue et bouge sans jamais retenir et figer l'humain. En fait, la personne est toujours à la recherche et à la construction de son sens à vivre, c'est-à-dire qu'elle l'entretient et le développe sans cesse tout comme elle n'a jamais fini d'explorer et de découvrir son humanité[10]. Le sens à vivre se développe avec la personne. La personne reste la même malgré les vicissitudes de la vie; l'essentiel du sens à vivre reste aussi le même (continuité) malgré ou même si certaines facettes prennent plus d'importance à certains moments qu'à d'autres (mouvement) ou que son mode d'expression varie (changement). Des nuances nouvelles du sens à vivre apparaissent, des angles différents sont soulevés qui deviennent insistants pour un temps et se reprennent autrement par la suite.

Marie-Hélène cherche à comprendre les relations entre les êtres humains. Depuis qu'elle est toute petite, elle est tout intérieure et tout réflexive. La dernière née d'une nombreuse famille, elle regardait ses frères et sœurs et ses parents interagirent, et elle réfléchissait à tout cela. Pourquoi cette parole? Qu'est-ce que veut vraiment dire sa sœur lorsqu'elle

---

10. Voir Légaut, M. (1971).

parle à sa mère? Pourquoi ses deux frères aînés s'aiment tellement? Aujourd'hui, à 30 ans, elle aime toujours fouiller les relations entre les membres de sa famille. Mais ce sont les relations entre les hommes et les femmes qui la fascinent. Elle regarde ce qu'ils et elles sont. Elle lit sur ces relations dans d'autres cultures. Elle continue toujours son sens à vivre mais différemment, dans son métier d'anthropologue et de sexologue. Elle espère un jour écrire un livre sur le désir de l'autre et ses obstacles.

Souvent juste au bout du désespoir

Un sens à vivre se conscientise ou plus précisément se manifeste par une de ses manières-d'être-au-monde auparavant inconnue très souvent lorsque la difficulté, la misère et même le malheur s'abattent sur la personne. La plupart du temps, quand le ciel de la vie est sombre et chargé, une nouvelle et riche nuance du sens à vivre mijote et, éventuellement, émerge. L'humanité du vivant et sa conscience de la vie naissent paradoxalement du désespoir de vivre. C'est parce que la personne est capable de désespérer qu'elle en arrive à enrichir son sens à vivre et à trouver l'espérance. Le malheur et le désespoir approfondissent la personne et lui permettent de loger en elle d'autres valeurs. La capacité de désespérer rend effectivement la personne sensible à son style de vie que souvent elle découvre ou ressent comme désastreux — ce qui peut à court terme augmenter son désespoir mais à moyen terme la pointe plutôt sur de nouvelles façons d'être et de vivre. Le désespoir fait donc partie de notre humanité pour nous aider à retrouver le phare, la direction, lorsque tout autour se défait. Sa morsure est cruelle mais elle finit par regaillardir et par re-polariser la personne vers l'authenticité de vivre.

Tant que Daniel se cabrait tout l'organisme pour ne plus sombrer dans le trou noir de ses 20 ans, sa vie n'était que superficielle. Il s'efforçait de vivre selon des slogans: «Penser positivement; il y a assez de problèmes dans le monde sans qu'on s'en fasse soi-même; l'important, c'est de sourire. Après tout, je suis père de famille et je n'ai pas le temps de m'écraser. Je dois faire vivre ma famille». Pourtant, ces belles paroles n'arrivaient pas à faire disparaître cette vague tristesse qu'il secouait le matin par du jogging et des grandes respirations, et le soir, par quelques bons verres de vin. À la mort de son fils dans un accident de moto, il s'écroule — ni slogan, ni jogging ne le retient — il sombre dans le désespoir. Il avait tellement vécu pour préparer la vie de son fils, pour le nourrir, le vêtir, l'éduquer, lui faire une belle vie et voilà que tous ses efforts, tous ses rêves, toutes ses énergies avaient été et étaient inutiles, *son fils était mort*, bêtement mort dans un accident de la route. La souffrance de son désespoir lui déchirait le ventre. Il a pensé au suicide pour faire cesser son mal. Il a perdu tout intérêt à vivre et à continuer. Il vivait comme s'il rêvait des cauchemars. Une nuit, alors qu'il ne pouvait pas dormir et que le désespoir avait atteint son paroxysme, il a senti naître en lui un thème nouveau et apaisant: *celui qu'on ne peut pas vivre la vie d'une autre personne — que ce n'est que notre propre vie que nous pouvons vivre*. Il réalise que tous ses efforts pour vivre la vie de son fils à la place de celui-ci avaient été inutiles parce que voués à l'échec au départ. Même la vie d'un fils, son propre fils, ne peut pas être vécue par le père. Le père donne la vie et ensuite, il doit se retirer. Ce thème l'a secoué. Il a pleuré l'inutilité de ses efforts pour ensuite pleurer le deuil réel de son fils. Les mois qui suivirent le réconcilièrent avec le tragique de la vie. Il a laissé son jogging, souri de ses anciens slogans et repris en profondeur sa manière de vivre, une manière plus respectueuse de sa *propre* vie.

C'est quand on est désespéré qu'on se rend compte de la valeur de la vie, de sa propre vie et surtout de son sens — un peu comme c'est trop souvent quand nous risquons de la perdre ou proche de la mort qu'on se rend compte de l'importance et du précieux de la vie. La possibilité de ressentir du désespoir augmente la capacité de percevoir le sérieux et le tragique de la vie; on ne gaspille pas ce qui est tragique. De là, la sérieuse nécessité de rechercher — et de trouver — un sens à vivre, et le besoin pressant de ne plus vivre à la surface de soi-même. Le désespoir aide la personne à s'approfondir et malgré la souffrance et parfois les risques du suicide, il lui permet d'affirmer sa nature de vivant et de lui donner du sens. D'une certaine façon, il y a donc un sens à vivre qui naît du côté éloigné, juste au bout du désespoir.

La qualité de vie, mais pour qui? La société? La personne?

Le sens à vivre permet aussi de mordre davantage dans la réalité en suscitant comme un zest à vivre. C'est par sa propension à établir des ponts avec l'affectif que le sens à vivre permet cela. En effet, tout en conservant sa parenté privilégiée avec le cognitif et l'intellect, le sens à vivre dépasse le simple point de vue rationnel et passif pour établir une polarisation dynamique avec la vie. Le sens à vivre dynamise la relation de la personne avec la vie; il l'entraîne à agir avec et dans la vie. Le sens à vivre n'est donc pas qu'une simple recherche de qualité de vie ou encore de confort dans la vie — même si de nos jours il est fréquent de discourir sur la qualité de vie et d'y voir tout comme l'espérance de vie ou le produit national brut, un indicateur sociétal du progrès. Une société qui vise à atteindre l'objectif de la qualité de vie de ses concitoyens ne peut pas malgré cela se substituer aux personnes dans leur conquête d'un sens à vivre personnel; pas plus d'ailleurs que cet objectif peut garantir à lui seul de maintenir la vie et d'assurer sa continuité. La qualité de vie[11] est certes fort appétissante pour tous et chacun mais jamais elle ne saurait remplacer le sens à vivre et éveiller comme lui la vitalité et le goût de vivre. Il est même possible de croire qu'une société qui recherche exclusivement en tant que société l'établissement, le maintien et la poursuite de la qualité de la vie risque fortement d'entrer en contradiction avec le sens à vivre personnel et de l'éteindre. Imaginons un *dialogue* possible entre une société moderne et les personnes humaines en collectivité, avec d'un côté le dire de la société et de l'autre celui d'un individu appartenant à la collectivité:

La société:

«J'ai réussi par le développement de mes connaissances et de mes ressources à maintenir la vie humaine, à la sauver et à la préserver. J'ai par ma technologie permis que la mort recule. J'ai sauvé des prématurés et prolongé des vies. J'ai fait échec aux menaces à la vie — la nature, les ennemis naturels de l'espèce humaine. Maintenant, je dois assurer la qualité de cette vie, qu'elle soit plus belle et plus harmonieuse, que l'hygiène et la propreté triomphent, et que le bonheur soit assuré pour qu'en somme mon œuvre soit maintenue et admirée.»

---

11.   La vraie qualité de la vie — la vitalité — ne saurait être programmée, perçue ou prédite parce que la vitalité repose sur la spontanéité et la gratuité. On ne peut pas programmer la spontanéité. Il y a même un certain détournement de la qualité de vie qui peut servir une vision mécaniciste ou technologique du monde mais bien peu le sens à vivre des humains(voir aussi pp. 336 et suivantes).

La collectivité des personnes humaines:

«Et pourquoi? Pourquoi cette qualité de vie? Pourquoi sauver les vies humaines à tout prix? Pourquoi cet engagement aveugle alors qu'il est si souffrant de vivre — si lourd souvent de porter la vie? Pourquoi tout ce faste d'appareils pour prolonger la vie alors que je ne veux que faire cesser mes souffrances, mes misères? Cela est tellement vrai que je me suicide de plus en plus — je me suicide à des âges où la vie est forte et vigoureuse. Je me tue et toi, société, tu cherches à éviter que j'abrège mes misères. Tu me nuis avec tes technologies et tes policiers sociaux. Laisse-moi mourir en paix. Et je ne suis pas seul d'ailleurs — des peuples entiers ne veulent pas vivre. Tu as beau leur montrer tes frigidaires et tes T.V. — ils ne savent qu'en faire. Ils veulent cesser de vivre. Regarde ces suicides de masse! Des peuples entiers se suicident le corps ou l'âme. L'humanité se coupe un peu plus de vie à mesure que et en proportion que toi, société, tu tentes de la protéger, de la continuer, de la maintenir. Cesse tes combats inutiles — ne parle plus de qualité que si le support de cette qualité vaut la peine, sa peine — si la vie vaut la peine d'avoir une qualité.»

Et la vie vaut la peine d'avoir une qualité si les personnes possèdent le *sens à vivre* qui mord dans la réalité et qui cherche à faire continuer la vie. Sous sa dimension dynamique, le sens à vivre précède le goût de vivre. Le sens à vivre peut même exister sans le goût de vivre parce qu'il possède cette qualité de zest à vivre et de motivation à continuer la vie, la sienne et celle des autres autour de lui. Or le désespoir de bien des humains qui les entraîne à faire cesser la vie repose sur l'absence, la carence ou la faiblesse du zest à vivre, caractéristique essentielle du sens à vivre.

Même si la société réussit à maintenir la vie et à la prolonger, sans son sens à vivre, la personne ne sait pas quoi en faire, c'est-à-dire qu'elle ne mord pas dans cette vie qu'on lui donne ou qu'on protège si généreusement, et même qu'elle a connu dans le passé des conditions et des situations finalement beaucoup plus misérables que le confort douillet contemporain — ce qui n'a d'ailleurs jamais empêché son sens à vivre et son zest à vivre de fleurir. L'être humain a effectivement bûché pour défricher des pays, il s'est battu contre les éléments, il s'est engagé dans des guerres, et aussi étrange que cela puisse paraître, et peut-être à cause de cela, la vie prenait alors tout son sens. Il avait donc du sens à vivre.

Tout a toujours été trop facile pour Paul. Il était le favori de sa mère et son père l'admirait. Il était premier de classe et devenait un champion dans tous les sports qu'il pratiquait. On disait de lui qu'il avait tous les talents. À l'adolescence, chaque jeune fille voulait en faire son cavalier et il n'avait qu'à choisir. Il a choisi d'épouser la plus riche sans savoir cependant qu'il était en train de préparer une bombe à retardement dans sa vie. Effectivement, tranquillement, sa vie a commencé à devenir insignifiante, sans sens. Il avait tout et n'avait plus rien à conquérir — tout devenait moche. L'épouse la plus gentille, la profession la plus rémunératrice, la maison la plus confortable, mais rien n'était à bûcher si ce n'est l'amour de sa femme qu'il n'arrivait pas à susciter. Elle ne l'aimait pas. N'ayant jamais été obligé de se battre pour conquérir, Paul dépérit silencieusement. Il perdit sa flamboyance et il se retirait de plus en plus de ses contacts avec les autres. Un jour il s'est suicidé: la vie ne valait plus la peine d'être continuée, avait-il écrit. Ses amis ne comprenaient pas qu'il puisse se suicider parce que sa femme ne l'aimait pas. C'était trop ordinaire pour quelqu'un qui avait tout. Mais pour Paul dont le sens à vivre était si blême, c'était la mort qui prenait tout son sens parce que sa vie n'avait vraiment plus de sens.

Une vie ne peut avoir une qualité[12] que si elle est d'abord vivante et pétillante. En dehors de ce zest, elle n'est pas «vivable» et elle le sera seulement, et seulement si, sa qualité intrinsèque de vitalité rencontre et confronte la difficile réalité. Ce qui rend la vie pétillante ce n'est donc pas la qualité de vie telle que nous la propose la société mais bien la polarisation de la personne vivante avec la vie. Cela implique, entre autres, l'interaction constante de la personne avec «ses démons et ses anges», c'est-à-dire avec ses difficultés et ses facilités, ses résistances et ses oppositions comme avec ses conquêtes et ses intégrations. Il y a de la vie dans le combat difficile avec la réalité.

En somme, le sens à vivre possède cette caractéristique dynamique de faire continuer la vie, de la poursuivre et de l'augmenter malgré l'opposition, la résistance et même l'inertie. Par cela, le sens à vivre favorise le sentiment que la vie vaut la peine d'être vécue et qu'il est même possible de la savourer, d'en avoir le goût.

Un engagement dynamique et personnel envers la vie, soi-même et les autres

Le sens à vivre est d'abord et avant tout une affaire personnelle, un engagement de la personne envers elle-même et envers sa vie. Mais il garde en même temps une dimension sociale ou communautaire. L'être humain est effectivement tout autant seul qu'il est en relation avec les autres et avec son monde. Pour lui, vivre implique nécessairement une certaine solidarité avec les autres humains: cela découle de sa nature même d'humain. À cause de cette solidarité inhérente à sa nature d'humain, le sens à vivre d'une personne comporte très souvent un lien avec la communauté ou une alliance avec les autres. Par exemple, une personne honnête et authentique peut élargir son développement jusqu'au *soin* de l'autre, au souci pour l'autre. Elle développe sa capacité du souci pour l'autre tout en respectant la liberté de cet autre et tout en désirant son autonomie et sa croissance par lui-même.

Par cette chaude solidarité avec les autres, le sens à vivre se colore souvent d'engagement à une cause humaine. Ce n'est toutefois pas un engagement aveugle et sans compromis qui s'exerce au profit de la personne et de ses idées vécues et présentées comme absolument véridiques et alors au détriment de la subjectivité des autres. C'est plutôt un engagement qui consiste au contraire à travailler pour une cause et à mobiliser ses énergies au service d'une idée tout en respectant la relativité des êtres humains, leur inconstance et leur changement. Rien n'est définitif et absolu. Par exemple, *hier*, c'était défendre les autochtones opprimés; *aujourd'hui*, c'est aider ces autochtones à ce qu'ils prennent eux-mêmes en main

12. C'est tautologique de parler de qualité de la vie — lorsque la vie est présente, elle a nécessairement de la qualité: elle est vivante, elle vitalise. Il vaudrait mieux parler de vitalité et alors par exemple, souhaiter la vitalité d'un milieu de travail, favoriser la vitalité d'un centre-ville, etc. La très grande qualité d'une personne, d'une œuvre, d'une chose, c'est sa vitalité — elle transpire la vie. Le David de Michel-Ange par exemple, est encore et toujours un chef-d'œuvre qui attire notre intérêt même après tous ces siècles, parce que malgré les milliers d'années depuis sa mort, David est encore vivant pour nous à travers sa présence si près de la vie dans la sculpture de Michel-Ange.

leur développement; *demain*, ce sera peut-être contester leurs revendications. L'engagement à une cause issue du sens à vivre est clairvoyant, et en ce sens, il sert mieux la vie dans son essence de continuité. Lorsque la solidarité humaine engendre l'engagement à une cause, le sens à vivre permet à la personne de se transcender ou de se dépasser elle-même tout en demeurant liée à ce qu'elle est profondément. Cette solidarité suscite alors encore plus d'humanité en mettant de la conscience sur le primitif.

La personne devient souvent plus grande qu'elle-même parce qu'elle s'est liée à un ensemble, une collectivité, pour qui elle travaille avec toutes ses forces et avec toutes ses ressources. Son sens à vivre s'autogénère par la chance qu'elle a de contribuer à quelque chose qui est plus grand qu'elle. Cela peut être, et est souvent, sa propre famille, ses enfants et son conjoint, ou toute autre collectivité qui peut éveiller la noblesse latente dans la personne. Ainsi, par son sens à vivre, la personne s'assure une continuité encore plus grande que la sienne propre car sa cause lui survivra. Par son sens à vivre, la personne est comme prise par-dessus elle-même, en quelque sorte soulevée en dehors et au-dessus d'elle-même, parce qu'elle devient aussi une partie coopérante d'un système plus vaste qu'elle[13].

La poursuite de la vie et l'assurance de la continuité du vivant jouent le rôle de baromètre quant à la détermination de la qualité communautaire d'un sens à vivre. La question est en fait la suivante: la vie et la vitalité de la personne qui s'engage et celles des personnes à qui s'adresse l'engagement, sont-elles assurées par ce sens à vivre? La réponse doit être affirmative dans les *deux* cas, c'est-à-dire que le sens à vivre ne doit pas privilégier son objectif communautaire au détriment de la vitalité de la personne. La personne doit toujours respecter ce qu'elle est comme personne et l'engagement à une cause doit demeurer lié à ce qu'elle est. En effet, la personne consciente protège et solidifie d'abord sa propre source de vitalité avant de s'engager à la dépenser pour les autres; ce n'est qu'ensuite qu'elle peut se permettre de s'inquiéter si son engagement face aux autres n'atteint pas son objectif, à savoir celui de les stimuler à vivre et à goûter plus à leur vie. Le sens à vivre est un sens à la vie, pas à la mort. Il doit donc exclusivement servir la vie et la vitalité — en premier lieu celle de la personne et ensuite, seulement ensuite, celle de la communauté ou du groupe.

À une époque donnée, Jim s'est sauvé de la désespérance par l'engagement à son développement et à son dépassement. Ce qu'il voulait pour lui-même, il le voulait aussi pour les autres: ses enfants, ses amis, ses compagnes. Il y travaillait avec acharnement. Puis vint le temps de l'engagement social. Il se cherchait une cause humanitaire à défendre. Il se sentait misérable d'être préoccupé que de son seul développement et de celui de ceux et celles qu'il aimait. Pourtant, aucune cause ne lui semblait vraiment appropriée. Lentement, il a perdu le goût de son propre développement et de sa propre croissance, et de plus en plus il s'éteignait. Un jour, il décide de mettre de l'ordre dans tous ses objectifs de vie. Pourquoi le dépassement? Pourquoi la croissance? L'engagement? À quoi et à qui tout cela sert? Pourquoi pousser ses amis et ses amours vers la croissance? Le sens lui apparait lentement, tout comme se déploie une rose: *afin de mieux*

---

13.   Voir les travaux de A. Maslow (1954) sur le sens à vivre des personnes actualisées et ceux de Will Durant (1932), historien et philosophe, sur le sens que les hommes célèbres ont donné à leur vie.

servir la vie et sa continuité. Or, pour vraiment rejoindre cette caractéristique, le vivant conscient doit protéger lui-même sa propre vie. Jim reprend ses priorités, redéfinit ses objectifs, réoriente ses actions et ses conduites, en tenant compte de ce point de départ: sa propre vie, la continuité et le maintien de sa propre vie avant de se lancer dans son développement et celui des autres. On ne se dépasse que si on existe. On ne s'engage que si on est quelqu'un, *là* et *bien identifié.*

Sens personnel et sens cosmique

Savoir davantage de quoi il s'agit quand on parle de sens à vivre ou même voir dans le sens à vivre une source essentielle du goût de vivre donne-t-il en soi une réponse à une des questions de départ, c'est-à-dire la vie a-t-elle un sens? Si on peut maintenant accepter que la personne peut avoir un sens à vivre, peut-on aussi plus objectivement considérer la vie et y découvrir en plus d'une direction vers la continuité, un sens?

Le sens de la vie peut bel et bien exister pour certains sauf que pour en prendre conscience, il faut s'arrêter à son sens cosmique[14] — à la recherche d'un sens cosmique à la vie. Ce sens cosmique à la vie, certains semblent le connaître et le ressentir plus que d'autres, et certains, la plupart, y sont complètement indifférents. Il fait appel à un ordre de l'univers, comme à un grand plan d'ensemble auquel chaque petite vie particulière et chaque petit morceau de vivant participent; chacun d'eux contribue à sa manière à l'harmonie de l'ensemble[15]. Ce sens à la vie se retrouve par exemple chez ceux qui ces dernières années ont développé un souci écologique et qui prennent au sérieux toute attaque à la vie, aussi particulière et minime qu'elle soit[16]. Le sens cosmique à la vie surpasse et intègre dans son ensemble les vivants conscients que sont les êtres humains. Chaque personne sent alors qu'elle fait partie de l'ensemble des vivants, qu'elle a une place et qu'elle participe, à sa façon, au développement de l'humanité tout au cours de sa vie[17].

Sens à vivre personnel et sens cosmique à la vie ne vont pas toujours de pair. Un sens à vivre personnel peut exister sans que la personne ne ressente un sens cosmique à la vie. Le contraire est cependant peu fréquent, c'est-à-dire qu'une

14. Par *cosmique*, il faut entendre relié au cosmos, à l'univers dans son ensemble. Il ne s'agit pas d'un thème ésotérique ou du nouvel âge même si celui-ci utilise souvent le terme.

15. Voir Teilhard de Chardin, P. (1955), Reeves, H. (1986).

16. Là, comme ailleurs, l'exagération est possible. Par un souci de protéger certains vivants (les animaux), la personne peut arriver à en détruire d'autres (les humains) dans leur vitalité psychique ou morale et parfois même dans leur vie réelle. Prenons l'exemple de l'avortement: d'un côté, le mouvement pro-vie qui privilégie inconditionnellement la vie réelle du fœtus au détriment du bien-être et de la vitalité psychique de la mère; de l'autre côté, le mouvement de l'avortement libre qui privilégie inconditionnellement le bien-être psychique de la mère au détriment de la vie réelle de l'enfant. L'un ou l'autre lorsqu'il adopte un point de vue extrême, exagéré et sans nuance, nuit à la cause du vivant en général.

17. Certaines personnes souffrent justement de ne pas sentir leur place dans cet ordre cosmique de la vie. Elles ressentent bien un sens cosmique à la vie, mais pas de leur vie. Elles se considèrent ni adéquates, ni cohérentes dans l'univers. Il importe qu'elles retrouvent d'abord leur propre sens à vivre pour ensuite confronter ce sens cosmique à la vie.

personne possède un sens cosmique à la vie sans un sens à vivre personnel. Cela arrive chez certaines personnes qui ne sont mues que par les biens supérieurs de la collectivité (par exemple, les religieuses contemplatives et cloîtrées) sans que leur propre vie ne soit vraiment investie par leur intérêt. Elles laissent le contact avec leur réalité concrète, biologique, personnelle ou interpersonnelle et sociale pour privilégier la communication avec un idéal ou un être suprême. S'agit-il pour toutes ces personnes d'une réponse à une attente des autres ou d'une véritable adhésion personnelle, la question reste ouverte.

Le sens cosmique à la vie et à vivre le plus influençant dans notre culture occidentale reste sans contredit, malgré son évolution récente, l'explication judéo-chrétienne de la vie, du destin de l'humain et de son monde. Ce sens judéo-chrétien à vivre, particulièrement la proposition de l'existence d'une vie éternelle après la vie présente quotidienne et concrète, a paradoxalement sauvé bien des vies humaines et aussi détruit bien des vies personnelles. Par leur foi judéo-chrétienne et leur espérance, certaines personnes ont surtout réussi à se donner des «bonnes» vies, en sortant de leurs misères et de leurs défauts pour «mériter la vie éternelle» et d'autres, ont vraiment réussi, stimulées par ce puissant sens cosmique à vivre, à développer une charité et souvent un amour d'une très grande qualité pour leurs frères et leurs sœurs humains; par contre, d'autres ont littéralement perdu leur vie parce qu'elles furent condamnées et mises à mort (réelle ou psychologique) par ceux et celles qui s'octroyaient le *droit* de propager et de défendre ce sens cosmique à vivre. Certaines personnes furent irrémédiablement blessées ou torturées dans leur cœur et parfois même dans leur corps parce qu'elles avaient le malheur de douter, de questionner, de chercher à comprendre la pertinence et la vérité de l'immortalité comme sens cosmique à vivre. Voilà les paradoxes humains: nos diables et nos anges et qui prétend faire l'ange, fait la bête.

Un sens cosmique à vivre et à la vie ne peut pas s'opposer et blesser un sens personnel et concret à vivre sa propre vie si ce sens à vivre personnel est bien intégré et bien articulé à l'ensemble de la personne. Les deux sens se marient et s'harmonisent chez la plupart de ceux qui les portent conjointement. S'il y a risque de dysharmonie, il serait toutefois plus du côté de *l'impérialisme* d'un sens cosmique à vivre que de celui du sens personnel. La personne honnête, humble et vraie, cherche (pour elle et pour les autres) l'harmonie et la vérité à l'intérieur des formes différentes du sens à vivre.

> Pendant toute son adolescence et sa vie de jeune adulte, Pierre-Paul savait ce qu'il voulait de la vie. Il avait tout un sens à sa vie; il cherchait à maximiser l'effet bénéfique de sa vie sur celle des autres, sur leur bonheur et sur leur bien-être. À 20 ans, il renonce à l'amour d'une femme, à l'exercice de son corps sexuel et érotique et à l'acquisition de biens matériels, et il entre chez les religieux. Il tente de se conformer à la règle, de servir le mieux possible ses frères humains et de conserver sa foi et son espérance. Toutefois, lentement le doute s'est installé en lui: était-il dans le bon chemin? La misère physique et psychologique des humains était-elle plus grande que leur misère spirituelle? Devait-il sortir de la communauté, se marier, fonder une famille pour actualiser mieux ses ressources? Devait-il se lancer dans l'action politique plus efficace pour changer le monde et soulager la misère? Enfin, si la vie éternelle n'existait pas vraiment, réellement, comme il la concevait, à quoi servait sa vie enfermée dans une croyance? Il a finalement choisi de quitter la communauté. Alors les foudres lui sont tombées dessus:

sa famille naturelle l'a renié et a refusé de le voir; sa famille religieuse l'a excommunié; la société civile a refusé de le reconnaître comme citoyen à part entière («infidèle une fois, infidèle deux fois» — lui disait-on à la commission scolaire où il a postulé un emploi). Brisé, torturé et défait, Pierre-Paul en a mis du temps pour se rebâtir — sa santé morale d'abord et ensuite, un nouveau sens à vivre: celui d'aider ceux et celles qui seraient comme lui, défaits et défaites par l'orthodoxie des institutions et des systèmes. Cela l'a conduit à fonder une famille et à apprendre lentement comment, à travers ses propres enfants, il pouvait arriver à favoriser l'autonomie des petits, des délicats, de ceux et celles qui redeviennent «petits» et «délicats» par la souffrance et la misère suscitées par l'orthodoxie. Le bien des «délicats» et leur intégration entière à l'ensemble de l'humanité est graduellement devenu son sens cosmique à vivre; son harmonie personnelle et celle de ses enfants, son sens personnel à vivre.

Un danger: l'orthodoxie

Il faut bien l'admettre, malgré tout le bien qui peut en ressortir, rien n'est plus orgueilleux et primitif dans ses attaques sur la personne que l'orthodoxie[18] qu'elle soit religieuse, scientifique, politique ou autre. L'orthodoxie réduit la variabilité de l'humanité à deux clans: les tenants, et les autres. Les tenants sont portés aux nues, au triomphe et à l'apothéose; les autres sont jugés, condamnés et parfois même blessés, torturés et mis à mort — psychologiquement ou réellement tout dépendant des milieux et des époques. De l'orthodoxie, l'être humain doit toujours se méfier pour lui-même et pour ceux qu'il aime. Elle est plus dangereuse[19] que bien des cataclysmes naturels justement parce qu'elle résulte du haut niveau de connaissance ou d'intellectualisme qu'a atteint l'être humain. L'orthodoxie possède tous les arguments logiques et raisonnables pour juger, condamner, exclure, ostraciser et détruire toute forme de subjectivité. Ce qui l'énergise, c'est la *Vérité*; la poursuite de la *Vérité*, la transmission de la *Vérité*, l'imposition de la *Vérité* et l'ortho-doxie croit qu'elle seule la possède[20].

---

18. L'orthodoxie est ce qui prétend posséder en soi la vérité, et qui donc, entre autres choses, prétend que la personne ne peut pas savoir par elle-même ce qui est bon pour elle ni d'ailleurs ce qu'elle est comme individu. Qui est-elle? La personne ne peut pas le savoir sans se référer aux canons de l'orthodoxie. Même si cette attitude de l'orthodoxie peut sécuriser les gens en leur donnant un cadre auquel s'accrocher, cette attitude aussi va malheureusement à l'encontre de tout le développement de la subjectivité de la personne humaine, à savoir le cadre intérieur et subjectif que la personne utilise pour se guider, pour décider et agir.

19. L'orthodoxie est particulièrement dangereuse en sciences humaines et plus précisément dans les sphères qui touchent à l'intervention clinique (psychologues, psychiatres, sexologues, travailleurs sociaux, etc.). Comment peut-on penser qu'une seule école ou une seule théorie, aussi prestigieuse et éclairante soit-elle, puisse à elle seule être considérée comme *LA VÉRITÉ*? Encore pire, comment peut-on prétendre savoir et interpréter l'expérience d'un autre et de tous les autres à partir d'un schème unique et rigide quand chaque personne est différente, un support particulier et original de vie? «Si tu rencontres Boudha sur ton chemin, tue-le» disait Kopp (1972). Nous devons nous méfier de ceux et celles qui prétendent connaître et posséder la VÉRITÉ — en premier lieu, évidemment, de nous-mêmes si nous avons cette prétention.

20. Et pourtant, même Jésus n'osait prétendre la posséder. Pilate: «Qu'est-ce que la Vérité?» Jésus pencha la tête et ne répondit pas. Voir St-Jean, XVIII, 38.

Par exemple Pierre Teilhard de Chardin (1955,1961) allia son esprit scientifique d'archéologue à sa foi de Jésuite et proposa le souci du développement de
l'humanité comme sens cosmique à vivre. Sa fameuse loi de complexification
contrôlée statuait que la vie est une unité et que tous les vivants, quel que soit leur
niveau, sont participants d'un seul organisme gigantesque qui poursuit, à travers
son évolution, un perfectionnement de plus en plus poussé. Au bout de ce processus
de perfectionnement aboutiront l'homme et la femme dans un état absolu d'amour
et d'union spirituelle[21].

Ce grand penseur, comme bien d'autres hommes ou femmes d'immense talent,
malgré son humilité obéissante de Jésuite et malgré la richesse de ses travaux
scientifiques et la qualité de sa pensée fut écrasé par une certaine orthodoxie
religieuse. On le condamna; il fut isolé de la «famille» catholique et bien pensante;
il fut ridiculisé par ses confrères plus sérieux — tout cela parce qu'il osait mettre
en doute la doctrine du déséquilibre humain issu du péché originel, qu'il croyait à
l'humain et à ses potentialités, et qu'il osait lui, et non les tenants et les protecteurs
du dogme, proposer aux humains un nouveau sens cosmique à la vie, au vivant, à
l'humain, à l'univers.

L'atteinte de *LA VÉRITÉ* — compte tenu du si faible niveau de connaissance
atteint jusqu'à maintenant par l'humanité (il y a tant à faire et à comprendre sur la
vie, le vivant, le sens de la vie, la prévention des malheurs, des misères, des
souffrances humaines) — est encore loin derrière notre génération. Avant d'atteindre la vérité, si jamais c'est possible, l'humanité devra bûcher et travailler et
réfléchir encore bien des siècles sur son destin et sur l'ordre de l'univers et sur celui
de chaque personne humaine. Cela devrait refroidir et freiner les élans de toute-
puissance, de suffisance et d'orgueil de chacun, et faire en sorte que chacun se
souvienne également que le sens à vivre cosmique n'est pas à confondre avec
l'orthodoxie; il s'harmonise au sens à vivre personnel et donc laisse toute la place
qui lui revient à la subjectivité, aux vérités multiples et ultimement à la différence
— pas à une vérité unique, LA VÉRITÉ, qui condamne et qui juge plus souvent
qu'autrement la subjectivité du différent.

POURQUOI UN SENS À VIVRE?[22]

Parce qu'il est fondé sur le besoin de sens, le sens à vivre constitue l'une des
plus puissantes sources du goût de vivre. Bien qu'il émerge de la fonction symbo-

---

21. «Que la Matière, scrutée et manipulée nous livre les secrets de sa texture, de ses
mouvements et de son passé. Que les Énergies, dominées, plient devant nous et obéissent
à notre puissance. Que les Hommes, devenus plus conscients et plus forts, se groupent
en organisations riches et harmonieuses, où *la vie*, mieux utilisée, rende cent pour un.
Que l'Univers fournisse à notre contemplation les symboles et les formes de toute
Harmonie et de toute Beauté.»
Teilhard de Chardin, P. (1961), pp. 124-125.
22. Entre le quoi et le pourquoi, les différences ne sont pas toujours clairement perceptibles.
C'est la principale raison pour laquelle en examinant le besoin d'un sens à vivre et ses
effets chez la personne, nous serons nécessairement parfois appelé à revenir sur le quoi,
c'est-à-dire sur la description de certaines caractéristiques du sens à vivre.

lique et qu'ainsi il se nourrit de concepts, d'idées et de schèmes mentaux, il n'en demeure pas moins que le sens à vivre — tant dans sa genèse que dans son vécu — mobilise l'ensemble de l'organisme de la personne et de là, son goût de vivre.

Pour pouvoir vraiment continuer, et en avoir le goût

Tout être humain, pour ressentir le goût de vivre et même plus pour pouvoir vraiment continuer à vivre, doit trouver, ressentir et développer un sens à vivre, aussi ténu soit-il.

> Imaginez un groupe d'idiots heureux au travail. Ils transportent des pierres dans un champ. Aussitôt qu'ils ont terminé d'empiler ces pierres à une extrémité du champ, ils se mettent à les transporter à l'autre extrémité. Cela continue sans arrêt. Chaque année, ils s'occupent à faire la même chose. Un jour, un de ces idiots s'arrête assez longtemps pour questionner ce qu'il est en train de faire. Il se demande à quelle fin sert ce transport de pierres. À partir de cet instant, il n'est plus aussi heureux de son occupation qu'il l'était auparavant.
> Je suis cet idiot qui se demande pourquoi il transporte ces pierres.[23]

Celui qui a écrit ce texte s'est après suicidé: la vie, la sienne, n'avait plus de sens et lui, sans sens à vivre, n'en avait plus. Donc, il disparaissait. La survie de l'être humain, comme individu et comme espèce, implique un sens à vivre. Il est nécessaire pour continuer, et encore plus pour en éprouver le goût. Depuis ses origines, la survie de l'espèce humaine est très probablement liée à cette capacité de l'être humain de se créer un sens à vivre. C'est la capacité d'«intentionnaliser» de l'être humain qui explique fondamentalement la continuité de son espèce[24]. L'humain est un être signifiant. Donner un sens et une signification spécifie l'espèce humaine par rapport aux autres espèces. L'espèce humaine réussit par ses sens à vivre à transcender le simple appel de ses instincts et à s'assurer plus de continuité.

L'espèce humaine, en tant qu'espèce biologique, n'est adaptée qu'à la savane tropicale. Si l'homme ne suivait que ses instincts biologiques, il retournerait fort probablement à cette savane primitive et l'espèce s'éteindrait par les jeux de surpopulation ou par la défaillance de l'environnement. Or, grâce à son intentionnalité, l'humain est sorti de la savane et il a habité toute la terre. Par cette appropriation du territoire, il s'est assuré des environnements plus riches et plus diversifiés; de là, un pouvoir plus grand de continuité. En effet, par son *intentionnalité*, il s'est adapté à tous les climats et à toutes les conditions de la terre, et il s'apprête maintenant à le faire pour ceux de l'espace et des autres planètes. En somme, étant l'organisme vivant le moins spécialisé ou plutôt le moins adapté de façon spécifique et exclusive à un seul environnement, l'humain peut interagir avec et s'adapter à de multiples milieux et d'innombrables environnements, et il le fait justement à cause et grâce à son intentionnalité.

> «Seul de tous les êtres, l'humain a conservé le maximum d'indétermination vivante. Refusant obstinément de se spécialiser morphologiquement dans un domaine déterminé, de se laisser pousser des griffes, des téléscopes, des ailes ou des nageoires, se réservant au contraire la possibilité de tous les imprévus, l'homme, par la seule puissance

23. Texte rapporté par Yalom (1980), p. 419; traduction par l'auteur.
24. Voir Dubos, R. (1982).

inventive de sa pensée, est arrivé à se forger, à se "construire" les organes matériels qui, prolongements facultatifs du corps, lui ont assuré la domination, la royauté matérielle sur la planète.»[25]

En intentionnalisant la matière, la nature et la vie, l'humain se fait des modèles. De ces modèles, il prévoit, prédit et s'équipe pour s'adapter et répondre à ses besoins. Si ses besoins de vivant sont comblés, la vie et le vivant peuvent poursuivre leur destinée et leur continuité. Ainsi, se représenter le monde et la vie a toujours été important pour la survie de l'espèce humaine. De cette représentation naît l'intentionnalité et d'elle, le sens à vivre. Le sens à vivre maintient la vie, le vivant, et est source de vitalité.

Pour la synthèse, l'unité des éléments de sa vie

Le sens à vivre permet aussi la synthèse et l'unité des éléments de sa vie. En son absence, l'éparpillement et le morcellement qui conduisent au désordre et à la mort s'installent. En effet, le sens à vivre, source du goût de vivre, est intimement lié aux caractéristiques du goût de l'ordre et de l'harmonie. L'être porteur d'un sens à vivre tend spontanément à mettre de l'ordre et de l'harmonie et à faire un ensemble cohérent de ses différentes manières-d'être-au-monde. À partir des moindres petites choses qu'elle exprime ou qu'elle perçoit, la personne cherche à ordonner, à compléter, à systématiser. Par exemple dans le domaine de la perception, d'une courbe non terminée perçue, elle en conceptualise un cercle; d'une série de points, elle voit une image. Il en est de même pour l'ensemble de sa vie: ses «choses» (ressources, comportements, etc.) se synthétisent et se globalisent dans des ensembles que constitue son sens à vivre.

La personne possède cette capacité de rendre significative et sensée sa vie, et elle fait que ses comportements et son quotidien se synthétisent et s'harmonisent. Le sens à vivre engendre la tendance à mettre de l'ordre et ensuite un goût pour cet ordre dans les différents domaines de sa vie; de ce goût résulte une conscientisation plus poussée de son sens à vivre, et du sens à l'ensemble de sa vie. L'absence de sens à vivre, ou sa faiblesse, prive l'être humain de son sentiment d'unité, le défait et crée, au lieu, à l'intérieur de lui un vague sentiment d'éparpillement et de morcellement de son existence.

Aline ne vit que pour le bonheur de Pierre. Les choses de sa vie sont harmonieuses et elle a l'impression que ses journées valent la peine — de ses lavages à la préparation des repas. Elle s'identifie profondément à sa condition de ménagère et elle en est très heureuse. Tout se passe très bien jusqu'au jour où Pierre lui annonce qu'il ne l'a en fait jamais aimée et qu'il a une maîtresse — le monde d'Aline s'écroule. Vivre pour Pierre impliquait dans sa tête que Pierre vive pour elle; il n'en était pas ainsi; il vivait aussi pour sa maîtresse. Ce qui auparavant pour Aline se situait en harmonie avec l'ensemble de ce qu'elle était, devenait des tâches séparées d'elle-même. Seule l'obligation la motivait à les accomplir: faire «son» ménage devint faire le ménage; faire son lavage, faire le lavage de Pierre et des enfants. En perdant son sentiment d'appartenance à Pierre, elle perdait aussi son sentiment d'appartenance à ses tâches. La synthèse de sa vie se défaisait. Elle s'éparpillait tout au long de ses journées et se sentait impuissante et

25. De Saint-Seine (1948), p. 14.

incapable d'accomplir. Avant, son sens à vivre portait avec lui un sentiment d'être capable et d'être en pouvoir sur sa vie, plus maintenant.

Un jour, Aline a touché le fond de sa détresse, et de ce fond, elle s'est donnée un élan pour se ressaisir. Elle a pu exprimer à Pierre combien cela la désolait et la blessait profondément de ne pas avoir été aimée par lui, mais que c'était finalement là son problème à lui — celui d'avoir été aussi insipide et faible pour gaspiller 20 ans de sa vie avec elle alors qu'il ne l'aimait pas. Elle, Aline, l'avait aimé et cela avait eu du sens pour elle. Maintenant, elle ne l'aimait plus et elle trouvait un autre sens à vivre: celui de sa maternité.

Le besoin d'un sens à vivre est en synergie avec la tendance vers l'ordre et l'harmonie. L'ordre et l'harmonie maintiennent la complexité du vivant et cette complexité permet la continuité de la vie et du vivant. Le sens à vivre favorise la continuité de la vie. L'être humain est un vivant mais aussi et surtout un chercheur de sens, et à cause de cela, il peut favoriser encore plus la continuité de la vie.

Pour s'assurer de détenir le cap de sa propre vie

Sans sens à vivre, la personne dérive au gré des pressions exercées de toutes parts sur elle. Ses attitudes et comportements reflètent son entourage mais pas elle-même. Parce qu'elle privilégie les attentes et les désirs des autres sur les siennes et les siens, elle ne ressent pas à l'intérieur d'elle sa direction, bref le cap de sa propre vie[26]. Se laisser flotter au gré des pressions extérieures est d'autant plus facile que la société contemporaine par l'omniprésence des medias, par le contact presqu'instantané avec le marché des idéologies et des fac-similés de valeurs, offre somme toute des substituts consolatoires aux sens à vivre personnels. Il en résulte un supermarché de leurres offerts sans cesse à l'individu. L'humain en arrive à se «domestiquer» le sens à vivre, et celui-ci perd son rôle d'aiguillon, c'est-à-dire de stimulant et de zest à vivre.

Domestiquer son sens à vivre, c'est le rendre commode et ordonné, soumis aux mœurs de la maisonnée et c'est aussi lui enlever son dynamisme, son zest imprévisible et spontané. Par exemple, dans le registre de la sexualité, la «domestication» du sens à vivre, se retrouve dans la fadeur du désir sexuel, dans l'inquiétude sur son être-homme ou son être-femme, dans la crainte de l'inadéquacité de sa masculinité ou de sa féminité et finalement dans les formes diverses d'incapacité à intégrer le plaisir et la satisfaction, le plaisir et l'amour. La fête intime et la célébration sexuelle de l'être-homme et de l'être-femme sont par l'effet de la domestication réduites trop souvent à une mécanique performante, et figées à des bacchanales au pepsi-cola. Il n'y a plus de passion parce qu'il n'y a qu'un hybride falote en double à l'intérieur duquel l'être-homme et l'être-femme se confondent. Comme si Arès et Aphrodite[27] avaient déserté Eros[28] pour en faire un cupidon rose, non seulement «en couche», mais sans même sa flèche. La passion amoureuse se meurt! La

---

26. Le sens à vivre comme résultat des autres reste celui des autres. Il encourage au déracinement de la personne par rapport à sa propre intentionnalité et la décourage de créer son sens particulier à vivre.

27. Arès, le dieu de la guerre; Aphrodite, déesse de la Beauté et de l'Amour.

28. Eros, le dieu de la passion amoureuse.

conformité aux manuels de caresses deviendrait-elle un idéal à vivre et au point qu'il faille y abandonner la personnalisation, l'individualité, la spontanéité et la créativité?[29]

Celui qui trouve son sens à vivre réunit ses ressources et les intègre à la poursuite de ce sens. Délaissant le conformisme et l'appel des illusions extérieures, il peut se retourner sur lui-même pour découvrir ce qui lui est important de vivre et la façon de le faire. Il s'unifie et s'harmonise.

Depuis très loin dans sa vie, Stéphane s'était donné comme mission de servir les pauvres, l'humanité démunie et défavorisée. C'était la belle époque de la croyance en l'omni-puissance du milieu sur la destinée des personnes. Toutes ses énergies professionnelles et tous ses talents d'orateur s'organisaient autour de ce sens à vivre. Au mi-temps de sa vie, après plusieurs méconnaissances et rejets — justement par cette humanité défavorisée qu'il défendait — qui le laissaient déprimé et écrasé, il réalise en somme que le sens toujours donné à sa vie n'était en fait qu'un reflet de son besoin d'être aimé et de recevoir de la reconnaissance des plus démunis; donc, de ceux qui pouvaient le plus facilement lui donner parce qu'en besoin. Cette pénible découverte l'a conduit à une désorganisation psychique très grande et ce n'est que très graduellement qu'il a reconquis son unité intérieure en cherchant à capitaliser sur son expérience pour transmettre, cette fois bien humblement, le reflet par l'écrit de cette influence de vie. Plus limité dans sa cible, cet objectif de vie utilisait davantage et en profondeur toutes ses ressources humaines, bien au-delà de ses qualités d'orateur.

Lorsqu'il est vraiment intégré à la personne, il y a dans le sens à vivre comme une stimulation à harmoniser ses différents modes d'être. Par cette harmonie intérieure et extérieure, le creux, le vide, le manque et l'absence disparaissent[30]. La plénitude de son apport particulier de vivant à la vie, tout en l'enracinant, meut la personne sur et avec la vie. Elle est alors plus souriante à ses choses et à sa vie. Plus le vivant particulier est conscient de sa vie, plus son humanité se développe et plus il participe à l'humanité des autres. Plus l'humanité avance dans son développe-ment, plus elle cherche à comprendre et à faire du sens avec la vie humaine.

Placée droit devant l'inéluctabilité de ses limites — limites dans le temps, dans ses ressources; certitude de sa mort et de son état d'être séparé et fondamentalement seul; responsabilité de s'utiliser et d'utiliser ses capacités d'agir — la personne a

---

29. L'absence de sens à vivre personnel explique bien des «névroses» chez l'homme et la femme de notre époque. Victor Frankl (1974) a développé un cadre théorique et un modèle thérapeutique pour contrer ce phénomène de perte de signification. Il s'agit, selon lui, de prendre conscience de l'inutilité d'attendre de la vie pour réaliser que c'est plutôt la vie qui attend quelque chose de nous — que quelque chose (une création, un écrit, etc.) ou quelqu'un (qui a besoin d'amour, de soins, etc.) nous attend. C'est en s'engageant à la vie que le sens à vivre vient, un engagement qui a quelque chose de plus grand que nous. Le sens à vivre émerge de l'individu mais il n'est pas uniquement contenu à l'intérieur de lui, car il dérive aussi du contact avec le monde extérieur, particulièrement avec les autres personnes. Jung (1976) estime, de son côté, que le tiers de ses patients souffraient de ce mal, une absence de sens à vivre.

30. Cette disparition n'est évidemment pas absolue. Le creux, le vide, l'absence et le manque demeurent et d'ailleurs reviennent sporadiquement sauf que par l'harmonie créée chez la personne à cause de son sens à vivre, ils risquent d'être moins fréquents, moins intenses et surtout ils ne sont plus les seuls à s'exprimer car ils ont laissé la place, une place, au plein, à la présence et à la vitalité de la vie.

l'obligation terrible, pour continuer à vivre, de se trouver un sens à vivre. Malgré son aspect tragique, cette obligation transporte aussi son espérance de joie existentielle puisque le bien-être intérieur a «un rapport direct avec la conception qu'un être se fait des choses» (Jung, 1976, p. 220). Plus la personne est consciente de ses limites, plus elle est également consciente de l'espace délimité, ressources comprises, dans lequel elle peut manœuvrer et trouver son sens à vivre. Par son sens à vivre la personne vit plus et développe alors encore plus son goût de vivre. Dans ce contexte, on comprend facilement que le sens à vivre constitue un puissant stimulant et une source d'abondance du goût de vivre.

Pour nous donner une direction dans nos actions et nos comportements

Beaucoup plus qu'une belle idée, qu'un concept dense ou qu'un joli principe, *le sens à vivre*, par sa structure cognitivo-émotive et son rapport de source au goût de vivre, focalise la personne, la pousse vers l'action et soutient son comportement. La conduite humaine élargit l'action proprement dite, pour inclure toutes les dimensions humaines conscientes habitées par le sens à vivre. Elle est particulièrement riche dans la rencontre interpersonnelle érotique, aussi ordinaire qu'elle soit.

> Entre toi et moi — cette caresse que je te donne, qui existe là, juste là, n'a jamais existé comme telle auparavant et n'existera jamais plus comme elle est là, juste là. De cette unicité, elle est déjà pleine de sens. Pour me garantir et m'assurer qu'elle te plaise, je pourrais vouloir la rendre semblable à toutes mes autres caresses ou tenter de la conformer aux caresses masculines habituelles mais cela détruirait son *unicité!* Cela risquerait aussi de l'enfermer dans un modèle qui lui enlèverait une grande partie de son existence et la priverait de son originalité. Par cette caresse, je passe au monde mon être présent tel qu'il est, là, neuf d'existence. Ta réponse, celle de ton corps — toi par ton corps — à ma caresse l'ajuste et l'affine, lui accorde une facture particulière de façon telle que toi et moi, nous en sommes les créateurs et les uniques témoins. Nous sommes plus riches l'un et l'autre dans notre complicité et dans notre intimité de la *mise-au-monde* de cette caresse.

Ce tout petit geste quotidien, une caresse, lorsque porté par le sens à vivre de l'unicité de ce qui paraît de nous-mêmes et par celui de la créativité du geste amoureux entre deux humains, devient une œuvre de chair et d'amour. En somme, dans cette caresse et par cette caresse, plusieurs sens émergent: utiliser son action pour se mettre au monde, établir un contrat avec le temps et le souci de prendre tout l'instant présent, solidarité humaine dans la création, complicité des amants dans leur intimité. Bien sûr, le caressant peut occulter tous ces sens — comme d'ailleurs ses sens — et dire: «une caresse, c'est une caresse et puis après...?» ou encore «était-ce au sein gauche ou au sein droit? A-t-elle conduit à l'orgasme?»[31]. Assécher ainsi la portée du sens de la caresse conserve peut-être «l'avantage» de fuir l'engagement et la responsabilité de l'agir mais garde néanmoins l'énorme désavantage de robotiser les amants.

Tout comme l'intérêt à la vie, le *sens à vivre* conduit à l'action. En fait, le sens à vivre engendre l'intérêt à la vie. Le sens à vivre n'est pas que contemplation de

---

31.   Voir Bureau, J. (1984), p. 51.

la vie même si la contemplation peut se nourrir du sens à vivre; il n'est pas qu'imaginaire même s'il active la fantaisie; il n'est pas qu'émotion même s'il en est imbibé. Le sens à vivre c'est tout cela, et en particulier le rapport de créativité mutuelle qu'il établit avec l'agir et la conduite.

> Manuel est agronome de formation et son sens à vivre, c'est la santé — santé partout, pour tous et particulièrement pour ses enfants. Son sens à vivre l'a amené à poser des gestes concrets. Il s'est, par exemple, occupé de connaître l'effet du lait de vache sur la santé des enfants et il s'est lancé dans des projets de recherche pour découvrir les meilleurs taureaux et identifier les caractéristiques génotypiques idéales pour engendrer des vaches laitières plus productives et dont le lait est meilleur. Ses découvertes stimulent son sens de la santé de l'enfant — ce dont profitent éminemment ses propres enfants — son souci allant de leur donner une meilleure diète jusqu'aux différents sports qu'ils doivent pratiquer.

Pour s'enraciner dans le présent et se projeter dans l'avenir

Le sens à vivre implique l'intentionnalité[32] et s'y nourrit. Le sens à vivre permet effectivement l'élargissement de la personne, qui lui favorise l'ouverture de la personne vers l'avenir — ce qui n'est possible que par l'intentionnalité, c'est-à-dire que par le but ou l'objectif qui lui-même résulte du sens à vivre. Posséder un sens à vivre implique des attitudes bien particulières chez une personne, principalement celle de traiter et de confronter le temps présent. Mais aussi celle de fixer des objectifs et des buts pour l'avenir. Par son sens à vivre, elle s'*intentionnalise* tant pour le futur immédiat (la journée qui vient) que pour le futur plus éloigné et même à long terme: par exemple, ce qu'elle envisage pour ses vacances d'été, les auteurs qu'elle aimerait lire, les décorations qu'elle voudrait faire à son logis, ce qu'elle projette quand ses enfants seront plus âgés, quand elle aura terminé ses études, quand elle aura ses 40 ans; ce qu'elle planifie pour sa carrière, pour sa retraite, pour ses vieux jours. Envisager, projeter et planifier émergent spontanément du sens à vivre.

> Louis-Philippe a toujours tenté de comprendre l'être humain, particulièrement sa quête inlassable du plaisir. Il se souvient qu'adolescent, il ne vivait que pour le plaisir: le jeu, la compétition et le plaisir de gagner; les filles et le bien-être de séduire et d'être habile et compétent. Aujourd'hui, à 40 ans, il cherche encore (par ses travaux, ses lectures, ses réflexions) à trouver la réponse la plus cohérente et la plus complète possible au pourquoi et au comment du plaisir humain. Cela le pousse sans cesse à scruter les auteurs et à étudier les personnes — chaque petit acquis l'amène à fouiller encore plus.

En somme, le sens à vivre permet d'assurer une des caractéristiques essentielles de la vie, la continuité la plus durable possible. Il permet à la personne de se continuer par l'ouverture de ses frontières et par les objectifs qu'elle donne au devenir de sa vie. *Vivre*, comme nous le disions, c'est *continuer*, et le vivant conscient qu'est l'humain a tout avantage (parce que, d'une certaine façon, si fragile à *l'arrêt de vivre*[33]) à s'équiper d'un *sens à vivre* enraciné dans le présent et pointant

---

32. Le thème de l'intentionnalité a été abordé plus en détail dans un chapitre précédent portant sur le goût de l'avenir (p. 67). Nous y revenons ici que pour faire ressortir plus directement les liens particuliers qui existent entre le sens à vivre et le futur.

33. *Arrêt de vivre* dans le sens réel mais aussi psychologique du terme parce que la mort peut aussi être psychique; la dépression, le désintérêt et la froideur sont tous des freins à la continuité de la vie, et toute personne peut facilement les utiliser pour se défendre ou camoufler une peur de vivre.

vers l'avenir pour assurer encore plus sa continuité et ainsi sa participation au vivant et à la vie.

Pour établir soi-même ses valeurs, ce qui est important

Le sens à vivre permet aussi à la personne d'établir elle-même ses valeurs plutôt que d'épouser dans la conformité celles des autres ou de la société. Il est certes possible d'intégrer ses valeurs à celles de la société, mais une valeur qui n'émerge pas profondément de la personne et de son sens à vivre risque fortement de flotter sur elle sans trop l'atteindre. Un sens à vivre favorise et suscite effectivement l'émergence de nouvelles valeurs qui elles viennent en retour alimenter ou ressourcer le sens à vivre. Entre le sens à vivre et les valeurs qu'il suscite, s'installe donc comme une sorte de synergie inter-active — l'un et l'autre se créant et se ressourçant mutuellement. La valeur sert également de critère pour choisir parmi les différents moyens, différentes attitudes ou différents comportements possibles de la personne, celui ou celle qui convient le plus à son sens à vivre.

Devant certains comportements capricieux et irascibles de son amie, Philippe sait très bien qu'il pourrait se fâcher; il pourrait aussi se sentir blessé par l'idée qu'elle ne doit pas l'apprécier assez pour être si acariâtre; il pourrait également rire d'elle ou la niaiser; il pourrait même se blâmer et s'en vouloir de ne pas la rendre heureuse. Mais depuis qu'il a donné un nouveau sens à ses amours, il choisit plutôt de détourner le regard de ces défauts et de voir Rose-Lyne dans son ensemble. Maintenant, il accepte que l'amour n'est pas tout pour un être humain — tant celui que l'on donne que celui que l'on reçoit — et que l'amour serait plutôt comme une possibilité de se réconforter et de se reposer à deux dans la dure marche de la vie. Avant, il se définissait fondamentalement comme un amoureux et si Rose-Lyne n'était pas heureuse, il se sentait un piètre amoureux — évidemment, avec ce genre d'attitude, la frustration s'installait. Sa vie est toute autre maintenant: il est là pour continuer un peu plus la vie par sa personne, pour sa personne et par sa créativité. De là, de ce sens à vivre, il reconnaît la difficulté d'aimer et d'être aimé pour l'humain, et devant les petites crises de Rose-Lyne, il choisit de garder la paix — la sienne et celle de leur lien. Il détourne les yeux de l'accident pour regarder l'ensemble de Rose-Lyne, de sa beauté à sa générosité. Son sens à vivre s'applique à tous les petits détails de sa conduite avec Rose-Lyne.

Devant un choix, les valeurs appliquent le sens à vivre de la personne. Elles sont comme des prolongations pratiques quotidiennes du sens à vivre qui lui n'est pas toujours présent et constant dans chacune des situations vitales que rencontre une personne.

Pour mieux composer avec la souffrance

Le sens à vivre permet également à la personne de mieux composer avec les souffrances et les lourdeurs à vivre. Avec un sens à vivre, la souffrance se tolère mieux et les lourdeurs à vivre sont plus endurables[34], moins destructrices pour la personne. L'approche de la mort, par exemple, se prend avec plus de sérénité si la personne a le sentiment que la vie qu'elle vit ou qu'elle a vécue avait du sens, et

---

34.   Voir les travaux de Jung (1962, 1964, 1976).

qu'en cela, la mort peut bien venir parce qu'elle, la personne, a accompli ce qu'elle voulait accomplir dans son chemin de vie[35].

Le sens à vivre installe à l'intérieur de la personne un sentiment de plénitude — une plénitude de vie et de vivre — qui, somme toute, laisse moins de place pour la souffrance. Celle-ci ne prend alors que sa place sans déborder sur tout et envahir la personne.

Paul se «coltaille» avec son problème d'alcool. Il voudrait bien cesser de boire — cela ruine sa santé, le rend maussade le lendemain et l'empêche de faire de bonnes journées de travail ou de loisirs comme il les aime. Il a beau réfléchir, se faire toutes les promesses possibles, vider le reste de ses bouteilles le matin à son réveil — il n'y a rien à faire, il recommence tous les soirs. Il *boit*. Il sait bien que son gros problème, c'est qu'il ne peut pas prendre la souffrance de ne pas boire — souffrance qu'il ressent dans son corps et dans son esprit lorsqu'arrive ce fameux moment de fin de journée et encore pire, la fin de semaine. Cette douleur le tenaille, et à chaque fois il réussit à se convaincre que finalement à bien mérité un bon verre — après tout il a assez travaillé pour avoir maintenant le droit de relaxer, et «woups», un double scotch, puis deux, et sa pensée est devenue encore une fois brumeuse. «Pourtant», se dit-il, «si j'arrivais à tolérer la souffrance du moment où le goût de boire est le plus fort, vers 17 heures, j'en sortirais». Il se serre les dents, évite les occasions, vide sa réserve de toutes ses bouteilles de St-Léger avec la mort dans l'âme, mais pourtant il n'y a rien à faire. Après avoir vidé ses bouteilles, il saute dans son auto, prétend avoir droit au moins à un bon repas dans un bon restaurant et en profite pour enfiler deux ou trois doubles St-Léger. Un de ces après-bon-repas-dans-un-restaurant-chic, il croise à sa sortie sur le trottoir deux beaux gars de 17-18 ans, la bouteille de vin cachée dans un sac et qui, chaudasses, gueulent à tout fendre et bousculent les passants. Une douleur au ventre le saisit et l'effet de ses doubles scotch disparaît d'un seul coup: «deux belles têtes de jeunes québécois — deux promesses de vie — qui sont en train de se détruire la santé, de se compliquer l'existence, de se bloquer l'avenir à cause de cette maudite boisson». «Cela suffit» pense-t-il. Lui, Paul, ne boira plus — il donnera à son arrêt de boire un sens social, celui d'*aider les jeunes à ne plus boire*. Il ne sait pas encore comment tout cela se fera mais il sait qu'il le fera. Il pense à ses propres fils et à leurs amis qu'il apprécie; pour eux et pour toutes ces promesses de vie que sont les jeunes, il ne boira plus. Les jours suivants, les fins de semaines suivantes, il se surprend à passer à travers sa «fameuse souffrance» de 17 heures. Elle se tolère mieux quand il pense que son abstinence aide peut-être quelqu'un quelque part à ne pas boire, surtout un jeune, une promesse de vie. Il souffre moins par cette foi et cette participation à la vie des autres, les jeunes en mal de boisson.

---

35. La mort qui permet que la vie ailleurs pour d'autres puisse continuer devient une mort vivante: une mort qui donne de la vie. La personne qui a donné un sens à toute sa vie peut maintenant partir pour laisser continuer la vie ailleurs et autrement — sans perdre sa sérénité et sa paix puisqu'elle continue par sa mort à favoriser la vie, cette fois celle des autres et la sienne. Et la sienne? Oui, lorsque la personne proche de sa mort, laisse aller ses avoirs, ses possessions et ses réputations, alors peut-être pour la première fois de sa vie, elle *est* ce qu'elle est et non ce qu'elle a. Libérée de sa «petite personne», elle peut vraiment devenir et actualiser tout son être: elle vit. L'ancien *moi* disparaît pour laisser advenir un nouveau *moi*, plus intégré avec la vie en dedans et autour de lui. La vie peut donc continuer.

À condition qu'il y ait *engagement*

Pour que le sens à vivre obtienne sa pleine forme[36], il doit déboucher sur l'engagement[37]. Par l'engagement, la personne se connecte avec la réalité extérieure. Ce qui n'était en elle que le résultat de l'actualisation d'une de ses facettes de vivant (sa pensée, son imaginaire, ses sensations corporelles, etc.) ou le thème implicite à la source de son sens à vivre, s'«informe» par l'engagement — engagement à traduire, à exprimer, à faire et à exécuter sa mise-au-monde. Le sens à vivre atteint alors sa pleine mesure, et il y parvient non pas par le faire, l'action ou la conduite effective mais par l'engagement. Par l'engagement — aboutissement de la lente germination du sens à vivre — le sens à vivre pointe encore plus la personne vers la vie et focalise encore plus ses ressources au service de cette vie.

Dans la tradition existentielle et humaniste, on retrouve d'ailleurs souvent cette insistance sur le thème de l'engagement — insistance qui amène d'ailleurs certains à soutenir que l'engagement peut devenir par lui-même un véritable sens à vivre:

> «Avec l'apparition de la vie à partir de la matière inorganique, c'est l'homme qui était ultimement projeté. Avec lui, une grande expérience est initiée et son échec serait l'échec de la création elle-même... Que cela soit vrai ou faux, il est bien que l'homme se comporte comme si c'était vrai.»[38]

Pour Sartre (1943), c'est le saut *aveugle* dans l'engagement qui constitue le sens à vivre, et qui protège ainsi la personne contre le désespoir de se vivre comme vide de sens. Reste à savoir cependant si ce saut doit nécessairement être aveugle pour que l'engagement devienne sens à vivre. Le sens réside dans le thème qui émerge de la personne et la personne peut, et doit, s'ouvrir clairement les yeux sur l'objet ou le champ de son engagement et l'analyser. Elle le fera en autant que soit bien centré en elle ce pour quoi ou pour qui elle s'*engage* à l'extérieur d'elle vers la vie.

> Claude-André se sent un réflexif un peu poète. Il se décrit comme un penseur (et lorsque plus lucide, comme un rêveur). Il aime bouger des idées dans sa tête et faire des projets de voyage ou de décoration de sa maison, mais les voyages ne se font pas et les idées se traduisent trop rarement par des écrits. Pour penser et rêver, il est pourtant *abondant*. Il ne se chicane pas trop puisque cela lui assure une vie sereine qu'il aime bien, une douce mélancolie dans un confort bien potable d'une bonne maison, une bonne épouse et un fils qui adore son père. Par moment toutefois, il ressent des aiguillons d'anxiété surtout lorsque son épouse n'est pas trop heureuse du ménage qu'il ne fait pas ou des confrontations avec ses amis sur la conduite de leur vie respective. Il se calme rapidement dans le confort douillet de sa chaude maison où trônent ses trophées d'adolescent.

---

36. Pleine forme dans le sens thomiste, c'est-à-dire ce qui complète la matière — ce qui lui donne son allure harmonieuse, ordonnée et mobile pour le vivant. Ainsi, le corps humain est «informé» (il reçoit sa vie) par l'âme humaine parce qu'avec elle il obtient sa plénitude et son harmonie. S'il n'est pas informé par l'âme, il n'est pas un corps humain.

37. Une personne engagée a des buts dans sa vie, une profonde conviction que ses buts sont importants et elle est activement impliquée pour les atteindre.

38. Mann, cité dans Yalom (1980), p. 425. Traduction par l'auteur à partir de: «With the generation of life from the inorganic, it was man who was ultimately intended. With him a great experiment is initiated, the failure of which would be the failure of creation itself... Whether that be so or not, it would be well for man to behave as if it were so».

Pour lui, les causes à défendre, c'est du temps perdu — ce sont des énervés qui s'agitent inutilement. Mieux vaut qu'il s'occupe de ses affaires, de ses réflexions. «D'ailleurs, je ne suis pas si rêveur que ça» — dit-il à Yves, son ami et «avaleur de bœufs» par nature — «tu vois, je réussis à écrire des articles, à donner de bonnes conférences, à conquérir bien des femmes par mes belles réflexions». Il n'en demeure pas moins qu'il déteste l'injustice. Lorsqu'il voit qu'un de ses amis est bousculé au nom de principes, il est capable de se rallier les énergies et de soutenir devant des groupes hargneux les thèses de ses amis. «Bizarre», se dit-il «pour un réflexif! Ça doit être un de mes paradoxes: ce brasse-camarade entre mon bien et celui de mes amis». Lentement et avec l'âge, il se met à changer, non pas pour devenir un «avaleur de bœufs» comme son ami Yves, mais d'une façon bien particulière. D'abord, ses réflexions le conduisent par leur approfondissement à participer à ce qu'il ressent. Par exemple, il éprouve plus de plaisir corporel lorsque sa pensée est juste et appropriée et qu'il la discute avec ses confrères. Ce qu'il découvre dans la solitude, il aime maintenant le confronter avec ses confrères plus obtus — et s'amuse à améliorer ses réflexions par leur obstination. Après avoir mûri longuement ses idées, il se sent maintenant le besoin d'organiser des séminaires avec ses étudiants intelligents et discuter leurs idées. Il a maintenant plus de contentement à ces séminaires d'approfondissement. Il délaisse complètement ses conférences publiques qui étaient trop générales et trop diffuses pour lui. La formation de ses étudiants lui tient maintenant à cœur: passer ses idées, les confronter, les raffiner par la contestation l'animent. Il se sait maintenant engagé, et c'est sa contribution à la vie — que sa propre vie intellectuelle stimule celle de ses étudiants.

Dans un premier temps s'installent ou se développent les thèmes du sens à vivre desquels, dans un deuxième temps, émerge l'engagement — engagement qui vient ensuite à son tour animer et ressourcer le sens à vivre. C'est un jeu de «synesthésie» à l'intérieur duquel le sens à vivre croît par la «sensation» de l'engagement et la «sensation» du sens à vivre, amène plus d'engagement à son thème à vivre. Il ne s'agirait donc pas, comme le soutient Sartre (1943), d'un engagement pour l'engagement afin d'éviter le désespoir d'être vide de sens[39].

Celui qui s'est profondément engagé — dans le sens réel de *se donner en gage* ou en garantie de ce qu'il propose ou dit — sait très bien que toute sa personne est impliquée par cet engagement. Il le sait et surtout, il le ressent à travers son bien-être d'être engagé. Dans le contexte de la vie et du vivant, la personne ressent le bon et le bien d'être immergée dans le flot et le courant de la vie, en elle et autour d'elle. Elle éprouve un bien-être de participant à la vie. Ce bien-être justifie la justesse de l'engagement à la cause, l'approprié et l'adéquacité de cet engagement en fonction de ce qu'est la personne. Sa cause n'est ni trop grande ni trop mesquine, elle lui convient tout simplement.

---

39. Curieusement, de ses traités philosophiques à ses essais littéraires, la position de Sartre à propos de l'engagement varie. Du point de vue philosophique, il propose l'engagement aveugle; du point de vue littéraire, il décrit l'engagement à la camaraderie, à la solidarité humaine, à la révolte contre l'oppression comme issu des viscères et du corps, de la fantaisie et de la logique de l'être humain. Tout cela pour dire que le sens à vivre tout comme l'engagement réel et personnel se développent à partir de toute la personne qui s'implique totalement dans son engagement.

Du côté du corps...

Et le corps? Le corps est présent et participe au sens à vivre. D'une certaine façon, il en profite en l'intégrant: c'est la corporéité humaine. La personne exerce sa vie dans un corps, un corps symbolique et mythique mais aussi un corps matériel[40]. Si la vie laisse le corps matériel, la personne ne peut plus vivre, et encore moins son corps symbolique et ses autres ressources. La mort, fait inéluctable pour tout vivant et anxiogène pour le vivant conscient, ne peut pas ne pas arriver. Mais prendre conscience de sa propre mort peut toutefois conduire la personne à l'apprivoiser. Jusqu'à un certain degré la mort recule devant la conscience, devant la prudence et la fortitude de l'être humain. Si la conscience peut parvenir ainsi à apprivoiser la mort, et même d'une certaine façon à la faire reculer, c'est en grande partie parce que la conscience possède en elle une puissante force: le sens à vivre. Le sens à vivre est effectivement un puissant ingrédient de la conscience et celui qui en est habité tient à sa vie matérielle et à la santé de son corps. Victor Frankl (1974) raconte par exemple que pendant la guerre 39-45 dans le camp de prisonniers à Auschwitz en Allemagne, les Juifs qui parvenaient à trouver un sens à vivre malgré et à travers leurs souffrances résistaient mieux aux sévices corporels, aux punitions et à l'aliénation de leur situation. Celui qui sait quoi et comment vivre, tient à sa vie, la protège et tente de la conserver le mieux possible[41].

Le sens à vivre s'étaye aussi sur le corps — le soin et le souci de son corps. Il n'y a aucune vertu à négliger son corps matériel et sa santé physique. Pourtant, tout un arsenal d'étiquettes psychiatriques risque de s'abattre sur la tête de celui qui tient à la santé de son corps (et à sa beauté, car les deux interagissent): narcissisme, hypocondrie, etc.[42] N'en déplaise aux «étiquettants», celui qui a un sens à vivre tient à sa santé, s'occupe de sa diète et de son poids. Il ne tire aucune fierté de sa négligence corporelle, ni aucune indulgence de son laisser-aller. Une certaine déification du laisser-aller corporel qu'on retrouve parfois dans certaines idéologies, repose sur un manque d'équilibre entre les différents modes d'être-au-monde. L'être humain comme tout existant cherche à se déployer, à s'agrandir et à s'étendre. Le déploiement de ses potentialités s'effectue dans toutes les directions — que celles-ci soient imaginative, cognitive, affective ou corporelle.

> Depuis que Paul a dessiné son auto-portrait, qu'il l'a présenté à son amie, qu'il a ressenti et entendu la vérité de son dessin, une transformation s'est effectuée en lui: il s'occupe de lui-même. Il s'intéresse à ce qui a fait naître son auto-portrait: lui-même et tout lui-même. Autant son laisser-aller corporel était légendaire — et frôlait parfois la malpropreté — autant il s'intéresse maintenant à la santé de son corps, à son hygiène et

---

40. Voir aussi le chapitre 12: La beauté, p. 451.
41. Dans ce besoin d'un sens à vivre, certains ne voient qu'un mécanisme de défense — une sorte de réaction fondamentale — comme si le vivant ne pouvait pas vraiment vouloir autre chose que le plaisir érotique ou le renforcement de ses besoins primaires. Le vivant conscient, l'humain, sait où loge son bien. Parce qu'il est conscient d'être vivant et de sa vie, il cherche un sens à son existence. Ce bien, un sens, lui importe autant que le pain et l'eau ou le plaisir sexuel, même qu'il doit trouver un *sens* à son plaisir sexuel et à son pain pour les prendre et les goûter pleinement.
42. Bien qu'il y ait évidemment aussi de réels cas!

même à la beauté de son corps. Autant sa peau était négligée et ses grippes chroniques, autant il se protège des virus et se frotte au gant de crin. Son corps maintenant importe. Il en est de même de ses finances, de son appartement, de ses relations avec ses amis, etc. Son dessin prend maintenant une place importante dans sa vie: il veut exprimer par la peinture ce qu'il imagine et ressent des gens et des choses. Parce qu'il s'est découvert valable sur une facette de lui-même, il sait qu'il vaut aussi la peine de s'écouter, s'imaginer et s'exprimer. Il a transporté et élargi ce soin de lui-même au souci de sa santé et à la beauté de son corps.

Le sens à vivre conduit ainsi la personne à conserver sa vie et à la protéger, premièrement par la prudence, le soin et l'harmonie du corps. En somme, tout s'intègre: protéger le corps pour protéger la vie; protéger la vie pour continuer; continuer pour trouver- et à travers — un sens à vivre; un sens à vivre pour avoir le goût de vivre; le goût de vivre pour vivre plus.

De susciter le goût de vivre reste donc effectivement et essentiellement l'effet principal du sens à vivre; c'est d'ailleurs pourquoi le sens à vivre suscite également si particulièrement notre intérêt. Le sens à vivre entretient un lien de parenté privilégié avec le bien-être subjectif qui se trouve lui-même en fait au centre de tout goût de vivre. Le sens à vivre rend la personne heureuse[43] — heureuse de vivre et d'en avoir le goût.

COMMENT TROUVER UN SENS À VIVRE?

Quelles sont les voies susceptibles de conduire une personne à se donner un sens à vivre[44]? Comment arriver à se donner un sens à vivre? Comment faire pour être assuré qu'il s'agit vraiment de notre sens à vivre à nous plutôt qu'un reflet des attentes sociales ou un résultat des pressions à la conformité par les influences contemporaines?

Transcender le quotidien

Trouver et tenir à un sens à vivre, c'est assez simple lorsque la perspective est large et que les données touchent à toute l'humanité — soulager la misère humaine, susciter l'amour fraternel des peuples, promouvoir la paix entre les nations; trouver un sens à vivre dans le quotidien, le jour le jour et dans la vie répétée des petits gestes anodins, c'est différent, et beaucoup plus difficile. Gagner son pain, rejoindre

---

43. Plusieurs recherches [voir entre autres McCann, Biaggio (1989)] ont, par exemple, montré que les personnes qui ont un sens à vivre, ont également une vie sexuelle plus satisfaisante. Le sens à vivre permettrait, entre autres, que les frustrations sexuelles soient moins importantes et moins destructrices de l'harmonie intérieure et interperson- nelle des personnes. Enfin, parce qu'il mobilise l'attention de la personne et alors lui permet de se détourner et de se défaire d'une certaine sur-conscience de soi, le sens à vivre permettrait aussi que la personne s'implique plus intensément dans la rencontre sexuelle, qu'elle s'y absorbe et qu'elle en puise ainsi tous les avantages et tous les plaisirs.

44. Le simple fait de chercher un sens à vivre, la démarche en elle-même, est utile pour la personne même si, en bout de ligne, elle n'en trouvait aucun. Sa démarche la mobilise, elle et ses ressources. Elle se dynamise par sa recherche. Elle cherche et en cela, elle continue et elle poursuit sa vie — et la plupart du temps ainsi, elle trouve.

les deux bouts et conserver sa santé mobilisent déjà beaucoup d'énergie et occupent — parfois même accablent — assez une large partie de la conscience qu'il en reste finalement peu pour fouiller les motivations à vivre. C'est vrai qu'au cœur du quotidien, la recherche d'un sens à vivre implique du *courage* c'est-à-dire celui de s'arrêter pour réfléchir et voir, malgré la lourdeur du quotidien. En effet, pour trouver un sens au quotidien, à la routine de la vie, il importe de transcender ce quotidien (tout en l'intégrant) pour s'installer en ce lieu intérieur juste là où la personne rencontre en elle l'être vivant qui cherche à se déployer.

> Perdu dans la forêt, le chasseur ne voit que des arbres, des feuilles et de la verdure. Pour se retrouver, il doit grimper à un arbre, un seul, tout en s'assurant de ne pas tomber. Juché au-dessus, au faîte de l'arbre, il peut par-dessus le toit des arbres, identifier le chemin à parcourir, les obstacles à sa marche et les détourner selon ses ressources. À cette condition seulement, à savoir s'élever au-dessus des arbres, il peut trouver ou retrouver son chemin. Tant qu'il reste au sol, il tourne en rond et peut même préparer sa fin.

Or, c'est particulièrement à ces moments de la vie pendant lesquels la routine ennuie et le quotidien étouffe que la personne *doit* se placer au-dessus[45], quelque part, pour voir l'ensemble de sa vie, scruter les perspectives et se donner une direction, un sens à son parcours[46]. Ce n'est qu'après cela, une fois revenue dans le quotidien, que la personne peut ajuster ses perspectives, redistribuer ses ressources, se faire un nouvel itinéraire, et trouver un sens pour continuer à vivre.

La construction d'un sens à vivre est un processus dont la visée consiste à se représenter symboliquement les contenus de l'objectivation de soi réfléchi; plus directement, c'est placer sa vie dans le contexte d'une histoire significative dont la structure narrative crée de la signification. En d'autres mots, se construire un sens à vivre implique d'abord la capacité de suspendre le flot de l'expérience immédiate, c'est-à-dire de se détacher d'expériences particulières et de mettre un délai à la réponse devant les incessants stimuli de la vie, pour ensuite se représenter symboliquement ces expériences, c'est-à-dire que la personne réfléchit sur son expérience de vivre et la symbolise en rapport avec ce qu'elle sait d'elle, et donc avec son identité.

---

45. Et souvent malgré tous les bons conseils qu'elle reçoit de rester les deux pieds sur terre et d'être «réaliste» (si au moins ce conseil voulait dire de se réaliser). Prendre de la perspective ou transcender son quotidien ne signifie nullement perdre son réalisme. Bien au contraire, cela signifie une appropriation de la réalité pour la faire sienne et lui donner un sens, c'est le «regard survolant» de Merleau-Ponty (1945) ou le Je libre de ses «sois» et qui dépasse les limites de la situation présente. (Bureau, 1978).

46. Cette excursion au-delà du quotidien qui permet de retrouver sa direction diffère de ce qu'il est convenu d'appeler la vision nébuleuse de l'existence, à savoir un état de distance face à la vie et au quotidien qui éloigne la personne de la richesse et de la vitalité de sa concrétude et de sa corporéité. Souvent considérée comme une vision philosophique de l'existence sans problème où rien ne compte puisque tout périt, rien n'importe puisque tout est futile, cette attitude est paradoxalement défendue par certains philosophes qui malgré cette attitude continuent à écrire et à publier leurs écrits pour communiquer leurs idées: cela au moins importe? Ainsi sont les hommes!

Se «dés-identifier»

Chaque personne peut trouver ou créer son sens à vivre — cette raison d'être, de vivre et de paraître ce qu'elle est, ce qu'elle vit. Si ce sens à vivre est vraiment approprié à la personne et à ses ressources, cette personne actualise encore plus ce qu'elle est, et ainsi elle augmente d'autant plus son apport particulier et original à l'humanité ou à la communauté humaine qui l'entoure. Ce n'est cependant pas parce qu'un sens à vivre amène la personne à être davantage ce qu'elle est, et qu'en cela elle apporte un quelque chose d'unique même à l'humanité en général, que la quête d'un sens à vivre ne dérange pas ou ne bouscule pas ou ne trouble pas les relations quotidiennes personne-à-personne déjà existantes.

Le plus éprouvant dans la quête d'un sens à vivre, c'est le plus souvent que la personne doit s'opposer et se détacher des autres personnes, et résister à tous ceux et à toutes celles qui voudraient bien, pour une raison ou une autre, qu'il en soit autrement[47]. D'une certaine façon, chercher et trouver un sens à vivre impliquent une certaine désidentification: «dés-identification» de ses frères humains — eux aussi, souhaitons-leur, à la recherche d'un sens[48] — non seulement de ceux de sa race, de son pays ou de sa culture, mais très souvent aussi de ceux et de celles qui sont aimés et qui nous aiment[49].

Dépasser ses instincts et apprivoiser sa solitude

Être capable de transcender le quotidien pour y découvrir un sens à vivre implique également d'oublier, du moins l'espace d'un temps, ses instincts biologiques et corporels comme d'ailleurs ses désirs plus primitifs et infantiles. Il doit mettre en veilleuse tout cela, dont principalement la satisfaction immédiate de ses besoins ou désirs et la sécurité à tout prix que peuvent offrir la routine et la concrétude d'un quotidien connu et vécu automatiquement. Sortir du quotidien ne peut malheureusement pas se faire dans la facilité douce et heureuse de la réponse à nos tendances naturelles — d'une certaine façon cela ne se fait qu'au prix de la contradiction de nos «instincts».

Résister aux autres — même à ceux qu'on aime — et dépasser ses instincts restent évidemment des tâches qui risquent fortement d'en décourager plus d'un, et conséquemment, de les priver de l'énergie qui leur serait justement nécessaire pour y parvenir. Et devant la difficulté, il est si facile de laisser au hasard ou à la bonne volonté d'autrui, la tâche de nous octroyer un *sens à vivre!* Comme nous le savons déjà, cette attente est cependant bien inutile puisque seule la personne peut trouver pour elle-même son propre sens à vivre. La personne arrive à résister aux

---

47. Voir Bureau, J. (1985).
48. Le sens à vivre des autres, peu importe sa qualité, n'est pas le nôtre. Il peut éventuelle-ment devenir le nôtre si et seulement si nous participons directement à sa création. Tout sens à vivre proposé par les autres pour devenir sien, doit obligatoirement être re-inter-prété et re-créé à travers un acte de réflexion propre et à soi. Ce n'est qu'en se le réappropriant par un retour réflexif sur soi que le sens à vivre venu ou issu d'ailleurs peut devenir sien.
49. Voir R. Bach (1980).

autres et à dépasser ses instincts si elle accepte la difficulté, et particulièrement celle d'avoir à apprivoiser sa solitude, c'est-à-dire à la dépasser en la libérant des angoisses d'isolement, d'abandon ou de rejet qui lui sont spontanément associées — comme d'ailleurs la crainte de se retrouver face à soi-même[50].

Le quotidien transcendé et l'instinct dépassé, le sens à vivre ne s'ouvre pas de lui-même mais il doit se peiner, et c'est encore dans la solitude que tout cela peut, et d'une certaine façon doit, se passer. Particulièrement à notre époque, pourrait-on dire, puisque nous nous tenons à la croisée de tous les relativismes; il n'y a qu'un seul absolu: celui qu'il n'y a plus aucun absolu. La personne se dit que ceci est aussi bon que cela — que ceci et cela soient des partis politiques, des idéologies de gauche ou de droite, des plats à cuisiner ou des programmes de loisirs. L'étalement des connaissances et leur facilité d'accès par l'éducation et les mass-media ont lentement relativisé ce qui antérieurement était absolu. Que l'on songe à l'époque pendant laquelle il n'y avait qu'une seule religion, un seul credo, une seule morale! Et que tant la conduite que l'imaginaire devaient suivre des normes absolues. Et qu'un seul système politique était valable. Et qu'une seule façon de vivre l'amour et la sexualité était digne et humaine! Aujourd'hui, ces absolus sont dépassés.

Une quête qui ne peut être qu'intérieure, individuelle, personnelle

Le relativisme est responsable de nombreux gains pour le développement de la personne mais il reste qu'il a entraîné également avec lui de nombreuses difficultés, principalement celle que représente pour chaque personne l'absence de structure extérieure prédéterminée à laquelle se référer ou dans laquelle se réfugier pour plus de sécurité. Le relativisme, c'est faire effectivement face à tout et donc d'une certaine manière à rien d'absolu à l'extérieur, mais c'est surtout faire face à soi et encore plus au choix: quel chemin prendre? quelle idéologie soutenir? quelle valeur défendre? De l'extérieur, il n'y a plus de vérité pour la personne — la vérité se trouve à l'intérieur d'elle. Le relativisme oblige la personne, chaque personne, à prendre conscience de cela sans quoi elle ne peut que se perdre elle-même. Aussi appétissante que soit la présentation extérieure d'une valeur ou d'un sens à vivre, il n'y a que la personne dans sa solitude qui peut régler l'angoissante question du sens de sa propre vie. C'est de l'intérieur d'elle et de sa solitude qu'elle verra émerger son sens à vivre. À l'extérieur, tout est relatif et mouvement, et surtout ce n'est pas elle.

Toute idéologie qui prétend que c'est à la collectivité de fournir aux individus leurs motivations à vivre risque de faire perdre à cette collectivité son propre sens de communauté humaine. Si l'insistance est placée sur le système au mépris ou, tout au moins, au prix de la personne, c'est «l'instinct collectivisant» qui est servi plutôt que la croissance et le développement de la personne. Cet instinct ne peut aller qu'à l'encontre de la personne réelle qui elle en vient alors, graduellement mais sûrement, à perdre toute signification pour le collectif (elle devient insignifiante) si ce n'est qu'en tant qu'ingrédient similaire et non différencié du système.

---

50. Voir Bureau, J. (1992).

À la fin de son adolescence, Denis s'inscrit au Parti avec l'euphorie de découvrir enfin un sens à son existence. Le Parti sera pour lui le guide, l'objectif et la motivation. Pendant de longues années, il s'aligne sur le Parti — changeant ses positions chaque fois que le Parti les changeait. Son travail, ses relations, l'ordre à mettre dans ses choix lui étaient dictés par l'esprit du Parti. Il y avait même une règle qui prévoyait ce qu'il fallait faire lorsqu'il n'y avait pas de règle. Denis était pourtant intelligent. C'est d'ailleurs probablement pour cela que lentement il a fini par comprendre que tout cela tournait à vide, que le monde autour de lui ne changeait pas malgré sa solidarité au Parti et même qu'il retrouvait de plus en plus le même vide intérieur qui l'habitait et qu'il avait si bien connu à l'adolescence. Bien plus, son vide était maintenant nécessaire pour que le système du Parti continue. Le Parti avait besoin de son vide à remplir. Quelque part, l'idéologie du Parti en avait profité.

Il n'est pas facile de départager le bien des personnes de celui de la communauté, de cerner les frontières de l'une et de l'autre et de trouver ainsi l'équilibre et la distance optimale pour que la communauté fortifie la personne, et la personne, la communauté. Il est pourtant et malgré tout absolument nécessaire d'en être capable[51].

Le groupe, l'esprit de groupe et la solidarité ne doivent pas être ni exister au prix de l'authenticité et de la vérité personnelle. Chercher un sens à vivre à l'extérieur de soi, dans le groupe ou dans la solidarité, c'est une manière de répondre à un besoin de sécurité pour contrer l'angoisse de la solitude fondamentale liée à la condition humaine d'être séparé. Etre seul face à la vie, à la sienne, et à son sens reste effectivement suffisamment angoissant pour que spontanément nous soyons portés à chercher quelque chose, n'importe quoi, quelque part ailleurs et n'importe où pour échapper à notre sort. Si le groupe propose d'emblée un échappatoire tout fabriqué, bien averti serait celui qui ne s'y laisserait pas prendre. C'est alors que la recherche d'un sens à vivre dans et par le groupe, l'esprit de groupe ou la solidarité peut devenir l'équivalent d'une tentative de réponse à la nostalgie de la perte du paradis terrestre devant les misères de la vie, ou à la mélancolie par le retour symbiotique dans le ventre de sa mère devant les souffrances de l'individualisation.

Quelle que soit la qualité du groupe, l'esprit de groupe ne peut jamais combler la quête de sens que la personne unique, complexe, polyvalente et originale ressent

---

51. Si nous insistons pour dénoncer certains aspects du collectivisme, ce n'est pas parce que le collectivisme nous semble en soi une mauvaise chose à bannir. Nous verrons d'ailleurs plus loin comment le collectif, le groupe et le sentiment d'appartenance au groupe possèdent des avantages importants. Ce que nous cherchons à dénoncer ici c'est le danger que peut représenter un excès de collectivisme pour le développement de la personne, particulièrement pour chaque individu aux prises avec un sentiment de vide par absence de sens à vivre et pour qui le collectivisme peut représenter un leurre alléchant mais tout de même un leurre. Vivre pour le peuple, la nation, la race, le féminisme, le masculinisme ou le capitalisme — peu importe ce qui est érigé en absolu — c'est inévitablement un leurre qui, malgré ses apparences, ne saurait jamais remplir un vide de sens à vivre personnel chez les uns, et qui ne saurait que contraindre les autres personnes à être ce qu'elles ne sont pas véritablement. Le bonheur ou le malheur des personnes ne dépend pas des qualités du milieu, du social, et la responsabilité individuelle à créer son bonheur n'est pas un faux mythe. Les personnes humaines sont différentes les unes des autres et les embrigader dans la similitude du groupe, du social, risque de les briser.

devant la vie. Lorsque la personne ne peut pas rendre sa vie significative et qu'elle se tourne vers l'esprit de groupe en voyant là l'espoir de trouver une réponse à sa quête, elle risque plutôt de se voir happée par cet esprit de groupe et de retourner sur le plan de la conscience à l'état primitif — état primitif de conscience à l'intérieur duquel la personne, comme individu spécifique et séparé, n'existait pas encore en tant que tel. Elle n'était alors ni Pierre ni Marie mais «INUK» et «UMBRE»[52], c'est-à-dire une personne «morale»[53] plutôt qu'une personne réelle, corporelle et physique.

Le développement de la conscience humaine, sa complexification comme disait Teilhard de Chardin (1955), a permis le passage du groupe à la personne; plus directement, le passage d'une conscience de groupe symbiotique et primitive à l'émergence lente d'une conscience individuelle et différenciée. De l'appartenance rassurante à la conscience de groupe, la personne s'est vue graduellement devoir assumer le poids de sa propre conscience, et de la sécurité relative du groupe passer au tragique de l'identification et de l'identité personnelle — avec toutes les conséquences inévitables qui lui seront désormais reliées: détresse et souffrance d'être séparée et coupée des autres, appartenance et responsabilité face à sa propre destinée, anxiété à propos de sa finitude et de ses limites.

Pour que la personne s'énergise au contact des autres de sa communauté et qu'elle leur fasse profiter de son individualité — sa créativité et son originalité — sans trop les perdre, elle doit fondamentalement trouver une paix avec elle-même à travers l'acceptation profonde et réelle des limites existentielles de sa condition: être séparé, libre mais responsable, limité et mortel. Cela signifie également qu'elle doit d'abord accepter d'être incapable d'expliquer l'existence des autres et encore moins capable de leur donner un sens à vivre. Tout comme d'ailleurs les autres sont incapables de l'expliquer vraiment elle-même et de lui fournir un sens à vivre. La personne ne peut effectivement que participer aux sens à vivre des autres comme la communauté ne peut que participer au sien.

Du courage, beaucoup de courage, face à soi-même et face aux autres

Pour trouver son sens à vivre, la personne doit plonger en elle-même, et cela même au risque de se voir blâmée par les autres de sa communauté. C'est bien tant mieux si la communauté la respecte dans sa solitude nécessaire et dans sa quête de sens mais le contraire est plus fréquent. À chaque époque de son histoire, la collectivité humaine propose souvent (sinon toujours) aux personnes des fac-simi-lés de sens à vivre; elle les propose de plus si fortement que la personne peut difficilement y échapper, et si malgré tout elle y parvient, la collectivité le plus souvent le lui rappelle par l'isolement ou à la limite l'ostracisme. Les sens à vivre proposés (et souvent d'une certaine manière imposés) varient d'une période à

---

52. INUK ou UMBRE signifie l'être humain impersonnel — c'est l'homme dans le sens générique.
53. La personne «morale» est une institution ou un groupe qui possède des droits et des devoirs équivalents à ceux d'une personne physique.

l'autre[54]. Si des personnes divergent ou s'opposent à ces vents d'époques, ces zeitgeist, la pression sociale sur elles devient très forte. Tout se passe comme si la collectivité en quelque sorte décide ou décrète et entraîne ses concitoyens à convenir en bloc que tout autre thème ou sens à vivre est sans valeur:

> «La convention d'insignifiance, voilà la baguette magique, la propriété dangereuse et divine de la conscience, propriété créatrice qui peut à volonté abstraire un monde et en postuler un autre.»   (Jung, 1962, p. 301)

Jung a bien connu la pression exercée par des pairs sur ses idées, particulièrement après sa séparation d'avec Freud. Il a vécu ce que bien des grands hommes vivent: la mise au banc, l'isolement et le rejet parce qu'ils osent proposer de nouvelles valeurs ou de nouvelles explications ou encore que leurs découvertes viennent en contradiction avec l'esprit du temps.

> «Il n'y a pas lieu de plaisanter avec l'esprit du temps car il constitue une religion, mieux encore une confession ou un credo dont l'irrationalité ne laisse rien à désirer; il a en outre la qualité fâcheuse de vouloir passer pour le critère suprême de toute vérité et la prétention de détenir le privilège du bon sens.»   (Jung, 1962, p. 37)

Trouver *son* sens à vivre — et quand c'est nécessaire à l'encontre de l'esprit du temps — et risquer de l'exprimer ouvertement à ceux et à celles qui comptent pour nous et qui pourraient en profiter mais qui pourraient aussi s'y opposer, doit donc s'accompagner d'une forte dose de courage, de cette vertu qui n'émerge que dans la peur — celle d'être privé des riches relations inter-humaines pourtant si stimulantes au goût de vivre. Là où il n'y a pas de peur, il n'y a pas de courage .

Les relations humaines sont riches et particulièrement stimulantes pour le goût de vivre, mais chaque personne qui veut trouver et affirmer son sens à vivre devra prendre le risque d'en sacrifier quelques-unes[55]. Le sens à vivre réside dans la personne: il est fait d'elle et pour elle, approprié à ce qu'elle est. Les voies d'accès et les repères pour le découvrir se trouvent à l'intérieur de la personne; il est tout tissé d'elle. C'est un chemin d'autant plus difficile à parcourir qu'il risque — parce que trop lié à l'individualité intrinsèque de la personne — d'entrer en contradiction

---

54.   Parmi ces zeitgeist, l'humanité a dernièrement entre autres connu l'insistance sur le «retour à la terre», les droits de l'enfant, le contrôle social par la loi et l'ordre, les injustices à réparer face aux Juïfs ou aux femmes ou aux noirs, etc. Les zeitgeist touchent ou concernent tous les domaines de l'activité humaine. Par exemple, ils se retrouvent souvent dans les modes thérapeutiques. Toutes ces thérapies «à la mode» qui fleurissent pour un temps et qui deviennent le «must» de toute personne raffinée pour finalement disparaître comme elles étaient venues. D'autres prendront bien leur place.

55.   Nous disons bien *quelques-unes* parce que la plupart du temps les relations véritables — c'est-à-dire les personnes avec qui nous entretenons des relations authentiques, privilégiées et profondes — survivent à la quête d'un sens à vivre. Les relations qui sont perdues parce que la personne cherche par son sens à vivre à devenir davantage ce qu'elle est, sont peut-être des relations dont la solidité et l'authenticité sont vacillantes. Les autres — les vraies, sommes-nous porté à dire — résistent, survivent et même peuvent se renforcer. L'attachement pour une autre personne ne saurait que croître si cette personne cherche à devenir plus elle-même; en fait, c'est d'être elle-même qu'elle est aimée et en étant plus elle-même par son sens à vivre elle ne saurait être qu'aimée davantage, encore plus.

parfois flagrante avec le *zeitgeist* de l'époque, par exemple celui, plus ou moins le nôtre, qui tire l'individu vers l'extérieur et la reconnaissance par cet extérieur. Il est probablement plus plausible d'espérer recevoir, et dans le contexte actuel des valeurs de recevoir effectivement, l'approbation de la collectivité pour des actions d'éclat que pour l'authenticité et la congruence d'une personne[56].

Parce que le sens à vivre émerge des profondeurs et des racines de la personne il risque — justement à cause de sa profondeur — de ne pas être compris par les autres[57]. Or, en plus de la souffrance liée à l'isolement et parfois au rejet, la personne devra porter celle qui découle de la frustration de ne pas être *comprise* et souvent même par ceux qu'elle aime. La personne n'a toutefois pas vraiment le choix puisque vivre, c'est continuer et croître; croître c'est se séparer, s'individualiser, et cela, c'est en quelque sorte perdre; perdre l'autre et/ou se perdre pour se reprendre autrement. C'est parfois à ce prix que le sens à vivre peut apparaître ou réapparaître.

À 60 ans, proche de sa retraite, Pierre-Louis réalise qu'il s'est toujours senti mal. Il s'inquiète surtout d'étranges pulsions qui le conduisent à fixer les seins des femmes pour se les approprier. Il devient alors obsédé par les seins. Chez lui, il tente de masser ses propres seins pour qu'ils obtiennent du volume comme pour remplacer ce qui lui manque et se détacher des femmes. Après ces expériences, il se sent déçu et déprimé: 60 ans de vie, deux échecs de mariage, une angoisse qui l'accompagne depuis toujours, un souci exagéré de lui-même: voilà le bilan. Il frôle souvent le désespoir, et sans cesse il se demande s'il réussira à se rendre à sa retraite.

Un jour, à son terrain de camping, là où il se retire le plus souvent, il contemple un magnifique érable, droit et fier dans ses branches, qui siffle le vent et affronte le soleil. «Dis-moi donc», l'apostrophe Pierre-Louis «comment se fait-il que tu sois si beau, si droit et si fier? Moi, je m'en vais dans la vie tout croche — honteux avec mes sourires figés. Dis-moi ton secret.» Après plusieurs appels à l'arbre, il entend à l'intérieur de lui la réponse de l'arbre: «C'est bien simple, Pierre-Louis, moi j'ai des racines; toi tu n'en as pas et tu n'en as jamais eues.» Pierre-Louis se sent le cœur éclater, et il s'effondre en pleurs: toutes ces années de vie derrière lui et cela sans racine; tout ce temps perdu alors qu'il croyait avoir fait son possible. Après de longs moments, après avoir laissé Pierre-Louis pleurer tout son saoul, l'arbre semble continuer: «Tu admires ma beauté et ma majesté, mais moi mes racines sont pleines: des grosses et solides et des petites nouvelles qui continuent sans cesse de pousser, même à mon âge. Toi, tu n'as même pas de petites racines pour te retenir.» «Est-ce seulement pour ça?» rétorque Pierre-Louis. «Oui et non», dit l'érable: «Mes racines, c'est plus important que mes feuilles et mes branches, ce que, en d'autres mots, tu vois de moi et que tu appelles ma beauté. Il y a aussi autre chose, c'est que moi j'ai poussé dans mon érable, dans *moi*. Toi, tu as poussé à côté de toi. Moi, je n'ai pas cherché à pousser dans le peuplier, dans le cèdre, même pas dans l'érable là, celui-là à côté d'où je viens. J'ai poussé en moi — en dedans de moi.» Nouvel effondrement de Pierre-Louis: «c'est vrai». Il réalise qu'il a passé toute sa vie en dehors de lui, comme se regardant, se mesurant, se blâmant ou se louangeant.

---

56. Être soi-même et se vivre comme tel à travers le sens à vivre n'est peut-être pas toujours — et ne le sera peut-être jamais — valorisé par la collectivité. C'est pourtant — et c'est là l'essentiel — valorisant pour la personne qui, elle, se sait posséder de la valeur parce qu'elle met au monde à travers son sens à vivre quelque chose d'unique, c'est-à-dire elle-même.

57. «Une pensée réellement profonde a toujours quelque chose de paradoxal, qui apparaît aux esprits médiocrement doués comme obscur et contradictoire.» Jung, 1962, p. 113.

Il vécut dans tout le monde — si peu souvent en lui. Il pouvait bien ne pas avoir confiance *en lui*, il n'était pas *en lui*, il était ailleurs. Pierre-Louis pleure encore secoué dans tout son corps — il a tellement de peine d'être passé à côté de lui depuis si longtemps dans sa vie. Ses pleurs toutefois ne sont pas que de la peine, il y a aussi comme un espoir. Il sait maintenant qu'il doit retrouver ses racines, s'il n'est pas trop tard et qu'il doit se reloger en lui; c'est la seule façon de vraiment vivre. Ces prothèses artificielles qu'il s'est fabriqué telles de longs bras pâles dans lesquels il se vivait et voulait accaparer les seins des femmes et les retenir pour qu'elles ne le quittent pas, il les laissera aller. Il cherchait à se remplir la mort intérieure par le lait vivant des femmes, donneuses de vie. «Tu vois», lui dit l'arbre, «je n'ai pas tout misé sur mes feuilles — d'ailleurs je les perds tous les automnes — et c'est bien correct parce que comment pourrais-je connaître mes nouvelles feuilles du printemps si je ne perdais pas celles de l'automne. Toi tu as tout misé dans ta face, dans tes feuilles, et tu avais tellement peur de la perdre ta face que tu la retenais à deux mains. Qu'est-ce que ça t'a donné? Aujourd'hui, tu es une vieille face. Ah, tu ne l'as pas perdue. Mais tu es devenu rien qu'une face — une face sur deux pieds — c'est pas bien solide ça! Laisse-la aller ta face, t'en trouveras bien une autre. Si jamais elle te quitte, eh bien tu trouveras peut-être ton visage, ce qui serait beaucoup mieux.» Pierre-Louis est à nouveau secoué. Que de temps, que de vie perdus à éviter de perdre la face, à sauver la face. Il s'est déraciné puis il a poussé à côté de lui avec le résultat qu'il ne lui reste qu'une face, vieille, fatiguée et ridée — une face sans corps qui se promène toute figée dans la vie. Après toute cette douleur, Pierre-Louis sent que l'espoir reprend — il ressent son nouveau sens à vivre: *vivre dans ses racines, dans sa base et laisser les autres vivre dans leurs racines — se dégager de la préoccupation de sa face et retrouver le chemin vers lui-même*. Sa vie commença à changer. Il éprouvait bien quelquefois un retour à son ancien style, mais son sens à vivre nouveau prenait de plus en plus d'importance. Avec les femmes, il pouvait les admirer, les trouver si belles et si pleines de vie mais sans les retenir. Il goûtait leur spectacle puis s'en allait. Il ne cherchait plus à les accaparer. Même sa démarche changeait: il ne perdait plus pied en marchant; il se sentait solide et attaché à la terre. Vivre pour lui prenait du sens — il serait comme son arbre — le temps seulement qu'il durerait et c'était bien correct. La fin de sa vie fut un rayonnement de vitalité qui se dégageait de lui et que les autres, même les femmes, pouvaient maintenant contempler. Il était devenu beau, fier et majestueux et il fabriquait autour de lui de la beauté.

Accueillir plutôt que de chercher obstinément: laisser émerger

D'une certaine façon, il ne s'agit pas de se donner un sens à vivre comme on se donne un nom, étiqueté sur nous de l'extérieur par une convention. Si un sens à vivre ne peut pas se coller à nous de l'extérieur et alors être imposé par les autres, il ne peut pas non plus, même s'il émerge de nous-mêmes, se développer qu'à partir d'une seule et unique facette comme par exemple l'intelligence ou l'émotion. Ainsi plutôt que de se donner un sens à vivre, il est plus exact de parler de *l'approche* d'un sens à vivre — approche continuelle d'ailleurs, et donc jamais achevée puisque la vie et le vivant sont mouvement et changement. Celui qui — à partir du moment présent, de ses idées et de ses réflexions actuelles — donne ou se donne un sens à vivre aura fort probablement à s'en donner un autre ultérieurement parce qu'un sens à vivre ne dure finalement que le temps pendant lequel le vivant en lui restera semblable. Si le vivant et la vitalité à l'intérieur de la personne changent, son sens à vivre changera également. Le sens à vivre est au service du vivant dont le propre est de se continuer à travers le mouvement et le changement[58].

58. Ces changements du sens à vivre s'appliquent surtout à ses aspects conscients. Dans ses racines, le sens à vivre d'une personne conserve une constance et une continuité comme nous l'avons expliqué plus haut à la page 127 et suivantes.

L'approche d'un sens à vivre ne repose pas sur une technique ni sur des exercices de réflexion. Il s'agit plutôt d'un état cognitivo-émotif, c'est-à-dire d'une forme d'état intérieur dynamique et en mouvement comme l'est la vie elle-même — cela peut aussi se nommer *prendre sa vie au sérieux*. Marcel Légaut, mathématicien et philosophe, écrit:

> «Prendre sa vie au sérieux, c'est dépasser une façon de vivre instinctive, jouissant autant qu'on peut de ce qui se présente, où l'on se laisse entraîner au fil des jours en quête de passe-temps. Prendre sa vie au sérieux, c'est rompre avec la passivité et la facilité... Prendre sa vie au sérieux, c'est prendre en charge son avenir.»   Légaut (1980), p. 21

Le sens à vivre tout comme le goût de vivre d'ailleurs bouge et se meut. La personne qui veut profiter de son dynamisme doit à tout prix éviter de l'enfermer dans un seul domaine ou sur une seule facette. Elle ne doit cependant pas non plus se river ou s'accrocher à son sens à vivre comme si elle dépendait entièrement de lui. Elle doit plutôt bouger et se laisser mouvoir par le vivant, en elle et autour d'elle. Elle ne doit surtout pas chercher à éviter la souffrance ou la douleur de chercher si celle-ci se présente.

La recherche d'un sens à vivre n'implique pas que la personne se cabre la conscience avec opiniâtreté pour *découvrir* son sens à vivre — ni qu'elle adopte comme état la vision nébuleuse de l'existence.

> Toute son adolescence, France se préparait à la rencontre de l'amour: elle ne vivait que pour cette rencontre. Pourtant à 35 ans, elle n'avait connu qu'échecs et rejets dans ses relations avec les hommes. Elle se lança alors dans l'action féministe croyant y trouver enfin un sens: là aussi ce fut la déception et les petits jeux malhonnêtes! Elle revient à la religion de ses parents; c'était aussi fade qu'au temps de son enfance. Elle partit aux Indes pour vivre près d'un gourou. Elle revint au pays plus pauvre et défaite. La recherche d'aucun amour, d'aucune idéologie, d'aucune religion ne pouvait la sauver de son désespoir de vivre. Elle décida de vivre simplement le temps présent avec le plus de sérénité possible en profitant de tous les petits plaisirs de la vie: lentement, un sens à vivre naquit, celui de vivre avec satisfaction et délectation la vie.

La recherche d'un sens à vivre se fait d'une façon oblique, plus accueillante qu'active. Souvent on se représente la recherche de quelque chose comme un effort actif et concentré alors que plusieurs — peut-être la majorité — des trouvailles se font parce que justement on cesse de concentrer son énergie sur la recherche et qu'on laisse aller tout l'organisme (corps, émotivité, pensée, etc.) à son rythme pour qu'il *trouve* juste au moment où il est prêt à l'accueillir, ce que la personne cherchait auparavant obstinément par un effort réflexif aussi contraignant qu'inefficace. Le sens à vivre émerge de toute la personne, de tout son organisme. Il importe donc de lui laisser la place dont il a besoin, comme un espace particulier, pour qu'émerge en lui ce qui vient de lui, de sa personne entière — *son* sens à vivre.

Si le sens à vivre d'une personne n'émerge ni de la collectivité comme telle puisqu'alors il flotte sur la personne sans vraiment la rejoindre, ni du seul travail logique de déduction de prémisses, d'une conclusion à vivre, d'où peut-il vraiment provenir? Où la personne peut-elle découvrir son sens à vivre? Dans quel espace? Dans quelle direction? Une longue tradition humaniste respectueuse de la personne offre une direction: le sens à vivre loge à l'intérieur de chaque personne, dans son espace intérieur.

Ainsi, la personne à la recherche de son sens à vivre doit plonger en elle-même pour contacter les caractéristiques essentielles de son humanité — celles de sa finitude et de l'inéluctabilité de sa mort[59], de la limite de ses ressources, de sa liberté et de ses choix, de ses responsabilités et de ses capacités d'agir et de sa solitude fondamentale. C'est en amitié avec elle-même, consciente d'être ce qu'elle est avec et malgré ses limites existentielles que la personne peut d'abord parvenir et parvient effectivement à dégager sa forme ou sa manière à elle, particulière et personnelle de vivre et de traiter avec ses limites, et surtout avec l'anxiété tout aussi existentielle, donc inévitable, qui en découle; ensuite, elle travaille pour accorder à sa forme particulière la place qui lui convient dans sa vie; finalement, elle mobilise une bonne partie de son énergie pour la mettre-au-monde et réaliser cette forme particulière, unique et originale d'être, c'est-à-dire d'être ce qu'elle est, avec et malgré ses limites. Plus concrètement, dans sa quête de sens, la personne a tout avantage à commencer par se poser les bonnes questions — celles qui sont simples mais si pleines de sens: qu'est-ce qui influence (a influencé ou influencera) et qui affecte (a affecté ou affectera) d'une façon importante ma vie? Quelle personne? Quelle tâche? Quelle facette de l'existence? À partir de ces questions, la personne se trouve à amorcer tout un mouvement réflexif qui l'amène graduellement à départager le constant de l'éphémère, le développemental du névrotique, pour finalement extraire de tout cela un sens à vivre.

> Paul fouille les racines de son existence. Qu'est-ce qui importe pour lui? Qu'est-ce qu'il veut de la vie? Qu'est-ce qui vaut la peine pour lui? Confusément d'abord puis se clarifiant lentement de plus en plus, deux thèmes surgissent: la créativité et la paternité. Il éprouve un grand soulagement — il doit être dans la bonne direction. Il se sent bien et correct avec ces deux thèmes. Il aime agir les deux — il s'aime lorsqu'il les applique à sa conduite et qu'ils se réalisent plus: plus père et plus créateur par une série de petits gestes quotidiens. Bien plus, il ressent tout le bien-être de se présenter aux autres avec ses enfants et de paraître ce qu'il est dans ses écrits. Il comprend que dans ces deux valeurs se trouve sa propre réponse à sa finitude et à son état de séparé, à sa responsabilité de choisir et d'agir, et à sa capacité.

---

59. Approcher pas à pas du sens de la vie et ainsi découvrir peu à peu ce pour quoi on est là — ce pour quoi, nous, une personne humaine avons à vivre — nous amène paradoxalement à toucher au sens de la mort, notre mort. Le cheminement qui conduit au sens de la vie est effectivement un processus lent qui se poursuit pendant toute une vie, et qui la plupart du temps advient pleinement juste au moment où nous sommes près et prêts à approcher le sens et la réalité de notre mort. Il en est ainsi: trouver un sens à sa vie c'est aussi prendre conscience de sa mort; prendre conscience de sa mort donne des frontières indélébiles à la vie — la vie qui devient désormais une réalité sérieuse parce que limitée dans un espace-temps jusqu'à nouvel ordre indéterminé quant à sa durée effective, réelle. Conscientiser sa vie implique donc de conscientiser sa mort. L'expérience personnelle de sa mort n'est pas qu'une connaissance objective qu'a toute personne de mourir un jour. Il y a plus — il y a comme une conscience qu'aussitôt qu'on vient à la vie, on est assez vieux pour mourir. Cette expérience de sa mort suscite aussi le sérieux de sa vie puisque la conscience de la finitude est continuellement présente durant la vie. Voir Bureau, J. (1986).

Inévitables, les périodes de crise et de remise en question

La recherche d'un sens à sa propre vie n'est pas que la tâche des désœuvrés ou des girouettes: toute personne à une époque ou à une autre de sa vie — et souvent plus d'une fois au cours de son existence — doit reconsacrer ses énergies à cette tâche fondamentale. Cela arrive périodiquement et la plupart du temps lorsque la personne ressent les choses qui la concernent, elle et sa vie, comme éparpillées, sans lien les unes avec les autres, et lorsque son identité est saisie par un sentiment vague mais persistant qu'elle ne sait plus trop bien qui elle est et ce qu'elle veut. Il y a dans cet état particulier un indice très clair que le sens à vivre antérieur de cette personne s'effrite, et que pour retrouver son bien-être elle devra se remettre à la recherche d'un nouveau sens à vivre — nouveau et intégrateur qui rallie et relie encore une fois mais sous une forme différente ses ressources et ses pouvoirs.

La remise en question du sens à vivre antérieur et la crise qui s'ensuit et qui mène à la quête d'un nouveau sens à vivre n'échappent donc pas à personne, et c'est vrai même pour celles dont la qualité reconnue ou le génie nous porte à croire qu'elles savaient de toute éternité ce qu'elles avaient à vivre. C'est par exemple le cas pour le grand psychologue William James. Père de la psychologie américaine, ce grand William James s'est effectivement vu au mi-temps de sa vie confronté à l'obligation de replacer son sens à vivre, de se retrouver et de se ré-engager. Il écrit:

> «J'irai un peu plus loin avec ma volonté, non seulement agir avec elle, mais croire aussi; croire dans ma réalité individuelle et mon pouvoir créateur. Ma croyance, bien sûr, ne peut pas être optimiste — mais je veux poser ma vie (la vraie, la bonne) dans la résistance auto-gouvernée de l'ego au monde. Ma vie sera construite sur le faire, la souffrance et la création.»[60]

C'est à la suite de cette période de noirceur que James devait apporter à l'humanité ses travaux les plus brillants.

Malgré nos craintes, il faut accueillir nos périodes de noirceur, d'ébranlement de toute la structure de notre existence — elles sont les signes qu'un changement se trame et qu'au bout, de l'autre côté de l'ancienne façon d'être, il y a l'espoir d'un devenir[61].

La personne qui cherche et trouve un sens à vivre accepte le regard vers l'intérieur, le risque de changer et la souffrance et la noirceur du passage. Accepter tout cela, installe la personne sur la bonne voie — celle de la découverte. Cette personne peut-elle cependant s'assurer que sa découverte sera vraiment un sens à vivre?

> Louise cherche le bonheur dans toutes ses entreprises: un mariage pour se sortir de son ennui, des enfants pour se sentir utile à quelque chose, des études qui ne finissent plus pour être quelqu'un. Pourtant, elle trouve sa vie monotone et elle n'est pas heureuse.

---

60. Traduction par l'auteur à partir de «I will go a step further with my will, not only act with it, but beleive as well; beleive in my individual reality and creative power. My belief, to be sure, can't be optimistic — but I will posit life (the real, the good) in the self-governing resistance of the ego to the world. Life shall (be built in) doing and suffering and creating.» William James cité par Erikson, H.E. (1968), p. 154.

61. «Ce que la chenille appelle la Fin du monde, le maître l'appelle un papillon.» Richard Bach (1978), p. 151.

Aucun de ses projets (mariage, enfants, études) ne réussit à la soulever à long terme, à l'engager et à lui donner avec constance de la vitalité. Serait-ce qu'elle ne s'est pas encore trouvée? Qu'elle n'a pas encore vraiment découvert un véritable sens à vivre?

L'expérience, le symbole et le mythe

Le sens à vivre réside implicitement formé au «cœur» de chaque personne. Comment s'ouvre-t-il? Il devient explicite et clair par le contact qu'établit la personne avec elle-même, particulièrement avec les données non-formées de son intérieur (en dessous de ses émotions, de son imaginaire, de ses réflexions, etc.), en somme au niveau de son expérience[62]. De ce contact avec l'intérieur — c'est-à-dire de l'expérience sentie ou éprouvée — à travers le symbole utilisé (le mot, l'image, le concept), plus précisément par l'interaction entre l'expérience et le symbole, naît le sens. La personne sait alors profondément que ce symbole est approprié — qu'il fait du sens. Elle ressent le sens, et alors, toute une série de sous-thèmes et d'applications à sa vie concrète se déploient.

Le mythe humain est un de ces nombreux symboles que peut utiliser la personne pour établir un passage vers son expérience et ainsi permettre l'apparition du sens à vivre. Le mythe se retrouve partout — partout dans les écrits des sages, dans les œuvres d'art, dans l'expression des poètes et des chansonniers, dans plusieurs thèmes des grandes religions; en somme dans toutes les expressions humaines de qualité. Les mythes sont en fait des histoires, simples ou complexes, qui associent des thèmes et des sous-thèmes, des images et des idées pour en faire un ensemble cohérent et significatif pour l'être humain. Ainsi, le mythe constitue une mise-en-ordre et une synthétisation de thèmes et de sous-thèmes particulièrement appropriés au questionnement de la personne quant à ses caractéristiques existentielles fondamentales.

Parce que — et justement parce que — le mythe provient de l'expérience[63], il devient un symbole particulièrement *adéquat* pour d'une part, contacter l'expérience et, d'autre part et ainsi, permettre le déploiement d'un sens à vivre. Pensons par exemple quelques instants à la portée et à la richesse des mythes judéo-chrétiens — qu'il s'agisse du retour du fils prodigue, du Dieu fait homme par amour pour les humains, de la Trinité: l'amour si puissant de deux Personnes, le Père et le Fils, qui crée une autre personne, l'Esprit — et voyons combien, par leur profondeur, leur haute densité et leur pertinence bien humaine, ils ont fait s'épanouir bien des vies. Ils ont rendu des vies plus humaines, plus significatives et plus riches; ils les ont nullement appauvries par l'illusion et l'erreur comme certains esprits peut-être trop concrets ont pu et peuvent le prétendre. Il y a mythe et mythe[64], c'est-à-dire symbole

62. *Expérience* dans le sens d'un flot continu de sentis implicites, corporels et non-nommés qui accompagnent et sous-tendent tout ce qu'est une personne. L'expérience est partout, sous toute action, sous toute émotion, sous toute pensée. (Voir Gendlin, 1962; Bureau, 1978).

63. Voir Jung (1960).

64. «Dans notre civilisation technologique, sous prétexte d'objectivité scientifique, le rejet trop rapide des mythes a privé l'homme d'une source puissante de signification de plusieurs de ses phénomènes. Dans le même élan, une certaine technologie de la sexualité humaine devient une chasse aux sorcières des mythes et appauvrit grandement l'*humanité* de la sexualité.» Bureau, J. (1984), p. 51.

humain riche en significations multiples et leurre ou illusion qui berne la personne[65]. Puisque le mythe a émergé un jour déjà de l'expérience d'une personne, en ré-utilisant aujourd'hui ce mythe comme instrument pour contacter son expérience propre, la personne se donne la chance de se trouver elle-même et à travers cela de trouver *son* sens à vivre. En d'autres mots, le mythe en contactant l'expérience favorise une compréhension et il peut ainsi permettre qu'une direction à vivre apparaisse — un véritable sens à donner à sa vie. Le mythe puise donc son efficacité à susciter le sens à vivre dans le fait qu'il est bien ancré dans l'existence humaine et que, à cause de cela, il peut permettre d'établir ce lien si précieux entre la personne et sa propre expérience.

Mais d'où puise-t-il sa vérité? Quels critères peuvent être utilisés pour différencier le mythe humain de l'illusion, de l'erreur ou de la magie primitive? Le mythe humain tire son authenticité du rapport étroit qu'il établit avec le symbole — non pas le signe mais le symbole [du Grec: *syn* (avec), *ballein* (lancer)]. La signification étymologique du mot symbole (lancer *avec*, lier *avec*) offre déjà tout un sens surtout lorsqu'il est mis en comparaison avec celui du mot *diabolique* [du Grec: *dia* (au travers), ballein (lancer)] (lancer *à travers*, attacher)[66]. À l'opposé du diabolique qui emprisonne, bouscule et défait; le symbolique unit, harmonise et intègre. C'est là d'ailleurs son pouvoir particulier, celui de permettre l'unité, l'ordre et l'harmonie des choses complexes.

La vie assure sa continuité à travers et par le symbole. C'est par l'ordre et l'harmonie du vivant que la vie s'assure d'une continuité, et c'est justement la fonction du symbole que d'unifier, d'harmoniser et de mettre de l'ordre. Le symbole est donc éminemment au service de la vie, mais plus spécialement au service de l'être humain, ce suprême vivant conscient. Un symbole sera authentique — donc un vrai symbole — dans la mesure où il sera au service de l'unité et de l'harmonie de la personne. Si un symbole possède ces qualités d'unification — et seulement s'il les possède — la personne pourra être assurée de l'authenticité de ce symbole. Si par contre le symbole défait et brise la personne, ce n'est plus ou pas un symbole et il risque d'avoir sacrifié sa qualité symbolique pour se réduire à un simple signe ou même pire pour devenir diabolique.

Un matin de Noël, Anne-France s'arrête un moment devant la crèche et attirée par les personnages en terre cuite, elle se met doucement à réfléchir: «Que de thèmes dans cette petite scène: la naissance d'un enfant et sa venue de l'éternité par amour pour l'humain; il a pris la «chair» humaine pour le racheter, le purifier; la maternité et la virginité d'icelles; les animaux et leur chaleur près de l'enfant; le bon Joseph et sa solidité de père; les humbles bergers et les rois mages!» Tous ces thèmes circulent dans sa tête. Aujourd'hui à 40 ans, elle peut mieux départager le mythe de l'illusion; l'histoire de la légende. Elle sait combien certains de ces signes ont été exagérés pour justement menacer l'humain et le contrôler avec la peur de l'enfer. Elle sourit de toute cette naïveté, la sienne d'abord, celle qui l'a longtemps fait prendre des vessies pour des lanternes. Mais celle aussi de tous «ces gros méchants humains» qui tout comme elle, avaient peur

---

65. Voir May (1991).
66. C'est là, dans le «attacher», «emprisonner» et «mélanger» qu'est la véritable influence du diabolique dans le monde. Il n'est pas nécessaire de le personnifier dans le malin, le diable, le démon comme l'ont fait plusieurs traditions religieuses.

et menaçaient les autres pour calmer leur propre terreur. Puis dans ce mélange d'idées et d'émotions, voilà qu'un thème surgit parmi tous les autres. Elle se sent toute bouleversée. Il se passe sûrement quelque chose en elle avec ce thème — *celui du 2000 ans, celui du temps*; de cette crèche et aujourd'hui, la crèche de son salon; de la crèche du passé et du présent. Deux temps différents: celui de l'enfant nouveau-né et du Christ crucifié, mort et ressuscité — celui du Christ aujourd'hui. Elle respire avec profondeur et se sent toute centrée sur ce qui se passe en elle. Son corps voudrait s'étendre, s'élargir; sa tête voudrait s'ouvrir et accueillir; son cœur déborde d'émotions — un vrai torrent! Ses yeux voudraient se débarrasser de la brume et des écailles qui bloquent sa vue. «Qu'est-ce qui se passe?», se demande-t-elle. Elle éclate en profonds sanglots et elle est secouée de partout, puis sa parole lui revient — le symbole s'illumine — elle s'entend dire: «Je suis du présent — là! Je n'ai rien à foutre du passé retenu, conservé, maintenu et souvent avec hargne. Même mes amours du passé que je tente de préserver... ces amours, ces beaux gestes d'amour et tous ces beaux souvenirs de tendresse avec tous ceux que j'aime. C'était bien beau, mais c'est fini, terminé! Ça n'existe plus. Ce qui peut exister, c'est l'amour aujourd'hui et demain, pas celui d'hier. C'est aujourd'hui que je peux aimer. Il en est de même de mes haines et de mes petitesses du passé. J'ai mal d'avoir été si petite et si mesquine à certains moments et avec des personnes que j'aimais tant. J'ai mal — ça me sert le ventre, mais je prends le mal et le mal passe. Ça aussi c'est fini, terminé — ça n'existe plus. C'est aujourd'hui ma vie et demain aussi. À quoi servent tous ces ressentiments et ces «il va m'le payer»? À quoi sert de retenir mes amours, de les enfermer comme dans une cage, de conserver ces bouts de papier, ces lettres d'amour? Pour forcer l'autre à m'aimer? Pour me garantir le cœur de continuer à l'aimer?». Anne-France pleure doucement. Tant de sa vie s'est coincée à prouver à ceux et à celles qu'elle aimait qu'elle les aimait vraiment, particulièrement à prouver à Sylvain qu'elle l'aimait en gardant ces souvenirs de lui (une petite lettre, un vieux paquet de cigarettes, etc.). Tant de ses énergies sont allées au service de se garantir l'amour de ceux qu'elle aimait. Tant de petits souvenirs conservés précieusement comme des fétiches qu'elle savourait seule, loin du regard des autres, et le cœur si proche de ses amoureux. Laisser aller tout cela, même les bonnes choses. Retenir le passé ce n'est que le passé, aussi beau fut-il! Il est bien correct ce passé mais en autant qu'il soit le passé et non envahissant du présent et bloquant l'avenir. Ils sont bien corrects ces cadeaux de Sylvain, mais pas pour enfermer le passé, s'y enfermer ou l'enfermer lui-même. Abandonner et laisser au pouvoir de la vie ce qu'elle, Anne-France, retenait. C'est aujourd'hui qu'elle vit, en ce Noël de neige. C'est maintenant qu'elle peut aimer, faire plaisir et rendre heureux. «Laisser Sylvain, mon amour, faire et dire et être ce qu'il veut, même s'il détourne son regard de moi, même s'il me blâme ou m'en veut et même s'il oublie tous nos serments d'amour et tous nos aveux de ce qui habitait nos cœurs. Moi, je peux l'aimer et continuer à l'aimer tout en me protégeant contre sa haine si jamais celle-ci advient.» Anne-France sent que la paix s'installe en elle. Elle se souvient de ses méfiances et de ses défauts tout autant que de ses amours et de ses tendresses du passé, mais c'est maintenant qu'elle vit — c'est aujourd'hui qu'elle aime et peut mieux aimer. Enfin, elle réalise qu'elle est seule avec tout ça — toutes ses découvertes de ce matin de Noël. «Avec qui pourrais-je vraiment partager tout ça — surtout que c'est encore tellement complexe et dense en moi que je n'arrive même pas à le voir entièrement avec mes propres yeux et encore moins avec ceux de mon cœur.» Elle est seule avec tout ça et c'est bien correct. Un jour, elle comprendra plus et en parlera peut-être à quelqu'un. Il y a 2000 ans et aujourd'hui, 1992, une petite crèche aux personnages d'argile — et voilà tout ce flot de vécus. «Jésus, tu n'es pas que de terre cuite. Tu n'es pas qu'un signe de ta vraie venue sur terre. Tu m'as «symbolisée» comme on allume un arbre de Noël — tout d'un coup! Tu m'as enrichie et unie dans l'amour et la haine — dans mes contradictions — et tu m'as aidée à trouver le goût d'aimer *aujourd'hui*. Le goût de faire plaisir et de rendre heureux ceux que j'aime, *là maintenant* et encore plus disponible parce que j'abandonne le passé — le beau et le moins beau — qui me retenait le cœur pour aimer entièrement aujourd'hui et pour faire entièrement ma part pour rendre ceux que j'aime heureux.» Elle se lève, et se met «entièrement» à préparer une tourtière pour ses invités du jour — le cœur plein de Sylvain.

Le mythe de la Nativité possède une qualité symbolique pour Anne-France. Il lui permet d'aller plus loin avec elle-même et de mettre-au-monde une partie d'elle qui était auparavant coincée en elle: celle qui l'empêchait d'être pleinement amoureuse de Sylvain car elle était liée (dans le sens retenue) par le thème de «conserver» son amour pour Sylvain (par les petits souvenirs, les petits «monuments»). Une partie de son énergie maintenant disponible à l'amour «passait» pour «retenir» diaboliquement Sylvain. Elle peut maintenant aimer regarder et contempler les «cadeaux» que lui a laissés Sylvain sans s'y retenir le cœur et sans retenir Sylvain par cette «fidélité» à ses cadeaux. La justesse symbolique que représente pour Anne-France le mythe de l'enfant-Dieu lui a permis d'unifier, d'harmoniser et d'intégrer son passé et son présent. À partir de ce mythe, elle a mis de l'ordre entre ses différentes dimensions — l'amour, l'action, le souvenir, l'espérance, le corps et le cœur. Plus harmonieuse et plus ordonnée, elle peut donc espérer continuer davantage ou encore vivre plus — être plus vivante parce que plus en continuité.

Ainsi donc, il est possible de départager les mythes des illusions — l'illusion ne fait ni avancer, ni dépasser mais pousse vers la régression, le retour en arrière; le mythe (dans ce cas-ci, la Nativité du Christ[67]) par sa qualité symbolique, est authentique parce qu'il sert la vie. Le mythe n'est pas magique, il demande au contraire que la personne s'implique directement et entièrement — non pas du bout des doigts, mais elle-même avec tout ce qu'elle est, y compris et peut-être particulièrement avec ses émotions. L'effet du mythe n'est pas de plus qu'instantané comme un feu d'artifice mais il a une qualité de permanence, c'est-à-dire qu'il change la personne ou plutôt, il aide à ce que la personne change, devienne meilleure, à savoir plus vivante. La magie ne règle pas les problèmes; elle amuse l'espace d'un temps — celui de son effet. Le mythe aide ce qui était lié à se délier et à se relier autrement à l'intérieur de la personne et au service de sa vie.

Quand le mythe fait peur: la résistance face au primitif

L'effet du mythe sur le développement de la personne et sur son utilité à la cause de la vie chez le vivant conscient soulève habituellement une grande résistance qui tient le plus souvent à ce que la personne se méfie du primitif en elle. Le mythe s'enracine dans le primitif, et la personne s'en méfie d'une part, parce qu'elle est d'une certaine façon très orgueilleuse du niveau atteint par son intelligence — friande d'explications causales et scientifiques de ce qu'elle est — et d'autre part, parce qu'elle craint, souvent avec raison, ce primitif en elle. Parce que même si le primitif à la base du mythe permet une identification qui mène au changement, le primitif est aussi à l'origine de bien des guerres, de la violence et de bien d'autres souffrances infligées à l'humanité. Ce qui était vrai hier l'est encore aujourd'hui

---

67. Certains préféreraient parler de la qualité mythique du fait historique de la nativité du Christ.

par exemple tous les drames passionnels et les tueries inutiles qui abondent quotidiennement à tort ou à raison dans tout magazine d'informations. C'est tout cela qui mène certains à estimer qu'il vaut mieux renoncer à ce primitif, le taire et l'occulter à jamais parce que l'espèce humaine a maintenant atteint un tel niveau de développement intellectuel qu'elle ne saurait faire une place aussi minime soit-elle au primitif en elle. Une telle attitude peut certes nous rassurer quant à notre capacité de penser et surtout de maîtriser le primitif par la pensée logique mais il n'en reste pas moins que d'occulter ainsi le primitif, de le nier globalement et totalement, c'est aussi en même temps assécher plusieurs racines de l'énergie vitale et de la passion de vivre. La personne pour vivre et investir sa vie a aussi besoin de son primitif et même des démons qui s'y logent.

> Louis-Philippe aime sa femme et ses enfants. Il le sait clairement et il le prouve par sa constance à son travail pour les nourrir, les vêtir et les loger. À tous ceux qui l'interrogent sur le sens de sa vie — la réponse est claire, articulée et logique. «Ma femme et mes enfants, voilà le sens de ma vie — leur bien-être et leur sécurité». Ce qui l'étonne pourtant, ce sont ces images affreuses qui lui montent à la tête quand sa femme le contrarie dans ses projets. Il se voit alors la bousculer, l'écraser sur un mur, la faire disparaître de sa vue. Il frissonne de se voir avec une telle contradiction — une telle violence — puis il explique cette bouffée de violence par le vin qu'il a bu ou par l'entêtement de sa femme et même par l'animal en lui: «Ce n'est pas grave», se dit-il, «je suis si raisonnable que je ne ferais jamais une pareille chose. La preuve c'est que je m'explique à moi-même la cause de cette violence — je peux donc la maîtriser». Mais il sait qu'à la suite de ces bouffées et de ses explications, il passe plusieurs jours sans passion pour sa femme, sans désir pour son beau corps, sans goût pour elle. Et cela, il n'aime pas trop, mais il se console: «La routine», se dit-il, «ce n'est pas grave ces pertes de désir — c'est la routine de la vie».

Le primitif qu'utilise le mythe ne peut pas disparaître de la personne puisqu'il est autant ce que nous sommes que nos plus belles découvertes scientifiques ou nos amours les plus généreuses. Le primitif *doit* vivre. Il doit vivre en la personne pour que la vie puisse continuer — pour que l'espèce des vivants conscients puisse s'améliorer et se développer et pour que l'homme et la femme comme individu puissent mieux participer à cet effort collectif du mieux vivre et croître par leur goût de vivre. Par la conscience, le primitif s'intègre à la personne. C'est effectivement justement à cause de cette haute capacité symbolique qu'est la conscience (intelligence, humour, prospective et finalité, expression artistique) que le primitif en nous peut s'intégrer. Le primitif se marie avec le raisonnable[68] ou la conscience.

---

68. L'explication du mythe en termes raisonnables — pour justifier une théorie ou une hypothèse ou pour le plaisir de l'esprit ou par besoin de se sentir sécurisé par le «contrôle» de l'intelligence — ne constitue pas, en soi, une embûche au développement humain. Ce qui devient conflictuel, c'est l'arrêt du mouvement vital par l'explication; ce qui risque de bloquer chez celui ou celle qui explique (par son mythe ou son symbole ou sa fantaisie), c'est son mouvement vital — par exemple «Y-a-rien-là! Puisque j'explique et que j'ai placé en termes raisonnables le "démon" dans la cage de la logique — eh bien, je n'ai plus "rien à faire" avec ce mythe, ce symbole ou cette fantaisie». Le mythe perd alors sa vitalisation pour continuer la vie et la personne. Il y a STOP; ARRÊT du mouvement vital. Celui ou celle pour qui le symbole (ou le mythe ou la fantaisie) est expliqué au nom de la «science» (du raisonnable ou du bien de la théorie) peut s'arrêter,

Toute personne peut sentir la force et le pouvoir de cette intégration primitif-conscience en autant que ni l'un (le primitif) ni l'autre (le raisonnable, la conscience) ne soit exagéré au détriment de l'autre et ne serve pas plus l'un que l'autre à nous définir ou à nous identifier complètement. Le détachement de soi-même, l'humilité de nos prétentions ou l'humour sur nos excès de passion ou sur nos aveux de pureté et d'honnêteté — tout cela peut nous servir à calmer le primitif en nous pour lui permettre plutôt d'être au service de la vie et du vivant.

Il ne faut pas craindre que le simple fait de se laisser atteindre par le mythe déchaîne le primitif en nous. Etre sensible au mythe et y voir l'occasion de mieux connaître sa propre expérience et alors d'y découvrir une voie possible à l'ébauche d'un sens à vivre ne peut pas mener à l'envahissement par le primitif, car — et si ce n'est pas cela, il faut que cela le devienne — la personne est capable de conscience sur elle-même. Plus le primitif en nous est filtré et intégré par la conscience, plus la petite personne primitive en nous devient humble, sereine et pointée sur la vie.

Tenter d'expliquer le mythe constitue une des manières privilégiées de la conscience pour apprivoiser le primitif en nous — l'explication causale est une des plus belles acquisitions de l'humanité. Mais il ne faut cependant pas se méprendre. L'explication du mythe, ce n'est pas croire avec fatuité que nous avons muselé et domestiqué le primitif. L'explication par la conscience intègre le primitif à l'ensemble de l'expérience, mais jamais elle ne saurait le mater, et si par miracle elle y parvenait, ceci ne rendrait aucunement service à la personne et à son développement. Le primitif dans le mythe, mais aussi ailleurs, sert la vie.

Si l'explication par la conscience est bénéfique pour la personne c'est parce qu'elle permet justement d'approcher le primitif et de le transformer en le mettant au service de la personne. Par son pouvoir, l'explication permet de *dé-terroriser*. Le primitif, l'explication l'approche souvent encore plus de nous-mêmes. L'explication nous permet encore plus de profiter de sa charge énergétique pour mieux vivre et mieux nous développer — cela autant dans la passion de vivre que dans la bonne forme — mais si, et seulement si, nous acceptons de laisser tomber nos

se couper du flot de vitalité que lui procure son mythe, sa fantaisie, son symbole. Il y a rupture, discontinuité de la personne avec elle-même et ses ressources quand elle prend, sans sourire et sans détachement, l'explication donnée par l'autre — le clinicien, le théoricien, l'intellectuel — et cela lui crée souvent beaucoup de souffrance, de peine et de misère, psychologique ou morale. Dans certaines écoles thérapeutiques et peut-être lorsque la théorie passe avant l'aide à offrir — le diagnostic joue ce rôle de couperet, de guillotine tant pour le thérapeute que pour la personne à aider. Ces thérapeutes auraient avantage à ne pas trop se prendre au sérieux et ainsi se montrer capables d'humilité et de relativiser un peu leur diagnostic. Quant à la personne diagnostiquée, elle pourrait, tout en tirant profit du diagnostic pour la connaissance d'elle-même, d'une certaine façon s'en détacher et surtout, refuser de s'y laisser enfermer. Elle aurait là au moins l'avantage de conserver intègre la vitalité qui émerge de son mythe, de son symbole ou de sa fantaisie. Ainsi, plutôt que d'arrêter la vie, l'explication pourrait fournir plus d'énergie au vivant conscient et alors lui permettre de *continuer* encore plus.

défenses trop rigides et nos prétentions toute-puissantes qui nous portent à tort à croire que nous devons à tout prix le contrôler en le matant.

Pour que le sens à vivre soit ressenti comme approprié

L'analyse de la quête ou de la découverte d'un sens à vivre nous permet-elle de préciser les frontières et les balises qui font que la personne peut sentir ou pas que son sens à vivre lui est approprié — approprié à elle et à ses ressources. Le sens à vivre sera approprié et bien ajusté à la personne, s'il est continu, réel et réalisable, c'est-à-dire pas un rêve impossible ou une tâche incommensurable[69]. La personne peut reconnaître que son sens à vivre lui appartient — qu'il est vrai, réel et qu'il lui est approprié — s'il conduit à des choses concrètes, à des comportements et à des conduites pratiques et réelles; si la personne éprouve un sentiment de bien-être lorsqu'elle conscientise son sens à vivre; si le sens à vivre ressenti est extensif, large et englobant. Le sens à vivre est approprié à la personne dans la mesure où il porte à des choses bien concrètes; cela signifie particulièrement que, par son sens à vivre, la personne en vient à choisir et à décider — faire des choix et prendre des décisions qui dirigent la conduite quotidienne de sa vie. Son sens à vivre la porte à agir, et ses comportements font référence et sont liés aux différents thèmes de son sens à vivre.

Tout réflexif depuis quelque temps devant le mouvement et le changement de la vie, Charles se sent le cœur en fleurs dans ce printemps débordant. Il bouge dans sa tête toutes les nuances du mouvement de la vie — le printemps et le renouveau, l'automne et le retour sur soi-même au chaud des maisons, l'été et l'éclatement de toute la nature, l'hiver et le combat contre ses éléments. Puis il revient au printemps qu'il voit et respire — qui est là. C'est le renouveau, le commencement et le réveil du sommeil de l'hiver. L'herbe se colore, les dernières traces de neige fondent lentement, le soleil change sa présentation. Tous ces petits détails concrets lui sont nécessaires pour qu'il *sente* vraiment le printemps. De la même façon, le renouveau qu'il désire et qu'il veut effectuer dans sa vie doit passer par une série de détails de comportements et d'attitudes. Il écrit: «En ce renouveau de saison, je veux m'établir un programme de vie. Au départ, j'aimerais retrouver ma constance et ma détermination à mener mes affaires; cela doit se réapprendre, s'installer et se conserver. Les principaux obstacles à ces deux attitudes sont, en fait, une certaine morosité, une perte de goût d'avancer, une descente et une faiblesse de motivation. Ce sont des obstacles que je dois accepter d'affronter dans le concret de leur vécu, lorsque je les ressens. Je m'arrêterai alors sur les indices de la situation qui les suscite — par mes mauvaises habitudes, etc. — jusqu'à ce que je puisse les faire disparaître. Il y a de plus, dans l'ensemble de ma vie comme des choses à terminer, des Gestalt à compléter, par exemple mes relations nombreuses mais qui piétinent et ne s'installent pas. Les femmes que j'ai aimées et que j'aime qui n'osent pas s'impliquer et qui se donnent à moitié — je suis là, à attendre leur don et leur implication. J'investis du temps et de l'énergie dans certaines de ces relations mais pour obtenir quoi? pour vivre quoi? Dorénavant, les relations qui ne m'apportent rien, je les termine. Ensuite, je veux reprendre une forme corporelle en cessant les abus de travail et de cigarettes — et, le plus tôt possible. Je tenterai de mieux m'alimenter — d'une

---

69. «Une grande part de notre sentiment des choses, en définitive, dépend de la façon dont nous les considérons et non de ce qu'elle sont en elles-mêmes. Une petite chose sensée est bien plus digne d'être vécue qu'une grande entreprise dépourvue de sens». Jung (1976), p. 119.

façon plus équilibrée et je commence tantôt avec mon épicerie de la semaine. L'exercice corporel, je le veux plus constant et plus équilibré. Par exemple, je vais à pied et je reviens à pied avec mes gros sacs d'épicerie.

Un autre domaine, c'est mon style avec les autres — je veux changer ce style pour m'axer plus sur «me faire plaisir». Quant au temps, je veux donner du temps et tout le temps nécessaire à faire des choses que j'aime. Il m'importe de cesser de toujours conserver que les dernières minutes pour faire ce que j'aime, moi. De toute façon, c'est une fausse générosité que de donner son temps sans d'abord s'occuper de *prendre* son temps. Par exemple, j'aime l'ordre et la propreté de mon appartement; cela prendra tout le temps que j'ai besoin pour le faire cet ordre et cette harmonie de mon intérieur.

Beaucoup de cette attitude de donner de mon temps sans compter, repose sur mon attitude de me laisser évaluer par le contentement des autres: «Les autres sont contents de moi — alors je suis bien». Il n'en est plus question. Content, pas content, je brise ce style de me laisser évaluer trop facilement par les autres — du moins j'y travaille et y travaillerai sérieusement.

Une autre chose qui m'importe, c'est de voir avec plus de précision mon budget et mes finances — cela se programme comme tout le reste. Si je dois gagner plus, je m'organiserai pour plus gagner; si je dépense trop, je m'arrangerai pour moins dépenser. Les hommes d'affaires qui ne sont pas tous des «têtes à Papineau» y arrivent bien — pourquoi pas moi?

Quant aux situations vitales qui m'entourent, je veux identifier avec plus de précision les conditions du milieu et de ma posture intérieure qui favorisent ma sérénité et ma paix. De là, je veux m'organiser pour les retrouver plus souvent, au mieux de mes possibilités. Je veux aussi trouver une manière d'être avec les autres qui maximise l'énergisation de mon intérieur plutôt que l'évidage d'énergie et la fatigue psychique.

En somme, je veux asseoir en moi, avec plus de solidité et de fermeté, ce que je suis et ce que je veux être.

Ainsi le sens à vivre ne flotte pas au-dessus de la personne mais se ressent comme un déploiement qui touche toutes les facettes de sa vie: il s'agit d'un sens *pour* vivre, et le vivant imprègne toute la personne, particulièrement dans le concret et le réel de son être-là (Dasein).

Pour que le sens à vivre soit ressenti comme vrai et approprié, il faut également que la personne — lorsqu'elle contacte son sens à vivre — éprouve un sentiment de détente et de relaxation dans l'ensemble de son organisme. Et alors, le plus souvent, la volonté cesse de se cabrer, le corps perd sa tension, l'intelligence se calme et l'imaginaire cesse sa ronde folle:

«Une grande vérité crée dans celui qui la distingue un sentiment général de détente et d'épanouissement». Jung (1962), p. 302.

Toucher au sens de son existence, du «pourquoi vivre», et pointer juste sur ce que nous sommes et sur ce que nous voulons devenir ne peut pas être, répétons-le, qu'une tâche intellectuelle — tout l'organisme y participe, particulièrement nos racines primitives, biologiques et corporelles. En d'autres mots, c'est ce que Jung appelle le saurien en nous.

«Une vérité qui ne fait que séduire mon intellect, qui ne fait que me tourner la tête, sans tenir compte du saurien en moi, est une piètre vérité».   Jung (1962), p. 302.

À moins que la personne s'amuse à la surface de ses mots, à leur brillance comme dans un exercice purement littéraire ou à la texture de ses concepts, lorsqu'elle rejoint son sens à vivre, elle est secouée tout entière et après ce choc, la détente suit: elle sait qu'elle sait.

Depuis que Louise fouille sa vie à la recherche d'une nouvelle direction à suivre, elle passe de longs moments à réfléchir, à méditer sur elle-même et à écrire ce qu'elle ressent. Tout cela l'aide bien, mais rien de solide ou de dense n'apparaît. Elle ne se décourage toutefois pas. Elle continue, et à tous les jours, elle s'accorde du temps pour ce travail sur elle-même et particulièrement pour comprendre ses amours malheureuses. Analyser les pourquoi, les comment et les circonstances de ses amours, lui apprend bien des choses sur elle-même, mais pourtant elle n'arrive pas à défaire cette tristesse fondamentale qui ne cesse de l'accompagner. Un jour, en observant le travail répétitif d'une hirondelle qui colligeait des brindilles de paille pour fabriquer son nid et qui, inlassablement, prenait son envol et revenait à nouveau fouiller les herbes et transporter des brindilles, Louise se dit: «Elle est bien courageuse cette hirondelle de construire toute seule son nid». Puis, tout d'un coup, comme sur-prise (prise et tirée vers le haut), elle ressent sa découverte: «Ah[70]! C'est bien ça mon affaire — toute ma vie, j'ai cherché à ne pas être seule pour construire mon nid! Toutes ces amours pour me garantir de ne pas être seule pour construire mon nid et pour vivre ma vie. Et pourtant je suis *seule* pour vivre. Je demandais à ces amours ce qu'elles ne pouvaient pas me donner, c'est-à-dire de me remplacer pour vivre. Tout comme cette hirondelle, je construirai seule, dans l'effort et la constance, mon nid dans *ma* vie». Dorénavant, elle cherchera à découvrir toutes les richesses de sa solitude comme tout le bien-être de se donner la vie à elle-même. Elle a ressenti toute une détente et une sérénité s'emparer d'elle — elle s'abandonnait à sa découverte, et sa tristesse languissante n'existait plus. Puis, lentement elle a senti monter en elle le goût de vivre: faire l'amour, se faire plaisir et prendre du plaisir.

Toute expérience vitale peut en elle-même servir de tremplin pour découvrir sa vérité et son sens à vivre. C'est avant tout par sa qualité émotive qu'un sens à vivre authentique se distingue et se reconnaît. C'est le sentiment de bien-être et de détente que la personne éprouve en contactant son sens à vivre qui en indique la qualité et l'authenticité.

«Il ne s'agit pas d'enseigner... une vérité (on n'atteint ainsi que la tête, l'être pensant), c'est (la personne) elle-même, au contraire, qui doit, en se développant, se hisser à cette vérité; ce qui atteint le cœur, émeut l'être entier et jouit d'une toute autre efficacité.»
(Jung, 1962, p. 253)

Le *sens à vivre* bien enraciné dans la personne et bien pointé sur la *vie* suscite donc en la personne un sentiment de bien-être. Il est bon à ressentir ce *sens* — il est satisfaisant (ou satisétant)[71]. Ce sentiment de bien-être (être bien et plein) résulte de ce que le sens à vivre utilise ou permet que la personne utilise toutes ses ressources: son corps, son émotif, son cognitif et son intelligence, sa mémoire, son imagination et sa fantaisie. Lorsqu'une personne ressent cette pleine utilisation d'elle-même et qu'elle expérimente combien il est bon et utile d'être ainsi (de corps,

---

70. L'expression du «Ah!», c'est l'expérience de la découverte, de la trouvaille, de ce que l'on cherchait avec tant d'intensité — l'«eureka» moderne (voir May, 1958). D'autres expressions aussi synthétisent des mouvements intérieurs importants. Par exemple, l'expression du «Bon!»: l'expérience de l'étape, du tournant, du virement intérieur — celui qui fait sentir que l'on passe à autre chose; le «Ah ben maudit»: l'expérience de la fin de quelque chose et d'une nouvelle direction plus affirmative.

71. Satisétant — à savoir que tout l'être de la personne en est habité. Voir Bureau, J. (1979).

de cœur et d'esprit) au service de son sens à vivre, elle déborde de satisfaction et de bien-être — de satisfaction et de bien-être parce que — et en autant que — elle réalise que ce corps, ce cœur et cet esprit sont d'elle, lui appartiennent, et qu'en cela son sens à vivre s'actualise, se traduit dans la réalité, dans la parole et dans la conduite. Son sens à vivre lui appartient. C'est elle qui réalise — met dans la réalité — son sens à vivre. Elle le sait et elle sait alors que son sens à vivre lui est approprié et qu'il lui est adapté, à elle mais aussi à son milieu et aux autres.

Dominique a toujours soutenu des «causes». Durant ses études en médecine, il défendait avec acharnement la cause des étudiants face aux autorités de l'Université alors que ses confrères en médecine avaient bien d'autres soucis. Jeune médecin, il soutenait la médecine pour les pauvres, l'accès de ceux-ci à tous les services de la médecine et les soins gratuits. Plus tard dans sa vie, vers l'âge de 40 ans, il se propose comme le défenseur de la médecine douce vs la médecine traditionnelle — encore une fois à l'encontre de ceux de sa «gang», les médecins de 40 ans. À 50 ans, il est fatigué de tous ces combats et se demande où va sa vie? Bien sûr qu'il est content des acquis — mais à 50 ans, on n'éprouve plus autant de vigueur et de plaisir à parler en public, à se faire la «voix qui crie dans le désert». Dominique cherche un nouveau sens à vivre — un sens qui intègre tous les autres antérieurs, et là, deux thèmes lui reviennent: d'abord, il s'est toujours opposé à ceux de sa «gang»: les étudiants en médecine, les jeunes médecins bourgeois, la médecine traditionnelle; deuxièmement son allure de sauveur qu'il voulait toujours conserver, surtout face aux femmes! Il s'étonne et pourtant, il sait très bien qu'il a toujours porté en lui ces deux poids: l'opposition et le sauveur. Il sourit de se «démasquer» ainsi. Puis, il commence à ressentir comme un bien-être — celui de réaliser profondément qu'il n'a pas besoin de s'opposer à ses confrères, il pourrait peut-être profiter plus de leur collaboration et de leur travail pour la santé des gens (s'il a vraiment le goût de s'opposer, il peut toujours s'opposer à lui-même). Puis ensuite, pourquoi être sauveur? surtout des femmes? Elles sont bien capables de se sauver elles-mêmes. Elles sont fortes et solides en autant qu'on ne les infantilise pas. Il est bien devant ce constat. Il n'a plus à jouer le rôle de chevalier blanc. Il est correct comme homme, ordinaire mais correct. Pourquoi toutes ces causes pour sauver les femmes? pour les libérer ou je ne sais quoi? Elles se libèrent suffisamment par leurs propres moyens — ce ne sont pas des enfants démunis les femmes, ce sont des adultes. S'il manque de médecins parmi elles, qu'elles étudient pour le devenir et elles s'occuperont bien alors de leur santé — des causes comme l'avortement ou la lutte entre le biberon et le sein pour le lait des enfants. Son corps se détend de plus en plus. Ce qu'il veut vraiment, c'est utiliser toute sa médecine, tout ce qu'il a appris en médecine et dans ses travaux et en faire profiter les autres — voilà! — tout ce qu'il a comme ressources médicales et humaines. Il est content. Oui, c'est ça, ce qu'il veut vraiment — c'est réussir par ses talents et son travail à faire une meilleure médecine québécoise, la plus rigoureuse et la plus aidante pour la santé des gens. Il s'allume un bon cigare et il sait maintenant qu'il trouvera de nouveaux moyens pour que sa part dans l'édification d'une bonne médecine, complète et précieuse, s'installe.

À chaque fois qu'une personne réalise qu'elle favorise la vie, qu'elle permet que la vie continue encore plus, elle ressent une profonde satisfaction. C'est une satisfaction qui origine de ses viscères et de son système limbique pour s'irradier partout en elle: elle est vivante et contente de l'être, et surtout de voir qu'à sa façon, elle participe à la vie. Le sens à vivre baigne dans l'émotif et l'affectif, et le rejoindre émeut et transporte la personne.

L'authenticité d'un sens à vivre se reconnaît finalement à son extensibilité. Un sens à vivre n'est jamais monocorde — il n'apparaît jamais que sur une seule facette à la fois. Dès qu'il émerge à l'intérieur de la personne, son effet se fait ressentir dans tout ce qu'elle est. L'émergence d'un sens à vivre irradie toute la personne et l'aide ainsi à harmoniser et à intégrer tous ses paradoxes; son intérieur et son extérieur; son émotif et son rationnel; sa contemplation et son action; ses anges et ses démons... Ainsi, s'il n'y a qu'une seule idée ou qu'un seul thème et qu'elle ou il obsède la personne, il y a davantage de risque que ce soit une idéologie et son absolutisme qui soient en train de naître chez cette personne plutôt qu'un véritable sens à vivre. Une idéologie activée par un archétype sert rarement l'individu puisqu'elle existe le plus souvent davantage pour le bien de la collectivité. Face au thème et à l'idée, il importe de bien les sentir en nous — surtout dans leurs aspects exigeants et absolus liés à notre complexité d'humain — pour ensuite s'en détacher lentement avec un sourire intérieur celui de la satisfaction de les avoir cernés et identifiés. Il y a un tao de l'existence[72] qui suit la naissance d'un sens à vivre.

> Réjean réfléchit aux objectifs de sa vie et tente de cerner encore plus son sens à vivre. Son sens à vivre lui apparaît clairement, global et stimulant: prendre encore plus de vie: «Il y a d'abord à intégrer mes parties et vivre plus intégré pour prendre plus de la vie». En réfléchissant à cela, il s'étonne de constater combien son sens à vivre touche en fait à tout ce qu'il est: «Il y a à écrire et maximiser aussi, pour moi et pour les autres, l'expérience que j'ai de vivre. Il y a à exprimer et communiquer et me faire comprendre des autres — sur ce que je vis, ce que je comprends, ce que je valorise. Il y a à vivre dans ma maison et me développer un coin de terre à la campagne pour profiter encore plus de la nature. Il y a synthétiser et comprendre plus la vie, ses nœuds et ses possibilités. Il y a aussi l'ordre et l'harmonie de mes dimensions et de celles de mon milieu. Enfin, il y a la satisfaction d'avoir actualisé les potentialités en moi, d'avoir réalisé ma vie — de me rendre plus réel.» Et là, il ressent une grande paix dans toutes ses facettes de vivre. Il est satisfait.

Besoins primaires et besoins secondaires: la vie moderne

On cherche un sens à vivre pour vivre mieux et plus et prendre plus de satisfaction à vivre. Mais de quel ordre de satisfaction s'agit-il? À quel besoin répond-t-elle? La recherche et le besoin de trouver un sens à vivre s'inscrivent au niveau des besoins secondaires et supérieurs (comprendre, congruence, autonomie, développement) une fois que les besoins primaires (nourriture, sommeil, chaleur, sécurité) sont répondus.

Si dans le contexte du monde contemporain, de nombreuses personnes sont aux prises avec des sentiments de perte, d'absence ou encore de fadeur du sens à vivre, c'est en partie parce que, pour la plupart, les besoins primaires sont répondus et qu'alors le simple fait d'assurer sa survie ne peut plus tenir lieu de sens à vivre. Face à cela, la personne peut bien sûr déprimer ou désespérer mais comme elle est vivante et que le propre du vivant est de continuer, la personne se retourne plutôt vers la réponse à ses besoins secondaires et supérieurs desquels fait partie le besoin d'un sens à vivre.

---

72. «Le tao désigne d'une part un état contemplatif atteint par la réflexion et la méditation, fait en grande partie d'équilibre intérieur et d'autre part, un état métaphysique, un ordre profond des choses.» Cahen dans Jung (1962), p. 306.

Jadis, celui qui engageait toute sa vie à se nourrir et à nourrir les siens, à cultiver la terre et à la faire fructifier pour que la nourriture abonde avait rarement des crises du sens à vivre. Rarement, se demandait-il pourquoi cultiver son champ? Il le savait viscéralement puisqu'il s'agissait du besoin primaire de se nourrir. De nos jours, la nourriture est toute prête — et il ne s'agit que de la mettre trois minutes dans le four micro-ondes pour avoir ses repas tout préparés, tout cuits, tout digestibles. Il en est de même pour les autres besoins primaires. Lorsque la survie est ainsi assurée, toute la place est disponible pour le développement des besoins supérieurs — les besoins supérieurs fleurissent et parallèlement et proportionnellement, la quête d'un sens à vivre. C'est évidemment en même temps l'espace de la liberté, et celui des choix — avec tout ce qu'ils comportent de risques mais aussi de satisfactions.

Louis réfléchit à cette phrase qu'il vient de lire: «Free time is problematic because it thrusts freedom upon us»[73]. Autant il désire ses fins de semaine et ses vacances, autant il les sait source d'angoisse et d'ennui depuis que sa femme et ses enfants l'ont quitté. C'est vrai qu'il est libre — même libre de ne plus s'occuper de sa femme et de ses enfants — libre de sortir, de rencontrer des amis, de courtiser des femmes, de faire du sport, de se lever à l'heure qu'il veut — et d'une certaine façon, il adore sa liberté. Pourtant, que de souffrances il a connues dans l'ennui et l'angoisse de ne plus être aimé par ceux qu'il aimait. Dans le déchirement du départ de son épouse, il a reconquis sa liberté — la liberté chérie de sa jeunesse — laquelle traîne avec elle son isolement et son ennui.

Lentement, il a commencé à donner un nouveau sens à sa liberté. Plutôt que de la voir comme une condition à ne pas être responsable des autres, il la considère comme un privilège pour mieux s'utiliser et pour particulièrement développer davantage sa créativité. C'est vrai que depuis qu'il étudie les roses, qu'il tente de nouvelles variétés en croisant les espèces, il souffre moins d'angoisse. Ce n'est pas seulement qu'il a moins de temps pour s'ennuyer — c'est qu'il s'offre à lui et à l'humanité, de «nouvelles» roses. Il participe à toutes les expositions des «amis des roses» et même qu'on parle de lui, dans une récente publication de l'association des Fleuristes.

Le développement de la technologie moderne a permis à la personne de se libérer de plusieurs contraintes. La personne est libre, du moins plus concrètement[74] libre qu'elle l'était, et c'est aujourd'hui qu'elle doit assumer cette liberté nouvelle. Si on ne prend par exemple concrètement que le domaine du travail, lorsque toute une culture s'achemine vers la semaine de travail de quatre jours — la nouvelle liberté risque d'en effrayer plus d'un. Que feront-ils de leur temps libre? Sombreront-ils dans la paresse ou le désœuvrement? Il est possible que collectivement un certain désœuvrement, un ennui et une fadeur s'écrasent sur l'humanité et que cet obscurcissement soit détergent sur le sens à vivre[75].

---

73. «Le temps libre (le loisir) est source de problèmes parce qu'il nous investit de liberté». (Traduction par l'auteur de Yalom (1980), p. 448).

74. La liberté d'employer son temps, de choisir ses activités n'est pas la liberté profonde et existentielle de vivre ou de ne pas vivre, de faire sa vie ou de l'attendre d'ailleurs. Cette dernière liberté est encore plus difficile à assumer et à intégrer.

75. Les gens peuvent éviter cet ennui, du moins en partie, s'ils définissent *eux-mêmes* leurs occupations plutôt que de s'attendre à ce que la collectivité le fasse. La liberté qui «nous tombe dessus» a aussi l'avantage de nous renvoyer à nous-mêmes et de nous permettre de contacter en nous nos anges et nos démons — c'est de ce contact que l'énergie vitale émerge pour nous aider à nous «occuper» de ce que nous avons à investir et à créer.

Nous arrivons en fait à un autre des nombreux paradoxes humains: l'être humain contemporain, comme personne et comme espèce, a besoin de la perte d'un certain sens à vivre et de toute la souffrance et de toute la détresse qui lui sont rattachées pour pouvoir trouver un sens à vivre et bénéficier du bien-être qui lui est relié. En d'autres mots, le paradoxe est le suivant: pour trouver un sens à vivre, il faut accepter de le perdre. Chaque personne, et à grande échelle l'humanité, doit effectivement éprouver individuellement et collectivement ce désespoir pour développer, inventer, découvrir de nouveaux sens à vivre et ainsi permettre à chaque personne et à l'humanité de continuer avec encore plus de richesses et de ressources.

Même si à certaines périodes — souvent particulièrement pénibles — de notre vie, il est fortement tentant de revenir en arrière et de vivre comme jadis simplement en réponse à nos besoins primaires[76], il n'en demeure pas moins qu'il n'y a pas, à long terme, de solution dans ce retour en arrière — dans ce refus de la technologie. Régresser totalement dans la facilité «à vivre» que procure la vie moderne comme d'ailleurs la refuser entièrement ne représentent pas plus une solution à long terme. Tout dépend de ce que la personne fait de cette facilité et, au mieux, elle doit parvenir à l'intégrer à l'ensemble de sa façon de vivre. La réponse aux besoins primaires (nourriture, chaleur, sécurité, santé physique, etc.) étant facilitée par le développement de moyens techniques, la personne peut en profiter et y goûter à plein en se réservant des moments privilégiés de détente, mais aussi cela lui permet de contacter ses autres besoins, dits supérieurs, c'est-à-dire ceux de l'ordre et de l'harmonie, de l'amour, de l'honnêteté, de la congruence et de la beauté.

> Dimanche après-midi, André a fermé le son de son appareil T.V. Il regarde distraitement une partie de football américain, il ne suit pas vraiment la stratégie des jeux mais plutôt les formes et leur déploiement: ces hommes «padés» qui se regroupent, s'alignent et se lancent ensuite dans toutes les directions; ces courses, ces sauts, ces attrapés et leur élégance, leur beauté. Il a l'impression d'assister à un ballet moderne: le corps humain qui se déploie, s'étend et se reprend. Il réalise la beauté de ces mouvements, le courage de ces hommes qui poussent leurs corps pour atteindre des formes et des possibilités encore plus grandes. Il pense aux envols de canards sauvages l'automne à son chalet — à toute la beauté de leur alignement et de leur mouvement. Il réalise clairement qu'il ne veut rien perdre de la beauté — celle des gens, des choses, etc. Bien sûr que ce jeu de football peut sembler inutile à plusieurs — «de grands garçons qui s'échangent un ballon — il doit y avoir d'autres choses à faire dans la vie». Pourtant, André sait bien qu'il aime regarder une bonne partie de football — qu'il y découvre une beauté et une harmonie tout comme ses longs moments passés à suivre du regard les vols de canards sauvages. Tout ça lui réchauffe le cœur et l'âme — il se sent encore plus prêt pour reprendre son travail d'ingénieur le lundi matin.

Ainsi, d'autres valeurs naissent; de nouvelles beautés et de nouvelles harmonies apparaissent — l'humanité a sans cesse besoin de sens à vivre, et ce n'est pas l'utilité, la «fondamentalité»[77] et la pratique qui peuvent lui servir de critères.

---

76. Après ses disputes avec Freud, pendant quatre années, Carl Jung a vécu dans sa maison de campagne en taillant son bois, cuisinant sa nourriture et en se réconciliant avec ses racines terriennes (Jung, 1973).

77. D'ailleurs, la «fondamentalité» est toujours en rapport avec ce que l'on privilégie. Pour certains, il peut sembler fonctionnel de déblayer la neige des routes pour permettre d'accélérer la vitesse des automobiles; pour d'autres, c'est inutile parce qu'ils croient que le soleil vient à bout de la neige et que de toute façon, les routes déblayées favorisent la vitesse et donc augmentent le risque d'accidents et de mortalités.

La technique moderne éloigne souvent la personne des bases de la vie — la nature, les champs, l'agriculture — elle met comme un écran entre les caractéristiques de la vie et celles du vivant qui est la personne. Il était plus facile de se sentir proche de la vie et de trouver son sens à vivre quand la communion entre nos propres caractéristiques comme vivant et celles de la vie autour de nous était plus directe — par exemple, lorsque nous cultivions nos champs, cuisinions notre pain et nous nous prolongions dans le futur par nos nombreux enfants. Cet éloignement typiquement contemporain des bases de la vie qui nous entoure ne constitue toutefois pas un obstacle insurmontable — il peut même être au contraire très utile à la recherche d'un sens à vivre. Cet éloignement joue le rôle d'une résistance qui énergise les efforts de la personne pour découvrir ces nouveaux sens à vivre.

Le besoin de résistance, ou la lutte, la bataille et le combat

Pour qu'un vrai sens à vivre émerge de la personne, et qu'alors il puisse être source de goût de vivre, il faut effectivement qu'il se développe et s'aménage à partir d'une résistance. Les résistances sont multiples et variables quant à leur forme et à leur manifestation mais fondamentalement elles renvoient toutes au combat essentiel que tout vivant doit mener, c'est-à-dire un combat contre tout ce qui n'est pas être et vie — être vivant: le désespoir, le non-être et ultimement la mort. De tout ce qui s'approche de près ou de loin du non-être et de la mort, la résistance naît et de son combat l'énergie suffisante à l'émergence du sens à vivre. Par la résistance, le sens à vivre s'aiguillonne et s'énergise parce qu'il ne coule plus ou ne glisse plus sur le réel, ou à l'intérieur de la personne. Mais il s'investit dans le réel et dans la personne — une véritable synergie alors s'installe entre la réalité et le sens à vivre de la personne. La résistance, le combat, la lutte, le dialogue et même la conversation impliquent l'échange dans la résistance et, c'est de là que le sens émerge.

Tout habité par la mort prochaine de son frère qui est atteint de cancer généralisé, Paul cherche par tous les moyens à prolonger la vie de celui-ci. Il consulte à droite et à gauche. Il demande de nouveaux examens. Il tente de stimuler son frère à vivre. Il lui propose des étapes, un congé prochain, une visite ici. Il encourage sa famille et ses propres frères à le visiter à l'hôpital. Il se bat avec une énergie du désespoir pour arrêter la mort, même contre la volonté de sa famille proche qui semble, selon lui, l'avoir acceptée trop vite. Puis là, à bout de souffle, il n'y a plus rien à faire. Paul épuisé regarde son frère décharné et fatigué de vivre et il pleure — il a perdu le combat contre la mort, la mort inexorable de celui qu'il aime. Puis son frère croise son regard et lui dit: «Paul, cesse de te battre — c'est ma vie et c'est O.K. — je me soumets; toi aussi soumets-toi». Paul ressent une grande détente de tout son être: la saison des luttes est terminée et il relâche toute l'énergie pointée contre la mort. «J'ai fait tout mon possible», se dit-il. Puis là, de cette détente monte lentement en lui le thème de la tendresse — une immense vague de tendresse — tendresse pour son frère, sa femme et ses enfants qui, eux, ont à continuer. Il doit les assurer tous de son amour. Paul est en paix. Il est à nouveau tourné vers l'avenir mais d'une façon différente — plus sereine, et tout décidé à faire de la tendresse pour sa famille un de ses sens à vivre. Il sait profondément qu'il avait besoin de se battre avec la mort, même si aujourd'hui cela lui semble avoir été des efforts inutiles. Il avait à se battre pour qu'émerge son goût d'échanger la tendresse. Avant sa lutte, les paroles de son frère sur la soumission ne l'aurait pas atteint aussi profondément. Elles n'auraient pénétré en lui que comme un glaive qui coupe les amarres et laisse à la dérive — à l'abandon. Aujourd'hui, après le combat, ces paroles ont semé du sens. Il est un peu plus sage de ce combat et de cette soumission — et les choses de sa vie prennent un nouveau visage: celui de la tendresse, et de sa force.

Dans le cas de Paul, le sens à vivre nouveau réside dans son histoire personnelle — et c'est souvent là qu'on trouve — mais l'histoire collective peut aussi parfois jouer ce rôle et avoir le même effet. Ainsi, le retour aux combats et aux beautés anciennes — comme aux valeurs anciennes, aux formes anciennes de penser, de fabriquer la beauté, de comprendre la vie et les humains — ne doit pas être négligé ou refusé. Le bagage de l'humanité est tellement riche qu'il serait bien ridicule de ne pas l'utiliser — de ne pas utiliser toute la sagesse et la compréhension que l'humanité a accumulées tout au long de son histoire. Ce retour et ce respect pour le passé élargissent la personne ou tout au moins l'empêchent de recommencer à nouveau les erreurs du passé et les catastrophes qui ont suivi[78].

Pour certains, les cathédrales construites au Moyen Âge sont des monuments somme toute inutiles, futiles, et ce, sans compter tous les problèmes reliés à leur fonctionnalité (les chauffer, l'espace qu'elles occupent, etc.). L'homme moderne et technique peut bien sûr regarder d'un œil réprobateur ses ancêtres qui «avaient si peu de sens pratique pour construire de tels monuments»; mais pourtant, ces bâtisseurs de cathédrales savaient bien eux, le pourquoi et le sens de telles constructions. Et combien de générations ont vécu et donné un sens à leurs efforts ou à leurs travaux justement à cause du souffle et de l'élan que leur procuraient ces œuvres apparemment inutiles. C'est la même chose aujourd'hui pour tout ce qu'on pourrait dénoncer comme ou parce que «inutile»: la conquête de l'espace, les voyages interplanétaires, les monuments aux morts... Et pourtant, chacun sait combien nos enfants rêvent de ces voyages et en imagination s'y préparent — rêves qui finalement éveillent en eux le goût de connaître et de découvrir; combien de techniciens œuvrent à réaliser cette conquête — leur vie et celle de leur famille sont habitées, motivées et énergisées par ces horizons nouveaux.

La beauté, l'accomplissement, l'ordre et surtout la «nouvelle» beauté et les «nouveaux» accomplissements sont ce qui font vivre la personne — leur utilité est d'un autre ordre que le concret et le pratique mais n'en nourrit pas moins l'humanité. À preuve, après coup, qui voudrait effacer de sa mémoire et se priver de l'émotion unique ressentie par l'humanité entière lorsque le premier homme mit le pied pour la première fois sur la lune? La question qui reste dorénavant à l'humanité serait plutôt de savoir s'il y aura assez d'inventivité en elle pour continuer à stimuler la vie et le goût de vivre par de nouvelles découvertes, harmonies et beautés — pour faire naître, encore, de nouveaux sens à vivre.

La personne est aussi contemporaine et particulièrement pointée sur l'avenir — ses sens à vivre s'inscrivent dans la même perspective, c'est-à-dire qu'ils sont eux aussi tout autant ancrés dans le présent que pointés vers l'avenir. Passé et avenir sont reliés mais sur un mode inversement proportionnel: plus l'attention est portée sur le passé moins elle l'est sur l'avenir. Ainsi, l'attitude que nous tenons face au passé détermine l'avenir que nous nous donnons. Par exemple, le vieillard qui ne fait que ruminer son passé est souvent bloqué dans son avenir, dans ce qui l'attend

---

78. «Those who don't know history are doomed to repeat it». La paternité de cette phrase célèbre remonte soit à Santayana (1863-1952), soit à lord Byron (1788-1824).

— il reste trop centré sur sa propre continuité qui achève et alors il ne peut presque plus ou pas se marier avec l'avenir, son avenir, celui des siens et celui des autres en général.

Notre passé personnel tout comme celui de l'humanité est plein de richesses et de beautés qui sont elles-mêmes pleines de stimulants et de sens à vivre. La personne a besoin de sentir et de s'appuyer sur son passé autant dans ses réalités que dans ses possibilités, mais pour son développement et son bien-être de vivre, elle ne se rendrait aucunement service si elle s'y coinçait en refusant le présent et l'avenir. La personne s'élargit et se complexifie sans cesse[79]. Elle s'élargit en conscientisant son passé et celui de son espèce — elle puise et se ressource dans son passé en prenant dans cette direction toute l'accumulation possible. Malgré cela, elle doit en plus se marier avec les sens à vivre de son présent et de son avenir parce que c'est avant tout en eux que résident sa vie et son goût de vivre.

Pour trouver un sens à vivre, plusieurs choses sont donc nécessaires: l'intégration du passé au présent et à l'avenir, la réintégration de la technologie aux caractéristiques fondamentales de la vie en nous et autour de nous, le dépassement de la réponse aux besoins primaires pour être propulsé vers la recherche de réponses à des besoins supérieurs, l'aménagement viable des caractéristiques existentielles: liberté, séparé, limité, finitude; tout cela est nécessaire, mais tout cela ne le sera jamais autant que d'accepter et d'accueillir la lutte et le combat en nous — la compréhension à elle seule ne saurait suffire.

Comme toute œuvre humaine, le sens à vivre naît de et dans la résistance, et même souvent dans l'opposition. Le sens à vivre implique un certain combat avec le primitif en nous — combat qui, d'une certaine façon et la plupart du temps, doit être sans cesse repris et refait parce que la bataille n'est jamais totalement gagnée. Cet effort vaut cependant grandement sa peine car c'est de lui qu'émerge le sens à vivre qui plus que tout autre chose suscite le goût et le zest de vivre.

Le sens à vivre, lorsqu'il se loge dans le cœur et dans la tête d'une personne, peut transformer sa vie, changer ses habitudes de vie destructrices, éveiller sa solidarité et surtout donner du goût à sa vie — même si la vie, elle, reste quotidienne, donc le plus souvent concrète et répétée.

---

79. La complexification de la conscience selon Teilhard de Chardin (1955).

CHAPITRE 9

LE CONTRAT AVEC LA VIE

Le contrat avec la vie est une puissante source de goût de vivre. C'est un contrat que la personne établit avec la vie: elle fait et réalise la vie, et *sa* vie, plutôt que de l'attendre de l'extérieur d'elle-même, d'attendre que la vie lui soit donnée, qu'elle lui arrive. Toute personne, sur chaque aspect de son existence et tout au long de sa vie, négocie ce contrat particulier dont la clause ultime consiste à faire la vie. Ce contrat repose sur l'obligation fondamentale d'agir, c'est-à-dire sur la capacité innée chez toute personne de faire, de réaliser et somme toute, de mettre-au-monde. Or l'agir fait vivre. Il fait vivre parce que la personne lorsqu'elle est créatrice de sa vie peut la continuer à sa guise et ce dans n'importe quels domaines qu'elle choisit de continuer. Si elle crée sa vie plutôt que de l'attendre d'ailleurs, alors elle assure sa continuité — elle la crée aussi; cela suscite le goût de vivre. Être capable de vivre donne le goût de vivre.

FAIRE ET AGIR POUR ÊTRE

Faire sa vie et se donner de la vie! Quelles belles expressions! Mais en fait, pourquoi ce contrat avec la vie est-il source de goût de vivre? En d'autres mots, pourquoi agir et faire suscitent-ils la vie et ainsi le goût pour elle? Faire et agir créent de la vie parce qu'ainsi le mouvement du vivant conscient, la personne, continue. Le vivant pour demeurer vivant doit se mouvoir sinon il meurt — il perd la vie. Or, c'est l'agir qui permet au vivant son mouvement. L'action fabrique du mouvement et le mouvement, de la vie et de la vitalité; la vitalité fait qu'on se sent vivant et se sentant vivant, on a le goût de vivre. L'agir ouvre donc la voie qui transporte en elle-même du goût de vivre. L'engagement de faire sa vie est donc source de vitalité et plus... Plus la personne réalise par l'action sa vie, plus son goût de vivre fleurit.

Pour continuer à être vivante, la personne est condamnée à être agissante. Entre l'inertie et l'action, elle n'a pas le choix: elle doit agir pour continuer. Il en est de sa «nature» même que d'agir. Pour assurer sa continuité, l'essence de vivre, sa condition l'oblige à faire, à agir, à construire sa propre vie. Voilà sa condition: agir pour être; la meilleure manière de faire et d'agir, c'est d'être; d'être, c'est d'agir. Être et agir. Toujours.

Nous sommes construits pour agir. Pourtant quels que soient nos efforts, notre courage et notre détermination, nous n'arrivons jamais à complètement agir, c'est-à-dire à agir tout le potentiel d'action qui sommeille en nous. Il en reste toujours une partie que nous n'actualisons pas. Même parmi ce que nous parvenons à agir, une distance existe et persiste entre ce que, effectivement, nous portons à l'existence et ce qui, idéalement, pourrait être actualisé. Cette distance inévitable entre l'agir idéal et l'agir réel varie selon chacun mais tous nous sommes responsables de ce que nous choisissons d'agir. Nous devons répondre de nos choix.

Plus Stéphane avance dans la vie, plus les possibilités qui s'offrent à lui diminuent. À l'adolescence, il avait le choix entre plusieurs carrières; aujourd'hui, à 40 ans, il est avocat, et c'est plus possible d'être médecin. A-t-il vraiment choisi d'être avocat ou est-ce le jeu des circonstances? Quoi qu'il en soit, il est responsable d'avoir laissé jouer ces circonstances sur lui. Il ne peut pas en sortir: il est responsable d'être avocat et il doit répondre de ne pas être médecin — avec tous les avantages que cela aurait pu lui apporter, à lui-même comme à la collectivité.

Notre capacité d'agir n'est pas une qualité parmi d'autres: elle est une caractéristique essentielle du vivant conscient. Ne pas actualiser cette capacité soulève une anxiété et une culpabilité existentielles liées au fait de ne pas s'utiliser, d'enfouir une de nos ressources, de laisser en friche une de nos capacités.

Souvenons-nous[1], la vie est mouvement et le propre du vivant est de se mouvoir. Son goût de vivre est donc un goût pour le mouvement; c'est l'action qui crée le mouvement — l'action est créatrice du mouvement. Imaginons pour un instant une autoroute[2] avec ses multiples entrées et sorties. Pour que le flot de la circulation ne soit pas bloqué, les sorties doivent être aussi actives que les entrées. Les sorties ne doivent pas être fermées sinon le mouvement bloque et la densité sur l'autoroute augmente, et ce au point tel que la circulation fige et elle peut même s'immobiliser complètement. Il en est ainsi de la personne: par ses actions qui tiennent lieu de sorties, elle permet la circulation et le renouvellement de la vie intérieure. L'action fait partie d'une chaîne séquentielle de données spécifiques à l'être humain qui le rend processus et mouvement et qui ainsi exige du mouvement.

Au départ et au plus profond, il y a l'expérience ou le ressenti. C'est le premier niveau, celui de l'expérience immédiate et concrète, ou de ce que la personne ressent là, juste là, dans l'instant présent. À ce niveau, parce que le désir n'habite pas encore la personne, il y a de l'implicite, des possibilités, mais ce n'est qu'un départ — le début de la vie subjective. Viennent ensuite successivement: l'intention — qui suscite l'appartenance — le désir de mettre à l'extérieur, la décision, l'action et l'interaction. Une fois complétée, cette chaîne séquentielle recommence à nouveau à partir d'une nouvelle expérience. Pour que le mouvement puisse continuer, la personne doit donc passer continuellement à travers tous ces différents niveaux — expérience, intention, désir, décision, action — et l'action réalisée, le mouvement reprend avec une nouvelle expérience et sa suite.

C'est un système de mise-au-monde dont le processus dépend du mouvement qui lui-même dépend de l'action. L'action est nécessaire pour éviter que le mouvement se bloque ou se fige. Sans action, la personne ne peut que reprendre sans cesse et sans cesse les premières étapes — par exemple l'expérience ou le ressenti et l'intention — et alors ruminer toujours et toujours les mêmes thèmes sans jamais pouvoir passer à autre chose. Le fait d'agir, ou non, a même des répercussions sur l'état ou le bien-être de la personne. Sans action, le processus bloqué, la personne tourne à vide et en rond, sa pression intérieure augmente et son anxiété l'envahit; par l'action, l'agir débloque le processus et favorise le mouvement et le sentiment

1.   Voir le chapitre 3: Le goût du mouvement, p. 33
2.   Nous empruntons cette image à Bugental (1980).

de liberté chez la personne. D'une certaine façon la personne libère son expérience, ses désirs et ses décisions par et dans l'action.

Paul repasse dans sa tête toutes les facettes de sa vie: il y a tellement de choses à faire, de relations à nettoyer, de projets à terminer et d'autres à initier, de choses du passé à réparer. Plus il tourne ces facettes dans sa tête, plus rapidement le carrousel tourne — de plus en plus d'images, de souvenirs, d'émotions. Il se sent coincé de partout, bloqué et figé. Puis d'un coup, il se lève de son fauteuil. Il met de l'ordre à son bureau, fait sa vaisselle et installe son lavage. Déjà les images se décoincent. Par son action, il ressent un soulagement intérieur car il réalise que s'il est capable d'agir ainsi, il est aussi tout autant capable d'agir à nouveau et jusqu'à ce qu'il ait le sentiment que sa vie est en ordre.

Nous ne sommes pas nos actions, nous sommes des agissants; nous ne sommes pas nos pensées, nous sommes des pensants — des processus et des mouvements. L'action et le comportement font circuler le flot intérieur de vitalité. Si ce processus est bloqué et que l'intérieur reste figé, c'est que l'action ou le comportement choisi ne convient pas. L'arrêt du mouvement reste d'ailleurs l'indice le plus franc d'un comportement ou d'une action qui n'est pas approprié. Il importe alors de recommencer une autre action ou un autre comportement jusqu'à ce que le mouvement intérieur reprenne et se ressente — se ressente parce que l'adéquation entre l'action et le processus intérieur se ressent effectivement dans le mouvement intérieur qu'éprouve la personne.

La personne peut aussi — plus ou moins consciemment — choisir de refuser d'agir et ainsi bloquer sa conduite. Mais l'inaction ne peut que couper l'élan vital et interrompre le flot de la vie. Piétinant sur place, la personne se déforme[3] et risque plus ou moins de se perdre elle-même et de se voir régresser à des états plus primitifs. Durant cet arrêt d'agir, le plus souvent, l'angoisse s'emparera d'elle, et pour calmer cette montée d'anxiété, la personne s'inventera des histoires, ou utilisera toutes sortes de subterfuges mais peu importe, ils seront toujours illusoires.

Quand Gérard glisse dans ce qu'il appelle — le «passif», il n'arrive plus à travailler — ses efforts se dispersent et sa productivité demeure à son minimum. Il prend conscience de son pauvre rendement et il devient anxieux. C'est à ces moments particuliers que surgit sa pulsion de se travestir, de s'habiller en femme. Caché sous le vêtement féminin, il pense présenter un tout à fait approprié au regard de l'autre. Il croit plaire aux autres, surtout aux femmes, et surtout aussi sans être obligé de faire et de bâtir. Avec son personnage, il croit que la vie lui arrive, que l'amour lui est donné et qu'il n'a plus à se débattre et à combattre pour obtenir la vie et ses avantages. Il n'est pas conscient qu'en réalité, il rêve sa vie au lieu de la vivre en l'agissant et en la faisant.

Ainsi, ne pas agir sa vie, c'est un peu la perdre, c'est-à-dire passer à côté. Tout le monde est responsable d'agir sa vie, de la faire; chaque fois que nous n'utilisons pas notre capacité d'agir, nous risquons d'éviter de vivre réellement; en conséquence, nous devons vivre avec la culpabilité existentielle de passer outre la vie — la vie en général mais tout à fait particulièrement, la nôtre.

Le mouvement est donc nécessaire à la vitalité et le mouvement de la personne se fabrique par son action, par sa conduite. S'il n'y a pas de mouvement, il y a stagnation, culpabilité existentielle et en quelque sorte, mort. Par contre, s'il y a

3.   Déformer dans le sens de perdre sa belle forme, son harmonie.

action, il y a mouvement et s'il y a mouvement, il y a vie, vitalité et goût de vivre. Le goût de vivre naît de ce que la vie se fabrique — vivre donne du goût de vivre. La vie construite par l'action[4] et le mouvement est une vie sans cesse créée et recréée, et c'est pour cela qu'elle conserve son pétillement et son zest. La vie routinière, parce que trop similaire et répétitive, risque plutôt de perdre sa qualité de vie, c'est-à-dire, de ne plus être vitalisante — même qu'elle peut par son absence de mouvement devenir inerte, morte, cadavérique. Toute personne doit donc agir pour sentir sa vitalité. Toute personne doit aussi, en plus, trouver la dose d'action nécessaire à son sentiment de vitalité. Si elle n'atteint pas la bonne dose d'agir qui lui est appropriée, peu importe la densité de sa vie intérieure, elle risque que l'anxiété et même la dépression s'emparent d'elle.

Par le mouvement de vie qu'elle fabrique en nous, l'action demeure l'un des plus grands talismans contre l'angoisse de vivre. La conscience d'être capable d'agir, de prendre l'initiative de l'action, de la poursuivre jusqu'à son actualisation et de la contempler une fois actualisée augmente en nous l'intensité et la force du goût de vivre. Cela procure un contentement, une conscience de la présence à soi-même, un sentiment de faire ce qu'il y a à faire et donc, la satisfaction d'avoir du pouvoir sur sa vie et sur la vie. Agir, agir pour vivre, vivre et se sentir vivre — voilà le tout de ce qui donne du goût de vivre, et qui du même coup, assure et protège la personne contre l'envahissement par l'angoisse de vivre.

FAIRE SA VIE?

Nous ne pouvons plus maintenant échapper au questionnement suivant: mais qu'est-ce donc que «faire sa vie»? ou faire dans la vie? Bien entendu, une seule réponse ne saurait faire — c'est dans plusieurs directions qu'il nous faut la chercher. Faire sa vie, c'est au départ briser l'inertie fondamentale, la force qui retient l'action; c'est ensuite se sortir du néant et se passer-au-monde; c'est aussi se prolonger en s'augmentant; c'est également mordre dans la réalité en se rendant adéquat au milieu et pour y laisser sa touche particulière; c'est se continuer; c'est reconnaître que le faire engendre le faire; enfin, c'est exercer et mettre au monde sa volonté et son identité.

L'inertie fondamentale

Pour agir, il faut d'abord rencontrer et confronter et briser la force fondamentale d'inertie — cette force dont le propre est de nous lier puissamment à l'inaction.

L'action et le geste obligent la brisure de l'inertie fondamentale — de la passivité, de la lourdeur d'être rivé à son fauteuil, hébété, hésitant et inactif. Par cette brisure, et soutenue par son intentionnalité, la personne opte pour le geste, le faire et l'agir. Elle fait, même si cette option s'accompagne de peurs et de craintes, parce que l'intention de se mouvoir a priorité. Agir est un risque mais un risque qu'il faut prendre car ce n'est que lorsqu'un comportement est engagé qu'il peut soulever chez la personne la satisfaction d'avoir un pouvoir à son service — de

---

4. Cela n'exclut pas les périodes de contemplation et de calme sérénité consacrées à contempler et à refaire ses forces.

pouvoir faire quelque chose pour elle et pour sa vie. Par son agir, elle se donne la vie et elle sait aussi que si sa vie n'est plus satisfaisante, elle peut l'agir et la refaire à nouveau et autrement: refaire ses actions, re-styliser sa vie. Elle réalise effectivement que si elle a déjà engagé sa vie dans une direction, elle pourra la ré-engager dans une autre éventuellement et au besoin. Le simple fait d'avoir antérieurement agi transporte donc en lui-même les possibilités de recommencer et de répéter à nouveau, le geste ou le comportement, pour maintenir la satisfaction de vivre.

> Tout en sirotant son premier café, Serge pense aux différents projets possibles pour sa journée. Il se sent attiré par le camping. Il veut bien aller poser sa tente en pleine nature mais il hésite à partir: sa femme dort et d'ailleurs, elle n'est pas très enthousiaste pour le camping; ses enfants préfèrent la ville et la compagnie de leurs amis; et lui, la perspective de passer sa fin de semaine seul au camping, le rebute un peu. Serge se balance entre rester à la maison ou partir en camping. Les images de la montagne, du soleil et du vent l'attirent — par contre, le doux contact avec sa bien-aimée, le plaisir de sa présence le retiennent. D'un seul coup, il décide d'agir, de partir. Il plie ses bagages, laisse un petit mot à sa famille les invitant à le joindre et il se rend au camping. Installé, il éprouve une grande satisfaction d'être sorti de son inertie, de s'être décidé. Il réalise aussi qu'il peut continuer à agir et à changer sa fin de semaine si celle-ci devient insatisfaisante. Cette capacité et ce pouvoir sur lui-même et pour lui-même le remplissent de contentement.

Être capable de briser l'inertie fondamentale, primitive, c'est se percevoir comme moteur de sa propre vie et se ressentir comme agent du style de sa vie — du moins d'une bonne partie de sa vie.

Briser l'inertie, c'est essentiel — et souffrant

L'inertie engendre l'inertie; l'action engendre l'action. La personne ressent au départ un malaise à couper l'inertie, c'est un peu comme le tiraillement d'un système rouillé qui résiste au rythme et qui pour reprendre implique un effort — ici l'action ou le geste. Cette inertie au départ est ressentie corporellement, tout comme si le corps s'était appesanti et alourdi. Cette sensation de pesanteur corporelle s'accompagne la plupart du temps d'émotions lourdes comme le désintérêt, la désespérance, l'insatisfaction de soi ou le non contentement de sa vie. La chair lourde et le cœur pesant ont vraiment l'effet d'une force centripète qui porte fortement la personne à refuser l'agir et qui la colle conséquemment à l'inaction.

> Paul est figé sur sa chaise. Il se sent comme collé à cette chaise, incapable de briser ces thèmes qui lui tournent sans cesse dans la tête: «Ça ne me tente pas! À quoi ça sert? Ça ne vaut pas la peine!» Il décide tout à coup de confronter aveuglement ces lourdeurs et de sauter dans l'inconnu de l'agir presque comme en un engagement aveugle, et à sa surprise, il réussit à se décoincer et à se défiger le cœur. Il refuse de s'analyser, de mesurer ses oppositions — il saute dans la vie. Il se lève, s'habille, sort sa pelle et va déneiger son perron. Il se surprend même à se sentir d'attaque pour déblayer son trottoir.

Lorsque l'inertie s'exerce, toutes les oppositions que la personne peut lui faire apparaissent comme sans plaisir, ternes et même désagréables. Il n'y a pourtant pas d'autre solution que celle d'accepter ce terne et ce désagréable pour réussir à défaire cette force. Accepter les misères et les inconvénients doit aussi s'accompagner d'un leitmotiv qui permet à la personne de continuer et d'endurer le désagréable jusqu'à ce que l'agir soit engagé et qu'il transporte en lui son propre ressort. Ce leitmotiv porte la personne à un niveau supérieur de motivation et maintient, tout en la rendant acceptable, la lutte contre l'inertie.

> Bernard n'osait pas arrêter de fumer. Lorsqu'il pensait au désagréable et à la misère de ne pas fumer, cela le rivait à sa bonne vieille habitude. «Pourquoi prendre tous ces inconvénients et de plus perdre tous les plaisirs de fumer?» Mais lorsqu'il a réalisé qu'arrêter de fumer était aussi une manière d'exercer son pouvoir sur lui-même, cela l'a convaincu. Il a accepté à l'avance les misères; il les a confrontées à mesure qu'elles se présentaient et il a finalement réussi à cesser de fumer.

Briser la force d'inertie implique donc de tolérer l'agacement, le malaise, et de maintenir l'effort jusqu'à ce que l'effet désiré soit obtenu ou que le but soit atteint. Pour tolérer l'agacement et le malaise, il faut à l'occasion[5] les mettre hors-conscience, c'est-à-dire pour un moment ne pas y penser afin d'éviter qu'ils s'auto-génèrent et qu'ils focalisent ainsi la conscience que sur l'effort à fournir. Même que le succès de l'entreprise ou la recherche de la satisfaction à venir en arrive à prendre tellement d'importance que l'agacement finit presque par se souhaiter ou la difficulté et le malaise finissent par se désirer, parce qu'ils sont des indices de la qualité de la satisfaction qui viendra. La satisfaction post-effort est en quelque sorte proportionnelle aux difficultés de l'œuvre à accomplir.

L'effort pour s'opposer à la force d'inertie, c'est le coup de cœur pour décoller l'habituel, pour séparer l'adhérence, pour couper l'automatisme sécurisant et plaisant et pour répéter sans cesse le «*non, il n'en est pas question*» de demeurer avec le même, le connu, l'habituel, l'automatisme — répéter ce *non* jusqu'à ce que le ventre fasse mal pour arriver enfin à mettre au monde son idée, son concept, sa volonté. S'opposer à l'inertie, c'est souffrant mais toute cette souffrance ne peut se prendre que pour réussir à faire, à mettre dans la chair (incarner), ce que l'on veut faire afin que notre vie résulte de notre désir et de notre volonté et non pas d'un esclavage face aux vents extérieurs; afin aussi de se sortir d'un sentiment d'impuissance qui empêche que les choses se fassent.

> Pierre en a mis des efforts et en a pris des souffrances pour réussir à cesser de boire. Sans cesse il devait dire *non* à ses soifs et *non* aux amis qui le sollicitaient. À certains moments, ses «*non*» lui tordaient littéralement le ventre, mais il résistait, il continuait. Ses besoins d'être le maître de sa vie, de ne plus être l'esclave de la bouteille et de s'estimer étaient plus forts que ses souffrances — enfin, il a réussi. Aujourd'hui, il doit toujours dire *non*, mais cela est plus facile, moins souffrant et il est tellement content d'être ce qu'il est.

Souvent, le désir est clair mais l'action qui serait appropriée au désir ne se fait pas, se bloque et se retient parce que le plan d'agir, l'ordre à installer dans les différents efforts, n'est pas assez présent. L'inertie s'apparente au chaos et tout comme le chaos[6], elle possède sa force d'attraction. Pour contrecarrer l'inertie, il faut donc une insistance particulière sur l'ordre et l'harmonie et sur son maintien énergique afin que le chaos, le vide, le flagada ne réussissent pas à river la personne. Si l'inertie et le chaos sont plus forts, la personne est encore plus figée, ressent

---

5.   Il convient aussi à l'occasion de prendre conscience et de nommer ses difficultés et ses problèmes.

6.   Il y a un vertige que suscite le chaos: la personne fascinée peut perdre sa conscience et se laisser happer par ce chaos.

encore plus de fatigue ou de peur des autres ou de tout autre obstacle qui habituellement l'empêche d'agir.

Assise devant son travail de session, Marie n'arrive pas à commencer à le produire. Qu'est-ce qui se passe? Qu'est-ce qui bloque son expression et qui empêche qu'elle mette en mots et sur papier ce qui importe en elle, ses idées sur son travail? Le frein à l'action, le blocage de l'agir, Marie le connaît souvent; à chaque fois, elle se sent comme si elle portait une lourde robe de plomb — tellement lourde qu'elle l'empêche de faire quoi que ce soit. Elle est alors distraite de son travail par toutes sortes d'autres choses à faire. «Ce travail après tout n'est pas la fin du monde; ce texte prend mon temps si précieux que je pourrais utiliser à lire, etc.» Pour sortir de cet état, Marie n'a qu'une solution: briser la glace *malgré* la robe de plomb; ouvrir son texte et créer des idées et des mots *malgré* l'opposition de l'inertie. Elle fera d'abord un plan et ensuite elle commencera par situer sa problématique. L'organisation de son texte coupe lentement l'appel du chaos et défait ses fatigues habituelles qui autrement la laisseraient toute défaite.

Quand l'inertie est là, prête à s'installer, seule une plongée aveugle et sourde[7] dans l'agir peut déclencher le mouvement et démarrer l'action. D'une certaine façon, l'agir doit avoir en lui-même un sens — un sens non pas seulement dans les retombées de l'agir, mais un sens d'être là, là pour l'agissant, le sens d'avoir agi, d'être content et satisfait d'avoir agi.

Donc, d'un côté l'inertie, et de l'autre l'agir. Également, d'un côté, briser l'inertie par l'agir, et de l'autre, agir par l'élan et pour le goût de l'avenir. Face à cela, établir et ré-établir sans cesse un mariage harmonieux entre briser l'inertie et goûter l'avenir — autrement dit, entre le coup de pouce pour sortir de l'inertie et l'élan vers pour goûter l'avenir. Chacun, à chaque moment de sa vie, doit trouver ce mariage et l'exercer. À certaines époques, il faut davantage de coup de pouce, de décollage de l'inertie; à d'autres, le goût de l'avenir tire plus fort. Il n'y a pas d'une fois pour toute dans cet équilibre. Il n'y a pas de style définitif; il n'y aura jamais de style définitif et absolu. Il faut accepter de toujours recommencer, de toujours reprendre notre contrat avec la vie, de faire notre vie, et pour cela, de briser sans cesse l'inertie fondamentale — ce sera moins pénible si l'action s'accompagne d'un élan ou d'un goût pour l'avenir, mais aussi, si la personne conscientise combien sa lutte contre l'inertie peut lui permettre de s'actualiser et de se réaliser. En effet, briser l'inertie fondamentale, mobilise la masse lourde de l'inaction, aller à l'encontre de la pesanteur de la non-conduite, toutes ces habitudes — avant même que l'action démarre — sont cruciales dans le sentiment d'adéquacité et de compétence d'une personne. Elle peut ainsi se sentir actualisée, réalisée.

Il n'est quand même pas facile de lutter contre l'inertie. C'est difficile entre autres parce que cette force d'inertie prend plusieurs visages et que de la même façon le courage nécessaire pour la confronter doit aussi se revêtir de plusieurs nuances. La force d'inertie est présente partout — partout dans la routine, dans la répétition, dans le même, et partout la personne risque de s'engluer et de se scléroser sans pouvoir s'en défaire pour aller vers le nouveau et vers le différent et ainsi faire sa vie. Comme toute force centripète, plus l'inertie dure, plus elle retient la personne

---

7.   Sourde dans le sens de ne pas être trop à l'écoute de nos petites misères toujours susceptibles de nous laisser emporter par l'inertie.

d'aller vers l'action. Comme nous le disions, l'inertie engendre l'inertie. Il faut se brusquer, parfois un peu et parfois beaucoup, pour s'en libérer et cela, presque quotidiennement.

Dans mon lit le matin, lorsque je prends conscience de la chaleur et de la douceur du lit, j'augmente la force de l'inertie en proportion de la focalisation de cette conscience. Je sais que lorsque je continue à me glisser dans la douce chaleur de mon lit, l'effort demandé pour en sortir sera tellement grand que je n'arriverai peut-être pas à le fournir. Par contre, lorsqu'à la sonnerie du cadran, je me lève d'un bond et que je saute hors de mon lit, j'empêche l'inertie de fonctionner — je lui coupe le sifflet et je souris de mon stratège.

L'effort anti-inertie ne réussit toutefois pas à éliminer la totalité de l'inertie[8]. L'inertie n'est jamais complètement brisée et elle ne cesse jamais tout à fait de jouer son rôle ou d'exercer son pouvoir. C'est là que l'effort anti-inertie prend du courage. Le courage de recommencer, d'essayer à nouveau et de reprendre le collier quand il y a une chute. C'est l'effort malgré l'échec, malgré la chute — l'effort accompagné par l'acceptation de notre faiblesse de ne pas réussir du premier coup, de notre petitesse ou plutôt d'être si ordinaire qu'il faille, comme tous les humains et parce que l'on est humain, recommencer et recommencer encore. Accepter cela c'est prendre soin de soi. Ce soin par rapport à nous-mêmes doit être plus grand que la peine, l'orgueil bafoué ou la honte de l'échec.

Daniel est encore en chômage. On vient à nouveau de le remercier de ses services. Quelle déception! Quatre mises en chômage depuis un an: il avait pourtant réussi à se mobiliser chaque fois et à repartir à la chasse d'un emploi. Mais là, il est vraiment fatigué; mais même là, il doit recommencer, malgré la honte d'avoir perdu son emploi et de n'avoir pas été à la hauteur. Il se sent lourd et pesant et pourtant... il le sait bien: lundi, il repartira vers le Centre de la Main-d'œuvre. Il sait qu'il a besoin de continuer, qu'il veut se donner la satisfaction de travailler, qu'il veut se sentir compétent, qu'il mérite de s'occuper de lui... et avec courage, il s'occupera de se donner un travail.

Prendre la réalité telle qu'elle est, avec tout ce qu'elle est, cela implique de prendre aussi le petit détail désagréable, le petit embêtement lourd, le malaise qui démotive, le «ça-me-dit-rien», et de confronter chacun de ces freins à l'action — aussi anodin qu'il soit — de le confronter par le désir réel et l'intention bien pointée sur l'objectif à atteindre, qu'il s'agisse de préparer un gâteau, d'écrire une lettre ou de donner un cours. Ce ne sont souvent que des petits fils à la patte, mais ils suffisent pour maintenir l'inertie — il faut les couper et les briser, et pour cela, il faut davantage conscientiser leur faiblesse que l'effort à fournir.

Se lever de son fauteuil, sortir l'aspirateur, le brancher et commencer le ménage semblent à Louise des montagnes à escalader. Pourtant, veut-elle la propreté de son

---

8. L'inertie, par ailleurs, possède ses avantages certains lorsqu'il s'agit de favoriser le repos, la détente et même la sérénité. C'est lorsqu'elle est trop exclusivement focalisée que l'inertie peut jouer le même rôle inhibiteur que, par exemple, la sur-conscience. Par son évaluation constante de la personne, la sur-conscience coupe les jambes et empêche la pleine subjectivité de s'exercer à cause de la grande présence de l'objectivité des sois, des paraîtres (voir chapitre 10). De la même manière, l'inertie exclusivement focalisée plutôt que de favoriser le repos, elle fatigue — elle fatigue parce qu'elle bloque le ressort de la spontanéité.

logement? Veut-elle ce bel ordre[9] qu'elle retrouve après le ménage? «Bien oui» se dit-elle «et tous ces petits malaises à me lever, à sortir l'aspirateur et les autres sont bien insignifiants. Je vaux sûrement ma peine de voir un beau logement bien propre.» Elle se lève et s'exécute.

Agir malgré

L'inertie de vivre est l'opposé du zest de vivre. Il n'y a pas de zest s'il y a trop d'inertie. L'inertie présente, la personne se cabre et d'une certaine façon elle refuse que la vie pétille. La vie pleine de zest est une vie d'action et de mouvement mais aussi d'harmonie avec le repos et l'inactivité; la vie inerte est une vie comme morte, cadavérique — une vie qui se cabre et s'obstine dans la routine et le semblable.

Louise était tellement contente d'avoir enfin trouver un homme qu'elle aimait — un homme vivant, plein de projets et stimulant. Quel beau mois de vacances elle a passé avec lui! Elle a appris à nager; elle a découvert des nouveaux pas de danse; elle a même réussi à parler l'anglais. Puis là, ce fut la déception. L'homme l'appréciait comme compagne de vacances mais il ne l'aimait pas et bien plus, il était en amour avec une autre femme. Toute la déception de Louise! Au début, elle pensa même au suicide. Puis, malgré la déception, elle se ressaisit. Si elle se pensait capable de se donner la mort peut-être pouvait-elle aussi, malgré la déception et purifiée de ses attentes magiques par cette déception, se donner la vie. Elle est repartie à la chasse d'un compagnon.

En fait, faire sa vie en coupant d'abord la force fondamentale d'inertie peut pour la personne se résumer à agir sa vie pour son bien *malgré* — malgré la résistance, malgré l'opposition et malgré la fatigue. C'est agir malgré le tiraillement et la possibilité de la fatigue pour éprouver la vraie satisfaction. Ce malgré peut même être souhaité afin d'augmenter la grandeur de la satisfaction après la résistance. La satisfaction particulière qui est attachée à ce malgré augmente à mesure que l'inertie s'oppose. Ce malgré doit être conscientisé et intégré pour que l'action advienne davantage. Il est même possible d'en faire l'éducation: éduquer à l'effort, au goût et au désir malgré la résistance. Il y a tellement d'absence de créativité, d'invention et de belles actions à cause de ce refus de l'effort et du malgré.

André sait très bien que laisser son domicile douillet le samedi matin pour aller passer sa journée à skier implique un effort et une lutte contre sa passivité fondamentale. Ce qu'il sait aussi c'est que le plaisir de sa journée de ski lorsqu'il se voit aux cimes des montagnes, avec ce vent et ce soleil complice et tout ce splendide panorama des petits villages autour de la montagne — tout ce plaisir est proportionnel à la résistance de quitter son confort douillet. Il est content d'être en ski, et son contentement est doublé par sa victoire sur le *malgré* et par la satisfaction d'avoir du pouvoir sur sa passivité. Il peut même appliquer cette nouvelle politique de partir de chez lui *malgré* l'opposition de son «cocon» face à ses relations avec les autres. Il double son plaisir de rencontrer des personnes riches et débordantes par celui de vaincre sa propre inertie et aussi de se rendre plus appétissant.

9.   L'ordre et l'harmonie peuvent motiver la personne à sortir de son inertie mais bien entendu, celui ou celle qui ne recherche que l'ordre, seulement l'ordre et l'harmonie, la propreté et l'hygiène sans contacter le pétillement du désordre, peut susciter en lui un *absolu* de l'ordre — une obsession de l'ordre, une rigidité ou un «la loi et l'ordre» qui tue l'humain.

Cette bataille contre l'inertie et la passivité, il semble bien que même Michel-Ange la livrait. Pour faire ressortir l'image qu'il y voyait, avec ses blocs de marbre lourds et difformes le célèbre Michel-Ange se battait. Pour libérer l'image ou la figure de sa prison de marbre, il se coltaillait avec la matière. La créativité et la conquête de la dureté du marbre impliquaient une bataille — tout un élan et tout un désir de vaincre l'inertie et l'informe de la matière. La résistance du marbre, matière brute, était d'une certaine façon proportionnelle à la qualité de l'œuvre que Michel-Ange allait laisser à l'humanité. Dans son bloc de marbre informe il devinait une figure — une pointe lui rappelait un genou; une rondeur, une tête — un peu comme on devine un enfant dans le ventre de sa mère. Cette figure, il fallait qu'elle existe déjà fortement en lui-même pour qu'il puisse la deviner dans le marbre et la mettre-au-monde, qu'elle prenne forme, dans le bloc de marbre. Chaque coup de ciseau ou de marteau était inspiré par cette figure déjà existante en lui. Sans l'inspiration — la figure en soi — les coups de marteau et de ciseau perdent leur précision et leur adéquation — ils glissent et se ramollissent sans réussir à percer la prison du marbre: le chef d'œuvre y reste enfermé. En confrontant ses blocs de marbre inertes pour finalement rendre vivant le beauté d'un David, Michel-Ange nous donne tout un exemple du courage et de l'inspiration nécessaires pour lutter contre l'inertie et pour mettre au monde le vivant. Bien sûr nous ne sommes pas Michel-Ange, mais nous pouvons tout de même encore trouver plusieurs occasions même quotidiennes de confronter l'inertie pour faire ressortir de la vitalité, de la beauté et de la créativité par nos gestes.

> Tant que Pierre se limitait à sa manière habituelle de caresser Marie, il ne faisait que répéter gestes et serrements. Le jour où il voulut vraiment aimer Marie en lui faisant vraiment l'amour, sa caresse devint inspirée par la créativité. Plutôt que complètement poussé par l'usage, son geste de caresse était maintenant habité par un souci et un goût d'inventer du plaisir pour Marie, de transformer le corps de Marie, de le sculpter pour lui faire un plaisir tout neuf. Sa victoire sur la routine s'était faite par son souci de faire du neuf.

Vaincre l'inertie demeure la première étape vers l'agir et sa principale condition. Faire sa vie, agir, c'est aussi se sortir du néant et donc se passer-au-monde.

Se passer au monde

La voie royale pour se passer-au-monde c'est encore faire ou agir. Par son action, la personne se manifeste et se dévoile, du moins en partie. L'action représente le signe palpable de l'engagement de la personne dans la vie. Parce qu'elle agit et à travers son agir, elle conscientise qu'elle accroche à la réalité, qu'elle y laisse sa marque. Cette prise de conscience suscite du goût de vivre, le goût de continuer à interagir avec la réalité extérieure. En somme, faire et agir présentent au monde la personne; ils la font voir à travers son action et sa conduite. Ainsi, celui ou celle qui n'aime pas ce qu'il ou elle est n'arrive pas à se passer-au-monde — il ou elle a honte, honte de lui ou d'elle-même; honte de ce qu'il ou qu'elle est. Celui-là ou celle-là n'agit pas. Bloqué(e) par l'inhibition de la honte de soi, ses risques de se voir happer par l'inertie sont d'autant plus augmentés qu'il y a la peur de l'évaluation de l'autre sur ce qu'il ou elle est.

Mettre le faire au service de l'être

Pour se passer-au-monde, une façon équilibrée de vivre l'action est nécessaire. Si l'action est l'expression de la personne, l'inhibition de l'action comme la sur-valorisation de l'action nuisent plutôt qu'elles ne favorisent la mise-au-monde. Ainsi, un trop grand détachement par rapport à son action ou à son comportement peut devenir un manque de respect envers soi-même — soi-même étant l'auteur de l'action; une trop grande focalisation de la personne — de la totalité de la personne — dans chacune de ses actions inhibe la conduite. Placée tout entière dans une action, la personne n'est que son faire, et alors elle hésite à se manifester dans son être, dans ce qu'elle est. Pour certains, le faire devient effectivement le seul critère de l'existence, tout comme si le droit d'exister ne pouvait reposer que sur l'obligation de faire. Ce type de faire — celui qui coupe la personne de ses autres ressources (penser, imaginer, etc.) — bloque et rive la conscience qui, elle, n'a alors plus accès ailleurs. Le faire et l'action ont donc leurs maladies: faire trop, faire pas assez, pas faire, peur de faire, mal faire, faire tout croche... Des maladies qui se traitent par un équilibre que chacun doit trouver — l'équilibre entre l'action à tout prix et l'absence d'action. L'agir doit être approprié à la personne, c'est-à-dire qu'il doit permettre l'actualisation d'une potentialité réelle de la personne, et ce, sans qu'elle ne s'y enferme ou ne s'y noie.

Pour qu'un agir soit approprié, il importe aussi — et peut-être surtout — que la personne prenne conscience — et reste consciente — qu'elle ne réside pas entièrement dans chacune de ses actions et dans chacun de ses gestes. Autrement dit, même si c'est la personne qui agit, elle n'est pas son action — elle est, d'abord et entièrement; ensuite, elle choisit d'agir en fonction de ce qu'elle est. L'être précède le faire, pas l'inverse. Le faire, l'action ou l'agir exprime l'être, mais ne le constitue pas. Et même là, l'action n'exprime en fait qu'une partie de l'être d'une personne. Ainsi, tout aussi importante que soit l'action comme mode d'expression de la personne, de son visage public; tout aussi important est de conscientiser que la personne est beaucoup plus que ce qu'elle exprime par ses agirs — elle est. L'action ne passe donc pas tout de la personne.

Denis ressent la pulsion de s'exhibitionner, de montrer aux autres son pénis en érection. En retrait derrière le rideau de son salon, il caresse et stimule son pénis pour conserver son érection. Il surveille en même temps les passants sur sa rue. Aussitôt que quelqu'un regardera vers sa fenêtre, il exhibera son pénis en pleine érection. Plus il attend, plus il ressent l'anxiété de se faire prendre, de s'attirer des ennuis, et celle de perdre sa liberté. En même temps, lui reviennent les paroles de son amie à qui il s'est confié: «Tu n'es pas que ça!» Cette parole lui traverse le cœur. Il n'est pas que ça, que pénis en érection, qu'organe génital; il est bien d'autres choses. Il n'a pas à s'acharner à montrer son pénis. Là, il sent l'anxiété diminuer. Il se désintéresse de plus en plus de cet agir obsédant. Il remonte sa fermeture éclair et il se prépare à partir pour son travail avec un petit sourire intérieur: il n'est plus que ça!

Une action peut facilement enfermer une personne si elle-même se réduit à son action, ou si elle-même ne se définit que par son faire. Se sentir liée à ses travaux et à ses «réalisations» extérieures comme une araignée à sa toile empêche la personne de se réaliser elle-même comme personne. Se vivre insécure et anxieuse parce qu'elle quitte — ne serait-ce qu'en pensée — ses accomplissements tronque la personne de sa globalité et de sa largeur — comme une araignée ne serait araignée que parce qu'elle tisse sa toile. La meilleure manière de faire et la meilleure façon de négocier son faire, c'est d'être. Être avec toute la largeur de sa personne, donc sans aliéner sa globalité.

> Maryse songeait souvent à ses «accomplissements»: ses travaux, le nombre de ses amis et de ses conquêtes. Lorsqu'elle se sentait anxieuse, inconfortable ou gênée, spontanément pour se calmer, elle pensait ou comptait le nombre de ses amis, les repas qu'elle avait préparés, la clôture qu'elle avait réparée, etc. Mais un jour vint où elle n'était plus habile et plus capable de faire: ses travaux n'avançaient plus; elle remettait sans cesse les choses à faire. Elle découvrit jusqu'à quel point, elle ne se définissait que par ses travaux. Elle n'était que ce qu'elle faisait. Elle, en dessous de ses travaux, qui était-elle? N'était-elle en vie que pour agir, faire et travailler? Avait-elle un autre sens pour sa vie? Lentement, après toutes ses souffrances de se sentir vide et insignifiante, elle apprit à changer cette définition d'elle-même et à laisser aller ce besoin d'accomplir et de faire. Elle se donna plus de place en elle-même, plus de largeur. Elle était tellement plus significative que ses travaux, ses réalisations. Elle pouvait maintenant se choisir, déambuler sur la rue sans se rendre nulle part, flâner dans un centre d'achat juste pour regarder les gens et les vitrines. Elle était tellement plus que son faire.

Entre faire et être : l'estime de soi

L'expression de soi-même par l'action renforcit la personne en autant qu'il y ait congruence entre soi-même et l'action — entre son vrai désir et l'action qui s'ensuit. D'une certaine façon, l'estime de soi est proportionnelle à l'expression de soi dans la parole, l'agir ou le comportement. Plus et mieux la personne s'exprime, mieux elle est avec elle-même et plus elle s'estime. L'expression à travers le faire sert de baromètre à l'estime de soi. La personne qui ne s'aime pas, n'agit pas — même dans les plus petites actions. Elle voit son reflet dans l'action comme dans un miroir et alors elle revoit l'image de ce qu'elle n'aime pas, elle-même.

> Même s'il veut voir son logement tout propre et en ordre, Paul n'arrive pas à se mettre en branle. Il voudrait sortir l'aspirateur, le brancher et faire de l'ordre, mais il se sent impuissant. Pire, la seule pensée de ces actions lui tourne le cœur. Il se sent défait et impuissant à mettre au monde ce qu'il désire puisque son faire ne pourrait que reproduire le dégoût qu'il a pour lui-même.

Quand la honte de soi-même et le dégoût de ce que nous sommes sont là, le faire devient automatiquement pénible parce qu'un rappel incessant de notre laideur. Et alors, la personne s'enlise encore plus parce que l'absence du faire et le douloureux «spectacle» de l'agir non-fait ne peuvent que désoler et recroqueviller encore plus la personne. Lorsque la désespérance est à ce point, prendre le risque de faire, même la plus petite action et la plus anodine, est indéniablement préférable à l'inaction puisqu'elle permet à la personne d'œuvrer sur la réalité, d'y reprendre prise plutôt que de ruminer le dégoût d'elle-même.

> Malgré toute sa lourdeur, André a quand même réussi à colliger les déchets des paniers et poubelles de sa maison et à les déposer dans un sac de plastique. Il pose, avec plus ou moins d'adresse, l'attache au sac. Puis il finit par transporter à la rue son sac de déchets. En le déposant, mal attaché, le sac penche, l'attache se défait et les déchets se répandent. «Ah, c'est bien moi» se dit-il «ces vidanges — ces pourritures qui n'ont même pas la décence de rester enfermées dans le sac». Sans même les ramasser, il retourne à la maison avec toute cette laideur de lui-même au cœur. Puis, il se ravise: «Il

y a tout de même une limite!» Il retourne à la rue, remet les déchets dans le sac, le referme avec plus de solidité et revient chez lui avec en lui un tout petit coin qui sourit. Après tout, il n'est pas aussi dégueulasse puisqu'il a réussi à rendre approprié son désir et son faire dans ce petit geste ordinaire.

Une bonne partie de l'estime de soi peut aussi s'édifier à partir de l'action et du faire et parfois même du plus petit geste. Simplement s'apprécier, se contenter de ce que nous sommes, s'accepter avec nos manques et nos ressources et souvent, c'est suffisant pour nous conduire à nous exprimer et à nous dire par notre agir. Nous valons la peine, notre peine, de nous réaliser par l'action.

Risquer — au-delà des attentes des autres

Mais il y a un risque, des risques. Faire, c'est aussi se sortir du néant, s'amener à l'existence. Or il est possible de ressentir une menace à son existence en mettant au monde une facette de soi-même à travers son action. Certains préfèrent ne pas risquer cette menace et se tiennent à l'écart du faire tandis que d'autres préfèrent surveiller le faire et l'action des autres pour les évaluer. La personne est toujours la seule responsable de son existence, particulièrement de celle qu'elle choisit de traduire dans la réalité par son action. Si la personne ne prend pas la responsabilité d'agir son existence, l'action n'arrive pas et la mise-au-monde de ce qu'elle est laisse place à une existence tronquée — la personne passe à côté d'elle-même au lieu de se passer au monde.

Benoît examine sa vie tout en désordre. Il l'imagine avec l'espace et l'harmonie s'il se décidait à y mettre de l'ordre. Il réfléchit: «Dans le fond, je suis seul, et si je ne fais pas ce que je veux faire, ça ne se fera pas et pourtant je veux que ça se fasse. Il importe donc que je veuille assez que ça se fasse, que l'ordre se fasse, pour embrayer que *je*, moi-même, le fasse». Il réalise que pour que lui-même s'implique, il doit s'arranger pour vouloir suffisamment que l'ordre se fasse.

Agir, c'est se montrer aux autres. Bien des actions se feraient si elles restaient anonymes, c'est-à-dire sans signature qui permette d'identifier l'appartenance de ces actions. Se montrer par son action, c'est évidemment s'exposer au regard des autres — voilà la menace; mais agir, c'est aussi naître — voilà l'enchantement. La personne sait très bien que par son action elle se sort du néant de l'anonymat et qu'elle émerge du vide de la non-mise-au-monde. Elle sait bien sûr qu'elle s'expose par là aux autres et à leur jugement, mais surtout elle réalise, savoure et contemple sa venue au monde. Elle s'annonce aux autres et à la vie: «Aie, j'existe! me voilà! C'est moi! Je suis là!» À partir de cette position — J'existe et je suis — la personne développe une manière toute personnelle d'exister — celle qui n'est ni celle des autres, ni celle des référents extérieurs parce que la sienne. La manière d'agir qui est appropriée à une personne reste celle qui lui permet le plus de sortir du néant, de s'exprimer et donc de s'exister.

Le «faire pour soi», pour s'exister n'arrive pas à venir au monde si le «faire pour l'autre» occupe l'intentionnalité et la conscience d'une personne. D'une certaine façon, le faire doit toujours s'«égocentraliser» pour obtenir sa pleine mesure et vraiment démarrer. Ce n'est que par la suite qu'il peut ajuster son action à l'autre pour le rejoindre — parce que c'est aussi souvent son bien que de rejoindre l'autre, et le plus souvent, il y parvient encore mieux si au départ, il s'est préoccupé de lui-même.

Tant que Sylvain n'était qu'écoute des attentes de Lise, il n'arrivait pas à se sentir présent dans sa caresse. Il la touchait, mais du bout des doigts et tout en cherchant sur son visage des signes d'approbation ou de refus. En quelque sorte, il ne caressait pas Lise, il la chatouillait. Tout a changé le jour où il a décidé de cesser de n'être qu'au service du plaisir de Lise pour plutôt s'exprimer lui-même par sa caresse — celle-ci obtint une présence et une plénitude tout à fait différente. De plus, comme Lise ressentait la présence de Sylvain sous sa caresse, elle goûtait davantage à la rencontre et sa propre caresse obtenait aussi une coloration plus vivante.

Tout aussi imparfaite que soit la manière propre et unique d'agir, elle conduit toujours la personne à continuer «le faire» pour s'exprimer encore davantage. La mise-au-monde de soi-même constitue alors le principal ressort à l'action, au geste et à la conduite. On espère rejoindre l'autre, mais on ne s'y attarde pas. Malgré le réconfort de l'acceptation de l'autre, cette acceptation doit demeurer secondaire à la mise-au-monde et à l'expression de soi à travers l'action. Ainsi le faire ne doit plus se coincer dans la tentative de rejoindre les attentes des autres et ne doit plus se mesurer à partir de critères imposés par les autres. L'acceptation par l'autre, doit en somme être vécue comme un plus, pas une nécessité. Quand elle vient, assuré-ment elle est bienvenue — et tellement savoureuse — parce qu'elle stimule le faire et la conduite de la personne qui, par cette acceptation, se sent reconnue et confirmée dans ce qu'elle est. Ressentir que notre manière propre d'exister vaut la peine pour quelqu'un d'autre (surtout si ce quelqu'un d'autre est aimé) mobilise effectivement les ressources et déploie nos énergies — toute l'énergie nécessaire pour continuer et persister dans notre manière d'exister.

L'encouragement par l'autre énergise la personne, polarise les ressources et alors, polarise l'agir. Il suscite le ressort du «ça vaut la peine ce que je suis» et en ce sens, il est une sorte d'invitation à vivre[10]. Il vient en somme combler le doute fondamental que transporte chaque personne de bonne foi quant à son droit d'exister et d'être. En reconnaissant l'autre dans son être, l'encouragement permet à cet autre d'exprimer son être dans le faire. Ainsi encouragée (mise en courage), la personne investit davantage son action et son faire, son action à faire, et elle s'énergise alors elle-même pour agir. Elle utilise son énergie, et elle estime aussi que cela (son action) vaut la peine puisqu'elle-même vaut la peine. Elle mobilise son attention et ses ressources au service de la mise-au-monde de son action parce que c'est de sa propre mise-au-monde qu'il s'agit.

Marie lit les commentaires de son professeur sur son travail de session. Elle sent monter en elle toute la fierté d'avoir été bien évaluée. Elle est contente et débordante d'énergie. Elle se sent capable et pleine de ressources. Bien plus, cela la motive suffisamment pour entreprendre immédiatement son deuxième travail — toute fière de pouvoir se manifes-ter à nouveau.

---

10.   Voir chapitre 11: Les autres, p. 271.

Se prolonger et s'augmenter

L'action qui est appropriée est une action qui prolonge la personne au-delà d'elle-même et en interaction avec les autres et avec son milieu. La personne agissante s'élargit et se développe par l'action et par l'inter-action. Elle agit mais aussi elle accueille — à travers le chemin ouvert par son action — l'action de l'autre ou le changement de son milieu, changement suscité par son action et les deux, lui reflètent son pouvoir sur la réalité.

Le gazon fraîchement coupé, Paul apprécie le résultat harmonieux de son geste. Conscient de sa capacité de se donner de la beauté par son geste, il se retourne maintenant vers l'étagère qu'il construit. Il continue ailleurs son action. En agissant sur son milieu, il le change et cela lui donne le goût d'agir à nouveau, de continuer.

Par son action, la personne agit sur son milieu et le change. Il s'ensuit une conscience différente de l'interaction entre elle et son milieu. L'agir provoque ainsi des expériences personnelles différentes qui élargissent sa conscience.

Tant que Marthe se rivait à son appartement et à sa pension alimentaire, elle baignait dans la morosité. Le jour où elle a décidé de se trouver un emploi, de l'occuper et d'en prendre les stimulations, son décor intérieur a changé. Elle a constaté plus de mouvement de son émotif — des temps de joie et des temps de fatigue; des moments de découverte et des moments de routine — de la vitalité, quoi! Elle savait aussi qu'elle pouvait changer d'emploi, malgré les risques, et s'ouvrir à d'autres expériences.

Nos actions ne sont donc pas insignifiantes, sans impact — pas plus d'ailleurs qu'elles sont le résultat du hasard. Nos actions portent et soulèvent des conséquences, des effets, qui jouent sur notre destinée. Elles servent ainsi à nous rendre conscients que nous ne sommes pas des marionnettes insignifiantes, résultat seulement des influences sur nous. Nous importons. Avec notre pouvoir d'agir, nous contrôlons notre avenir — du moins ce qui peut en être contrôlé — et nous avons du poids et une prise sur notre réalité. L'action est en polarité avec l'être — allumée, l'action permet à l'être de s'illuminer. Il ne faut donc pas la faire pâlir, l'évider de sa force puisqu'elle permet à l'être de s'irradier.

L'action nous relie à l'extérieur et au milieu. Par ce lien, l'action assure la continuité du processus et l'empêche de s'engorger et de se coincer. Elle permet que le flot de la vie se poursuive. Par la mise en contact avec le milieu, l'action favorise le mouvement intérieur de la personne, et de son organisme. Ce mouvement reprend ou continue (voir Gendlin, 1962). Le contact avec l'extérieur établi, la personne peut plus facilement ressentir l'apport de cet extérieur à sa vitalité parce que, à travers le contact établi, la personne accueille la vie qui graduellement s'enracine en elle.

Mordre dans la vie

Faire, c'est aussi maîtriser, prendre main, mordre dans la réalité et la vie — lui donner sa touche personnelle. Par cette mainmise sur la réalité, la personne confirme sa significativité — la réalité ne lui est plus indifférente et elle n'est pas indifférente à cette réalité puisqu'elle a posé sur elle sa marque et sa signature. De là, elle éprouve un sentiment de compétence — elle est capable. Celui qui n'arrive pas à faire ressent plutôt profondément un sentiment d'impuissance, d'incapacité à maîtriser, d'inadéquacité entre lui et ses situations. Il devient indifférent à son milieu tout comme souvent il l'est face à lui-même.

Paul a perdu tout l'élan et le zest qui pendant si longtemps avaient été auprès de ses amis, sa marque de commerce. Il initiait des projets et il travaillait d'arrache-pied pour les mettre au monde. Et là, il convoquait les autres à venir admirer son travail. Aujourd'hui, il constate que tout le passé, toutes ses œuvres et tous ses travaux se sont effondrés; du moins, ils n'ont plus de sens pour lui: «À quoi ça sert?» se dit-il «tout cela est tellement inutile!» Pourtant, il sait qu'il laisse en plan quelque chose — que tout ne s'explique pas seulement par ce «à quoi ça sert ou à qui ça sert?» «Et si ça ne servait à rien si ce n'est à ne pas me sentir insignifiant — ça vaudrait la peine. Si agir avait pour moi une nouvelle couleur de la réalité et que je serais le seul à la voir, ça vaudrait ma peine à moi.» De là, une nouvelle attitude se développe en lui, celle de l'action — expression de lui-même.

Les arrêts nécessaires

Si l'être humain est condamné à agir pour continuer — pour se continuer et continuer la vie autour de lui — il n'est pas indifférent au fait qu'à certains moments de la vie, l'action s'arrête et la conduite piétine. Ces arrêts font du sens. Ils permettent de s'arrêter pour retrouver un sens à ses agirs. Cet arrêt permet effectivement à la personne de cesser une continuation de la vie qui ne lui est plus appropriée et le plus souvent elle doit alors la changer pour que ses actions ne deviennent pas le produit d'un automatisme dénué de sens.

Ces arrêts sont importants. Quand ils surviennent, ils bouleversent et mobilisent la vie intérieure par une recrudescence des réflexions et des pensées sur soi-même et sur la vie. Ils ne doivent pourtant pas s'éterniser. Lorsque la vie intérieure ne suffit plus à nous stimuler, nous avons tout avantage à nous tourner vers le monde et la vie à l'extérieur de nous, à l'écouter et à l'accueillir pour retrouver et reprendre notre vitalité et redevenir en goût de vivre. Si cette attitude redémarre souvent la vitalité intérieure, c'est surtout parce que, à travers cette attitude, la personne retrouve en elle — la vie — ce qu'elle savoure à l'extérieur d'elle — la vie. Ce regard porté sur l'extérieur n'est pas une défaite de la vie intérieure — c'est tout simplement un changement de rythme[11].

Pour faciliter ce nouveau rythme, il importe d'accepter et de mettre en force l'effort nécessaire pour poser et installer dans l'extérieur des ingrédients stimulants. Il y a donc effort à faire et énergie à actualiser pour qu'adviennent l'harmonie, l'ordre et la beauté qui plaisent au regard ou au cœur.

En ce samedi après-midi un peu gris, Jocelyne ressent des pointes d'ennui. Que pourrait-elle bien faire d'elle-même? Elle pense alors à cette musique qu'elle aimerait bien écouter et à ce livre qu'elle aimerait bien lire. Décidée, elle enfile son manteau et malgré la grisaille de la température, elle se rend chez le disquaire, et chez le libraire, se procurer ces sources de plaisir. Revenue à son appartement, toute contente, elle déballe avec satisfaction son disque — savoure la musique. Puis, elle s'installe dans son

---

11. Le rythme de la vitalité, comme le rythme de la respiration: l'inspiration et l'expiration — l'intérieur et l'extérieur; les deux sont nécessaires à la continuité de la respiration.

bon fauteuil et elle attaque son livre neuf. Elle est toute pleine de goût de lire et fière de s'être donnée cette vie.

Pour que l'effort de l'agir s'accomplisse avec plus de facilité, il importe de donner un momentum au premier effort qui engagera les autres — ce qui implique un jeu d'équilibre entre l'ouverture de la conscience intérieure, de la perception par le cœur, et la stimulation par le monde extérieur: la belle musique entendue, la belle nature contemplée, l'expérience esthétique ressentie. Une fois perçu, l'extérieur stimule et engendre d'autres actions.

Depuis que Louis a repeint son salon et qu'il s'est acheté des meubles neufs, il a le goût de redécorer sa cuisine. Le plaisir qu'il ressent à contempler et à habiter son salon lui donne le goût de se sentir aussi dans la beauté lorsqu'il prépare ses repas et qu'il mange. L'énergie qu'il doit mettre pour décorer sa cuisine est sur le bout de ses lèvres chaque fois qu'il est bien dans son salon.

L'effort nécessaire pour remplir son milieu et sa situation de belles choses et de bonnes choses à savourer entraîne la vie intérieure qui elle à son tour entraîne et interagit avec le milieu dans un rebondissement harmonieux de l'un sur l'autre. Certains ne comptent que sur leur vie intérieure pour se sentir vivant mais à trop vouloir que seule la vie intérieure importe la personne arrive à négliger l'effort pour embellir et pour harmoniser son milieu extérieur[12]. Il s'agit en fait de mordre dans la réalité et d'y remordre encore et à volonté en créant ainsi son plaisir, sa satisfaction, sa vie et alors bien sûr, son goût de vivre.

Polariser et investir

Chaque personne doit polariser l'extérieur. Polariser, c'est investir — l'investissement personnel, émotif particulièrement, de la réalité extérieure. Pour polariser et investir, les caractéristiques réelles propres de la réalité extérieure comptent somme toute beaucoup moins que ce que la personne en fait, c'est-à-dire beaucoup moins que l'interaction entre la réalité objective et ce qu'est la personne: ce qu'elle pense, ce qu'elle désire, ce qu'elle ressent. C'est donc l'interaction entre la réalité objective et la personne subjective qui compte[13]. La personne doit donc s'impliquer pour s'intéresser à l'extérieur, pour se mettre en lien avec cette réalité en dehors d'elle. Elle doit en quelque sorte la faire sienne.

Pierre examine du coin de l'œil ce livre sur la mort déposé depuis plus d'un mois sur le coin de son pupitre. Aujourd'hui, il pense à toutes les questions qu'il se pose sur la mort, sur sa mort. Sa pensée touche quelque chose en lui de plus émotif; ce quelque chose se met en mouvement — il a hâte de lire ce livre sur la mort — il a le goût de lire. Il se lève, s'installe sur son divan et plonge avec avidité dans son livre.

À travers son effort pour fouiller la pensée de l'auteur, Pierre prend contact avec la qualité de la réflexion humaine et cela l'encourage à entretenir sa propre flamme intérieure — celle qui préside à sa créativité et au déploiement de son être

---

12. À ne compter que sur le milieu extérieur et y investir toutes les énergies pour l'embellir, on peut oublier la vie intérieure. Alors, là on est pas plus avancé puisque pour être bien et vivant et pour que l'effort porte fruit, il faut qu'il y ait participation et de la vie intérieure et du milieu extérieur dans un espace commun: le cœur.

13. Voir chapitre 10: La subjectivité, p. 215.

et qui l'amène lui aussi à réfléchir, à exprimer et peut-être un jour à écrire ses réflexions sur la mort. Un effort en encourage d'autres. Un premier effort permet de ressentir un élan pour mettre au monde des choses — à les informer (les mettre en forme) par un souffle de vitalité parce que cela vaut la peine ou l'effort de les faire naître.

La finitude pour se continuer

Conscientiser sa mort pour se continuer comme vivant constitue un paradoxe tout à fait fondamental. Il faut d'abord ressentir réellement que notre vie est limitée et que nous allons un jour finir et mourir pour pouvoir réellement conscientiser aussi et en même temps l'importance de la vie. Il faut le faire suffisamment pour l'investir pleinement cette vie qui est la nôtre même si, ou plutôt parce que, elle est limitée et qu'elle a une fin.

Toucher au sens de sa mort pour vivre

Toucher au sens de sa mort, c'est peut-être la motivation la plus profonde et la plus importante pour se mettre en action. Tant que l'humain se croit immortel et sans fin, il peut remettre sans cesse son action. Quand par contre il prend conscience de sa mort, de la finitude de sa vie, il polarise sa vie et s'occupe plus sérieusement de sa continuité et alors il agit. Il ressent effectivement comme une poussée vers le geste et l'action — agir et faire pour prendre la vie, aller la chercher et la savourer plutôt que de geindre et de se plaindre que la vie n'est pas là, qu'elle ne vient pas ou qu'il n'y en a pas assez. Conscient d'être mortel et donc que sa vie aura une fin, il veut la vie. Avec tout le pouvoir de sa volonté, il veut prendre la vie partout où elle est et pendant qu'elle y est. Il cherche à bouger, à se rendre actif, à créer des gestes pour atteindre encore plus cette vie, sa vie, pendant qu'elle est là, présente.

Louis revoit dans sa tête les visages de ceux et celles qui sont disparus: sa mère, son père, sa sœur et ses cousins. «Pour eux» se dit-il, «c'est fini! Pour moi aussi un jour tout sera fini- terminé, et je n'aurai plus la chance de me donner la vie». Cette réflexion l'amène à vouloir pendant qu'il est encore temps se donner le plus de vie possible. Dorénavant, il ira vers les autres non pas en craignant leurs reproches mais en cherchant la vie en eux et en lui et surtout en ne gaspillant pas la vie ou l'élan vers elle par une préoccupation trop grande de lui-même. Il veut maintenant prendre la vie et la vitalité partout où elles se trouvent par son geste et son action. Ensuite, il s'installera par l'action et la conduite dans des situations stimulantes de vitalité. Ce qu'il peut faire, il le fera.

Le pétillement de vitalité qu'éveille la conscience de sa mort mène presque naturellement à l'agir, à la conduite créative. En effet, la conscience de sa mort efface toutes les petites peines et les petits soucis sur la «petite personne», le quelqu'un et les *faces* pour d'un seul coup nous donner notre vrai visage. Avec ce vrai visage, les choses se font. Tout se passe comme si la «petite personne» cesse de s'inquiéter de son paraître pour polariser son être et ensuite, son faire.

Alain connaît toutes sortes de petites misères: maux de tête, maux de ventre, mal à l'aise à son travail, se sent pas reconnu, incapable de se mobiliser pour changer quoique ce soit. Un jour une de ses grandes amies meurt d'un cancer du poumon. Après le choc, Alain se ressaisit: «C'est fini ces petites morts que je me donne. C'est fini les maux de tête et les maux de ventre.» Il se mobilise enfin et laisse ce travail dans lequel il mourait à petit feu et trouve toute l'énergie dont il a besoin pour se dénicher un nouvel emploi. En deux semaines il a fait ce qu'il mijotait depuis deux ans.

Faire quelque chose nous continue et, d'une certaine façon, c'est une forme de victoire contre la mort — nous sommes moins mortels puisque nous nous continuons par le faire.

Agir, une défense contre l'angoisse de mort

Le faire peut servir de défense saine contre l'angoisse de mort qui réside en chaque être humain. Il peut également devenir une défense névrotique et alors ne pas servir au développement de la personne. L'idée de la mort s'intègre à l'idée de la vie si elle sert de stimulus à la vie. Autrement, elle peut très bien nuire plutôt qu'aider. L'éventualité de la mort peut effectivement éveiller chez certains une anxiété tellement intolérable que les défenses mobilisées contre elle deviennent extrêmes et alors néfastes pour le bien-être général d'une personne. Pour se défendre, certains s'emploient à nier la mort comme fin de la personne (de l'individu) en niant l'identité (le moi) pour noyer la personne dans une fusion avec la vie universelle qui elle ne meurt pas. L'idée de la mort alors ne permet plus la vitalité de la personne puisque celle-ci n'existe plus comme individu. C'est une fuite de l'angoisse de la mort par la fusion à l'universel en tuant le particulier, l'individu et l'identité et leurs richesses pour l'humanité. D'autres tendent davantage à exagérer le faire et le travail. Par leur exagération du faire, ils pensent domestiquer l'angoisse et museler l'anxiété de leur propre mort. Ils exagèrent l'action et le travail afin de se donner un statut spécial. Ils croient devenir immortels par l'acharnement qu'ils mettent au travail. Si les autres peuvent mourir, eux vont demeurer, continuer puisqu'ils ne cessent de travailler — ils se croient différents des autres.

L'agir, une défense saine et appropriée contre l'angoisse de la mort peut, nous le voyons bien, rapidement devenir une défense névrotique si l'angoisse devient trop envahissante, intolérable, et alors il ne sert plus le développement de la personne mais le contraint et le freine.

Le faire qui suscite le faire

Pour trouver son rythme, l'action implique l'action — ce qui revient à dire que la personne se nourrissant de l'action faite, s'énergise pour l'action à faire. L'action provoque un effet d'entraînement. L'action amène à continuer d'autres actions. L'action déclenche l'action. Son effet d'entraînement est tel qu'un des meilleurs ingrédients pour agir ou pour faire est un autre agir, un autre faire. D'une certaine façon, le premier faire amène de l'eau au moulin. Le faire, c'est l'eau qui fait tourner le moulin. Le faire engage le mouvement, le maintient et favorise l'énergie de continuer.

À son lever le samedi matin, Paule est devant toutes sortes de possibilités pour meubler sa journée: des emplettes, un tour à la campagne, du cinéma, le ménage de son appartement? Elle ne sait pas vraiment ce qu'elle veut. Tout en sirotant café sur café, l'heure avance et elle est toujours aussi indécise. «Je ne peux tout de même pas gaspiller ma journée de congé à penser à ce que j'aimerais le mieux en faire» se dit-elle. Mais elle ne bouge pas et elle attend, comme si un goût immense de l'une ou de l'autre activité viendrait la bouger malgré elle. Rien à faire — le goût ne se présente toujours pas.

Décidée à profiter de sa journée, elle se demande — «Que puis-je faire là, juste là et maintenant? Du ménage, alors je commence. Après mon ménage, ça sera les emplettes, le tour à la campagne cet après-midi et enfin le cinéma, ce soir.» Le début de son ménage engendre les autres actions comme en une séquence naturelle.

Si l'agir engendre ainsi l'agir, c'est parce que la personne qui agit perçoit l'effet de son agir sur la réalité. Par son agir, la réalité bouge et alors la personne ressent encore plus son pouvoir, son adéquacité et sa compétence à agir sur la réalité. Le spectacle du faire stimule à faire à nouveau. Il y a une rétroaction qui renforce l'élan vers d'autres actions[14]. Il y a synergie entre faire et goût de faire, intérêt pour agir.

Le jeu de la satisfaction

L'être humain n'est pas uniquement conduit par un besoin de rétablir l'équilibre entre l'excitation et la recherche d'un arrêt de cette excitation. Essentiellement créateur, l'humain n'est jamais rassasié par l'action faite comme s'il n'avait qu'à ressentir alors la satisfaction. Il ne peut pas se contenter simplement d'avoir fait. Au contraire, la satisfaction[15] engage à poursuivre l'action, à en initier de nouvelles. En somme, la contemplation de l'œuvre faite et la satisfaction d'avoir agi ou accompli interagissent et entraînent vers de nouvelles actions avec une nouvelle énergie.

Vendredi après-midi, 4 hres, Marie vient de terminer sa semaine d'enseignement. Elle est contente de sa semaine, d'avoir participé à ce que ses élèves connaissent davantage, soient mieux préparés à vivre. Entièrement habitée par ces contentements, elle a hâte à sa fin de semaine pour préparer la semaine prochaine, pour ressentir le plaisir de se savoir utile à ses élèves. Maintenant elle téléphone au plombier pour réparer sa baignoire et puisqu'elle y est, elle en profite pour régler son problème d'assurance-vie. Son action d'avoir enseigné l'entraîne à ses téléphones et à ses goûts de l'avenir.

La satisfaction d'avoir fait et le fait de ressentir cette satisfaction engendrent bien sûr de l'élan vers autre chose à faire mais aussi, ils permettent d'emmagasiner l'énergie — l'énergie de réserve qui pourra éventuellement être utilisée. En réalité, l'effort pour faire est maintenu malgré la fatigue et malgré le laisser-aller et malgré l'agacement de l'actualisation du faire si la personne ressent bien qu'elle aime et qu'elle apprécie l'action terminée, l'œuvre accomplie. Elle doit bien ressentir combien elle est satisfaite d'avoir fait et elle doit savourer le résultat de son effort. Il s'agit toujours et inlassablement de démarrer et de re-démarrer l'effort pour initier à nouveau et encore, le geste et l'action. Chaque engagement à une toute petite action, faire un tout petit détail, est porteur d'énergie et d'une énergie qui circule, qui s'accumule et qui est somme toute au service de la vie et de sa continuité.

---

14. On retrouve le même phénomène dans l'expression verbale. Celui qui exprime, exprime encore plus parce qu'il a exprimé — il est porté à continuer l'expression un peu comme le momentum de la pierre qui descend la colline. Le mouvement initié, il se déroule par lui-même. (Voir aussi p. 284 et ss.)

15. La satisfaction devient dynamique et perd le caractère passif que lui octroient certains penseurs.

Le faire qui engendre de la beauté

Finalement, le faire qui engendre le faire peut également par cela engendrer d'autres qualités d'expérience, et peut-être particulièrement celle de la beauté (voir aussi le chapitre 12 : La beauté, p. 317 et suivantes).

> Installé devant sa toile depuis un petit moment, Paul cherche dans sa tête comment il pourrait bien traduire l'impression qu'il a gardée de cet hiver. Il sait pourtant qu'il n'arrivera à rien sans commencer — sans que son hiver prenne forme et sans plusieurs imprécisions. Alors il commence. Il mélange ses couleurs et dessine le premier trait: «Puisque c'est ce que j'ai à faire là, maintenant, je le fais sans autre questionnement.» Finalement, il a fait le plus beau paysage d'hiver de toute sa collection. La beauté est née du faire.

Dans certaines conditions, le faire humain participe ou initie ou engendre de la beauté — une beauté qui suscite et qui suscitera chez la personne et chez ceux qui l'entourent, une expérience esthétique. Une réalité embellie par le faire est une réalité qui s'offre ensuite à la contemplation, par l'auteur de cette nouvelle harmonie mais à tous les autres aussi. Toute forme cherche à se compléter, à se terminer — c'est la potentialité qui crie pour l'actualisation. Ce qui est en gestation cherche à venir au monde et si la beauté arrive, c'est parce que le faire a complété la forme. En somme, d'une forme qui s'élabore et qui cherche l'existence, adviennent la réalisation et l'actualisation de cette forme et alors souvent, de la beauté. Suivent ensuite la satisfaction d'avoir donné naissance à une réalité et le goût de recommencer encore pour donner à nouveau naissance à d'autres formes, à d'autres réalités et à de la beauté. Sur l'avenue de l'esthétique, il y a l'ordre et l'harmonie des choses à faire. Si la mise en ordre des choses principales par rapport aux choses secondaires est nécessaire, le départ toutefois ne s'effectue que justement parce que c'est un départ, qu'il doit y en avoir un et sans autre justification.

LES CARACTÉRISTIQUES DYNAMIQUES DU FAIRE: VOLONTÉ ET IDENTITÉ

Entre le désir et l'action loge le vouloir, la volonté. La volonté sert à faire passer le désir dans l'action[16]. La volonté est la plus grande force pour contrer l'inertie, la mort et la fin. C'est un «je veux» qui malgré son apparente simplicité s'avère plutôt une force d'une très grande complexité. Ce «je veux» implique un «je peux» et un «je décide» de pouvoir: «je veux décider de pouvoir vouloir agir». La boucle est bouclée.

Vouloir implique choisir, et perdre

Vouloir signifie s'engager et se mobiliser à une action. Si le vouloir n'impliquait pas cet engagement de soi-même, il serait beaucoup plus facile et la personne n'éprouverait pas cette lourdeur et cette pesanteur à décider. Or, pour chaque vouloir («je veux»), il y a une perte. Pour chaque «oui» à quelque chose ou à

---

16. Même si la valorisation du vouloir et de la volonté constitue plutôt une anicroche à l'esprit du temps, il n'en demeure pas moins que la volonté et son actualisation, le vouloir jouent un rôle de premier ordre dans le passage du désir à l'action.

quelqu'un, il y a un «non» à quelque chose d'autre ou à quelqu'un d'autre. C'est justement à cause du «non», de l'abandon ou de la perte de quelqu'un ou de quelque chose que c'est le plus souvent difficile de vouloir. Dire «non» à certaines de nos possibilités, limite nécessairement nos choix et cela est douloureux parce que plus nos possibilités et nos choix sont limités, plus nous nous approchons de la mort — la mort étant ultimement le moment de la disparition de toutes les possibilités. La mort c'est l'impossibilité de possibilités.

> Jean hésite entre Marie et Louise, ses deux amies. S'il choisit le pétillant de Marie, il perd la sérénité de Louise et vice versa. Or, il ne veut rien perdre. Pourquoi est-il obligé de choisir et de décider, de se départir de l'une ou l'autre? Puis se concentrant sur ses limites, il sait très bien qu'il ne peut prendre les deux, qu'il doit choisir et que cela résulte de ses limites humaines. Choisir et abandonner, prendre la joie de l'une et souffrir le deuil de perdre l'autre.

Vouloir, c'est se responsabiliser

En somme vouloir et décider, c'est se responsabiliser. C'est se rendre responsable de son présent, de son avenir, mais aussi de son passé. Ainsi celui qui s'avoue responsable de son avenir quant aux choix et aux décisions qu'il prendra et portera, se reconnaît aussi responsable de ses misères, de ses souffrances et de ses épreuves du passé — et c'est peut-être cela qui est somme toute le plus difficile. En effet, puisque nous sommes maintenant capables de choisir et de vouloir, nous devions aussi l'être dans le passé et qu'en avons-nous fait?

> Mathieu se sent triste et mélancolique. Sa vie n'est plus satisfaisante. Il tente bien sûr de s'accrocher à des petites consolations mais il sait qu'il ne s'agit que de bouées de sauvetage et qu'elles ne durent que le temps de les dégonfler. Il regarde sa vie jusqu'à maintenant et réalise combien il ne l'a pas vraiment choisie — plutôt il a choisi de faire plaisir aux autres et de ce choix fondamental, sa vie s'est déroulée. Pourtant, ses vrais désirs étaient là mais il les mettait de côté — pour s'aligner sur les attentes des autres: sa mère, son père, sa femme, ses enfants. Aujourd'hui à 50 ans, qu'est-ce qu'il désire vraiment de la vie? Qu'est-ce que lui-même, pour lui-même, en lui-même désire? Il éprouve beaucoup de difficulté à le savoir, à le préciser. Il a comme lentement éteint son propre radar. Ce dont il est assuré pourtant c'est qu'il veut la vie. «Oui, je veux choisir la vie, la joie et la satisfaction! Oui, je veux les bonnes choses de la vie, ses plaisirs et son sens. Oui, je veux la vie, celle qui stimule et fait croître» se dit-il. De cette décision, il sait que lentement, il trouvera des moyens concrets pour transformer sa vie et se redonner cette vitalité.

Entre l'illusion et la réalité : la décision d'agir

Dans l'agir humain comme dans bien d'autres choses, les attentes illusoires abondent. Par exemple, on espère secrètement un pouvoir magique qui pourrait transformer instantanément la réalité ou encore plus une baguette magique qui donnerait à son possesseur et sans effort tout ce qu'il désire. Or, l'attente magique — celle d'un moment spécial, ou l'espoir d'une émotion et d'un élan irrésistible qui feraient disparaître la conscience de tous les petits détails désagréables et de tous les petits embêtements; eh bien, il n'en est rien. Il n'y a pas d'élan irrésistible. Il n'y a pas de baguette magique. Il n'y a que le vouloir agir et l'engagement. Devant les choses difficiles, les peurs, les efforts à faire, l'être humain se raconte de bien belles histoires. Évidemment cela lui permet de garder l'espérance mais dans la réalité, il doit accepter de se confronter aux limites de sa condition existentielle.

Pour mener son «faire» à l'existence, l'être humain doit suivre les étapes de tout ce qui s'actualise, de tout ce qui vient au monde et il ne peut le faire qu'en conscientisant sa condition humaine, les données de son existence, ses limites et sa finitude. À la première étape, le désir de faire, d'agir, se précise et se débarrasse des impossibilités par la confrontation avec les données de la réalité. Le désir devient une décision d'agir. Vient ensuite l'étape du plan de passage de la décision à l'action terminée. Les étapes initiales, intermédiaires et finales du plan, si elles sont bien conceptualisées et hiérarchisées, évitent à la personne de se décourager pendant l'exécution parce qu'elle est tout habitée par l'image de l'action terminée. Un échéancier doit encadrer chacune des étapes, et les moyens pour atteindre chacun des différents objectifs doivent être identifiés. Planifier ainsi s'inscrit dans une séquence de rythmes avec l'alternance nécessaire de périodes d'effort et de périodes de repos, l'alternance de temps pour la spontanéité et de temps pour le travail de raffinement et de précision. Finalement, pour faciliter la mise-au-monde du «faire», les qualités émotives propres à chaque étape et à chaque type de travail doivent être conscientisées.

À l'origine : le désir

La personne doit être consciente des émotions dont elle aura besoin pour passer au travers ces étapes et ces travaux. Lui seront par exemple nécessaires des qualités comme la patience, la détermination, l'acceptation du malaise inévitable lié à l'initiation de l'effort et l'humilité devant les tâches ordinaires. Pour maintenir sa motivation, la personne doit aussi souvent se contacter le désir, son désir, à la source de la décision tout en se consacrant à chacune de ses tâches. Ce désir c'est le ressort de son faire. Désirer, c'est l'immense avantage de la personne humaine pour réaliser sa vie — porter son désir au cœur comme un trésor de vie afin que la décision advienne.

Par son désir — ressort de son faire et source de son vouloir — la personne plonge dans l'action ou dans la conduite. Cette plongée tout de go coupe l'inertie et met la personne en action, à la limite juste pour la valeur ou le plaisir de s'y mettre. Par contre, lorsque la personne tergiverse, hésite ou attend passivement que le temps de s'y mettre vienne de lui-même, un peu comme si quelque chose de spécial allait venir éviter ou empêcher la misère de l'effort ou l'embêtement de la fatigue de vouloir — effort et d'une certaine façon fatigue nécessaire pour que l'action s'actualise. La personne alors n'agit pas et n'agira pas non plus. Rien ne peut venir d'ailleurs que de son désir, de son vouloir et de sa décision — et avec cela, la misère et l'embêtement de l'effort.

> Philippe attend que le goût de nettoyer son sous-sol vienne de lui-même. Il croit qu'un jour viendra où n'ayant plus d'autres choses à faire, il ressentira soudainement un intérêt irrésistible à faire le ménage de son sous-sol. Passivement, comme s'il n'était que l'objet de son goût de faire, il attend. Mais un jour il décide de faire son goût. Il accepte l'effort (la difficulté, la pesanteur à prendre et à digérer) et lentement le goût est venu. Son goût était là mais comme prisonnier de son attente et de sa passivité.

Le vouloir est un pouvoir

L'attente d'un vent favorable plutôt que l'affrontement des obstacles, des résistances et des arrêts ne peut conduire une personne qu'à stagner sur place. La personne ressent et mobilise beaucoup plus d'énergie quand elle accepte de confronter les obstacles, d'affronter les résistances et de défaire les freins à l'agir. Trop souvent la personne n'ose pas démarrer parce qu'elle ne croit pas ou pas assez au pouvoir de son vouloir. Ce qui rend possible l'acceptation de la misère de l'effort pour faire naître l'action, c'est de ressentir que son vouloir est un pouvoir. Ressentir son pouvoir fonde aussi tout le reste.

> Louis n'arrive pas à démarrer son travail de session. Il se demande: «Comment arriver à me discipliner pour écrire ce travail, pour réussir à terminer cette session pour passer ensuite à autre chose. Je sais que j'ai à mettre et à accepter de mettre du temps pour l'écrire, que j'ai à me concentrer sur ce que j'ai à écrire, que j'ai en même temps à écouter ma créativité palpitante et débordante pour enfin compléter les études que j'ai entreprises». Il continue: «Je sais qu'il faut faire pour faire mais ai-je le courage d'enlever les obstacles et les empêchements? Oui, si je le veux. Mon pouvoir d'écrire, c'est donc de vouloir!»

Le courage nécessaire au vouloir implique donc aussi le courage de pouvoir. Le courage de pouvoir est à la source de tous les pouvoirs que s'accorde la personne et il se fonde — comme pour couper la force de l'inertie[17] — sur le *malgré*: maintenir malgré... continuer même si... ne pas abandonner malgré... Cette intégration du malgré dans le pouvoir est tout aussi importante que la nourriture l'est pour le corps. Quelle que soit la force de la résistance ou quelle que soit l'adhérence du frein, le *malgré* doit être intégré au pouvoir.

> Philippe ne veut plus fumer et il est bien décidé, il veut cesser complètement de fumer. Il ne se ménage pas et il choisit la cure sèche — pas de tabac, pas de nicotine. Dire non à l'appel du plaisir de fumer avec toute cette détermination du *non* et malgré la souffrance dans le creux de l'estomac. Il se sent si seul pour dire *non*; si seul, si incompris et pourtant il sait la nécessité de le dire parce qu'il a *voulu* et qu'il a décidé de le dire. Un jour, il voudrait aussi faire partager aux autres cette force et ce pouvoir mais présentement il n'a qu'une idée en tête: durer et maintenir le non, le «il n'en est pas question». Le faire malgré tout — tout ce qui de l'extérieur sollicite le contraire: le monde, les annonces... toutes ces cigarettes qui n'attendent que d'être fumées et qu'il voit partout, grosses, dodues et si appétissantes. Mais, il se dit: *non*. Et tout ce pouvoir lui vient de l'intérieur, de cette vie du cœur, de la tête, de l'esprit — de sa propre vie.

L'identité : l'état fondamental d'être seul et séparé

La solitude est souvent nécessaire pour pouvoir mener à terme la lutte contre nos mauvaises habitudes. Les gens que la personne aime, ceux et celles qui sont proches d'elles, peuvent effectivement souvent être ou devenir nuisibles à l'effort de vouloir. La personne doit vaincre parfois malgré eux et malgré ses habitudes avec eux. Tout ce réseau d'habitudes et de plis de vivre avec les autres dans lequel baignaient ses mauvaises habitudes doit aussi être confronté et dépassé. Pour que

---

17. Voir p. 195.

le pouvoir obtienne toute sa force et que le vouloir *malgré* ne flanche pas, c'est la vie avec elle-même, la vie intrapersonnelle qui doit obtenir priorité.

L'identité joue un rôle primordial dans le contrat qu'une personne établit avec la vie, c'est-à-dire dans sa manière particulière de composer avec le faire ou l'action. L'identité reste essentiellement la conception qu'une personne se fait d'elle-même. Or ce que nous sommes le plus souvent portés à oublier quand il s'agit de notre identité, c'est notre état fondamental d'être séparé — en d'autres mots, le fait indéniable de notre solitude.

L'être humain comme individu malgré tous ses dénis, ses fantasmes et ses rêves n'en demeure pas moins seul et séparé des autres. Bien sûr il est lié aux autres, il peut interagir avec les autres et même il s'énergise par cette interaction, mais au fond il est seul, fondamentalement seul, seul pour vivre et seul pour mourir. L'état d'être séparé est indéniable comme donnée existentielle et pourtant c'est la plus négligée dans la conception qu'une personne se fait d'elle-même. Indéniable mais nous la nions quand même ou du moins la négligeons ou tentons de l'oublier.

L'oubli ou la négligence par rapport à l'état fondamental d'être séparé entraîne cependant des conséquences néfastes quant au contrat qu'une personne établit avec la vie et avec l'agir. Cette personne risque fortement de croire que d'une certaine façon et en quelque part, une autre personne — ou un *sauveur* ou une *mère substitut* — viendra faire et agir à sa place. Cette croyance qui veut que quelqu'un d'autre agisse, termine ou complète à notre place est présente à divers degrés chez plusieurs[18]. Chaque personne doit parvenir à s'en détacher pour assumer sa solitude et sa propre responsabilité mais en même temps chacune doit également réussir à l'intégrer en elle comme partie prenante de sa mythologie du social.

> Paul attend que Benoîte fasse à sa place la vaisselle. Il souhaite qu'elle lise dans sa tête à lui son désir de voir la vaisselle faite et la cuisine rangée. Il n'aime pas voir ces assiettes sales et ces tasses empilées. Il aimerait voir un comptoir bien propre mais il attend. Puis il réalise que fondamentalement, il est séparé de Benoîte, qu'il n'y a pas d'osmose de pensée entre lui et elle. Elle ne peut pas être ou faire à sa place. Elle n'est pas un prolongement de lui-même. Puis conscient qu'il est séparé et seul et malgré son attente que Benoîte initie et fasse la vaisselle, il réalise qu'il importe de se lever, de commencer, de grouiller son inertie. Il n'y a pas d'espoir du côté de l'attente magique de Benoîte, prolongement de lui-même — tout au plus une insatisfaction de ne pas avoir fait la vaisselle, si Benoîte s'avisait comme ça d'elle-même de faire la vaisselle.

C'est pas facile pour une personne de prendre, d'accepter et d'assumer son état de séparé des autres, son état de solitude. Pour naître, vivre et mourir, l'être humain est seul. Il ne peut pas fuir cette réalité; il ne peut que la déformer ou la dénaturer mais s'il y parvient ce ne pourra être qu'au prix de son authenticité de vivre. Dans son contrat avec l'existence, comme dans la responsabilité qu'il peut prendre pour conduire et se donner sa vie, c'est la conscience d'être seul qui stimule sans cesse l'être humain au faire et à l'agir. La vie, il se la donne par lui-même, par et à travers son action et son faire.

---

18. C'est une croyance qui résulte du primitif de l'humain, c'est-à-dire de cette partie de lui-même qui vient et loge dans l'inconscient, qui sert le collectif et l'espèce humaine et qui fait tendre la personne vers la socialisation et les besoins de la société, des individus de sa communauté.

Toute sa vie, France a attendu qu'on s'occupe d'elle, qu'on lui donne une réponse à ses besoins, qu'on l'instruise, qu'on la marie, qu'on lui fasse l'amour... Or, il s'est toujours trouvé quelqu'un pour lui dire ce qu'elle devait penser, ce qu'elle devait dire, ce qu'elle devait choisir. Même si plusieurs de ses besoins étaient ainsi remplis avec plus ou moins de justesse, il en est résulté tout un style de vie axé sur l'attente qu'un autre ou les autres s'occupent d'elle, la rendent heureuse et satisfaite. Pourtant, après 40 années de cette vie, France était encore insatisfaite et encore en attente. Divorcée et sans travail, elle attendait ne sachant même plus ce qu'elle voulait exactement. Même que d'une certaine façon, elle croyait que ce vouloir lui viendrait d'ailleurs. Quelqu'un quelque part lui inspirerait sûrement ce qu'elle devait vouloir et lui aiderait bien à agir ce vouloir en la secondant dans la mise-au-monde de ses actions. Le décès de sa mère l'a plongée dans un grand désespoir — sa mère disparaissait, l'abandonnait seule à elle-même alors que toute sa vie, c'était sa mère qui avait comblé tant de ses besoins. Ce n'est que très lentement qu'elle a pu réaliser que le décès de sa mère ne créait pas sa solitude mais l'amenait plutôt et seulement à prendre conscience de sa solitude, de son état d'être séparé. Elle réalisait que elle aussi, France, était de cette espèce qui meurt — il n'y avait pas de privilège pour ceux de son sang, sa famille. Elle allait elle aussi un jour mourir et elle serait seule pour mourir tout comme elle était seule pour vivre, seule pour trouver une réponse à ses besoins, seule pour faire sa vie, seule pour tenter d'être satisfaite et contente.

Risquer le déséquilibre du changement

Pour agir la personne doit prendre conscience de sa solitude fondamentale, ce qui implique en particulier d'accepter de laisser aller l'état de sécurité qu'accorde l'inertie ou l'action qui relève de la responsabilité d'un autre ou des autres. Agir et agir seul provoquent nécessairement une brisure dans la sécurité et l'équilibre du connu pour placer l'agissant face à l'inconnu et au déséquilibre qu'il crée. Avant l'action, la personne est sécure, équilibrée et stable; après l'action, elle risque de ne plus l'être, de ne plus se reconnaître, elle ou son milieu. Elle ne sera plus la même parce que son action la transforme elle-même comme elle transforme aussi son milieu et l'interaction jusqu'alors connue entre elle et son milieu. Or bien sûr, perdre ainsi la sécurité du connu, nos repères habituels, et plonger dans le déséquilibre créé par la mise-au-monde de l'agir ne s'effectuent pas sans étourdissement et sans éveiller peurs et inquiétudes. C'est inévitable parce que agir implique risquer. Risquer sa stabilité sans être assuré à l'avance et certain de ce qui nous attend. Risquer et perdre le terrain connu et sécure pour choisir l'inquiétude du passage vers le nouveau et le différent. Mais répéter le risque, c'est aussi l'apprivoiser. C'est faire en sorte que de ré-essayer à nouveau permette éventuellement d'engager le risque plus facilement et jusqu'à temps que le goût de l'action émerge simplement et avec lui, l'ouverture et la transformation de la réalité. C'est de la constatation de cette transformation que surgit finalement le goût de continuer à agir, qui est lui-même en fait une partie du goût de vivre.

Certains, plus insécures que d'autres, ressentent le risque inhérent au changement qu'apporte l'agir comme un risque pas prenable parce que trop angoissant et déstabilisant. Ceux-là cherchent la stabilité à tout prix et l'absence de mouvement. C'est également ceux-là qui le plus souvent attendent cet autre symbolique, un *sauveur*, qui saurait les maintenir dans la sécurité et la stabilité. Tout se passe comme si pour eux l'autre devait prendre l'insécurité et le déséquilibre pour à leur place risquer l'action et pour alors changer, encore une fois à leur place, leur propre relation au monde. Si l'autre prend le risque, la personne peut demeurer bien au chaud avec elle-même et s'arroger en plus le droit de se plaindre si la vie ne lui est pas donnée comme elle le voudrait — ce qui est plus souvent qu'autrement le cas.

Paul et Marie sont en voyage en auto-stop. Parvenus à un relais particulièrement difficile pour obtenir une autre randonnée, Marie est épuisée et s'abrite sous un pont à l'ombre. Paul reste bien posté au soleil et demande à Marie de le rejoindre pour faciliter leur chance d'arrêter une voiture étant donné qu'ils seront beaucoup plus visibles en plein soleil. Marie hésite: «Je suis bien ici à l'ombre — que Paul se débrouille pour arrêter une voiture». Puis elle se ravise et rejoint Paul en se disant que si cette place au soleil ne favorise pas l'arrêt d'une voiture, elle pourra toujours se plaindre que la faute en revient à Paul puisque après tout, c'est lui qui en a eu l'idée et elle se sentira alors moins déçue si elle attend en vain.

Le contrat avec la vie c'est donc essentiellement faire — faire, agir, réaliser, créer et vivre sa vie. Faire c'est briser l'inertie fondamentale pour se passer-au-monde et pour se prolonger. Faire c'est aussi se rendre adéquat par rapport à son milieu, se continuer et créer de la beauté. Faire c'est finalement se rendre responsable. C'est prendre sa vie en main et se responsabiliser sans cesse parce que nous savons et acceptons notre solitude fondamentale. C'est concrètement chercher par tous les moyens mis à notre disposition les meilleures actions à entreprendre, s'engager dans l'action et la compléter. En découle un sentiment de pouvoir sur sa vie qui, lui, stimule particulièrement le goût de vivre. À la base de ce pouvoir réside la satisfaction de soi. Satisfaite d'elle-même, la personne est stimulée par et vers l'action. Parce qu'elle est satisfaite et contente d'elle, la personne agit et elle a le goût d'agir; pas contente et insatisfaite d'elle, elle perd le goût d'agir, échappe à l'essence même de son contrat avec la vie, et la plupart du temps, elle perd aussi une bonne partie de son intérêt à vivre.

CHAPITRE 10

LA SUBJECTIVITÉ

La subjectivité est une source puissante de goût de vivre qui prend ses racines dans le monde intrapersonnel. Être subjectif, c'est une façon de se donner du goût de vivre.

Être subjectif, c'est vivre en se guidant et en se référant à sa vie intérieure. Être subjectif, c'est être sujet de sa vie, ce qui s'oppose spontanément à être un objet de soi-même et conséquemment ce qui s'oppose aussi à se traiter comme un objet.

Par son appréhension consciente, la personne subjective transforme toute réalité, la sienne propre et celle à l'extérieur d'elle-même[1]. Entre le sujet et l'objet, c'est-à-dire entre la personne elle-même et la réalité, il y a inter-relation plutôt qu'opposition. La personne est subjective et elle se donne du goût de vivre quand la relation sujet-objet se vit dans un climat d'échange réciproque à l'intérieur duquel les deux se fécondent mutuellement.

Dans ce chapitre nous analyserons d'abord la notion de la subjectivité (le quoi); ensuite nous présenterons l'art d'être subjectif (le comment); enfin nous élaborerons sur son utilité (le pourquoi) et sur les critères susceptibles de nous aider à reconnaître et à évaluer le degré de subjectivité d'une personne.

LA NOTION DE SUBJECTIVITÉ: ÊTRE SUJET, C'EST ÊTRE VIVANT

Un processus de vie

Notre nature humaine de vivant, la plus vraie et la plus personnelle, n'a pas de contenus, d'objets: elle est conscience pure, subjectivité pure. Le cœur de notre vie se nourrit et se vit par le contact avec soi, dans la subjectivité. Si nous nous défaisons de nos compulsions à nous vivre exclusivement comme objets de nous-mêmes[2], nous permettons la venue du pouvoir créateur de notre subjectivité. Un être humain,

---

1. La subjectivité n'est problématique que lorsqu'un individu tente d'imposer aux autres sa vision subjective de la réalité. Toute personne voudrait bien et avec raison être perçue et traitée objectivement, c'est-à-dire comme elle est ou plutôt comme elle-même se perçoit subjectivement. Mais si elle est le moindrement perspicace, elle sait très bien qu'elle ne pourra pas être considérée autrement que subjectivement par toute autre personne, que cette autre personne soit de bonne volonté ou pas (voir pp. 342 et suivantes).

2. «Nous vivre comme objets de nous-mêmes» signifie nous traiter comme si nous n'avions pas de principe intégrateur — comme d'ailleurs nous traitons nos choses (nos maisons, nos automobiles, etc.). Nous les entretenons ou nous les faisons réparer comme si elles étaient séparées de nous-mêmes et cela est bien. Lorsque nous nous traitons nous-mêmes comme ces objets, ces choses — nous évacuons notre appartenance à nous-mêmes pour n'être que le reflet de nos sens, que l'image que nous laissons aux autres, etc.

c'est la vie qui prend la forme et le contenu humains. Ce que nous sommes donc fondamentalement, c'est des êtres dont le propre est d'être vivant. Et cette vitalité née de la subjectivité est à protéger, à encourager et à développer.

Cette vitalité importante et intrinsèque à la nature de l'être humain est tout de même souvent éclipsée ou simplement perdue derrière une propension trop grande à nous identifier comme objets de nous-mêmes, à nos images, à nos faces. Lorsque cette vitalité est ainsi sacrifiée à l'objectivation, elle doit être retrouvée sans quoi la personne se voit vivre comme en dehors de sa nature même. Or, retrouver ou avoir ou ré-avoir cette vitalité, doit passer par la «subjectivisation» de la personne, c'est-à-dire que la personne doit reprendre et garder contact avec sa subjectivité. Par exemple, lorsqu'un être humain réalise que les images qu'il s'est donné et qu'il entretient sont trop lourdes et ont tendance à l'écraser sous leurs poids, c'est un bon indice que sa subjectivité est disparue ou à tout le moins, grandement affaiblie — il n'*est* plus, il *a* des faces. Il est alors plus que temps de réagir, c'est-à-dire chercher à se défaire et à se désister de ces définitions objectives de soi-même ou à tout le moins les dégager et les décoincer de l'identité globale. Cet effort doit persister jusqu'à ce que la subjectivité vivante et vitale reprenne la place qui lui revient.

> Après avoir connu des succès et des échecs, des misères et des joies et cela pendant de longues années de vie, Luc s'arrête devant le chemin de vie qu'il a parcouru et surtout sur celui qui lui reste à parcourir: que veut-il pour l'avenir? quelle sorte de vie veut-il se donner? comment aimerait-il vivre son travail, ses relations avec les autres, son corps? Il aimerait ressentir une plus grande fraîcheur de vivre, un appétit pour des expériences neuves, pour la découverte de nouvelles facettes de la vie. Il voudrait aimer se lever le matin pour ressentir la richesse de ses journées tout comme c'était dans sa jeunesse. Ses rencontres avec les gens, il les voudrait stimulantes. Mais à chaque formulation de ses désirs pour une vie différente, il s'entend dire: «Mais tu n'es pas comme ça; tu as des responsabilités à tenir; tu ne peux pas te permettre une vie de bohème; tu es trop gêné, trop inquiet; tu es marié, etc. etc.». Pourtant, s'il cessait de se représenter comme il le fait, s'il commençait par croire plus à ses capacités de réaliser ses désirs, s'il se défaisait de ses corsets du bon vieux temps et s'il laissait aller les avantages (les reconnaissances, ses réputations) d'être le même qu'avant, il arriverait bien à trouver cette fraîcheur de vivre — de vivre ce qui lui reste à vivre sans sacrifier sa subjectivité — cette subjectivité qui lui donne du goût de vivre.

Pour être sujet de sa vie, deux choses essentielles: *d'abord*, réduire son identification avec les objets de soi-même, ses rôles, ses carapaces, ses qualités ou ses défauts; *ensuite*, être toujours plus conscient que sa vraie nature, sa vraie identité est d'être un processus de la vie, une pure subjectivité. Tout ce que nous faisons, tout ce que nous ressentons, tout ce que nous connaissons et bref, tout ce que nous sommes passe nécessairement par notre subjectivité et en prend les couleurs.

Une source de goût de vivre

Ce qu'il importe de connaître pleinement et de se rappeler sans cesse, c'est qu'en installant la priorité sur la subjectivité de notre vie, nous maintenons ou nous développons notre goût de vivre. Chacun sait cependant qu'un jour ou l'autre au cours de sa vie, il a perdu, il perd ou perdra contact avec ce sixième sens en lui qu'on appelle la subjectivité ou le coin du Je[3]. Nous le sacrifions trop souvent au

3. La conscience de soi-même est faite du Je (principe moteur, sujet, celui qui *se* regarde) et des *sois* (les objets, ce qui est regardé de soi par soi-même). Dans le développement harmonieux, la représentation de soi-même (le concept de soi) est faite du *Je* qui préside

profit de nous conformer, de ressembler aux autres, ou même sous prétexte de construire le principe de la réalité[4]: ce sont toutes de bonnes excuses pour finalement étouffer ou perdre notre subjectivité. Et avec cette perte se glisse de larges pans de notre goût de vivre et une bonne partie de notre vitalité. Parce que retrouver ce sixième sens qu'est notre subjectivité et s'en servir pour nous conduire dans la vie, c'est aussi se mettre en goût de vivre, se vitaliser.

> Dans le métro qui la conduit à son bureau, Suzanne, psychologue, regarde tous ces gens qui comme elle se rendent à leur travail. Depuis 20 ans, combien d'heures a-t-elle consacrées à écouter ses clients et clientes de toute profession, de tout métier? Toutes ces personnes qui cherchaient profondément en elles-mêmes des chemins pour sortir de leur misère et de leur souffrance, pour se donner le courage de vivre mieux. Graduellement elle est arrivée à la conclusion que ce que tous ces gens voulaient, que leur préoccupation la plus profonde s'enracinait pour chacun dans leur goût de la vie, leur désir d'être vivant. Tout comme ces gens qui l'entourent dans le métro, son plus profond désir ce matin, c'est de vivre et de vivre mieux.

Tout être humain se sait vivant et cherche à l'être encore plus parce qu'il sait que trop souvent il ne l'est pas assez comme il le voudrait ou comme il le pourrait. Pourtant, et c'est là une des tragédies humaines, les personnes laissent aller et négligent les opportunités de se vivre plus pleinement, par exemple celle de se placer comme sujet de leur vie, comme être subjectif. À la question «Qu'est-ce que nous voulons vraiment de notre vie?» la réponse ne loge pas à l'extérieur de nous — elle est là, au centre de nous-mêmes, au cœur de nos besoins et de nos désirs, dans notre subjectivité. S'ouvrir à cette subjectivité et l'écouter avec plus de précision et plus pleinement rendent possible la conduite de notre vie avec plus de satisfaction. Nous faisons trop peu confiance à notre subjectivité.

Une vitalité presque indéfinissable et souvent négligée

Ce n'est pas facile de traduire dans un texte ou par des mots le vif sentiment de bien-être que l'on ressent quand on se tourne de notre côté et que l'on choisit d'être sujet de notre vie. Nous tentons d'approcher cette dimension humaine par des analogies, des périphrases, des exemples. Tous nous pouvons ressentir la vitalité qui nous habite à certains moments et la morbidité, la mort, qui tire sur nous à d'autres moments. Nous ne pouvons pas répondre avec plus de clarté à la question: qu'est-ce que ça signifie être vivant et avoir toute la plénitude de sa vitalité? Nous n'avons pas de langage pour traduire avec plus de précision cette vitalité. Tout au plus pouvons-nous proposer une définition que nous souhaitons la plus claire et

et illumine les *sois* et des *sois*. Tant les sois que le Je sont nécessaires mais le Je, le principe intégrateur des sois, doit avoir préséance dans la conscience. Si le Je est trop faible, la conscience devient sur-conscience, c'est-à-dire une conscience trop grande de ses sois et elle va alors à l'encontre de la conscience; elle nuit à la conscience de vivre, en bloquant la spontanéité et la subjectivité (voir aussi Bugental, 1965, 1976).

4.   Être subjectif ne s'oppose pas nécessairement à donner de la place dans notre perception et notre conduite au principe de la réalité. On peut très bien rester en contact avec le principe de la réalité tout en étant des êtres subjectifs. Ce que nous soulevons ici c'est le prétexte de l'usage du principe de la réalité pour refuser à la personne son droit fondamental à être subjectif.

nette possible. Être sujet de soi-même, c'est être soi-même le radar de ses conduites et de ses émotions; c'est puiser en nous l'énergie et trouver en nous le sens de ce que nous vivons; c'est bien sûr s'écouter, se sentir et se diriger soi-même et à partir d'un cadre interne plutôt qu'externe de références — ce qui dans l'ensemble implique qu'à sa base et dans son fondement la personne humaine est saine et digne de confiance, ce qu'est majestueusement tout être humain, dans son être et son humanité.

> Georges se sent souvent étranger à lui-même, étranger et vide d'intériorité. Il est désemparé lorsqu'on s'informe de lui et qu'on lui demande comment il se sent — il n'ose pas répondre ne voulant pas qu'on découvre son néant, son vide intérieur. À certains moments, quand il est seul et qu'il prend conscience de son vide, il est rempli de tristesse à la vue du pauvre automate qu'il est devenu. Il sait par contre que ces courts moments de sa vie lui sont salutaires parce qu'il se dit que s'il peut ainsi ressentir de la tristesse peut-être n'est-il pas si vide après tout. Lentement, il arrive à se donner de plus en plus ces moments avec lui-même et tout aussi lentement il découvre en lui tout le terrain laissé en jachère, en friche, et qui ne demande pas mieux que d'être entretenu — ce coin de son propre radar.

En réalité, la subjectivité nous permet de vivre plus et l'expérience humaine nous montre, répétons-le, que ce que les humains veulent, ce qu'ils désirent fondamentalement, c'est justement d'avoir plus de vie — plus de vie et moins de mort, d'être plus vivant et plus vivifiant. Les êtres humains veulent avant tout vivre parce qu'ils savent aussi très bien qu'un jour ils vont mourir. Donc, pour vivre et vivre plus, il faut être subjectif: nous écouter et nous entendre plus pour connaître les directions à suivre et les comportements à adopter[5]. Pourtant, nous demeurons trop souvent portés dans la réalité quotidienne à nous handicaper nous-mêmes en négligeant notre subjectivité — ce sixième sens, cette vision intérieure — par laquelle nous sommes conscients de la disparité entre ce que nous sommes vraiment, notre vraie nature, et ce que nous exprimons, ce que nous paraissons; entre ce que nous voulons vraiment et ce que nous mettons au monde.

> Chaque fois que je siffle un air connu, je sais spontanément les endroits où je fausse parce que ma mémoire de la mélodie flanche. Je sais cela parce que je me fie à moi et à mon sens de cet air connu. Me fiant à moi, je perçois la disparité entre la vraie mélodie et ce que je siffle. Il en est ainsi de ma vie: je sais spontanément quand je ne suis pas en harmonie avec moi-même, avec ce que je suis vraiment lorsque je m'écoute vraiment. Il arrive trop souvent hélas que je fais comme si je n'avais pas «entendu» mes infidélités, mes distorsions du naturel harmonieux. Mais je sais que je sais et je n'arrive jamais tout à fait à l'oublier. Heureusement d'ailleurs même si ça peut faire mal!

Nous négligeons notre subjectivité chaque fois qu'au lieu de ressentir l'expérience immédiate comme nous la ressentons spontanément, nous nous analysons «objectivement»; chaque fois que nous étiquetons nos expériences avec des concepts plutôt que de les ressentir immédiatement et par le cœur. Prenons l'exemple de la perception visuelle. Lorsque je regarde les couleurs de l'automne — rouge,

---

5.   Il n'y a finalement rien de plus déchirant que de prendre conscience de notre négligence à vivre — d'avoir vécu tant d'années en dehors de notre subjectivité, à l'extérieur de nous-mêmes, ailleurs parce que dans les attentes des autres, dans les mascarades, dans des faces qu'on a peur de perdre.

jaune, orangé, vert — et que j'éprouve du plaisir à les regarder, à les regarder encore et plus, je n'ai pas besoin de déduire mon expérience de l'analyse logique — ce qui serait par exemple me dire que puisqu'il y a plusieurs couleurs et entre le bleu du ciel et elles comme entre elles des contrastes, c'est l'automne, je vis une expérience esthétique et c'est beau! Non, l'expérience esthétique du «c'est beau!» est au contraire immédiate et spontanée. Nous nous traitons malheureusement souvent de la première façon, c'est-à-dire par la logique objectivante au détriment d'une subjectivité saine[6] construite à partir du ressenti.

Un guide et un radar

Notre subjectivité nous guide. C'est le meilleur radar que nous puissions posséder parce qu'il est particulièrement équipé pour faire la synthèse d'un ensemble de données: des sensations, des imaginations, des anticipations, des souvenirs... À partir de toutes ces données, la conscience subjective synthétise et nous montre une direction.

> Lorsque *je* m'écoute vraiment, *je* m'entends bien parce que *je* me parle sans cesse. Je suis en même temps l'oreille, le son et l'émetteur du son. En ce qui concerne mes cinq sens, je maximise leur fonctionnement par la tension avec laquelle je les utilise. Ma subjectivité ou mon sens interne fonctionne mieux quand je détends la tension, que je défocalise et que je laisse venir ce qu'il y a à venir. J'accueille le message de ma conscience. Je l'écoute. J'ouvre la porte à ma subjectivité. Elle est là pour me guider et pour me faire sans cesse ressentir, vivre, être ce que j'ai à ressentir, à vivre, à être.

L'ART D'ÊTRE SUBJECTIF: ÊTRE SUJET DE SA VIE PLUTÔT QU'OBJET

Au début de notre vie, avant de nous construire des images de nous-mêmes, nous n'étions que pure subjectivité et inconscience: c'était une subjectivité pré-personnelle. Nous n'avions pas de contenus de nous-mêmes, des objets, des images qu'il fallait protéger, défendre et soutenir. Nous étions tout à fait indifférents à être des filles ou des garçons, des québécois ou des asiatiques, des généreux ou des mesquins. Nous étions, si l'on peut dire, tout à fait détachés de quel que contenu que ce soit. Mais lentement nous avons développé, peut-être appris, des représentations de nous-mêmes. Nous nous sommes donnés des identités, des visages. Cela est très bien, juste et approprié. Le développement de notre conscience exigeait de nous cette capacité de nous différencier de l'extérieur, de l'autre et de devenir des individus, des êtres séparés et en même temps en lien avec les autres et le monde. Puis tant bien que mal, pour le meilleur ou le pire, tout au long de notre développement, nous avons laissé de plus en plus de côté notre subjectivité pour devenir encore plus ce à quoi ou à qui nous nous identifions et pour répondre à ce que nous avons perçu des attentes et du désir des autres. Quelque part en nous, nous conservons toutefois la nostalgie de la subjectivité perdue. Nous avons le goût de la subjectivité. Nous avons le goût de la retrouver ou plutôt de la trouver —

---

6.   Une subjectivité saine est une subjectivité qui a sa place dans son rapport à la réalité objective et logique — sa place: pas plus, mais pas moins non plus.

c'est-à-dire de trouver une subjectivité qui n'est pas la subjectivité pré-personnelle mais une subjectivité différente, trans-petite-personne[7] pourrait-on dire.

Être vraiment, là et immédiatement

Si nous nous examinons en détail, ce sont les contenus de nous-mêmes qui apparaissent: nous nous voyons homme ou femme, citoyen de tel pays, pratiquant tel métier; nous avons tel défaut ou telle qualité, telle réputation ou telle reconnaissance, tel diplôme ou tel titre; c'est à tout ça que nous faisons référence lorsque nous cherchons à nous définir. Pourtant, ce ne sont que des contenus, des objets de nous-mêmes et donc, pas vraiment nous-mêmes, à savoir ce que nous sommes vraiment, là et immédiatement. Nous sommes des processus de vie. Nous sommes des ressentants, des pensants, des agissants — et ce que nous avons acquis, agi, fait, pensé et ressenti ne sont plus déjà nous-mêmes, là et immédiatement. Ils appartiennent à notre passé[8]. Les objets de nous-mêmes peuvent s'accrocher au mur comme des diplômes bien mérités et/ou se coller dans des albums comme des photos de notre enfance pour nous rappeler ce que nous paraissions à tel âge et dans telle condition, mais ces objets ne sont pas nous-mêmes. Être nous-mêmes, c'est être des sujets de vie — là et présentement.

> Claire s'étonne elle-même de l'intérêt qu'elle porte à son image dans les miroirs. Elle se regarde sans cesse — comme si ce n'était que là qu'elle pouvait trouver ou se donner une existence. De quoi a-t-elle l'air, ce matin? à midi? ce soir? Elle s'étonne aussi de son intérêt pour ses albums de photos qu'elle scrute souvent avec intensité. Avec ses amies, elle s'inquiète sans cesse: qu'est-ce qu'on pense d'elle? qu'est-ce qu'on dit d'elle? Ça lui en a pris du temps pour réaliser qu'elle n'existait que dans les reflets que lui retournaient son miroir, ses amies et ses relations. Mais lorsqu'elle a enfin compris qu'elle n'était rien de tout ça, tout a changé. Elle n'était pas ses images dans le miroir, pas ses photos, pas ce que les autres disaient d'elle. Elle était. Elle était processus et mouvement. Elle était sans cesse en changement et aucune de ses images ne pouvait l'enfermer et la retenir. Ces prises de conscience la libéraient. Elle savait que son ancien style reviendrait souvent la hanter mais elle savait aussi qu'elle pouvait maintenant s'en détacher et se porter autrement.

Être sujet de sa vie, c'est aussi se libérer — se libérer de tous ces efforts mis pour consolider et tenir bien en place des images de nous-mêmes. C'est choisir de vivre avec fraîcheur la nouveauté de toutes les situations que la vie offre. C'est donc s'ouvrir à toutes les situations de vie sans en découper et en sacrifier de larges morceaux pour uniquement maintenir et à tout prix les représentations que nous nous faisons de nous-mêmes.

---

7. La subjectivité pré-personnelle est celle du petit enfant, inconscient de ses limites et fusionné à sa mère et à l'univers. La subjectivité «trans-petite-personne» est celle qui transcende la personne pour intégrer différemment ses images et ses faces pour en faire une subjectivité avec un visage, un Je.

8. Les objets de nous-mêmes ne sont pas nous. Le sujet, ce qu'il est, appartient au mouvement et à la vie du présent. Les objets de nous-mêmes appartiennent toujours et déjà à notre passé, immédiat ou lointain, mais passé (voir aussi les travaux de Bugental, 1965, 1976).

La pleine conscience de soi-même

Être sujet de son expérience, cela veut donc dire être le plus pleinement conscient de soi-même, de ses ressources et de ses limites, plutôt qu'enfermé dans l'étiquette posée par l'autre ou par l'idéal en nous; plutôt que serré dans l'absolu des définitions passées ou qu'étouffé par le «solide» des opinions des «experts». Être sujet de son expérience, c'est ressentir et utiliser notre capacité de nommer nous-mêmes ce que nous sommes[9], et ce que nous avons comme caractéristiques plutôt que de nous laisser glisser dans ce que l'autre ou l'idéal attend ou déclare.

Marjolaine fait tourner un disque. Elle s'installe pour l'écouter puis elle hésite: peut-être devrait-elle lire la pochette et apprendre sur cette pièce musicale tout en l'écoutant? Peut-être devrait-elle plutôt se concentrer entièrement sur cette musique qui entre en elle sans autre distraction? Elle saura bien alors si elle l'aime ou pas cette musique mais par contre, si elle connaissait la pochette et les détails sur cette œuvre peut-être pourrait-elle en parler avec ses amies, ce qui augmenterait l'image qu'elles ont d'elle. Finalement, elle décide de renoncer au souci de son image et d'écouter juste pour écouter. Quelle belle musique! comme si elle n'avait jamais entendu de musique avant cette plongée dans la musique en elle.

L'appropriation de sa vie

La subjectivité suscite le goût de vivre et l'objectivation de soi-même l'éteint. L'appropriation de sa vie en tant que sujet de celle-ci — la vie que je vis est mienne — augmente l'intérêt et le goût pour la vie. Par contre, celui qui s'objective c'est-à-dire celui qui se traite comme un objet ou une chose à faire fonctionner, à montrer aux autres et qui alors ridiculise ou blâme sa vie intérieure et ce qui l'habite, donc sa subjectivité; celui-là risque d'éteindre graduellement en lui l'intérêt à vivre.

En effet, celui qui n'est qu'une émanation de l'extérieur ne peut pas se sentir appelé intimement dans ce qu'il est comme sujet de sa vie et de son existence pour mordre pleinement dans la vie. Sortir de sa subjectivité, c'est se déraciner l'intérêt à vivre.

Trop longtemps bonne élève et première de classe, Jeanne s'est habituée à faire taire son imagination, ses «rêveries» comme le disait son professeur, pour s'astreindre aux mathématiques et aux règles de grammaire. Chaque fois qu'une image émanait d'elle, qu'une idée surgissait, elle la mesurait à ses règles de mathématique ou de grammaire. Si elle n'était pas conforme, Jeanne la rejetait comme une pure distraction inutile. Aujourd'hui à 40 ans, Jeanne se sent angoissée, elle a particulièrement peur de la maladie et de la mort. Sa vie est devenue terne et déprimante et malgré une sécurité professionnelle, elle n'a plus de zest et d'espérance de vivre. En éteignant sa subjectivité, elle s'est tuée graduellement l'intérêt à vivre.

---

9.   Être sujet de son expérience ce n'est cependant pas bonifier ou valoriser à l'avance nos démons simplement parce qu'ils sont les nôtres, c'est-à-dire reconnaître comme bons et valoriser tout ce qui sort de nous sous prétexte que ça vient de nous. Être sujet de son expérience, c'est avoir une conscience critique — critique par rapport à l'idéal, à l'autre mais aussi à nous-mêmes. La conscience critique implique la compréhension et la connaissance. De la connaissance de soi-même et de la vie la plus poussée possible émerge la compréhension qui elle favorise la conscience critique.

Bien sûr, l'espace de la subjectivité contient diableries, farfelu, agressivité et imaginaire débridé mais aussi poésie, logique et goût de tendresse. L'important, c'est la pacification avec et à l'intérieur de soi-même — la complicité de l'ensemble de la personne et de ses diverses parties.[10]

Être sujet de son expérience, c'est donc être et se situer à l'origine ou au départ de sa vie et de sa façon propre de vivre; être objet de sa vie, c'est plutôt être et se situer dans les autres et à partir d'eux, de ce qu'ils disent ou pensent ou semblent dire. Plutôt que d'être un sujet humain qui se promène sur la rue pour sa marche quotidienne, la personne se perçoit comme un objet-chose, un voisin vaillant ou paresseux qui a ou non une belle maison, une grosse famille... Quand elle est objet de sa vie, la personne est réduite à un ensemble de caractéristiques, un groupe de choses. Elle perd son essence même qui est d'être.

> Depuis quelque temps, Paul cherche à s'installer dans ce qu'il appelle son «regard intérieur» posé sur lui-même et à laisser son «regard extérieur»qui s'auto-examine dans le langage des autres. Lorsqu'il est avec son «regard intérieur», il va et vient dans la vie et devant les autres en s'occupant de ses affaires et en ressentant une liberté d'être et d'agir. Auparavant, il était toujours conscient de ce que les autres pensaient, voulaient et même souhaitaient. Il ne pouvait pas choisir lui-même ses gestes, ses paroles, ses pensées mêmes — il était trop soucieux des pensées et des souhaits des autres: il était leur esclave et se guidait par son «regard extérieur»

Choisir d'être en risquant de perdre

En réalité, le sujet n'a rien à faire de ces caractéristiques extérieures à lui-même qui l'objectivent et le chosifient. Le sujet a besoin de choisir. Être sujet de sa vie, c'est se choisir en choisissant sans cesse ce qui nous rend bien et heureux — ce choix part de notre intérieur et de ce que nous sommes et aspirons profondément sans se mélanger dans les relations avec les autres et sans s'offrir tel un cadeau, un don pour apaiser les autres. Être sujet de sa vie, c'est se loger en dessous des choses à faire, sous des rôles, des images et des carapaces — se loger à cet endroit où l'âme humaine déploie tout son être sans être gênée ou distraite par le regard de l'idéal ou des autres. C'est l'être qui se déploie et qui informe le reste de la personne, qui la densifie. À cet endroit et lorsqu'elle y loge, la personne ressent une plénitude et une force qui transforment sa perception des choses et des gens. Habitant cet endroit de la subjectivité, la personne éprouve la profondeur d'être et de vivre ce qu'il y a à vivre; elle ressent alors le contentement d'être et la puissance de ses choix.

Le problème quand il s'agit de notre position par rapport à être sujet ou à être objet de nous-mêmes, c'est que ce n'est que très lentement que nous nous acheminons vers l'objectivation. C'est un style qui se développe très progressivement (et presque totalement à notre insu) et jusqu'à temps qu'on réalise un jour qu'il est trop tard, le style s'est installé et nous, nous sommes devenus des objets de nous-mêmes.

> Comme enfant, Marie était pleine d'elle-même. Elle recherchait à travers tout ce qu'elle était à vivre et à profiter de la vie. Mais en grandissant, elle a pris conscience qu'avec son beau corps, elle pouvait recevoir de l'attention. Marie évidemment aimait bien l'attention qu'elle recevait, et elle s'est mise à s'occuper de son corps. Elle l'entretenait,

---

le poudrait et finalement elle le présentait comme au bout de ses bras. Son corps précédait sa personne. Aujourd'hui, elle offre son corps à ses amants comme on offre un objet: elle étend son corps sur un lit et c'est comme si elle disait à ses amants: «Voilà, profitez-en!» Mais, chaque fois qu'elle le fait, elle sent en elle une déchirure — une malhonnêteté envers elle-même.

L'objectivation de nous-mêmes nous menace tous, quelles que soient notre appartenance sexuelle, notre condition sociale et nos origines familiales.

Philippe a toujours aimé son travail. C'est un bûcheur déterminé avec des objectifs clairs qu'il atteint. Cette attitude le conduit à faire un gros salaire. Il gagne donc beaucoup d'argent qu'il distribue d'ailleurs ici et là et on le considère bien. Il aime bien se sentir considéré — et sa tendance au travail augmente. Il se présente partout avec son porte-feuille: «Servez-vous et laissez-moi ensuite une place dans vos vies.» Son porte-feuille est devenu son porte-voix. Sans lui, il n'a pas de place.

Être sujet ou redevenir sujet de sa vie implique que la personne se donne la permission et le droit d'être et qu'elle accepte le risque de tout perdre autour d'elle si elle laisse aller l'objectivation d'elle-même — cela n'est évidemment pas de tout repos. Accepter de tout perdre plutôt que de se perdre soi-même et de s'aliéner au point de ne plus savoir qui on est et ce que l'on veut. Cela ne peut pas se faire sans en même temps se retourner vers son mouvement intérieur spontané qui est de redevenir *sujet* de sa vie. Cela veut dire de se donner le droit et le pouvoir de se rendre heureux soi-même, le plus possible et le mieux possible. Le droit et le pouvoir de faire soi-même son bonheur.

Richard demande aux autres de le rendre heureux. Par exemple au restaurant avec son amie, il a quelque part dans sa tête et en sourdine un «rends-moi heureux» qui sans cesse lui revient. Comme son amie s'exprime sur toutes sortes d'autres sujets, Richard se dit «Mais elle ne cherche vraiment pas à me rendre heureux.» Et alors il éprouve une lourdeur et une pesanteur tristes. Mais là, sans trop savoir pourquoi, il se redresse l'intérieur: «C'est à moi de me rendre heureux. Qu'est-ce que je veux de ma vie, de ce repas au restaurant? Qu'est-ce que je veux moi pour être bien?» Quand Richard aura répondu à cette question pour un repas au restaurant et pour n'importe quoi d'autres et n'importe où ailleurs, Richard se donnera lui-même le droit et le pouvoir d'être heureux en devenant enfin sujet de sa vie.

Individualité et globalité de la vie intérieure

Le goût de vivre habite l'«en-dedans» de la personne, épouse toutes ses particularités; c'est d'ailleurs pourquoi la personne se doit d'être subjective et de respecter sa subjectivité. Saisir et comprendre le goût de vivre ne peuvent pas se faire directement de l'extérieur — ce qui du goût de vivre est extérieurement perçu, ce n'est que son effet. Le goût de vivre est intérieur et subjectif. Il varie donc selon l'individualité de chacun et au point tel qu'il est possible d'affirmer que chaque personne possède son goût de vivre particulier. Le goût de vivre d'une personne rencontre des similitudes avec celui d'une autre mais il n'en demeure pas moins tout à fait personnalisé. Et donc, il demande de la subjectivité. Cela veut dire entre autres qu'on ne peut pas penser que le goût de vivre peut nous arriver ou nous être donné de l'extérieur comme par exemple on administre un médicament. Bien au contraire il implique que la personne participe à sa création en étant sujet de sa vie; pas un objet manipulable qui ne devient et ne se maintient que par les influences de l'extérieur sur lui. Pour naître, le goût de vivre exige cette présence de la personne à elle-même, celle qui lui permet de dire: *Je et Je veux*. Chacun peut découvrir le lieu où fleurit ce *Je veux* et la distance qui sépare ce lieu de la périphérie et des agents extérieurs.

> Marc se questionne: «Qu'est-ce que je devrais faire? Comment devrais-je m'organiser pour voir clair dans ma vie? Qui peut me guider?» D'abord sans réponse, il en vient à se dire: «Comme je suis le seul à pouvoir ressentir dans sa totalité ce qui est bon pour moi — ce qui est vitalisant — c'est donc aussi à moi de me dire ce que je veux, ce que j'aime et ce que je dois faire. Personne ne peut me remplacer auprès de moi-même!»

Lorsque je peux dire *JE VEUX*, ce ne sont pas seulement mes émotions qui s'expriment, pas plus que seulement mon bon raisonnement ou mon bon jugement — c'est une totalité, une globalité faite de tous ces mécanismes qui s'accomplissent et alors je dis *JE VEUX*. Conséquemment, c'est tout ce qui peut me servir à mettre dans la réalité ce JE VEUX, tant ma raison, mes émotions que mon imaginaire... Pour certaines personnes ces instances s'opposent — par exemple l'émotion au raisonnement — et il faut choisir entre elles. En réalité, ce qu'il s'agit de choisir c'est beaucoup plus l'intégration harmonieuse des diverses instances — une recherche sans cesse à reprendre pour créer ou retrouver l'harmonie de façon à ce que ce soit toute la personne qui s'exprime à travers son *JE VEUX*. Ce qui est dit ici à propos du vouloir s'applique également à toute la vie intérieure: les émotions que je ressens, les idées qui bougent en moi, les mouvements corporels que j'exerce — tous participent à ma subjectivité sans que je tente de retenir les émotions qui ne conviennent pas, que je coupe les idées qui ne sont pas de la bonne logique ou encore que j'enferme les mouvements de mon corps dans une rigidité pour les convenances.

Chercher à rendre nos vies plus subjectives n'implique pas l'affrontement des parties — le spirituel contre le sensuel, la logique contre l'imaginaire. Au contraire, réclamer sa subjectivité, c'est réclamer sa totalité — sa globalité. Trop souvent nous avons séparé et départagé ce qui en fait était construit pour fonctionner comme un tout. Si nous sommes par nature capables de chacune de ces sources, si nous avons hérité de tous ces instruments, cela suppose que pour le bien de la personne, nous ayons à les coordonner dans un tout — et ce tout, c'est notre subjectivité.

Intégrer l'objectivité et apprivoiser l'inconscient

Comment expliquer alors que nous ayons tellement négligé et si souvent détruit notre propre subjectivité? C'est principalement à cause de nombreux conflits réels ou imaginés avec les autres, avec les mœurs de la majorité et surtout à cause de cette valeur sociale trop souvent partagée selon laquelle: «être subjectif» est associé à être vaporeux, sentimental, non-réaliste alors que l'objectivité est quant à elle plutôt associée à substantif, qualité, équilibre et solidité. L'objectivité érigée en absolu comme le refus de toute objectivité ne peuvent que réduire la personne à quelques-unes de ses caractéristiques. Toute vision extrémiste est en elle-même réductrice: qu'elle valorise l'objectivité ou la subjectivité, peu importe. L'objectivité peut être mise au service de la subjectivité. Par exemple, l'objectivité qui maintient silencieuse notre vitalité subjective afin de mieux cerner les caractéristiques du milieu ou de l'environnement devient un instrument au service de la subjectivité. En permettant aussi une perception plus appropriée du milieu, l'objectivité offre dans un premier temps une vision des choses et de la réalité que la personne pourra par la suite mettre en parallèle avec les données de ses autres instruments (intuition, émotion, etc.) et sa subjectivité s'exercera pleinement pour intégrer cet ensemble de données.

> Devant ces bruits confus et imprécis, Carmen se tient immobile et silencieuse: elle scrute la noirceur autour d'elle et elle ne veut pas se laisser guider par l'emprise que peut exercer sur elle la peur du noir. Elle fait taire son inquiétude pour se mettre à l'écoute de tous les indices. Puis là, discernant bien les chats qui fouillent les poubelles, elle peut continuer sereine et calme sa promenade et en profiter pleinement.

Être subjectif, c'est encore et toujours être doucement avec soi-même, avec toute cette vitalité qui émerge de nous et même de celle qui émerge de cette région obscure et si souvent menaçante à savoir l'inconscient, les rêves et les diableries (voir aussi p. 160 et ss). Jung disait:

> «L'inconscient, c'est de la vie et cette vie se retourne contre nous quand nous voulons l'enchaîner; c'est le cas dans les névroses.» Jung (1976) p. 275

Enchaîner l'inconscient, c'est tenter de le rendre raisonnable, logique et conforme. C'est souvent aussi chercher à le nier en faisant comme si nous pouvions parvenir à le mater en le contrôlant. L'inconscient ne peut pas être dompté par la raison et l'objectivité pure mais il peut se domestiquer et s'apprivoiser de l'intérieur pour pouvoir y puiser toute la vie qu'il contient et l'utiliser comme source intarissable possible de vitalité et de subjectivité.

Je, veut être bien

La subjectivité c'est la vie sauf que pour un observateur extérieur c'est bien possible qu'elle ne soit rien parce que pas directement observable ou mesurable — ce qui peut se mesurer, c'est ce qui est observé: les sois, les représentations et objets de soi-même. C'est comme si n'existait que ce qui peut être directement perçu de l'extérieur, et qu'il s'en suivait une équation fausse entre ce que nous paraissons (nos objets de nous-mêmes, nos sois) et ce que nous sommes vraiment (notre subjectivité). Nous ne sommes pas uniquement ce qui est automatiquement vu, perçu ou observé par soi-même et par les autres. Nous sommes subjectifs et d'ailleurs, elle transparaît cette sujectivité, elle s'«incarne» lorsqu'un filtre, un passage lui permet de transparaître. Par exemple, je ressens le «Je» par le filtre de ma décision ou de mes sensations.

> En ce jour de tempête, Marc se sent tout corps et toutes sensations. Il a allumé un bon feu de bois dans la cheminée, il écoute une musique sublime et dehors, c'est la tempête, le froid et la bourrasque. Il est toutes ses sensations — comme un assemblage de sensations — et tout au cœur de ces sensations, il se perçoit comme uni, intégré, un centre, un Je, une subjectivité percevante. Il est au centre de sa vie et cela lui fait remonter étape par étape vers ses sensations. Par le filtre de ses sensations, il découvre puis accompagne son Je, sa subjectivité. Il conscientise encore plus qu'il est, qu'il est bien et qu'il veut être bien.

Que de fois la personne ressent à l'intérieur d'elle ce goût d'être bien — JE VEUX ÊTRE BIEN — et là, elle cherche ailleurs, en dehors les consolations possibles, les stimuli possibles qui engendreraient cet état de bien-être tant recherché ou attendu. Dans ce *je veux être bien*, il importe que le *Je* soit entièrement au service de *vouloir être bien*. Pour que *vouloir être bien* advienne, le Je ne peut pas être divisé ou se liguer contre lui-même, vouloir se punir ou vouloir réparer. Le *Je* doit être pleinement là — complètement là.

> Face à lui-même, avec toute la vie qui se déroule autour de lui, toutes ces stimulations, Philippe se contraint à répéter: «Je — Je — Je» — comme pour s'approprier tout le reste c'est-à-dire tout ce qui suivra ce Je pour encore plus ancrer son appartenance à lui-même. Il peut ensuite plus facilement dire: «Je veux être bien — je veux me donner du bien.» parce que tout le Je et les ressources du je sont à son service. Le «je veux être bien» est alors prioritaire à tout le reste — vouloir être considéré, bien paraître... — qui grugeait le Je dans ses pouvoirs et dans ses capacités et ressources.

C'est seulement après avoir pris toute la force du Je que le reste peut suivre, c'est-à-dire le «vouloir être bien» et le vouloir se consacrer à son bien. La force du Je pénètre et informe le «vouloir» et elle le fait non pas à demi ou à moitié mais pleinement pour éclater dans un «Je veux» total et débordant de sens.

Prendre la responsabilité de sa vie

Puisqu'on ne naît pas objet de sa vie mais qu'on le devient, comment pouvons-nous comprendre qu'un enfant sujet de sa vie, devienne une personne objet de sa vie? Un des plus puissants agents de ce passage reste l'influence des personnes significatives. Si très tôt dans la vie ou de manière répétitive et insistante, les personnes significatives (mère, père, ami, conjoint, patron...) nous considèrent et nous regardent comme des objets (la relation Je-ça), nous nous considérerons et nous nous regarderons également comme des objets nous identifiant ainsi à ce qu'elles ont vu, perçu, désiré ou attendu de nous. Et nous le faisons parce que ces personnes sont importantes pour nous et que nous ne voulons ni les décevoir, ni les perdre. Mais pendant ce temps le sujet s'éteint graduellement pour laisser la place à ces personnes significatives — celles-ci deviennent alors ou plutôt restent des sujets alors que le sujet lui-même accepte de se reléguer dans la position de l'objet. Au lieu de se vivre lui-même comme sujet, il devient l'objet des autres sujets significatifs et de là, objet de lui-même par identification. Devenue objet, la personne ira dorénavant continuellement vérifier à travers l'écho de ses paroles et dans son image dans le miroir, dans ses actions et conduites présentes et passées, si elle est bien selon ce que l'autre attend, dit ou pense. Prise au piège entre son besoin d'être considérée par les personnes significatives et la peur de les perdre — elles-mêmes ou leur considération — la personne devenue objet, opte pour la conformité et la continuité de ses images et ainsi elle en arrive elle-même à se donner activement le portrait ou l'image que l'autre lui donne.

> Affublé d'épithètes par son amie, Paul n'arrive plus à fonctionner de lui-même. «Menteur! hypocrite! vicieux!...» lui tournent en tête et il cherche sans cesse à vérifier si ces titres lui conviennent. «Si elle le pense» se dit-il «ça doit être un peu vrai.» De là, l'examen incessant de lui-même comme s'il n'était qu'un objet. Même s'il arrive à infirmer ses dires, il s'épuise à se regarder vivre plutôt qu'à vivre lui-même comme un moteur de vie, étranger aux injures de son amie.

Souvent l'objectivation de soi-même dans un domaine de notre vie s'étend par contamination à l'ensemble de ce que nous sommes. C'est la même chose pour la subjectivité: être et devenir sujet de sa vie dans un domaine particulier a tendance à s'étendre à l'ensemble des autres domaines de la vie.

L'être humain a spontanément le goût de devenir sujet de sa vie comme il a spontanément le goût de ressentir le pouvoir de vivre — le pouvoir de conduire sa vie. Le goût de vivre est essentiellement un goût de continuer et tout ce qui favorise la continuité de soi-même participe au goût de vivre. Le pouvoir que nous nous octroyons en étant des sujets de notre vie — donc créateurs nous-mêmes de ce que nous nous donnons de la vie plutôt que objets de nous-mêmes à qui la vie arrive — implique aussi que nous sommes responsables devant la vie, devant celle que nous nous sommes donnés et celle que nous nous donnons. Il existe effectivement une synergie entre d'une part, accepter et prendre la responsabilité de sa vie, et d'autre part être sujet de sa vie. Plus nous fuyons notre responsabilité, c'est-à-dire plus nous faisons dépendre des autres ou des circonstances ou de notre nature biologique la vie que nous vivons, plus nous faisons de nous-mêmes des objets. Nous laissons aux autres et aux circonstances la responsabilité de ce que nous sommes.

Divorcée depuis cinq ans, Catherine rumine sans cesse son mariage, sa misère d'être seule, les avantages de son ex-mari qui, lui, a refait sa vie... Elle ne peut pas se défaire de cet apitoiement sur elle-même se répétant combien tout cela est injuste puisqu'elle n'a rien fait pour conduire son mariage à un échec. Tout est de la faute de son ex-mari et de son alcoolisme. Pourtant Catherine a été très présente dans l'échec de son mariage. Tout comme son ex-mari, elle est responsable de cet échec — ce qu'elle refuse mordicus d'accepter: «Tout est de sa faute! Je n'ai fait que ré-agir à lui.» se crie-t-elle souvent. Mais malgré les faits, elle s'abstient toujours de reconnaître qu'elle refusait de partager sa sexualité avec son mari, qu'elle n'acceptait pas de travailler à l'extérieur pour soulager le mari du poids financier, qu'elle narguait celui-ci sur son pauvre métier et ses pauvres revenus. Ce n'est que très lentement qu'elle a accepté de reconnaître que plusieurs de ses attitudes étaient des agents importants dans l'échec du mariage et, qu'elle était responsable de ses attitudes tout autant qu'elle était responsable du jeu de ses attitudes dans l'échec. Somme toute, elle était responsable de ce divorce tout autant que son ex-mari. Avant que la souffrance et cette fois, le vrai deuil de cette vie s'établissent, elle a vécu de longues tristesses et des morsures atroces de culpabilité — de saine culpabilité. Reconnaissant ainsi sa responsabilité tant dans son mariage que dans son divorce, elle pouvait par la suite réaliser qu'elle était aussi responsable de sa vie présente. Elle n'était pas que l'objet, la pauvre victime d'un mari mécréant. Si elle était responsable de sa vie présente et future, elle devait se donner la meilleure vie possible. Son ressentiment et ses sempiternelles plaintes sont graduellement disparus et Catherine est devenue sujet et responsable de sa vie.

Pour éviter la culpabilité, le blâme ou la condamnation, c'est particulièrement tentant d'attribuer la responsabilité de ses malheurs à l'extérieur de soi-même. Cela repose sur notre grande peur de la culpabilité et de la condamnation qui s'ensuit. Pourtant, la responsabilité n'est pas l'équivalent de la culpabilité. Nous sommes responsables de bien des événements de notre vie mais n'en sommes pas nécessairement coupables. Et même si en plus d'être responsables nous sommes coupables, c'est de nos négligences, de nos défauts et en un mot, de nos limites que nous le sommes; cette culpabilité hors du blâme et de la condamnation peut être saine et utilisée pour notre développement — pour corriger nos défauts et pour prendre au sérieux la conduite de notre vie.

Se mobiliser sur soi et pour soi

Pour que la subjectivité — l'attitude d'être sujet de sa vie et de sa personne — s'installe comme un style, une manière constante d'être, la personne doit répéter et répéter le virage sur le cap du Je: «qu'est-ce que je veux?» et elle doit savourer ensuite les moindres petits plaisirs qui apparaissent lorsqu'elle est subjective.

Dans ses relations interpersonnelles, la personne est facilement appelée[11] à rester objet d'elle-même. Chaque retour sur le sujet nécessite un effort de conscience. Être sujet, c'est en fait s'efforcer de se mobiliser soi-même pour et sur soi-même. On peut donc parler de deux forces qui se contredisent: devenir sujet et rester objet. Ce n'est que très lentement avec patience et répétition qu'une personne peut parvenir à contrer l'effet de cette force qui la pousse à conserver la position d'un objet et à s'en libérer pour finalement s'installer dans la position d'un sujet et dans un style de vie subjectif.

Philippe est fatigué et écrasé sous le poids de son travail qu'il n'arrive plus à faire. Il se sent épuisé et sans ressources, incompétent et défait. Plein de tristesse, il se dit finalement: «Je ne suis pas cette tension stomacale, ce stress musculaire, cette voix brisée — je suis conscience de cette tension, conscience de ce stress — c'est ça que je suis! J'observe mes émotions, je regarde mes fatigues. C'est tellement comme ça: Je suis conscience. Et ça m'explique d'ailleurs ce petit coin d'humour que je suis capable d'avoir face à toutes mes lourdeurs — stress, fatigue, etc. Je suis sujet et conscience — cela va bien au-delà de la super-conscience de mes rôles ou de mes paraîtres. Je veux être et rester un *Je-conscience*. De là, de ce lieu en moi, bien sûr je m'observe manquant de mémoire, fatigué et tendu mais je réalise aussi que ce que les autres voient, ce n'est qu'une infime partie de moi, des reflets de mes sois, de ma fatigue, etc.. Ils ne voient, ces autres, qu'une toute petite partie de cette fatigue, dans mon regard lourd par exemple. Ce que personne ne voit, aucune autre personne ne voit ou n'observe, c'est mon Je, ma conscience. Ce *Je conscience*, personne, même moi-même, ne peux l'observer, le regarder. Dans ce lieu du Je-conscience, il n'y a pas de tristesse d'être moi-même. La tristesse de ce que je suis, c'est davantage la tristesse d'observer mes sois, mes rôles, mes paraîtres et de croire que je ne suis que ces sois observés, ces paraîtres vus et non pas un *Je-conscience*. Lorsque je suis avec mon *Je-conscience*, en ce lieu, je peux profiter de la vie car alors elle entre selon mes possibilités qui n'ont pas à être incommensurables, selon mes ressources qui n'ont pas à être héroïques et selon mes capacités et celles de mon organisme. Là, je n'ai qu'à apprécier ce qui entre de la vie dans ma conscience sans être gourmand et exigeant. Être avec le *Je-conscience*, c'est aussi apprécier avec humour, retrouver le sens de l'humour sur mes sois — comme un regard détaché de ces sois. Je suis alors celui qui sourit des manifestations de moi-même: c'est par exemple me voir anxieux sans l'être. Et c'est plus être avec mon identité qu'avec mes rôles. Peut-être que les orientaux et ce courant qui propose de laisser tomber le soi, de lâcher le connu, veulent dire être aussi avec le Je?

---

11. Si la personne est ainsi facilement happée par la position d'objet d'elle-même, c'est qu'elle peut en tirer et en tire des plaisirs et une certaine satisfaction: fusion possible avec l'autre, laisser aller ses responsabilités, assurance de sécurité...

Se sentir libre et capable, compétent

Le mouvement qui va du Je au soi et des sois au Je s'appuie sur un sentiment de compétence face à sa propre vie — le désir et le pouvoir — se sentir capable de faire de sa vie ce que l'on veut bien en faire. La difficulté, c'est de laisser aller les sois, rôles et paraîtres qui s'observent, se voient et se mesurent directement pour un Je, un sujet qui ne s'observe pas, ne se voit pas, ne se mesure pas mais qui se ressent. La subjectivité n'est rien de palpable et pourtant, elle se ressent. Elle se ressent comme à travers un voile et sa principale caractéristique c'est l'appartenance — comme un moteur qui appartient à la personne.

> Louis se sent en pleine forme. Il est bien avec lui-même. Il est en contact avec lui-même, «dans ses souliers» comme il aime dire. Il se sent abondant. Toute question qui lui est adressée peut soulever des réponses ou des tentatives de réponses. Il peut expliquer, trouver des exemples appropriés, proposer une synthèse. Tout ça est en lui d'une certaine façon; plus précisément, il peut fabriquer tout ça dans son usine intérieure. Toutefois ce qui importe pour être dans cette belle forme, c'est de laisser aller son idéal, ses images qui trop souvent l'évaluent, le blâment et le bousculent et *surtout*, le distraient de sa propre expérience, de sa propre vie intérieure, palpitante de vitalité.

Le Je se fait donc sentir *à travers* — à travers les choix, les ressources, les actes et les projets d'un sujet, d'une personne. Ainsi, choisir une dimension à se donner, une ressource à développer, une qualité à obtenir, c'est aussi réaliser que le Je existe, que le sujet est au départ puisqu'il peut décider quelque chose pour l'ensemble de la personne, pour le bien de l'organisme et qu'il peut s'en occuper malgré la souffrance et les difficultés de s'en occuper. Le contact avec le Je, c'est comme un constat d'existence, un sentiment de capacité à faire quelque chose pour soi, une émotion de pouvoir pour soi-même. Être sujet, un je, ce n'est pas épuiser tout notre être, c'est constater que nous sommes des moteurs de notre vie.

Quitter ou simplement s'éloigner de l'espace du Je et demeurer trop en contact avec les objets d'elle-même peuvent amener la personne à désespérer de son pouvoir, de sa capacité à changer les choses, à se vivre autrement et à se voir autre qu'impuissante et incapable. Par cette manière particulière de se percevoir elle-même dans ce qu'elle est — et c'est le cas lorsqu'elle est déprimée — la personne développe un climat intérieur propice au désespoir, au goût de la mort ou du suicide pour en finir avec tout et éviter le doute et la honte d'être elle-même.

Par ailleurs, la personne (sujet et conscience) se revigore et s'oriente vers la vie non pas en étant aimée, entourée et acceptée, mais en se sentant elle-même, moteur — donc, en aimant, en étant attirée et en faisant. Se sentant ainsi agissante et agissante appropriée au bien de l'organisme, la personne se ressent existante — existante et énergique.

La subjectivité ouvre et se continue à travers une infinité de ramifications, c'est-à-dire qu'une action est choisie et de là elle s'étend à d'autres facettes de la vie. Le gain et la morsure à la vie obtenus à partir d'une seule action s'étendent lentement à d'autres actions de d'autres domaines même si au moment où la personne les considère, ils apparaissent anxiogènes.

Identifier et répondre à ses besoins

Pour décrire encore mieux la subjectivité et l'importance de rapatrier le pouvoir sur soi-même et sur sa vie, appliquons ces notions à ce qui de la personne peut se traiter subjectivement: nos besoins. Aujourd'hui pour la plupart des êtres humains, les besoins fondamentaux (manger, dormir, etc.) sont automatiquement identifiés et sauf exception, directement remplis et même comblés. Or, la réponse à ces besoins primaires permet à des besoins d'ordre secondaire de se faire ressentir comme par exemple une certaine qualité de nourriture, un environnement particulier pour vivre, etc.[12] Les besoins secondaires ne sont ni automatiques ni directement répondus. La personne doit d'abord les identifier — en préciser les factures et les nuances en se demandant: qu'est-ce que je veux de la vie? comment je veux qu'elle soit? comment atteindre ce que je veux? Viennent alors les nuances et les qualités particulières que la personne se doit d'écouter en elle — pour les préciser davantage, les définir plus clairement — nuances et qualités identifiées et précisées, la personne doit alors se mettre en marche pour trouver ses réponses.

> Sachant sa vie bien organisée dans son ensemble (travail, amour et projets) Romuald cherche à augmenter avec plus de finesse sa satisfaction de vivre. Plusieurs de ses besoins ne sont répondus que grossièrement. Il sait qu'il peut par le raffinement de l'écoute de ses besoins, accroître la connaissance de lui-même et la direction à donner à sa vie. Pour atteindre cette connaissance, il doit lutter contre tout ce qui l'empêche d'être en amitié avec lui-même et avec ses besoins.

La difficulté de trouver réponse à ses besoins peut se situer ailleurs que dans leur identification. Chez certaines personnes, les besoins sont clairs et distincts, cependant elles hésitent et parfois même s'empêchent de leur donner une réponse appropriée. L'obstacle principal qui s'installe chez elles est, encore ici, l'orgueil. À l'intérieur d'elles-mêmes, elles se considèrent tellement grandioses et tellement méritantes qu'elles estiment que les autres autour d'elles devraient spontanément remplir leurs besoins comme un dû — leur offrir nécessairement des réponses à leurs besoins. De l'extérieur, ces personnes paraissent complètement détachées d'elles-mêmes, totalement au service des autres, mais ce qu'elles désirent et ce pour quoi elles ne cherchent pas elles-mêmes une réponse à leurs besoins, reposent sur l'impression intérieure — presque de la conviction — que cela appartient aux autres de les combler.

> Bien installé dans son fauteuil après une bonne journée de travail, André lit son journal. Il aime bien ce moment particulier de la journée. Marise, sa femme, vient s'asseoir près de lui. Tout généreux, André laisse tomber son journal et entreprend une conversation avec Marise — malgré le goût qu'il a de poursuivre sa lecture. Mais il rage à l'intérieur de lui pendant toute la conversation parce qu'il ne peut pas lire son journal. Tout se passe comme s'il se disait: «C'est à Marise de reconnaître et de me permettre la lecture — de respecter mon besoin de lecture — il est si justifié et patent qu'elle devrait me permettre de l'exercer et même m'y inciter.»

Les êtres humains sont seuls avec leurs besoins — il n'y a personne d'assez grandiose, d'assez merveilleux pour que les autres répondent à leur place à leurs besoins ou encore leur accordent toute la facilité pour répondre à leurs besoins.

---

12.   Voir sur ce point, les travaux d'Abraham Maslow (1954).

Encore ici, avec ses besoins la personne est seule. Si elle ne trouve pas et ne s'accorde pas par elle-même une réponse juste et appropriée, personne ne la remplacera dans cette tâche. Celui qui se prétend d'une si haute qualité qu'il espère que les autres s'occupent de ses besoins, celui-là emmagasine les frustrations et les déceptions qui le conduiront à une misère à vivre et ce, tant et aussi longtemps qu'il ne défera pas son système d'attentes magiques. Tout être humain est seul avec lui-même pour bien préciser la nature de ses besoins, pour identifier le type de réponses susceptibles de le satisfaire et pour obtenir cette réponse satisfaisante. Être sujet de sa vie, c'est aussi cette manière de traiter ses besoins.

Celui ou celle qui est vraiment sujet de sa vie, qui identifie et répond à ses besoins, éprouve une satisfaction d'être ce qu'il est dans laquelle baigne le goût de vivre, le goût de continuer. Harmonisant la réponse à ses besoins avec le respect des autres personnes autour de lui, il se sait capable et compétent pour s'occuper de lui-même.

> En revenant de son travail, Simon pense à son souper. Il pourrait peut-être manger le contenu d'une de ses nombreuses conserves et alors se contenter de remplir son estomac vide. Mais cette idée le rend triste. Il se ravise: qu'est-ce qu'il veut vraiment manger? Il aimerait bien un bon pain — un bon steak et une bouteille de vin rouge. Il prend la direction de l'épicerie avec le sourire de celui qui sait qu'il s'occupe bien de lui.

Certains répondent à leurs besoins uniquement lorsqu'ils sont en pleine forme, tout à fait contents d'eux-mêmes, et ils les négligent lorsqu'ils sont tristes. Ils ne réalisent pas combien le fait de se placer comme sujet de leur vie et de trouver ainsi par eux-mêmes la réponse à leurs propres besoins — le simple fait de s'occuper d'eux-mêmes — augmente le contentement de soi-même et facilite le respect de soi — premiers pas pour sortir de leur état de tristesse.

Accorder du temps à sa vie intérieure

Devenir subjectif demande aussi de dépasser les distractions ou plutôt les obstacles à la concentration et à la contemplation pour savourer de l'intérieur la vie du cœur et de l'esprit, la vie intrapersonnelle.

> Pierre réalise que s'il veut être bien, à l'aise et dégagé, il doit accorder du temps à sa vie intérieure. Même qu'il découvre que son bien-être est proportionnel au temps qu'il accorde à cette vie intérieure, à la douce réflexion sur la vie, à la lecture et à la méditation. En se donnant du temps, il se témoigne qu'il vaut ce temps, qu'il le mérite. Cela renforce son estime de lui-même et il se sent mieux avec les autres.

D'une certaine façon, la vie intrapersonnelle[13] et particulièrement la subjectivité est la première condition à une vie interpersonnelle harmonieuse. Entretenir sa vie intrapersonnelle, c'est harmoniser sa vie interpersonnelle. La vie intrapersonnelle existe et fleurit à condition que la personne y consacre du temps — de la discipline et du temps pour donner priorité à sa subjectivité: s'arrêter, faire le point, méditer et réfléchir. Réfléchir aux moyens à prendre, aux attitudes à développer, à

---

13. La vie intrapersonnelle de la personne avec elle-même, l'*eigenwelt* (voir May, 1958), regorge de possibilités de pensées, d'images et de fantaisies; ce n'est pas la vie des autres en nous, le *mitwelt*, à savoir la vie des ruminations, des pensées automatiques générées par la peur des autres ou la honte et la culpabilité.

l'énergie et au temps qu'il faudra désormais rendre disponibles pour faire de sa subjectivité une priorité et un objectif visé. Et à travers, la personne trouve finalement la bonne dose d'être et la bonne dose d'agir. La position qui lui convient entre être et agir. Être d'abord, agir ensuite[14].

Être plutôt que paraître

Lorsqu'une personne parvient à se vivre comme sujet de son expérience et de sa vie, c'est qu'elle a réussi à effectuer un déplacement au niveau de son attitude intérieure et qu'elle s'est éloignée graduellement du lieu où elle se vivait comme objet d'elle-même. C'est un déplacement à peine perceptible ou en tout cas peu fracassant mais qui n'en demeure pas moins un mouvement crucial pour le mieux-être de la personne. Par ce mouvement, elle se trouve comme à se décoller d'elle-même, à se détacher de la sur-conscience de ses paraîtres, de ses rôles et des manifestations de ce qu'elle est — pour se situer comme sujet, comme *Je*, dans ce qu'elle est vraiment avant et en dessous de ses rôles et de ce qu'elle paraît. Là, juste à cet endroit, elle n'a pas à faire preuve d'intelligence, de beauté, de virilité ou de quoi que ce soit d'autre. Elle n'a qu'à être — être au départ d'elle-même, à cet endroit où elle n'a plus besoin de s'efforcer pour être aimée et appréciée et où elle ne se mesure plus à l'amour, à la considération ou au rejet par l'autre. Elle est doucement avec le départ d'elle-même.

Passer intérieurement d'une position d'objet de soi-même à celle de sujet de sa vie entraîne nécessairement des changements dans le vécu émotif. Devenue sujet, la personne laisse aller les plaisirs triomphants de ses rôles et paraîtres mais en même temps ses contreparties: les hontes et les humiliations. Elle perd donc le triomphant, l'éclatement de vaincre, la vanité d'être admirée mais également — et c'est là l'avantage — la tristesse de ne pas avoir, de perdre, de ne pas être à la hauteur et adéquate.

> Dans ce beau dimanche matin de soleil, Guy bouge en lui ce petit appel à la vie. Il sait bien toutes les choses qu'il a à faire — pour son travail, sa famille ou sa maison. Face à ça, il peut éprouver toute une gamme d'émotions, positives ou négatives, mais il se sent happé par une en particulier qu'il éprouve à propos de tel travail bien précis qu'il doit faire: une sorte de tristesse, un sentiment de ne pas être à la hauteur, comme une morsure de honte face à l'évaluation possible par ses confrères — bref une déception de lui-même. Puis graduellement il parvient à bouger son intérieur et à s'installer dans la position de sujet de lui-même. Là, c'est plus serein. Les émotions négatives le laissent. Il s'installe dans le sujet et il peut plus facilement voir l'ensemble de sa vie, de son avenir et de son passé. Là il peut se vivre avec plus de sérénité et plus ordonné parce qu'il ne se met plus entièrement dans une seule facette de lui-même.

Sujet de sa propre vie, la personne s'élargit. Elle se donne de la largeur, de la profondeur et de la perspective. Elle se sent plus vaste et pleine d'étendue et ne s'enferme pas dans son paraître ou même dans une des facettes de ce paraître. Elle ne se sent plus étroitement liée ou potentiellement limitée ou pire, démolie par la réaction d'autrui fut-il la personne la plus significative de sa vie. Les remarques et les commentaires de l'autre sont alors davantage appréciés à leur juste valeur.

---

14. Voir le chapitre 9: Le contrat avec la vie, p. 187.

Remarques et commentaires sont écoutés et peuvent être retenus — pour corriger ses défauts, améliorer ses relations interpersonnelles — cependant ils ne détruisent plus la personne, ne l'écrasent plus ou ne la réduisent plus à un être insignifiant qui ne possède de la valeur et du sens qu'à travers et dans la réaction de l'autre. Là, à cet endroit, la personne est consciente de ses faiblesses comme de ses ressources. Ses faiblesses toutefois, elle les accepte et elle les intègre à l'ensemble de ce qu'elle est. Elle n'a plus aucun élan pour porter triomphalement ses ressources comme elle ne cherche plus à dissimuler, à camoufler ou à refouler ses faiblesses. Ce qu'elle est, ce qu'elle a, ce qu'elle possède ont des limites et des frontières et c'est bien ainsi. Elle peut vouloir tirer le maximum d'elle-même sur une dimension mais en gardant l'harmonie avec l'ensemble de ce qu'elle est.

Se libérer de l'autre-en-soi

Le goût d'être sujet de sa vie et la spontanéité de ce goût s'observent particulièrement chez l'enfant sain. Il désire faire les choses par lui-même, ses choses. Il en tire une grande satisfaction et il l'exprime à chacun de ses gains: prononcer ses premiers mots, se vêtir seul, attacher ses souliers... Cette spontanéité de l'enfant, naturelle et satisfaisante, rencontre cependant rapidement ce qui peut devenir son terrible ennemi: l'autre-en-soi[15]. La spontanéité s'estompe à mesure que l'autre-en-soi prend de l'importance en tant que l'autre à qui nous devons absolument plaire sans quoi nous risquons le rejet, le blâme, le jugement et la culpabilité. Cette forme particulière d'importance donnée à l'autre-en-soi ne peut que mener insidieusement à de l'insatisfaction par rapport à notre individualité et à de la méfiance ou de la retenue face à notre spontanéité. La spontanéité laisse place à une sorte de soumission anxieuse à l'autre-en-soi. Cet autre-en-soi finit par accaparer la position du sujet de notre vie et nous nous réduisons à être ses objets. Pour redonner à la personne la position de sujet de sa vie la rendant elle-même responsable de son destin, l'autre-en-soi doit devenir l'autre-en-dehors-de-soi, c'est-à-dire un autre sujet, lui-même sujet, responsable de sa propre vie et avec qui la personne interagit.

Stéphane connaît bien deux attitudes émotives différentes devant les autres. Devant une autre personne, parfois il s'évalue, se mesure, se compare, tente de convaincre, de plaire, d'être accepté; parfois il se sent libre et vraiment en contact avec l'autre personne — il l'écoute, profite de ce qu'elle dit et il accepte même que l'autre personne s'oppose à lui et rejette ses idées sans que lui-même se sente rejeté. Il se sent tellement mieux dans sa peau lorsqu'il peut vivre avec cette deuxième attitude.

Libérée de l'autre-en-soi, la personne redevient sujet de son expérience, stimulus et source de sa vie.

Présent au meeting, Stéphane promène le regard sur ses confrères avec qui il travaille depuis plus de 10 ans — des gens qui l'ont applaudi et rejeté, confirmé et ignoré. Avec l'attitude de l'autre-en-soi, il se mesure et s'évalue avec leurs propres yeux. Il ressent

---

15. Être objet d'elle-même renvoie au regard de l'autre-en-soi posé sur la personne. Cet autre-en-soi est le résultat de l'internalisation des attentes d'une autre personne de qui le sujet voulait être aimé et considéré. Pour s'en libérer, il importe d'accepter le risque de perdre l'autre, si cette perte est nécessaire au maintien de la spontanéité, d'accepter aussi de ne plus être aimé par cet autre si ce renoncement est nécessaire à sa propre authenticité (voir aussi p. 283, note 9).

alors de l'angoisse et de la peur ou de la joie et de la satisfaction selon que cet autre-en-soi est blâmant ou content et acceptant. Par contre, lorsqu'il passe à l'attitude de l'autre-en-dehors-de-soi, il regarde ses confrères avec une distance appropriée. Il peut comprendre qu'ils acceptent ou refusent ses idées ou ses suggestions. Mais il ne s'évalue pas à travers leurs paroles. Il demeure lui-même et se sent comme approprié. Il est alors plus proche d'une sérénité qui lui fait goûter les interventions des autres. Il s'enrichit des commentaires qu'il entend.

Pour redevenir sujet de sa vie, et ainsi se donner une source de goût de vivre, il faut donc accepter de travailler à changer l'attitude fondamentale de l'autre-en-soi et voir à la remplacer par celle de l'autre-en-dehors-de-soi. C'est bien sûr beaucoup plus un changement d'ordre émotif qu'un changement d'ordre conceptuel — c'est l'émotion qui est appelée à changer plus que le concept ou l'idée. Il ne s'agit donc pas de dire: «Dorénavant, l'autre-en-soi disparaîtra et je me vivrai sujet de ma vie» ce qui peut être aidant mais nettement insuffisant tant et aussi longtemps que ce n'est pas d'abord et avant tout senti. Et ce qui est senti n'est pas toujours plaisant sans quoi il n'y aurait pas de changement. L'être humain est ainsi fait que c'est souvent la souffrance qui le conduit au changement. S'il ne souffre pas d'une attitude, d'un état d'âme, d'une perspective à sa vie, pourquoi les changerait-il? Pourquoi chercherait-il à se vivre autrement? S'il n'éprouve pas la morsure de la souffrance de l'autre-en-soi, l'angoisse, la peur, la tristesse et la lourdeur de porter l'autre en lui-même, il risque de conserver cette attitude bien longtemps.

Depuis maintenant presque 30 ans, Serge se porte dans la vie au gré de l'autre-en-soi. Jeune, il a établi ses «héros» — le sportif, l'homme de décision et d'action, la performance. Puis, il a toujours réussi à calmer cet autre-en-soi parce que ses ressources et son énergie lui permettaient somme toute d'atteindre assez bien ses idéaux. Mais voilà qu'une série d'échecs cuisants l'assaillent de toute part, particulièrement dans sa vie personnelle — divorce, perte de ses enfants, dettes, etc. — et le privent de son énergie spontanée et de ses ressources faciles. Même s'il est défait et épuisé, l'autre-en-soi continue son œuvre d'évaluateur. Où est-il l'homme de décision et d'action, de performance et d'accomplissement? Il est martelé sans cesse, écrasé sous l'anxiété et l'angoisse — fatigué par la lourdeur et la tristesse. Cela l'amène à questionner son attitude fondamentale de l'autre-en-soi. Cette période de crise lui aura cependant permis de remettre en question les avantages de conserver cette attitude fondamentale de l'autre-en-soi. Il accepta d'abandonner, de perdre les considérations de l'autre pour établir des rapports plus harmonieux avec lui-même et avec les autres — fussent-ils insatisfaits de lui.

La dynamique autre-soi est pleine de nuances. Les autres — autour de nous et en nous — ne sont pas toujours et automatiquement des obstacles à notre quiétude et à notre bien-être. L'autre évalue et juge mais l'autre reconnaît, accepte et confirme aussi. C'est justement à cause de cela qu'il représente en plus d'un évaluateur une source très importante de gratification et de satisfaction. Et plus l'autre-en-soi a créé et crée des satisfactions, plus la personne s'y attache et résiste à l'abandonner — ce sont évidemment ceux qui ont réussi et qui ont été applaudis par l'autre qui cherchent le plus à maintenir le regard de l'autre mais qui en même temps souffrent le plus de la perte de la reconnaissance et de l'acceptation de cet autre.

Louis a toujours reçu les hommages des autres: chéri de sa mère, premier de classe, le plus beau pour ses copines. Il est celui qui plaît. Louis est *heureux*. Puis avec les années, il a perdu bien de ses avantages; il doit maintenant bûcher pour se faire apprécier et ce n'est pas facile. Ses patrons ne reconnaissent pas ses travaux; ses collègues questionnent sa compétence; ses clients doutent de ses qualités professionnelles. Être celui qui plaît aux autres implique ne pas exister lorsqu'il ne plaît pas. Louis est *malheureux*.

L'autre-en-soi ou l'autre autour de soi peut donc être une grande source de satisfaction et de fierté en même temps que la plus sévère source d'évaluation et de honte — tout dépendant si la personne rejoint ou non les attentes de l'autre, en soi ou autour de soi, souvent démesurées ou idéales. L'être humain étant ce qu'il est, en soi limité et donc loin de l'idéal, l'autre-en-soi ou en dehors de soi risque davantage un jour ou l'autre de devenir un évaluateur et un juge plutôt que de demeurer une source de gratification, de reconnaissance et d'acceptation. L'autre-en-soi éloigne nécessairement la personne de ce qu'elle est véritablement et de là, de sa position fondamentale de sujet: limité, séparé et en charge de sa propre vie.

Élargir son champs de perception

Comment ancrer encore plus solidement la conviction de l'importance d'être sujet de sa vie? Comment devenir plus sujet de sa vie? Il y a bien sûr le jeu de la conscience — à savoir conquérir à la conscience et pour l'usage de celle-ci plus de régions de la vie, plus du champ de la perception. Rendre accessible et disponible pour la conscience le plus d'étendue possible de la vie: c'est cela élargir le plus possible son champ de perception. Il y a aussi le jeu des raideurs et des scléroses qu'il faut défaire parce qu'elles étouffent, coincent et coupent la vitalité. C'est en fait prendre conscience de tout ce qui existe à l'extérieur de nous, de la vie qui bouge et que l'on veut goûter dans et sous chacune de ses facettes et pour cela augmenter le plus possible nos antennes pour la saisir en défaisant chacun des obstacles à son accueil.

Pour que la conscience fleurisse et que la subjectivité s'installe, pour devenir le plus conscient possible, il importe de laisser tomber la terrible sur-conscience de nous-mêmes — le regard trop porté sur notre «petite personne». Toute la personne doit s'investir (ce qu'elle est dans son corps autant que dans ses idées, dans ses émotions autant que dans ses imaginations), sûrement pas seulement la «petite personne» soucieuse de sa réputation et de la justesse de ses rôles.

Devenir sujet de soi-même augmente par la recherche de ce qui est bon à vivre, peut-être encore plus particulièrement dans le domaine des relations avec les autres vécu comme lieu de tant d'objectivations et d'inquiétudes à propos des jugements et des évaluations possibles. Pour trouver le bon à vivre dans la relation avec l'autre, il faut parvenir à se détacher des jugements et des évaluations portés sur la personne par l'autre-en-soi ou le juge-en-soi impitoyable et exigeant, et pour favoriser ce détachement, cultiver et développer le sentiment d'*appartenance* de nos vies, de nos existences, de notre temps. La personne est propriétaire d'elle-même, de sa vie — elle lui appartient.

Demain, lundi, jour de travail avec ces livraisons à faire toute la journée, d'un bout à l'autre de la ville. Mais le lundi c'est aussi mon jour à moi; un temps de vie qui m'appartient et c'est à moi d'en extraire toute la vie. Personne n'a le droit de m'enlever cette vie. Mon patron réel ou imaginé ne peut rien contre mon bien-être de vivre mon lundi si ce lundi est à moi. C'est mon temps et c'est à moi de cultiver sa vitalité — en le vivant selon moi, selon mes ressources et mes capacités.

L'UTILITÉ DE LA SUBJECTIVITÉ (SON POURQUOI)

Pourquoi s'intéresser et s'arrêter à la subjectivité si ce n'est pour augmenter notre vitalité, notre intérêt et notre goût de vivre et pour aimer encore plus vivre parce que la vie est devenue subjective, c'est-à-dire nôtre, qui nous appartient et dont nous sommes propriétaires.

Se sentir libre et satisfait de vivre

Mais quels sont les critères qui nous permettent de savoir si nous accordons toute la place requise, suffisamment de place à notre subjectivité? En ressentant une plus grande intégration de différents aspects de ce que nous sommes sans conflit entre ceux-ci; en ressentant davantage notre vitalité; en nous mobilisant davantage pour l'agir; en nous engageant davantage dans nos choix et dans nos relations interpersonnelles. En n'étant pas avec nous-mêmes, rien ne peut nous apporter de véritables satisfactions, ni nos amis, ni la vie autour de nous, ni notre travail. Vide de nous-mêmes ou de ce que nous sommes, toutes ces quotidiennetés frappent en écho notre vide intérieur. Bien sûr qu'en étant subjectifs, nous vivons encore des contradictions, des conflits et nous avons nos tristesses et nos défauts, mais nous sommes alors plus en mesure d'y faire face puisque nous avons à notre service tout ce que nous sommes.

Philippe ressent vraiment deux manières d'être-au-monde: objective et subjective. Objet de lui-même: le Philippe à faire respecter, le Philippe qui veut impressionner. Sujet de lui-même, le Philippe calme et serein. Par exemple tantôt à la réunion avec ses confrères, sera-t-il objet de lui-même ou se ressentira-t-il comme un sujet? Sujet, à savoir dégagé de ses paraîtres, vivant la situation telle qu'elle est — avec sa propre vie intérieure ou plutôt, objet, avec des images de lui-même à protéger. Il espère qu'il se vivra comme sujet parce qu'il sait bien, il connaît bien cette sensation de liberté. Quel dégagement et quelle satisfaction de se vivre sujet de sa vie! Il les ressent là immédiatement. Il peut maintenir et retrouver ce dégagement et cette liberté s'il fixe son cap sur son bien-être personnel plutôt que sur la protection de son image, le maintien de sa réputation. Il se *donnera* tantôt, pour lui, une bonne réunion.

Si une attitude subjective devant la vie procure des sentiments de dégagement et de liberté, pourquoi est-il si difficile de se vivre subjectivement? Pourquoi effectivement la personne hésite-t-elle tant à être subjective? Généralement, parce qu'elle n'est pas profondément convaincue de la valeur et du pouvoir de sa subjectivité, et donc de ce qu'elle est. Elle craint de se tromper en misant sur elle-même. Elle doute d'avoir une place, de la valeur, d'être quelqu'un et d'être reconnue si elle se fie majoritairement à elle-même et à sa propre vision des choses plutôt que de répondre à ce qui est attendu d'elle. Elle est souvent plus portée à croire que la satisfaction vient de l'approbation par l'extérieur. Alors, elle va davantage là où elle pense trouver, c'est-à-dire vers ce qui est attendu d'elle. Ainsi, elle tronque sa subjectivité pour répondre à ce qu'elle perçoit des attentes externes — elle abandonne son cadre interne de références pour un cadre externe.

La subjectivité nécessite un retour constant au cadre interne de références. Qu'est-ce que ça veut dire? Tout simplement, de se vivre selon une perspective particulière, celle du moi avec moi — moi et la vie et les choses de la vie. C'est entre autres les faits de ma vie, mes projets; bref ce que moi, personne et individu, je veux et j'aime. C'est un rapport à la vie plus amical et plus approprié à la personne, à ses ressources et à ses capacités. Installée dans un cadre interne de références — plutôt qu'externe — la personne conduit sa vie à partir de ses choix et de ses décisions — et non à partir de l'inverse, c'est-à-dire une sorte de soumission passive aux circonstances de la vie extérieure. Le résultat de ses choix et de ses décisions, donc par extension sa vie est plus appropriée à ce qu'elle est puisque choix et décisions viennent d'elle. Choix et décisions s'assument, se soutiennent et sont menés à terme quand la personne les sait et les ressent comme siens.

La personne est fondamentalement seule et indéniablement séparée. Elle est seule pour naître, pour vivre, pour mourir et en plus, elle est consciente de l'être. Elle est foncièrement seule et c'est vrai, mais elle est aussi en soi équipée pour l'assumer, pour choisir elle-même sa vie et la continuer. Cela veut dire que si elle ne se fait pas remplacer pour vivre sa vie, elle peut découvrir et utiliser en elle tout ce dont elle a fondamentalement besoin pour continuer à vivre et vivre subjective-ment. Elle peut tout à fait s'assumer elle-même, même si évidemment les autres, la référence aux autres, le besoin des autres restent des *plus* qui sont d'autant plus utiles à certains moments qu'ils peuvent nous aider à nous développer et à aller plus loin dans nos projets, notre réalisation et notre accomplissement[16]. Les autres sont importants et significatifs mais pas fondamentalement et absolument nécessaires pour continuer. C'est en quelque sorte dans l'ordre des choses et vouloir changer cela serait malheureusement biaiser les mécanismes fondamentaux de l'être humain.

Se développer et s'auto-déterminer

Il ne faut pas confondre l'auto-détermination et le désir de se développer soi-même avec l'auto-suffisance, l'égoïsme et le nombrilisme. Ce sont deux atti-tudes complètement différentes. La personne subjective qui cherche à se développer et à s'auto-déterminer tient compte de l'autre, le respecte, accepte son aide et en bénéficie parce qu'elle se sait limitée, pleine de manques et incomplète — c'est la santé, une attitude saine, développementale et subjective devant la vie; la personne auto-suffisante et égoïste ne tient pas compte de l'autre, l'autre n'existe pas ou peu pour elle et le plus souvent elle refuse d'avoir besoin de lui et de son aide parce qu'elle ne peut pas tolérer de se sentir limitée, manquante et incomplète — c'est ce que certains appellent du narcissisme pathologique, de la névrose, une attitude défensive et contre-dépendante nourrie par l'illusion de la complétude, du sans manque et de la toute-puissance: pas de défaut et sans faiblesse.

Idéalement, chaque personne doit parvenir à conscientiser et à accepter ses limites et ses manques. En d'autres mots, nous devons tous reconnaître nos défauts et nos faiblesses — ce qui n'est absolument pas simple, qui en doute? Mais pourquoi

---

16. Voir chapitre 11: Les Autres, p. 271.

sommes-nous tous, mais à divers degrés, si rébarbatifs à reconnaître nos défauts, faiblesses, limites ou manques?

La raison fondamentale (outre l'orgueil) est un profond et tout aussi primaire besoin de sécurité. L'humain doit en effet être en mesure d'assurer sa survie et sa continuation. Or, reconnaître ses défauts ou ses faiblesses, c'est se reconnaître défectueux et alors se vivre comme potentiellement menacé dans sa capacité à assurer sa propre survie. La menace est peut-être encore plus grande quand la faiblesse ou le manque est reconnu et senti sur le mode interpersonnel. À cause de son état existentiel de solitude et de séparation, la personne doit se sentir capable de se fier à elle-même, à ce qu'elle analyse et perçoit de la réalité. Chaque prise de conscience d'une limite, d'un manque ou d'une faiblesse peut plus ou moins consciemment remettre en question ce sentiment de compétence et de pouvoir sur la vie — sentiment de compétence qui peut se développer et s'améliorer à travers les nombreuses interactions avec les autres mais qui ne s'y crée pas.

> Chaque fois que Marie se dit incomprise, Pierre monte sur ses grands chevaux. Qu'est-ce que cette irritation si subite de Pierre? Il s'énerve parce qu'il se dit que s'il ne comprend pas Marie, il n'est pas adéquat à l'autre. S'il n'est pas adéquat à l'autre, il n'est pas compétent pour gérer la réalité. Et là, l'anxiété monte; il a l'impression d'être en danger, que la réalité va l'envahir et le détruire s'il n'est pas capable de la contrôler. Ainsi, il ne peut pas reconnaître qu'il est souvent distrait de l'univers de Marie.

Si toute personne éprouve énormément de difficulté à assumer ses manques, ses limites et faiblesses en même temps que sa continuité, elle en éprouve pas moins à quitter sa position relationnelle exclusivement égocentrique — égocentrisme primordial qui par les nombreuses et répétées interactions avec les autres se transforme graduellement en capacité relationnelle, c'est-à-dire se nourrir de l'autre tout en le nourrissant et en respectant les limites, les besoins et la liberté de l'autre. Pourquoi ne serions-nous pas fondamentalement centrés sur l'autre? Pourquoi ce départ exclusivement égocentrique? Simplement parce qu'il est fondamental, à l'origine essentiel pour la protection et la survie. C'est comme si la nature avait voulu nous doter d'une attitude auto-protectrice de base en ancrant et en installant bien solidement un fondement égocentrique avant de nous heurter à l'espace de l'autre dans le développement nécessaire vers l'inter-action et la relation[17].

Le *départ* est égocentrique parce qu'il est aussi plus approprié à nos caractéristiques de vivant. Nous sommes plus assurés de vivre et de continuer à vivre si nous sommes sainement *égocentriques* — égocentriques dans le bon sens du terme, c'est-à-dire suffisamment orientés vers nous-mêmes pour voir à notre bien-être et à notre protection si besoin est. La vie cherche à continuer et pour continuer, elle

---

17. Briser cette hiérarchie court-circuite ce processus. Fondamentalement nous sommes faits pour marcher sur la terre et grâce à cette capacité, nous pouvons aussi, si besoin est, courir. Or, si nous ne nous déplacions qu'en courant, en laissant en friche notre capacité de marcher, nous briserions l'ordre fondamental de nous déplacer. Ainsi nous sommes fondamentalement équipés pour nous référer à nous-mêmes — mais aussi à toutes les ressources nécessaires en nous (sensations, perceptions, capacités intellectuelles) pour continuer à vivre (c'est analogiquement notre *capacité de marcher*). La référence à l'extérieur de nous n'est qu'une excroissance, un développement (*une capacité de courir*) après que la référence à nous-mêmes est bien faite.

se complexifie; pour se complexifier, elle est mouvement. Or l'être humain, à cause de son égocentrisme de base, est mieux équipé pour se complexifier et être en mouvement. En se centrant sur lui-même et en s'y référant, ses perceptions deviennent plus nuancées et plus souples que lorsqu'il se réfère au groupe, au cadre externe de références. Se fier au cadre externe de références simplifie tout — «moyennise» les individualités — c'est plus facile et plus vite mais, en même temps, cela va nécessairement à l'encontre de l'essence même du vivant qui est d'être mouvement et complexification — donc difficile à saisir, à mettre en moyenne. Un être humain est seul avec lui-même et lorsqu'il veut vraiment se référer à son expérience, il se découvre débordant et fertile.

> Philippe écoute en lui tout ce qu'il perçoit de Marie: toutes les nuances de son corps — ce qu'il voit, ce qu'il touche et ce qu'il ressent. Et tous les symboles qui s'y rattachent: douceur, densité, profondeur — tout un univers de concepts soulevé. Et dire que s'il n'écoutait que ses confrères, Marie serait enfermée dans deux dimensions: une étudiante et une femme!

Être et rester fidèle à soi-même

Le cadre interne de références présente tellement de possibilités et de richesses que c'est pratiquement assassiner une partie plus ou moins grande de la réalité que de l'abandonner, que de le laisser tomber pour un cadre externe de références. En se référant à ce qui est à l'extérieur de soi, on est peut-être plus adapté aux autres mais on l'est moins à la vie — moins en amitié et moins en contact avec la réalité de la vie. Aller à l'encontre du cadre interne de références, c'est aller à l'encontre de sa nature de vivant. Ceux qui utilisent un cadre externe de références comme style d'adaptation doivent donc quelque part court-circuiter leur nature de vivant et sacrifier ainsi une vision personnelle et créative de la réalité à travers la densité et la profondeur du complexe de la vie pour une adaptation en reflet au groupe à travers la répétition du simple et du conforme.

> La semaine dernière, Richard s'est bien rendu compte qu'il n'existait vraiment aucun avantage à troquer son point de vue pour celui d'un autre même si cet autre est significatif et aimé. Ça s'est passé avec Danielle pendant une journée de ski. Avant qu'elle n'ait lieu, lorsque Richard pensait à sa journée de ski, c'était plein de vie: ces pentes à dévaler, la sensation d'air frais dans ses poumons, les beaux paysages et surtout la compagnie de Danielle avec qui il allait partager ses joies et ses émotions. Il se sentait riche d'une journée devant lui. Mais juste avant son départ et pour faire plaisir à Danielle, il se dirige vers le Nord plutôt que vers l'est — sa préférence et son premier choix. C'est à partir de là que tout s'est chamboulé et que sa journée a été toute croche: mauvais ski, conversation avec Danielle qui tombe à plat, déception de lui-même, sur-conscience de sa technique et des autres qui le regardent. En prenant la décision de plaire à Danielle, il a laissé tomber son propre centre d'évaluation et toute la journée, il avait le sentiment qu'il (lui-même) ne valait plus la peine de remédier à cette situation. Il ne valait plus sa peine. Ce qu'il voulait ou ressentait des choses, il lui semblait maintenant que ça n'avait plus de valeur. Et après, c'est la culpabilité d'avoir laissé Louise, sa fille, à la maison. Il est pris entre son désir à lui et celui de Danielle, et il tient à Danielle; elle est son espoir d'en sortir, de pouvoir enfin communiquer avec quelqu'un jusqu'au bout, de s'exprimer et de sentir l'amour avec quelqu'un comme antérieurement avec son frère. C'était ce type de communion qu'il cherchait pour ne plus avoir peur de tomber dans le trou, de se noyer dans le trou de l'isolement. C'*était* parce que présen-

tement après cette journée de ski, il a le sentiment de ne rien valoir — pas capable d'avoir vraiment une blonde, être un incapable, un inapproprié.

Parce que la personne se croit faussement incapable de subvenir par elle-même à ses besoins, qu'elle n'y arrivera pas, elle craint la solitude au point de l'éviter et de la fuir. À partir de là, un certain cercle vicieux s'installe: parce qu'elle fuit la solitude, elle cherche inlassablement — et parfois à tout prix — à s'attacher à une autre personne pour se prémunir contre l'insécurité et le vide; parce qu'elle s'attache à cet autre et qu'elle veut le garder, elle laisse tomber son cadre interne de références.

Plusieurs personnes abandonnent ainsi leur capacité à se référer à elle-même parce qu'elles se sentent plus ou moins totalement démunies face à leur état fondamental d'être séparé, et seul. Pourtant, plus une personne fait référence à elle-même, plus elle découvre ses capacités et ressources, plus elle les utilise pour continuer par elle-même et seule, pour mener à terme ce qu'elle vit; moins elle se sent démunie, moins elle s'accroche désespérément aux autres et plus elle installe comme une priorité la référence à son propre cadre interne, à sa propre vie intérieure. Elle prend quand même des autres — leur présence est stimulante et développementale[18], elle écoute l'autre, mais elle ne laisse plus aller son propre cadre de référence pour eux, pour leurs attentes, leurs désirs ou leurs besoins.

Tout commence et tout se crée par l'intérieur: de l'enfant à la petite personne jusqu'au sujet. Tout commence — avant, maintenant, toujours, à chaque instant et plus tard — par l'intérieur. C'est pas différent pour le changement. Pour se ré-approprier le sujet que nous sommes et abandonner les objets de nous-mêmes, c'est de l'intérieur que le changement doit prendre son départ. C'est l'origine du départ.

Évidemment, les autres ne tiennent habituellement pas beaucoup à ce que la personne se vive de et par l'intérieur. Regardons-nous avec les autres! Nous sommes bien plus confortables lorsqu'ils se vivent comme objets d'eux-mêmes — c'est plus clair pour nous — nous savons à quoi nous en tenir ou à quoi nous attendre. Ainsi sommes-nous! Il n'y a vraiment que la personne elle-même qui peut vraiment tenir à se vivre comme *sujet*.

Les attentes et les schèmes sociaux sont automatiquement disponibles et prêts pour étiqueter l'expérience de la personne. Les attentes sociales sont effectivement constamment présentes et face à elles, la personne ne peut que se sentir vulnérable. C'est tout comme elle n'avait qu'à entrouvrir la porte de son champ d'expérience pour que ces attentes entrent d'emblée en elle, étiqueter une bonne partie de son expérience et en taire le reste — museler ce reste qui le plus souvent est ce qui est propre, original.

Les attentes sociales sont d'une certaine façon utiles à la personne qui ainsi n'a pas vraiment à savoir ce qu'elle veut puisque les autres le lui disent, mais c'est surtout à la société que c'est utile, aux autres. Le bien qui est apporté à la personne demeure secondaire à sa démarche d'individuation, à son désir de se vivre comme sujet et il peut même en bout de ligne s'avérer extrêmement nuisible plutôt que

18. Voir chapitre 11: Les Autres, p. 271.

bénéfique. C'est extrêmement nuisible à la personne parce qu'elle se vit alors comme tronquée de sa vitalité, de sa largeur et de sa plénitude. Plus la personne est proche de la société, plus elle risque de s'éloigner de son expérience subjective et de sa vitalité. Le plus souvent, lorsque son expérience est réduite au silence, son intérieur est occulté, traité comme banal et peu considéré.

Christian est une réussite sociale totale: l'allure et les gestes du parfait psychologue, les vêtements appropriés, les derniers livres à la mode lus; bref, il est tout à fait adéquat à son milieu. Mais quel ennui mortel, il ressent! Malgré ses revenus importants, malgré les félicitations de toute part, malgré la belle image reflétée dans son miroir, il n'a plus de zest à vivre — il a tronqué tous ses goûts, toutes ses fantaisies, toutes ses idées pour adopter ceux et celles qui conviennent à son statut et ainsi, il s'est vidé de lui-même. Parfait robot de réussite mais un sentiment de futilité l'envahit.

En ce qui concerne l'accueil et la reconnaissance de la subjectivité il n'y a vraiment pas beaucoup d'espoir du côté de la société, des autres en tant que collectivité. Et même, pour certains de ces autres, le monde subjectif serait à bannir presque, tant il est décrié, apostrophé de toute part, source d'une méfiance quasi-éternelle parce que tenu responsable — en général à tort bien sûr — de toutes les diableries et misères humaines. Le monde subjectif est associé à l'erreur, à l'immaturité, à l'inconscient, à l'irresponsabilité, et à quoi encore! Pour lier ainsi la subjectivité à tellement de maux, il faudrait soutenir une conception de la personne humaine — de la nature humaine — comme fondamentalement mauvaise. Or, si le monde subjectif qui constitue 90% de notre conscience était si mauvais et si embêtant, pourquoi aurions-nous été construits ainsi? Pourquoi, s'il était si mauvais, le monde subjectif aurait-il pris de plus en plus de place dans l'évolution de la vie? Pourquoi la conscience aurait-elle graduellement remplacé la voix des dieux? les instincts du primitif?

De la place, la subjectivité doit en avoir encore plus — dans la société si possible, mais dans chaque personne assurément. Pour donner pleine présence à la subjectivité, pour être plus sujet de sa propre vie, il importe d'installer certaines conditions favorables comme le silence, la solitude, l'écoute intérieure et la méditation, mais il importe aussi d'accepter notre condition particulière d'être des personnes éternellement inachevées, incomplètes. Nous savons ce que nous avons été mais notre devenir, nous l'ignorons. Ce que nous savons c'est que nous allons croître et changer sans cesse. Il est impossible de croire que nous sommes terminés, là, maintenant. Tout n'est donc pas complet, total en soi et surtout pas une personne. Être complet serait d'arrêter; être incomplet et inachevé, c'est chercher à continuer. Se continuer à travers un devenir certes inconnu mais beaucoup moins inconnu quant à notre désir et à notre pouvoir d'en faire quelque chose qui nous conviendra — pouvoir exister et agir selon ce que nous sentons comme notre véritable nature, ce que nous sommes vraiment.

Assumer sa subjectivité et vivre à partir d'elle impliquent également de vivre en acceptant et en assumant celle des autres, sans perdre la nôtre évidemment pour autant. Toute personne humaine désire être traitée objectivement par l'autre, quel qu'il soit. Tout individu souhaite spontanément que l'autre le perçoive et l'évalue objectivement et non pas subjectivement. Que l'autre nous perçoive à partir de ses propres critères, de sa subjectivité, est souvent ressenti comme injuste et frustrant:

l'autre ne nous prend pas pour ce que nous sommes — notre soi mérite d'être considéré pour lui-même... Mais inévitablement nous y sommes répétitivement confrontés, l'autre ne peut pas, lui non plus, nous percevoir autrement qu'à travers sa propre subjectivité.

> Louis aimerait bien que sa belle-mère l'estime pour ses qualités à lui et non pas seulement comme le reflet des qualités de ses fils à elle. Il tente par tous les moyens de faire valoir ce qu'il est — ce qu'il fait et sans cesse, sa belle-mère revient en le comparant à ses fils. Louis en est choqué et déçu.

La subjectivité a mauvaise presse, entre autres, à cause de cette subjectivation par l'autre; être soi-même subjectif est une chose, vivre en côtoyant la subjectivité des autres en est une autre. Nous ne sommes cependant pas créés par le regard subjectif de l'autre. Les personnes existent par elles-mêmes sans qu'elles ne soient que le résultat transformé par le regard de celui ou celle qui regarde. Malgré toutes nos attentes et tous nos souhaits d'objectivité, nous sommes toujours, à divers degrés, traités subjectivement par les autres comme nous-mêmes d'ailleurs, à divers degrés, nous traitons les autres selon notre subjectivité. Il n'y a pas vraiment d'objectivité chez une personne humaine qui ne soit pas teintée de subjectivité. Toute connaissance d'un être humain ou d'une chose est subjective. La seule pure objectivité qui existe ou qui puisse exister chez une personne, c'est qu'elle est subjective.

Se donner une réalité personnelle et créatrice à travers les individualités multiples de celle des autres

La subjectivité fait tellement partie de nous-mêmes qu'elle s'entremêle avec la réalité qui devient la nôtre. Subjectifs, nous continuons à percevoir une réalité objective ou partagée avec les autres mais tout ce que nous percevons se colore de ce que nous sommes et devient par la suite notre réalité particulière. D'une certaine façon, chaque personne construit sa propre réalité — une réalité subjective des autres et du monde. En plus d'une réalité partagée avec l'ensemble, elle possède son monde et ses relations. Nos réalités sont donc très individualisées et très différentes les unes des autres parce que le percevant, le connaissant, la personne est elle-même très individualisée et ainsi chacune très différente de l'autre.

> Maurice sait très bien que ce restaurant qu'il aime tellement fréquenter est coloré par sa propre satisfaction. Il sait aussi que ce restaurant pourrait d'un seul coup devenir insatisfaisant s'il n'y était plus accueilli avec gentillesse. Il réalise comment les choses sont relatives. Pourtant, il le sait bien, ce restaurant est surtout un endroit pour manger, et on y mange bien. Pourquoi alors se soucier de son accueil? Mais c'est ainsi, il ressent toute la situation du restaurant et c'est toutes ses caractéristiques qui le rendent satisfait ou insatisfait.

On se méfie souvent de la subjectivité parce qu'au fond on refuse d'accepter la relativité des choses et des personnes. C'est un besoin de se sécuriser dans le même, le constant et le semblable. Or, dans le domaine des relations humaines, dans nos relations les uns avec les autres, le même, le constant ou le semblable n'existe pas vraiment si ce n'est que dans l'illusion. Tout contact humain est beaucoup trop individualisé et personnalisé pour espérer ou attendre le même.

Marie est bien agacée par les étudiants qui n'acceptent pas ses idées et ses explications. Ou bien elle se choque et les menace ou bien elle déprime et se sent incompétente. Pourtant, lorsqu'elle accepte la subjectivité de ses étudiants, qu'elle reconnaît que chacun d'eux a sa propre interprétation des idées et des thèmes présentés, qu'il n'y a rien à faire et que c'est ainsi, cela la soulage. Elle redevient de bonne humeur et elle peut même confronter avec humour les étudiants qui ne pensent pas comme elle.

En fait, le manque d'objectivité des personnes ne constitue une menace que pour ceux surtout qui par un besoin de sécurité veulent tout contrôler autour d'eux, tout et particulièrement les autres. L'autre, l'amour et l'admiration pour lui, deviennent plus relatifs à travers les individualités multiples de la réalité subjective. Le soi aussi devient plus relatif — pour soi-même et pour les autres. Dans ce contexte d'individualité des univers, une certaine dose d'humilité sur soi-même et une autre de tolérance pour les autres deviennent nécessaires pour accepter que le soi et l'autre demeurent tous deux subjectifs tout en restant en relation. C'est un défi difficile mais qui en vaut la peine parce que la vitalité et le goût de vivre qui en émanent compensent largement pour l'effort fourni. Les prix de l'humilité et de la tolérance et de la perte de l'idéal de l'amour absolu valent leur peine puisque le goût de vivre perd un de ses principaux obstacles: la réduction de la personne à un objet d'elle-même et de son monde, à une pétrification rigide.

LES CONDITIONS DE LA SUBJECTIVITÉ

Être subjectif, c'est donc tout un art! Un art qui demande à la personne de se vivre au fond d'elle-même, d'avoir confiance dans ce qu'elle est et de laisser parler son style intérieur tout en défaisant les images d'elle-même et le trop grand souci de ses paraîtres. À travers l'écoute de soi-même — du vrai soi-même, le Je — conserver l'humilité suffisante pour ne pas être accablé par le doute et freiné par la peur de l'authenticité. S'ajoute une attitude d'ouverture ou de réceptivité à la vie, désormais davantage éprouvée de l'intérieur, justement par la subjectivité sentie. La réceptivité à la vie telle qu'elle se présente et la réaction spontanée de la personne à la vie finissent par assouplir les rigidités, les carapaces et les faces qui camouflent le vrai Je, subjectif et vivant.

Se vivre au fond de soi-même

En toute personne il existe un lieu, un endroit où elle peut se tenir pour éprouver et ressentir différemment son monde et son entourage. Tout en étant avec les caractéristiques de sa situation, la personne les reçoit autrement selon d'autres critères et avec une appréciation différente quant à leurs qualités et à leurs effets sur elle. Ce lieu plutôt inhabituel mais qui peut devenir spontanément accessible, c'est le fond de soi-même — un espace qui sous-tend, tout en s'en distanciant, notre niveau habituel de conscience. Pour être plus descriptif, c'est un peu une conscience en perspective, qui prend du recul et qui se place comme en dessous du point de vue quotidien, celui où nous nous confrontons avec toutes les caractéristiques concrètes des situations. Légaut (1971) parle du point de vue de l'être; Jung (1964) de la perception par le Soi.

Se donner de la perspective, de la profondeur

Lorsque la personne se loge à cet endroit, au fond d'elle-même, sa perception de la situation change et s'élargit. Elle quitte ses modes de penser et de ressentir habituels — ceux qui relèvent de ses habitudes, des contraintes sociales ou des valeurs contemporaines. Par analogie, la distinction entre le fond de soi-même et le paraître de soi-même peut se comparer à celle du fond et de la surface d'un lac: qu'il y ait vague ou tempête en surface, le fond du lac demeure le plus souvent calme, paisible et silencieux. En gagnant de la profondeur, la personne sait très bien qu'elle laisse au-dessus d'elle les remue-ménages bousculants, les vents qui s'engouffrent et qu'elle s'approche du calme et surtout du silence. Cette descente au fond lui permet une nouvelle conscience d'elle-même, libérée des bruits et des tensions des situations quotidiennes.

Être au fond de soi-même n'est pas fuir. Profondément installée en elle, la personne ne fuit pas son milieu, elle y demeure mais elle change la perspective de sa perception des éléments de ce milieu. Elle ramène ces éléments vers d'autres paramètres que les soucis habituels de paraître, d'être efficace et adéquate à son milieu ou d'être acceptée par les autres. Ses actions et ses comportements brisent les liens (se délient de) avec la pressante conformité aux autres même s'ils demeurent le plus souvent des comportements harmonieux et solidaires au groupe. Le milieu reste lui-même semblable, c'est la personne qui à l'intérieur d'elle se déplace et recule sa conscience de la périphérie pour y englober une plus grande largeur de la vie. La personne demeure consciente d'être un ensemble, c'est-à-dire qu'elle sait que tout fait partie d'elle: la périphérie avec ses bousculades et ses joies tout autant que la profondeur avec sa sérénité et son silence.

> Un matin d'automne, Marjolaine se promène seule en forêt. Elle entend les feuilles déjà sèches se froisser sous ses pieds. Des conifères autour viennent vers elle des odeurs et des senteurs nouvelles. Les rayons du soleil filtrent à travers les arbres et lui renvoient des teintes dorées. Marjolaine sent sur sa peau un vent léger et frais. Sa démarche et chacun de ses gestes harmonisent son corps à la paix vivante dans laquelle elle est immergée. Elle ressent tout le plaisir du balancement régulier de ses pas, de la souplesse de ses membres et de la coordination de ses différents muscles. Des bruits furtifs et des cris d'oiseaux indiquent de nombreuses présences. Même si elle est seule avec elle-même et sa conscience, ces sons trahissent la présence d'autres vies autour d'elle. Elle ressent sa vitalité et sa solidarité avec les autres vivants. Son corps en communion avec son entourage reçoit cette solidarité comme on accueille une joie. Marjolaine perçoit et conçoit sa vitalité, sa corporéité et sa proximité avec les autres vivants.

C'est parce que Marjolaine se situe au fond d'elle-même que cette promenade en forêt lui permet de sentir et de conscientiser ce qui est fondamental — sa vitalité et sa nature de vivant. Autrement, par exemple placée dans son paraître efficace ou compétent comme chasseur ou bûcheron, à l'affût du gibier ou cherchant des arbres à abattre, sa conscience pourrait être détournée, réduite et rigidifiée au rôle et à sa fonction: être chasseur ou bûcheron[19]. Être au fond de soi-même permet de

---

19. Certains chasseurs et certains bûcherons arrivent toutefois à ne pas se limiter à leurs rôles de chasseur ou de bûcheron: ils sont (regardent, contemplent, savourent la forêt) *et* chassent ou bûchent.

conscientiser d'autres dimensions ou d'autres thèmes plus fondamentaux de la condition et de la réalité humaines.

Lorsque la personne s'installe au fond d'elle-même, elle ne traîne pas avec elle ses préoccupations quotidiennes et périphériques. Celles-ci demeurent à la surface parce qu'elles mettent en jeu des données différentes, complètement étrangères à l'état de profondeur. Pendant sa promenade en forêt, Marjolaine n'est pas inquiète de la beauté et de la justesse de sa coiffure ou de l'impression de ceux qui la rencontrent; elle ne songe pas à l'évaluation par son patron de la rapidité de sa démarche; elle ne cherche même pas à obtenir l'approbation pour les sensations et les émotions qu'elle éprouve sachant fort bien que personne, si ce n'est elle-même, ne peut rejoindre ce lieu d'elle-même. Là, sous sa périphérie, elle est seule et inatteignable.

Bien logée au fond d'elle-même, la personne peut même considérer avec humour et détachement les combats qui se livrent aux autres niveaux d'elle-même. Plusieurs événements et plusieurs tiraillements peuvent se dérouler à la périphérie sans que la personne y noie son énergie et ses ressources. Les batailles périphériques , elle sait très bien qu'elles lui appartiennent mais elle reste consciente qu'elle n'est pas que ces batailles — elle est bien plus qu'un rôle ou que ce paraître qui suscite de la tension. Lorsque l'on se vit à la périphérie de soi-même, la tendance est plutôt d'habiter entièrement un rôle ou un paraître et ainsi de rendre absolu chacun des effets de ce rôle ou de ce paraître en s'y jetant corps et âme. Par contre, celui qui se tient au fond de lui-même laisse doucement émerger de son vrai soi ses différents rôles et ses diverses présentations de lui-même sans les forcer, les exagérer, les rigidifier et en leur donnant chacun une place et un lieu tout en étant toujours conscient qu'il n'est jamais complètement aucun d'eux.

Après le téléphone de sa mère, Céline est tout inquiète et elle n'arrive pas à se libérer d'un des nombreux commentaires de sa mère, commentaire qui lui tourne en tête: «Comment peux-tu prétendre m'aimer alors que tu vis avec un homme sans être mariée?» Céline se débat pour essayer de se débarrasser de ce nuage noir. Elle n'arrive pas à travailler, à lire ou même à faire son ménage. Pourtant, elle sait bien que c'est à elle de savoir ce qu'elle ressent — que son amour pour sa mère n'a rien à voir avec sa relation avec Henri! Il n'y a rien à faire, elle demeure tout autant peinée et misérable, impuissante à se défaire de ce «tu ne m'aimes pas!» En racontant cette conversation à Henri, elle saisit tout à coup qu'elle est aussi la compagne d'Henri — elle n'est pas que la fille de sa mère. De là, elle sent se délier toute cette tension. Elle n'est pas qu'enfermée dans cette infernale relation mère-fille — elle est bien autre chose que la fille de sa mère. Même que ce que ressent et exprime sa mère si celle-ci ne l'accepte pas, c'est le problème de sa mère et non celui de Céline. D'ailleurs, même l'antipathie d'Henri pour sa belle-mère, Céline n'a pas à la prendre: l'antipathie appartient à Henri. Cette prise de conscience se répercute sur l'ensemble de ce qu'elle pense d'elle-même et elle reprend possession de ce qu'elle avait laissé entre les mains de sa mère ou même de celles d'Henri. Au fond, Céline est Céline et les différents reflets d'elle qui paraissent dans ses différents rôles ne sauraient l'emprisonner dans l'un ou dans l'autre.

Logés au fond de nous-mêmes, les blâmes des autres et les culpabilités de ne pas avoir assez fait ou d'être inadéquat ne sont plus les mêmes. Ils se perçoivent comme des carences d'être, réelles si elles le sont, sans défaire toutefois toute la personne parce qu'elle sait qu'à l'avenir, elle pourra s'améliorer. Ses problèmes et ses difficultés perdent de leur intensité et ses défauts, de leur caractère insurmontable, car ils sont entrevus dans la perspective de toute la personne qui, elle, peut envisager de les dépasser. Les exigences des situations changent en prenant les caractéristiques du fond de soi-même: plus la lenteur que la vitesse, plus l'ensemble que les parties, plus le bien de toute la personne que le succès ou la réussite.

> Nerveux et gesticulant, Jean-Paul s'est toujours promené à toute vitesse dans la vie. Pour lui, tout doit se faire rapidement et sans délai. Insistant auprès des autres, bousculant toutes les lenteurs qu'il rencontre, il se définit comme un actif et son leitmotiv c'est: «Action speak louder than words.» Qu'il s'agisse d'un travail, d'un loisir, de sa famille ou de ses amis, il passe tour à tour et entièrement toute sa personne et toutes ses énergies dans cette tâche, ce rôle-ci, ce rôle-là. Il est intensément impliqué dans chacun et cela à tour de rôle. Il est de toutes les batailles et de tous les combats. Avec l'âge, ses causes et ses rôles se complexifient. Il est placé devant des contradictions de plus en plus nombreuses dans ses relations avec les autres et dans ses combats. Il n'arrive plus à voir clair et maintenant, il tourne sur lui-même comme une queue de veau. Cet étourdissement le conduit à tout rater: sa famille, son travail, ses amitiés. Ce premier choc l'arrête sec! Qu'est-ce qu'il a fait de sa vie? Après le deuil de sa famille, de son travail et de ses amis, il doit faire le deuil de lui-même, d'une manière tout à lui d'être. Il veut arriver à se placer autrement pour faire face à la vie — il veut cesser cette intensité morcelée qui dessert l'ensemble de ce qu'il est. Cela l'oblige à regarder la vie autrement — il apprend graduellement la valeur de la lenteur et du calme pour mijoter ses projets et pour s'approfondir lui-même. Il se surprend même maintenant à sourire avec humour de son ancien style de «queue de veau».

Se tourner vers le vrai, l'authentique, l'être

Parce que la personne est plus proche de son être, la descente au fond de soi-même lui permet aussi de découvrir ses vrais besoins et ses vrais désirs comme de mettre en branle ses vraies ressources et de les placer à son service. Au niveau habituel de conscience, plus périphérique, la personne risque plus d'être avec des attentes qui camouflent ses vrais besoins et de se laisser ronger par des mesures sociales plutôt éloignées de ses vrais désirs. La conscience orientée vers ses attentes et vers les évaluations extérieures, la personne se retrouve déracinée d'elle-même et se prive du sentiment de pouvoir qu'elle éprouve lorsqu'elle répond à ses vrais besoins. C'est placée au cœur d'elle-même que la personne peut le plus clairement percevoir quels sont ses goûts, préciser ses désirs et cerner les moyens à prendre pour les combler. Répondre à ses besoins par soi-même en se donnant ainsi du pouvoir sur sa vie augmente nécessairement la satisfaction de la personne et le sens de son identité. Le passage vers peut cependant être difficile car se pointer vraiment sur soi-même implique le dépassement de ce qui est presque un réflexe, un automatisme, dans la recherche spontanée mais superficielle de son bien, c'est-à-dire l'identification, l'écoute et la réponse aux besoins, attentes ou désirs de l'autre, du social.

> En cette veille de Noël, Georges est seul et pourtant il ressent une paix et une douceur envahissante d'être ce qu'il est. Il a refusé d'aller festoyer dans le tourbillon et l'agitation. Il lui fallait être ferme pour résister: «Tu n'y penses pas, Georges. À Noël rester seul» disaient ses amis. Malgré l'attrait de ces invitations, il a choisi ce qui lui convenait le plus, à lui, pour ce Noël: solitude et douce réflexion. Maintenant il sait tout le bien-être qu'il éprouve de réfléchir doucement à Noël et au sens que prend cette fête pour lui.

Installée au fond d'elle-même, la personne ressent beaucoup plus facilement ses vraies ressources — ses vraies ressources prennent justement leur racine dans ce qu'elle a de plus profond, son être. Précisément là, la personne sait clairement ce qu'elle veut de la vie — elle n'a pas à masquer et à déformer son vouloir pour le civiliser ou le rendre acceptable. Elle sait très bien ses ressources, ses capacités et son pouvoir. Elle est donc plus en harmonie avec elle-même et plus apte à prendre les moyens les plus appropriés pour trouver une réponse à ses désirs, vouloirs et besoins.

Autrement, la personne se vit à la surface d'elle-même et alors, au lieu d'elle-même, ce sont les lois et les directives de la périphérie qui la conduisent. Elle a beau refuser ensuite de se laisser évaluer par les attentes sociales, les dictats du milieu, elle n'en demeure pas moins fortement affectée[20]. S'en libérer implique qu'elle plonge en elle-même: il n'y a pas d'autres solutions.

Aucun être humain ne peut, tout en demeurant à la surface de lui-même, résister à la pression des autres vers la conformité. Vivre à sa surface entraîne effectivement l'escalade de la périphérie — la personne devient surface: inquiète, tendue, prise et honteuse du moindre paraître d'elle-même. Au lieu d'être une personne qui est à travers son expression, elle devient une surface, une face qui se montre. La beauté harmonieuse de son vêtement l'inquiète par exemple plus que son humeur et son bien-être. Ou encore, elle focalise toute son attention sur l'harmonie et la précision de son geste plutôt que sur son efficacité et sur ce qui s'y exprime. Le paraître en vient à prendre toute la place et la personne devient l'inquiétude d'être un pantalon froissé ou un geste maladroit. Elle n'est pas. Son paraître est ce qui est. Elle devient et est son paraître. Être et paraître sont confondus: je suis ce qui paraît.

> À chaque fois que Paul porte une nouvelle chemise, il devient d'une tension extrême: toute sa journée se passe à surveiller les regards qu'on fait ou pas à sa chemise et à estimer les remarques qu'on lui adresse. Le soir, à son retour chez lui, il est épuisé et il n'a plus de force pour se donner un bon repas. Toute la journée, il n'a été qu'une chemise et on ne nourrit pas une chemise.

Les personnes qui se vivent à la surface plutôt qu'au fond — paraître plutôt qu'être — risquent d'être plus souvent confrontées à des périodes de crises, c'est-à-dire ces périodes plus ou moins longues pendant lesquelles tous les efforts conscients, constants et rationnels ne réussissent plus à porter la personne et à lui donner une direction. Elle ressent vivement ses efforts comme vains puisque sans racine, parce qu'ils ne proviennent que de la surface d'elle-même sans l'emporter avec la puissance d'une vague de fond, donc sans être appuyés ni soutenus, à la base, par ce qu'elle est.

---

20. Les attentes sociales et plusieurs des interactions avec les autres favorisent le jeu du paraître et de la surface. Le mouvement proposé et appuyé par toute une série de refrains — «Qu'est-ce que les voisins vont dire si tu n'es pas comme eux? Si tu n'en fais qu'à ta tête, tu resteras seul. La solitude est la mère de tous les vices, etc.» — pousse le plus souvent vers le superficiel, le périphérique, la surface, le pareil, le «ensemble», le conforme. C'est l'«être comme» qui ne peut naître que de l'éloignement de la position individuelle d'être ce que l'on est, bien installé au fond de nous-mêmes. Pour «être avec» les autres, il faut d'abord «être» avec soi-même.

Robert est encore misérable. Une autre fin de semaine gaspillée à se chercher une compagne et il n'a rencontré personne de valable à ses propres yeux. Aucune des femmes qu'il a croisée dans les bars n'est assez jolie pour être à sa hauteur. Il est triste, morose et lourd. Il y en a tellement dans sa vie de ces fins de semaine inutiles à chercher la femme assez belle pour lui. Pourtant, il s'arrange bien, s'achète des vêtements de haute qualité (et même qu'il se maquille un peu depuis quelque temps) et ensuite, il se pavane dans ces lieux de rencontres. Rien à faire: ça ne donne rien! Ce qu'il refuse de faire, c'est pourtant simple: fouiller en lui ce besoin insistant d'avoir une compagne belle et qu'est-ce qu'une compagne? Tant qu'il ne précisera pas à ses propres yeux son besoin, il ne pourra pas le relativiser et trouver, utiliser toutes ses ressources pour conquérir une compagne.

Les personnes accrochées au paraître et qui vivent ainsi en surface ou en périphérie d'elles-mêmes craignent la position de l'être, d'être au fond de soi-même. Souvent, elles y voient comme un gouffre — aussi bizarre que cela puisse paraître — sans fond dans lequel elles pourraient se perdre et se désorganiser. En période de crise, elles sentent particulièrement cet appel vers la profondeur d'elles-mêmes mais l'éprouvent comme un danger à éviter, une perte de contrôle et un envahissement par l'inconscient. Les efforts conscients n'ont plus de prise; la personne ressent le vertige de crouler vers le fond — un fond vécu non pas comme la position fondamentale de leur être mais comme un abîme. Pourtant, c'est par cette plongée au fond d'elles-mêmes que ces personnes peuvent espérer trouver leurs racines et à partir d'elles, les jalons d'une reconstruction de leur équilibre et de leur bien vivre — elles doivent en quelque sorte accepter de laisser parler leur inconscient[21].

L'inconscient, loin d'être qu'un lieu de refoulement, de désorganisation et de bizarreries, devient dans cette perspective tout un réservoir de connaissances issues de la sagesse accumulée par l'espèce humaine. C'est un réservoir de connaissances différentes, autres que conscientes et logiques, mais qui contient en lui-même une sorte de plan de fond qui a présidé jusqu'à maintenant notre développement, comme personne et comme collectivité. Peut-être nous sommes-nous égarés quelque part dans ce développement et peut-être avons-nous perdu le sentiment de ce plan de fond, de l'ensemble que nous sommes pour trop insister sur l'une ou l'autre de nos parties, par exemple l'intelligence, le social ou l'une ou l'autre des dimensions humaines?

Tout ce qui croît, y compris la personne, le fait selon un plan de fond, un principe épigénétique — le développement embryonnaire en est entre autres un bon exemple. De ce plan de fond, les parties émergent. Chaque partie ayant son temps d'ascendance ou de présence spéciale jusqu'à ce que toutes les parties soient émergées et forment un tout fonctionnel. Accepter de se laisser aller au fond de nous-mêmes, retrouver notre plan de fond et rejoindre ainsi tant le primitif que

---

21. «C'est pourquoi je considère qu'une perte d'équilibre peut être quelque chose de salutaire puisque, grâce à elle, le conscient défaillant sera remplacé par l'activité automatique et instructive de l'inconscient; celui-ci visera à la reconstitution d'un nouvel équilibre, but qu'il est capable d'atteindre... pourvu que le conscient soit en état d'assimiler les contenus produits par l'inconscient, c'est-à-dire de les comprendre et de les intégrer.» Jung (1964), p. 90.

l'inconscient nous permet de ré-ajuster nos parties, de refaire l'unité et la cohérence de ce tout qui est l'ensemble que nous sommes. Autrement dit, quand la pensée bien structurée nous fait défaut et que nous cherchons sans trouver, le langage de l'inconscient — l'image ou l'inspiration — provenant du fond de nous-mêmes peut venir nous guider et amorcer une nouvelle élaboration de nous-mêmes.

Malheureuse comme les pierres, Paule se traînait dans la vie au gré des jours et des heures. Elle ne savait plus ce qu'elle voulait. Elle avait tout essayé pour s'embarquer dans la vie: un mariage, des enfants, un métier — et voilà qu'elle se retrouvait aussi défaite qu'elle l'était à l'adolescence. Quand elle a perdu l'équilibre qui lui assurait tout ça, elle a consulté thérapeutes, livres, philosophie de vie. Rien n'allait, ses efforts tournaient en rond. Impuissante, elle a cessé ses efforts conscients. Elle s'est laissée bercer par sa vie confiant à son inconscient la tâche de lui trouver une nouvelle façon de se vivre et d'être dans la vie. Du fond d'elle-même a émergé lentement une nouvelle vitalité où tout en se reconnaissant, elle se sentait différente — elle voulait la vie autrement, d'une autre manière que celle qu'elle avait choisie jusqu'alors: être vraie.

Accepter la solitude et la réalité du soi (ni tout à fait bon ni tout à fait mauvais)

Aller vers ou au fond de soi-même comporte évidemment des difficultés. Une des premières difficultés éprouvée par la personne qui cherche à se vivre au fond d'elle-même vient d'une certaine tristesse qui, inévitablement, accompagne le passage de la périphérie à la profondeur de ce lieu de soi-même. La tristesse est ici inévitable parce qu'aller au fond de soi-même implique un détachement nécessaire des autres, et de là un sentiment de solitude susceptible de dégénérer, chez certains et à certains moments particuliers, en un sentiment d'isolement. Au fond de nous-mêmes, nous sommes seuls. Aucune mascarade ne peut camoufler cet état de chose, cette solitude fondamentale. Il n'y a donc pas seulement la gloire d'être profondément avec soi-même, il y a aussi la solitude nécessaire et bénéfique mais difficile à acquérir d'autant plus qu'elle s'accompagne possiblement de son côté sombre, l'isolement, particulièrement au cœur du passage vers — de la périphérie à la profondeur de soi-même. Celui qui à l'avance accepte cette tristesse du détachement des autres, de ses possessions et le risque de l'isolement remplit du même coup les principales conditions pour atteindre le fond de lui-même et connaître la joie d'être près de la source de sa vitalité. Plus qu'un risque d'isolement, la solitude devient alors un espace pour se retrouver, un espace à préserver.

Lorsque Jean a décidé de ne plus être la marionnette de son père, ses émotions circulaient en véritables montagnes russes. Durant ses fins de semaine surtout, quelle misère et quelle souffrance! Seul, sans l'appui de sa famille regroupée autour du père, il devait résister et se tenir debout. Le vendredi soir, à l'approche de la fin de semaine, il faisait un grand acte d'acceptation de la souffrance et plongeait dans sa solitude. Finalement, il a appris le plaisir du silence — il a découvert la satisfaction d'avoir beaucoup de temps juste pour lui — et il en est même venu à développer un goût pour la solitude.

Passer de la périphérie à la profondeur de soi-même comporte pour plusieurs une difficulté autre plus ou moins intense chez chacun, c'est-à-dire une sorte de doute quant à leur valeur fondamentale comme personne. Ils associent la périphérie et la surface d'eux-mêmes à tout ce qu'ils évaluent comme bon, acceptable socialement — amour, tendresse, souci pour l'autre — et la profondeur d'eux-mêmes, à tout ce qu'ils ressentent comme mesquin, mauvais, inacceptable socialement — haine, violence, méchanceté, destruction, aucun souci pour l'autre...[22] Le «passage vers» et la descente en soi-même s'accompagnent alors d'une crainte réelle de n'y trouver que du mauvais: méchanceté, pourriture et destruction. Tout se passe comme si ces personnes — se vivant comme bonnes en surface mais se croyant fondamentalement mauvaises — avaient mobilisé tous leurs efforts pour refouler au plus profond d'elles tout ce qu'elles jugeaient comme mauvais (la paresse, les colères, les petitesses...) pour se civiliser et préserver en surface un sentiment de bonté, une couche de normalité. Mais c'est à tort qu'elles croient qu'en rejoignant à nouveau le fond d'elle-même, elle ne vont y découvrir que méchanceté — une méchanceté qui risquerait de tout détruire en elle et autour d'elle — une méchanceté à refouler à tout prix et avec toute son énergie pour préserver une image de soi comme bonne. Certains auteurs parleraient ici d'une lutte à finir entre les objets intériorisés: le bon objet et le mauvais objet; la crainte de la préséance de l'objet mauvais sur le bon objet. Plus une personne se vit au centre de cette lutte, plus elle sera fortement amenée à résister de toutes ses forces à effectuer cette nécessaire descente en elle-même.

Pourtant, il n'y a qu'une seule et unique solution: une vraie confiance en soi-même, une fiance à soi, c'est-à-dire une conviction profonde selon laquelle le fond de soi-même n'est ni bon, ni mauvais mais juste, valable et créateur.

La confiance en soi

La confiance en soi — ou la confiance au sujet en nous — représente sans aucun doute une vertu que plusieurs recherchent ou se plaignent de ne pas posséder. La confiance en soi c'est ce qui ouvre la personne à prendre des risques, à découvrir du nouveau et à se mesurer et à se confronter avec le différent. C'est aussi ce qui suscite le goût de vivre. Sans confiance en soi, la personne demeure insécure, inquiète, et pour se pacifier, elle cherche le connu et le semblable. Mais dans la sécurité du semblable, elle tourne en rond, sans cesse sur elle-même. Par ailleurs, confiante dans ses ressources et ses capacités, la personne sait qu'elle se débrouillera avec le nouveau et le différent, qu'elle pourra en extraire la vitalité et qu'à travers eux, elle pourra croître davantage.

> Quand Alain rencontre ses amis et interagit avec eux, il se sent bien. Aussitôt qu'il doit aller vers des inconnus, les difficultés commencent. Il est inquiet, se pose mille questions, cherche à éviter ces situations — il n'a plus confiance en lui. Il a beau se dire que ce sont des gens comme tout le monde mais rien n'y fait. Il est mal dans sa peau et se sent tout anxieux de faire face aux autres, les inconnus, et de savoir ce qu'il leur dira.

Chacun connaît ces expériences positives et stimulantes vécues dans la confiance en soi — et chacun connait aussi ces moments de désarroi lorsque la confiance en soi n'est plus là. Quelle est donc cette force de la confiance en soi? Comment pouvons-nous la définir? Quelles sont les conditions pour qu'elle habite une personne? Quelles sont les entraves à la confiance en soi?

---

22. Voir aussi: *La confiance en soi: quelques obstacles* pp. 260-261.

Sortir de la dépendance: se fier à soi plutôt qu'à l'autre

Avoir confiance en soi ou être en confiance avec soi-même signifie que la personne se fie à elle. Elle s'appuie sur ses ressources, sur son intérieur pour s'exprimer, pour agir et pour se mettre-au-monde. Bien centrée sur elle-même, elle croit en ses capacités — elle sait qu'elle saura faire, dire ou être. Devant l'imprévu, le nouveau, le non-attendu, elle se mobilise en s'utilisant. Avoir confiance en soi, c'est écouter en nous l'expérience des choses qui agit comme un phare qui nous guide et illumine nos choix à travers les options et les différentes directions possibles. La confiance en soi implique de pouvoir retourner sur soi afin de contacter notre intérieur pour connaître nos goûts, nos pensées ou nos désirs.

La confiance en soi ou plus exactement cette fiance à soi[23] résulte de la longue évolution de la matière et de la vie (Teilhard de Chardin, 1955) qui a mis au monde la pensée et la réflexion. L'adulte devrait spontanément se fier à lui puisqu'il est équipé d'un radar et d'un bio-ordinateur qui lui permettent le traitement de l'ensemble des données pour la conduite de sa vie.

Celui qui ne se fie pas à lui doit nécessairement se fier à l'extérieur de lui-même parce que l'humain a besoin de donner un sens à ses actions et à ses décisions. Aux prises avec une confiance en soi défaillante, la personne spontanément ira vers les autres, vers l'astrologie, vers les cartes ou le simple hasard pour décider ou agir. Pourtant, ce n'est que la personne elle-même qui connaît toutes ses données, toutes ses perceptions et elle les connaît de telle façon que personne d'autre qu'elle, aucune magie, aucun devin ne peut posséder tous les facteurs que la personne elle-même possède pour agir, faire, être selon ce qu'elle est. Pour être bien dans sa peau, pour être satisfaite d'elle-même, pour être en goût de vivre, seule la personne peut savoir et connaître ce qu'elle doit être ou doit faire. Nous sommes seuls pour être en goût de vivre; nous sommes seuls pour être bien ou mal dans notre peau — de la même façon, nous sommes seuls pour découvrir et agir les facteurs et les variables qui nous rendent bien d'être avec nous-mêmes.

Se fier à l'autre plutôt qu'à soi-même risque ou bien d'être tout à fait inapproprié à nous, ou bien si c'est adéquat à notre situation, cela nous enlève la satisfaction et le bien-être de nous avoir donné nous-mêmes la satisfaction et le bien-être.

> À son réveil aux petites heures du matin, Marc se demande ce que Isabelle, sa compagne, veut bien faire de sa journée de vacances. Il se lève, déjeune et attend le lever de Isabelle. Qu'est-ce qu'elle peut bien vouloir de sa journée? des emplettes? un film? une excursion? Il piétine sur place gaspillant son énergie à attendre. Il n'arrive pas à savoir ce que lui-même désire tant que Isabelle ne se prononce pas. À midi, Isabelle se lève et ne veut rien d'autre que de retourner se coucher. Marc est défait, sa matinée est perdue — ne sachant même pas ce que lui-même désire du reste de sa journée.

23. La fiance à soi nomme avec plus de justesse l'expérience de se fier à soi. La confiance suppose qu'on s'est fié à nous (*cum*: avec, *fidere*: fier) de l'extérieur pour que nous nous fions maintenant à nous. La fiance à soi implique la solitude et l'identité. Même si dans la génèse de la fiance en soi, l'enfant devrait ressentir que l'adulte se fiait à lui pour que lui l'enfant ait fiance en lui (une confiance), chez l'adulte, il n'est plus nécessaire de dépendre de l'autre pour établir cette relation de complicité à soi-même (voir aussi Bureau, 1978).

Ne pas se fier à soi conduit de façon habituelle à se fier aux autres. L'intérieur de la personne se branche sur les autres et leur désir et elle, elle reçoit son bien-être ou son mal-être de leur approbation ou de leur désapprobation. Dans ce contexte, le signe ou l'indice de son être et de son action vient de l'autre, de son contentement[24].

La première attitude à acquérir pour se sortir de cette ambivalence constante entre se fier à soi ou se fier à l'autre, c'est la coupure à effectuer avec la facilité infantile de se fier à l'autre. Pour continuer et à cause de l'immaturité de son organisme, l'enfant doit mettre sa confiance en l'autre — la confiance versus la méfiance constitue d'ailleurs un conflit fondamental chez le très jeune enfant (voir les travaux d'Erikson, 1950). Donc, pour survivre, l'enfant est en droit de s'attendre à ce qu'un autre, l'adulte, lui donne nourriture, chaleur et protection. Cette dépendance infantile conserve cependant chez l'adulte une forte emprise symbolique qui demande à être coupée, brisée s'il souhaite installer sa confiance en lui-même. Sur diverses facettes de son monde, l'adulte peut effectivement se fier à l'autre qui devient alors plus ou moins inconsciemment comme une mère universelle s'occupant de lui, terminant pour lui les choses et complétant, à sa place, ce que lui laisse en friche.

> Toujours insatisfait de son travail qu'il n'arrive jamais à terminer à son goût, Pierre s'interroge sur cette mauvaise habitude de ne pas compléter ses affaires, qu'il s'agisse d'un petit ménage de son appartement ou qu'il s'agisse de poser une tablette dans le garde-manger. Il reste toujours un petit quelque chose à compléter et il ne le fait pas. Il a comme l'impression que quelqu'un d'autre le terminera à sa place. Il ne peut pas préciser qui est cet autre, c'est une espèce de symbole de protecteur et de bienfaiteur adulte et présent. Dans sa démarche de croissance, il accepte de couper cet appui sur l'«autre», il refuse consciemment de se fier à l'autre. Cette première décision enclenche une bonne partie du mécanisme de se fier à lui-même, de se faire confiance.

Le jeu intrapsychique du focus sur la fiance à soi ou sur la fiance à l'autre entraîne avec lui toute une gamme de conséquences. Par exemple, briser la référence à l'autre, lui enlever le pouvoir de faire les choses à notre place pour plutôt se fier à soi et à ses ressources, entraîne qu'on enlève à l'autre son pouvoir comme critère de référence, de mesure ou de jugement quant à ce qu'on paraît et à ce qu'on est. Ce critère doit reposer en soi-même et pour le faire reposer en soi-même, il faut briser le miroir du regard de l'autre. Le passage peut être difficile mais comme l'être humain est spontanément porté à valoriser les choses de la réalité — résultat de son besoin d'ordonner, de hiérarchiser et d'organiser son monde — il parvient graduellement à exercer sa propre attitude valorisante sur lui-même et il s'organise comme

---

24. L'autre n'est cependant pas toujours un obstacle à la confiance en soi chez une personne (voir le chapitre II: *Les Autres*). Il peut très bien contribuer à allumer le goût de vivre. Plusieurs interactions humaines suscitent un jeu créateur de la confiance en soi. D'ailleurs un des plus grands cadeaux à offrir à ceux qu'on aime et qui nous entourent et même aux autres en général est justement de favoriser leur confiance en eux-mêmes. Il y aurait alors plus de créativité, de vitalité. Les réalisations humaines seraient plus vastes, le respect des autres plus authentique. Enfin, une des plus puissantes conséquences à cette confiance en soi commune et partagée serait la création d'une grande chaleur humaine pour tous ceux et celles qui ont à vivre et à mourir avec conscience, les êtres humains.

un système d'auto-référence. En d'autres mots, il devient son propre évaluateur. Il se juge et se valorise selon ses propres critères. Ainsi la personne se réapproprie, pour elle-même et pour la continuation de sa propre vie, toute l'énergie qu'elle mettait auparavant à attendre, à surveiller ou à mesurer la valorisation et le jugement de l'autre sur elle-même. Elle regagne et utilise cette énergie pour son propre développement et pour sa propre croissance.

> Richard se débat avec cette poussée qu'il sent en lui d'être toujours considéré par les autres comme le meilleur, le premier en tout. Il y voit des racines dans sa relation avec son père qui, entre autres, le poussait toujours à être le meilleur. Cette prise de conscience ne lui suffit pas. Il reste coincé avec ce thème. Pourquoi vouloir toujours être le meilleur? Puis il s'entend dire: «Mais qu'est-ce que je suis si je ne suis pas ce désir d'être le premier?» Ressentant la futilité d'une telle définition de lui-même, il pleure. Il s'est laissé enfermer dans cette définition. Réalisant le besoin de couper avec une telle définition de lui-même, il sait qu'il devra lentement dans la solitude avec lui-même changer son cap, se retourner sur lui pour savoir et connaître ce qu'il est vraiment et fixer sa fiance en lui-même.

Être plutôt que avoir: le regard intérieur qui sait

Une condition importante pour l'avènement de la confiance en soi reste de privilégier nettement l'attitude fondamentale d'être sur celle d'avoir. Être en confiance avec soi et avoir confiance en soi sont deux réalités intérieures totalement différentes.

Avoir confiance en soi signifie souvent de posséder une qualité placée en dehors de nous-mêmes et qu'il faut aller quérir ailleurs ou à acquérir. Dans ce contexte, une personne peut donc très bien se plaindre (et aussi s'excuser)[25] de ne pas *avoir* cette qualité de la confiance en soi et alors il s'agit de chercher à l'acquérir, à la posséder, à l'obtenir comme si elle était une chose — un tout ou rien, sans nuance et sans degré. La confiance devient une chose que l'on possède ou une chose que l'on ne possède pas — avoir ou ne pas avoir. Or, il n'en est rien: tout être humain possède la confiance en lui comme tout être humain est intelligent, sociable ou créateur. Alors que l'animal n'est guidé que par les instincts ou les données du milieu, l'être humain l'est par sa propre subjectivité. Ce qui est spécifiquement humain reste la capacité de réflexion et de retour sur soi liée au désir de savoir et de découvrir, et c'est là-dessus que la confiance en soi repose. Si la confiance en soi repose sur ce qui est spécifiquement humain, la confiance en soi doit donc aussi être inhérente à la nature humaine — c'est parce qu'elle réfléchit sur les choses et sur soi que la personne développe ce qui est déjà en elle: sa confiance en soi. L'humain est réflexif, conscient, intérieur et... confiant.

> Lise se plaint de ne pas avoir confiance en elle. Elle parle de son manque de confiance comme si elle manquait de vitamines et qu'elle devait s'en procurer. Elle fouille en elle pour comprendre les raisons de cette absence. «Qu'est-ce qui a bien pu se passer dans ma vie pour que je manque ainsi de confiance en moi-même?» Tout à coup, elle s'arrête et réalise ce qu'elle est en train de faire: par un retour sur elle-même, elle cherche les raisons de son absence de confiance. Elle s'étonne: «Si je tente de trouver par moi-même

---

25. S'excuser pour ne pas posséder prétendument cette qualité et ainsi ne pas être responsable d'avoir négligé la mise-au-monde d'une facette d'elle-même.

ces raisons, c'est donc que je suis en confiance avec moi-même — que je suis capable d'être confiante en moi.» Déjà elle éprouve une détente. «C'est donc» se dit-elle «augmenter ma confiance en moi plutôt que de l'avoir.»

C'est en augmentant la conscience sur soi que la confiance en soi s'élargit et se développe: plus nous sommes conscients, plus nous sommes en confiance avec nous-mêmes. Se faire confiance repose donc sur *être* en confiance avec soi-même. Se faire confiance parce que l'autre a confiance en nous ne peut se ressentir qu'à la périphérie de soi-même, tout pointé sur l'autre avec le visage inquiet et crispé et le regard qui court sur l'autre avec l'inquiétude et la peur de ne pas être accepté, reconnu et confirmé. Dans cet état, la personne perd ses racines, celles qui lui sont propres parce qu'elles sont à l'intérieur d'elle-même. Être en confiance avec soi amène automatiquement la personne à s'exprimer et à paraître en résonance profonde avec ses propres paroles. Ce qui est exprimé lorsque nous sommes en confiance avec nous-mêmes s'appuie sur le vécu intérieur — intérieur, expression, parole et geste sont congruents avec ce qu'est profondément la personne.

Être en confiance avec soi-même conduit la personne à savoir qu'elle sait. Parce que l'être repose sur l'expérience intérieure plutôt que sur le masque comme dans l'avoir, l'espace de l'être permet à la personne de sentir, de réaliser et de savoir que son organisme regorge de ressources et à cause de cela, elle peut s'y fier et les laisser s'exprimer — elles le feront d'emblée.

Au début ce n'était pas facile; Pierre devait stopper toutes ses vieilles habitudes concernant sa manière de regarder les autres, de chercher des réponses dans des livres, de quémander une solution. «Ça suffit, c'est assez!» se disait-il. Et là, dans la tranquillité, il cherchait à s'écouter: «Parles» se disait-il «je t'écoute». Et les idées se formaient, les images apparaissaient, ses goûts se précisaient. Aujourd'hui, il est content. Il souhaite même avoir des problèmes pour s'écouter et faire naître des solutions.

La personne accompagne son organisme comme un parent accompagne les premiers pas hésitants de son enfant, c'est-à-dire avec amour et confiance parce qu'il sait qu'il y arrivera — ou encore ses premières explications, en souhaitant qu'elles adviennent et en acceptant à l'avance leurs imprécisions, leurs carences et leurs faiblesses.

Le retour sur soi et la foi en soi préparent le terrain pour l'émergence et l'établissement d'une véritable fiance à soi-même, c'est-à-dire la pleine conscience de ses ressources et de ses capacités et la certitude de se posséder ou d'avoir une prise sur soi-même. En découle évidemment un sentiment de compétence intérieure à savoir d'être habité et capable d'utiliser ses ressources pour s'occuper de ses besoins comme il se doit. Ce sentiment rend la personne satisfaite. De plus, elle est dégagée de ses préoccupations et tracas sachant très bien qu'elle pourra toujours, le moment venu et au besoin, leur faire face en recourant à la richesse de ses ressources.

Pascal vient tout juste de terminer de réparer une chaise. Pour ça, il devait mesurer une tige, la couper à la bonne longueur et l'ajuster. Il a réfléchi et il est parvenu à agir à chacune des opérations. Finalement, il est content de lui et il examine maintenant ce qu'il aurait d'autre à faire: réparer une porte? arrêter une fuite d'eau au sous-sol?. Il n'est pas inquiet parce que, à présent, il sait qu'il sait — il n'aura qu'à réfléchir et à agir selon cette réflexion. Il a confiance en lui-même.

En somme, la fiance en soi résulte du regard intérieur qui sait. De ce savoir particulier, émerge un pouvoir — un pouvoir qui permet d'agir, et cet agir nous autorise à être plus. La véritable confiance en soi augmente l'être en nous — nous sommes plus parce que nous avons confiance en nous.

Le sens de se posséder, d'être propriétaire de soi-même que la confiance en soi octroie s'applique autant au soin de soi-même, à l'agir, à la compréhension qu'à l'expression de soi. Par exemple, une personne qui cherche à comprendre une idée ou un concept sait très bien, même si elle peine et qu'elle doit reprendre avec effort chacune de ses tentatives, qu'elle finira par comprendre; elle sait qu'elle arrivera finalement à saisir le sens, les liens et les coordonnées.

Pour être conscient de posséder des ressources, il faut aussi parallèlement être conscient de posséder des limites. La confiance en soi qui permet la conscience de ses ressources, s'appuie effectivement aussi sur la perception de ses limites, sur le savoir de nos difficultés à utiliser nos ressources et sur l'acceptation des embûches, des fatigues et des lourdeurs. De la prise de conscience réelle et renouvelée de nos ressources et de nos limites naissent une confiance en soi véritable — une certitude de pouvoir accéder et actualiser nos ressources au besoin — et une source inépuisable de l'espérance du devenir, de l'énergie nécessaire et de l'élan du goût de vivre.

La crise, un mal parfois nécessaire

Retourner sur soi-même pour y trouver l'espace et les conditions préalables à l'émergence d'une confiance en soi implique souvent malheureusement un état de crise; c'est certainement l'amorce d'un changement, mais c'est aussi une prise de conscience pénible, la plupart du temps très pénible, de la fausseté d'un style de vie.

Vivre avec moi dans ma solitude intérieure parce que le vrai sens à vivre est à l'intérieur de moi. Je ne suis ni dans mes amours, ni dans mes possessions, ni dans ma réputation ni dans tout autre avoir: je suis en moi avec moi. C'est moi qui donne ou qui enlève le sens aux choses. Quelle que soit la qualité de mes possessions, de mes idées, de mes dires — si je ne me possède pas, je ne suis rien. Chaque moment passé avec moi-même vaut la peine parce que je suis avec moi. Par ailleurs, quelle douleur et quelle souffrance d'être loin de moi, accroché à la reconnaissance ou à l'acceptation par les autres cherchant comme un chien fou perdu sur une autoroute à dense circulation à l'heure de pointe. Que de visages circulent et tournent dans ma tête. Celui-là qui m'affublait d'étiquettes de menteur, de malhonnête, de pornographe et l'autre que j'entends encore me crier «paresseux! vulgaire! grande gueule!» — toutes ces étiquettes qui fondent sur moi et s'étendent comme une nappe d'huile sur toute ma personne. J'ai tellement mis ce que j'étais au service de ces visages que j'y ai mis aussi la définition de moi-même. Il n'y a pas un texte que j'écris, un travail que je fais qui peut me remplacer à mes propres yeux. Que de temps et d'efforts j'ai mis à retrouver ailleurs qu'en moi l'intérêt à la vie — dans l'amour et la considération. Que ceux qui ne s'intéressent pas à moi ne s'y intéressent pas, c'est tout! Je suis celui qui est au centre de ma vie, c'est là que réside le départ de l'intérêt à vivre. Me désengager des autres, me dé-coller d'eux, prendre ma ou mes distances pour revenir à moi, à l'intérieur de moi avec mes pensées et mes fantaisies, mes idées et mes images, c'est là qu'est la richesse et la densité de vivre, nullement ailleurs. J'ai toujours essayé de trouver le sens à vivre à l'extérieur de moi, même lorsque j'étais bien avec moi, c'était alors une recherche de la considération pour ma sagesse ou je ne sais quel autre truc stupide. Pourtant même en ce temps-là, j'avais tous les éléments nécessaires à cette foi en moi mais ils ne s'organisaient pas en un tout, un ensemble. J'avais la foi en la solitude, le sens d'être plutôt que d'avoir, etc. Pourtant ça ne déclenchait pas la foi en moi. Aujourd'hui je réalise, je ressens profondément que personne ne peut me remplacer auprès de moi-même; si je ne suis plus là, il n'y a rien à faire. Quel épuisement que de chercher à l'extérieur de moi l'intérêt à la vie. Je sens beaucoup de joie à toucher cette idée, je ressens comme l'acquisition d'un outil, peut-être le principal outil pour vivre: je m'appartiens et je suis libre, libre d'être et de choisir ce que je désire vraiment, je choisis et je choisirai la vie. Je n'ai pas à me rapporter, à faire obédience, à me plier, à me morfondre devant ou auprès de qui que ce soit. Je ferai mon possible et je serai ce que je suis, avec moi, à l'intérieur de moi. Installer et approfondir les assises de ce contact avec moi, de ce critère interne de ce que je suis et il y a de bonnes chances que je reprenne par la suite le goût à l'accidentel, au quotidien et à chaque morceau de réel autour de moi.

Pour rejoindre la confiance en soi, le retour sur soi-même est une condition, la foi en soi[26] en est une autre. La foi en soi permet de réaliser, de savoir et de connaître la valeur originale de notre propre réalité: c'est la conscience d'être capable de conscience. Cette conscience ne se réfère aucunement à des contenus du passé ou de l'avenir. Elle se tourne sur elle-même comme en adhérant à sa capacité. Cette foi en soi constitue la dernière acquisition de la longue évolution de l'espèce humaine et elle résulte particulièrement de l'apparition et de l'exercice de son cortex cérébral. La foi en soi spécifie l'être humain par sa capacité propre à utiliser son cerveau[27]. Elle est présente lorsque l'être humain adhère totalement à lui-même dans une conscience, c'est-à-dire qu'il se concentre sur lui-même, se réfléchit et se comprend — s'auto-concentre, s'auto-réfléchit et s'auto-comprend.

Placée au cœur de la fiance en soi, la personne entend l'appel du manque d'être et elle perçoit aussi le besoin d'exister qui s'annonce en elle:

«La foi en soi et la perception de la carence d'être sont ainsi intimement solidaires et ne peuvent exister séparément.» Légaut (1971), p. 30

En somme, il faut réaliser le manque d'être pour être. Avoir foi en soi ou être en foi avec soi entraîne aussi en même temps la réalisation de nos limites, de nos carences et de nos manques. Celui qui plonge dans la foi en lui-même, risque de rencontrer la peine et la souffrance. Avoir foi en soi c'est percevoir par l'intérieur ce qu'il importe de mener à l'existence et sentir sa capacité de conscience. Ainsi, si l'être humain est vraiment conscient, il est aussi capable d'être et d'être plus. La foi en soi naît souvent d'une brèche dans la confiance en soi, c'est-à-dire suite à une perte dans la confiance en soi par l'extérieur, celle qui camoufle les carences d'être en s'appuyant sur l'accumulation des biens matériels, de la considération sociale et d'autres succès.

Annette a fait de sa vie un véritable succès. Tout lui a réussi: l'amour, la profession, les amitiés. Elle est belle, intelligente, sociable, déterminée mais elle garde au fond d'elle-même, une tristesse qu'elle ne peut pas pacifier. Un jour plusieurs échecs amoureux et professionnels la laissent seule avec sa tristesse. Elle est alors obligée de scruter et d'éclaircir cette tristesse. De celle-ci surgit la prise de conscience douloureuse qu'elle n'a jamais eu et qu'elle n'aura jamais d'enfants. Il lui aura fallu la perte des

26. Voir la note 23, p. 251.
27. Voir la noogenèse selon P. Teilhard de Chardin (1955).

biens matériels et de la considération sociale pour accéder à cette dimension d'elle-même.

Pour atteindre cette foi en soi, il faut s'acheminer lentement vers cette région de soi-même où naît la conscience, la profonde subjectivité, et là, à cet endroit, y puiser le lien et l'unité avec le vivant. C'est là aussi que se produit cette naissance créatrice de l'être qui est, au sens le plus profond, la source de tout ce qui peut paraître à la surface en autant qu'il ne soit pas déformé. C'est le creuset de l'être en nous. Prendre possession de soi-même, racine en soi-même, et avoir foi en soi, c'est l'être intime de soi-même (fondamentalement et inconditionnellement soi-même) qui s'espère, s'attend et se souhaite (par soi-même) parce qu'il est (par la conscience) créateur et participant (de soi-même et de la réalité):

> «La foi en soi est l'affirmation inconditionnelle à nulle autre semblable, posée par l'homme adulte, de la valeur originale de sa propre réalité prise en soi, indépendamment de la considération de son passé et de son avenir. Elle n'a pas d'autre contenu intellectuel que cette affirmation nue.» Légaut (1971), p. 27

En somme, l'acceptation inconditionnelle de soi doublée de l'affirmation inconditionnelle précèdent tout jugement sur le paraître, toute évaluation de l'agir et de l'expression, toute mesure de l'impact sur l'autre, toute inquiétude sur le reproche ou le blâme possible.

La foi en soi s'exerce entièrement à l'intérieur de la personne et à cause de cela, elle possède un quelque chose d'incommunicable à l'autre. Sa nature est tellement singulière qu'elle ne peut pas se communiquer entièrement, se dire et se transmettre totalement sans s'édulcorer. Vouloir en épuiser la communication, en convaincre une autre personne, risque de la dénaturer. Elle est si profondément incommunicable que chacun peut en venir lui-même à douter de son existence réelle — selon l'adage: ce qui ne se communique pas, n'existe pas.

> Pierre sait très bien que malgré toute sa bonne volonté, il n'arrivera jamais à communiquer à Marie tout l'amour qu'il éprouve pour elle. Cet amour lui appartient — à lui Pierre et même Marie, qui est celle qu'il aime, ne peut voir de son amour qu'un reflet — à travers le langage amoureux, dans des gestes de tendresse. Son amour résiste à tout souci de se communiquer exhaustivement à moins de le réduire à sa parole et Pierre refuse de l'évider ainsi de son cœur.

La fiance en soi est un aboutissement, le résultat d'une démarche faite de souffrance et de courage, de la honte et de l'humiliation de ses carapaces et de ses paraîtres.

> «Le désir de s'atteindre en soi-même jaillit en particulier de l'homme quand celui-ci est menacé dans l'essentiel... Le cheminement intime qui conduit à cette présence (à soi-même) et qu'il faut sans cesse reprendre pour se maintenir en elle, ne peut être découvert que personnellement. Il doit être sans cesse redécouvert car ses traces sans cesse disparaissent. Chacun doit s'y employer à sa façon, à partir de ce qu'il est et selon qu'il se trouve.» Légaut (1971), pp.13 et 14

Cette fiance en soi doit sans cesse être reprise et replacée au centre de la conscience, au centre de ce que la personne vit. Plus la personne est en amitié avec ce lieu d'elle — cet être particulier qu'elle est — plus la sérénité et la paix peuvent s'installer en elle:

> «Par nature, la carence d'être est transcendante à la pauvreté de l'avoir comme la foi en soi l'est à la confiance en soi.» Légaut (1971), p. 30

Au centre de ce qu'elle est et de ce qu'elle vit, la personne éprouve aussi ses carences d'être — les expressions de son être non réalisées, tout cet amour qu'elle n'a ni ressenti ni exprimé, toute cette intelligence non exercée — et, elle les accepte. Elle s'accorde le pardon avec humilité et sérénité. La perception de sa carence d'être remplace les désirs d'avoir et leur tyrannie. De là une certaine harmonie se crée et se déploie entre l'existence, le vécu et l'expression de la personne. Il y a en fait dans la foi en soi et dans la fiance à soi-même, une expérience de plénitude à être soi-même, celle d'être séparé et distinct des autres, d'être un processus autonome de pensées, de ressentis, d'imaginaires et d'actions; il y a somme toute une pointe de conscience qui fabrique la vie par elle-même, sans nécessité d'être allumée par l'extérieur.

> En fin d'après-midi vendredi, Louis était là avec lui-même en contact avec sa fiance en lui. Il ne savait pas trop ce qu'il allait faire pendant son week-end, ni où ni comment, mais il savait et il ressentait toutes les possibilités qui s'offraient et s'ouvraient à lui. Louis était là et du contact avec lui, il savait qu'il allait inventer sa fin de semaine, à son goût et à son rythme. Il pouvait se fier à lui-même; il saurait en temps et lieu quoi en faire.

Être en fiance en soi, être en foi avec soi-même, favorise une acceptation profonde de soi et un sentiment proche du contentement de soi. Acceptation et contentement de soi agissent comme des leviers, des ressorts à l'élan à vivre et au goût de vivre. C'est un contentement de soi qui ne résulte pas d'exploits, de faits accomplis et de la considération par autrui. C'est un contentement d'exister; il a la saveur de l'existence, d'une réconciliation avec soi-même comme un acte de foi en soi, un regard d'émerveillement d'être et d'être vivant. Cette émotion positive envers soi-même, ce contentement, est à l'origine de l'embrayage de tout un système complexe à l'intérieur duquel concepts, idées, pensées et émotions, sentiments, affects se fécondent mutuellement, c'est-à-dire notre subjectivité.

Reconnaître et tenir compte de ses *vrais* besoins et désirs

La valorisation de ses désirs représente une autre condition à l'émergence de la confiance en soi. Il s'agit de donner suffisamment d'importance à ses désirs pour les écouter et en tenir compte. Plusieurs tendent cependant plutôt à se méfier de leurs désirs. La méfiance face à ses désirs mène souvent la personne à perdre tout ce qu'ils peuvent lui apporter de stimulant car progressivement ses désirs en viennent à ne plus parler, ne plus s'exprimer. La méfiance à leur égard les a éteints. Or même si, par la confrontation avec la réalité, ses désirs se raffinent ou se réajustent (avant de devenir des vouloirs) tout être humain a besoin de ses désirs: s'en méfier c'est graduellement s'en détacher et favoriser la perte du zest et du mordant à vivre qu'une personne ressent lorsqu'elle est en contact avec ses désirs.

> Raymond, professeur, donne un cours sur la théorie de la relativité d'Einstein. Spontanément, il aime parler de cette théorie qui pour lui est très stimulante. Ainsi, à certains moments, il se baigne dans les pensées du grand savant et il s'exprime avec intérêt et même avec passion. Par ailleurs, à d'autres moments, il regarde ses étudiants et il se trouve lourd et pesant dans ses explications. Qu'est-ce qui peut bien expliquer ce balancement d'un intérêt à dire et à expliquer à une lourdeur de le faire? Du côté de la lourdeur à parler, les mots lui viennent difficilement — il n'associe pas d'exemples aux

idées — sa parole est sèche et sa phrase courte. De l'autre côté, il y va d'abondance — les mots sautent en lui, les analogies foisonnent. Il pourrait parler sans cesse de la théorie de la relativité. Il a beau s'expliquer la lourdeur par l'indifférence des étudiants à ce qu'il explique, ou encore par sa fatigue à présenter cette théorie ou à tout autre facteur, mais il n'en vit pas moins ce balancement d'humeur et il n'arrive pas à se comprendre. Il aime cette théorie et il désire l'expliquer — puis il rectifie. Au fond, il ne désire pas tout à fait présenter cette théorie puisque, à ces moments de lourdeur, il se retourne vers ses étudiants espérant que ceux-ci le remplacent dans son désir et lui disent: «Continues, c'est intéressant!» C'est là que réside la source de sa lourdeur: il perd fiance en son propre élan et il l'attend de l'extérieur. Par ailleurs, lorsque lui-même valorise son désir — le considère juste et approprié, il retrouve son abondance. La perte de confiance dans la valeur de son désir l'handicape.

Perdre fiance en ses désirs, par un mécanisme de dévalorisation ou encore faire reposer leur valeur sur l'approbation d'autrui, mène à la perte progressive de la confiance en soi; valoriser ses désirs ou leur reconnaître de la valeur en fonction de ses propres critères donne vitalité et énergie et favorise le retour sur soi et la fiance en soi. L'humeur positive face à soi-même repose en soi-même. Ce qui engage vers l'extérieur, le mordant qui pousse ou tire la personne vers la prise sur la réalité, réside en soi-même, au fond de soi-même. Tout doit donc être mis en œuvre pour favoriser cet «en soi».

Si l'être humain est fabriqué pour réfléchir, penser et ainsi s'utiliser pour agir — pourquoi est-il si souvent enclin à ne pas valoriser ses désirs? Ici comme dans la confiance en soi, le symbole de l'autre internalisé joue un rôle important. Sans la présence de cet autre internalisé, la personne accorderait fort probablement spontanément de la valeur à ses désirs. Elle doit donc arriver à défaire toute exagération du pouvoir accordé à l'autre en abandonnant l'avantage qu'elle éprouve en laissant cet autre l'évaluer.

Claude voudrait bien construire une cabane d'hirondelles pour les attirer près de sa maison et profiter de leur présence. Il bouge en lui les matériaux à utiliser — le bois, les clous et la peinture nécessaires pour mettre au monde son désir de la cabane. Puis voilà que soudainement son désir cesse — il n'a plus le goût de construire cette cabane. Ses désirs s'éparpillent ailleurs. Il s'arrête sur la débandade de son désir et il entend la voix de son père: «Un homme sérieux ne fabrique pas de cabane d'oiseaux.» Voilà, c'est bien çà! Laisser aller la considération à obtenir de son père, et le désir de la cabane revient — il se trouve chanceux de pouvoir l'actualiser.

Valoriser un de nos désirs, l'accepter et le faire croître en nous, conduit à la naissance et à l'élaboration d'autres désirs qui viennent à leur tour appuyer la personne et la renforcer dans le jeu de la fiance en sa créativité. Cette abondance s'explique par la proximité du désir de l'être de la personne. L'être cherche spontanément à se déployer, à s'élargir, et les désirs suivent cette extensibilité de l'être.

Louise s'étonne sans cesse de la largeur et de la densité de ses intérêts. Après avoir appris le latin, elle s'est mise à vouloir maîtriser l'anglais et maintenant, elle veut parler l'italien. La même chose pour la musique — du rock au classique au nouvel âge! Elle aime ressentir en elle cette densité de son goût et de ses désirs. Elle se sent pleine, comme toujours prête à mettre au monde quelque chose de neuf, un morceau d'elle!

Celui qui accepte et valorise son désir, l'élargit ailleurs en d'autres désirs en autant qu'il reconnaisse que tous ses désirs ne peuvent pas atteindre leur fin et que de par sa nature même, le désir est inépuisable — la rencontre d'un de ses buts augmente sa densité et le fait rebondir ailleurs. L'humain est un être de désir. L'humain est désir.

La sur-conscience d'une image de soi-même se corrige par une écoute courageuse de l'être que nous sommes — en étant vrai avec soi-même.

Chaque dimanche soir, Jean éprouve une vague morosité, une langueur attristante et lourde. Alors, il cherche alors par l'alcool à endormir cette morosité croyant que l'effet euphorique de l'alcool réussira à le libérer de sa lourdeur de vivre. Identifiant sa morosité comme un goût de boire, il s'assomme la perception avec plusieurs verres. Une écoute plus attentive de son besoin émotif l'amène cependant à réaliser après coup que cette langueur n'est pas un goût de boire mais bien plutôt l'approche du lundi matin et de la reprise d'un travail qu'il n'aime plus. Ce travail ne l'attire plus, lui pèse sur les épaules et installe le dimanche soir cette langueur. Son véritable besoin est de changer son travail ou sa façon de le faire et non pas de boire et d'oublier. Répondre à cette langueur par l'alcool l'amène le lundi matin à se blâmer du goût qu'il avait de boire, à étendre ce blâme à plusieurs facettes de lui-même et finalement, à perdre ainsi d'une façon encore plus importante l'énergie nécessaire à son travail, le lundi matin.

Ainsi, d'une subjectivité moins bien écoutée, la personne passe à une réponse mal appropriée; de cette réponse mal appropriée, elle passe au blâme de ses goûts, et de là, à une dépréciation de son monde intérieur et de sa subjectivité. C'est évidemment un terrain stérile pour la genèse et le développement de l'intérêt à vivre puisque le cercle se referme sur un individu dépossédé de lui-même au comportement mécanisé et sans humanité.

Un des obstacles puissants à l'enracinement de la confiance en soi tire son pouvoir de la crainte de l'erreur, de cette crainte de l'acte fou et exagéré, et de la démesure. Or, au contraire, d'une façon générale, l'erreur, l'acte fou et la démesure résultent du fait que la personne perd le contact avec elle-même dans sa globalité parce qu'elle n'est habitée que par une image d'elle-même, une carapace ou une réputation. Il s'agit alors de protéger, de défendre ou de soutenir une partie d'elle-même et dans cette concentration, ou à travers cette tentative la personne se coupe de son ensemble, de sa globalité et ainsi elle n'utilise pas toutes ses ressources.

Pierre a peur de rencontrer son ex-épouse, Martine. Il craint d'éclater et de l'assommer de reproches. Pourtant il sait très bien que cela n'arrivera que s'il se considère lui comme son ex-époux et que s'il la considère elle comme son ex-épouse. S'il est avec tout lui-même, il est tellement plus qu'un ex-époux; il est homme, civilisé, professeur, père etc. Pourquoi se limiter alors à n'être qu'un ex-époux et à risquer une chicane.

La peur et l'anxiété représentent également deux obstacles importants à la fiance en soi. L'anxiété et la peur déchirent celui qui ne les incorpore pas à son existence par le développement de ses ressources. Plus précisément, celui qui est *trop* avec lui-même — sur-conscient de lui comme objet — sans lien avec les autres est menacé par l'anxiété alors que celui qui est *trop* avec l'autre et sans lien avec lui-même l'est par la peur (Wilber, 1981). Le danger de l'anxiété — comme celui de la peur — doit être confronté pour être par la suite intégré à un style de vie approprié. La peur naît d'une trop grande présence de l'autre; l'anxiété, lorsque la personne questionne une facette importante de son identité.

Tout en montant les escaliers vers le lieu de son travail, Alain ressent cette zone de lui-même — ce petit coin comme il le nomme — où il vit un espèce de tremblement intérieur. Il connaît toutes les étiquettes proposées pour cet état: anxiété, angoisse, gêne, etc. Ces mots lui servent peu. Il «tremblotte» autant et il traîne sporadiquement cet état depuis plusieurs jours. Il ne se comprend pas. Sa vie, ces jours-ci, va bien — il connaît des difficultés habituelles du quotidien mais rien de spécial. Qu'est-ce qui se passe en lui? Qu'a-t-il à trembler ainsi? Ce qu'il sait et qu'il ne veut pas, c'est se présenter aux autres dans cet état. En contactant ce coin il voudrait se cacher. Il voudrait fuir lorsque les autres lui demandent: «Comment ça va, Alain?» Il sait que c'est tremblotant et avec tristesse et nostalgie qu'il répondra et il ne veut pas que les autres le devinent dans cet état. Qu'est-ce qu'il peut bien vivre dans ce temps-ci pour ressentir cela? Il le connaît bien ce petit coin. Depuis qu'il est tout petit garçon qu'il le ressent, à l'occasion ou pendant de longs moments. Et là, ça lui saute au cœur! *Le petit garçon en lui, frileux, démuni et cherchant sans la trouver l'acceptation bienveillante de l'adulte.* Son petit gars en lui est en quête de chaleur. Alain pleure de sa découverte et de sa profonde solitude, de ce qu'il n'y a jamais eu assez de cette acceptation bienveillante de l'adulte et qu'aujourd'hui il n'y en a plus à espérer.

Souvent le regard intérieur reste coincé sur un thème, comme trop focalisé sur une facette, et la personne ne peut plus arriver à s'en débarrasser. C'est la plupart du temps le résultat d'une incapacité à trouver et à nommer le point de convergence, ou plutôt le résultat d'un refus d'accepter un thème à cause de la souffrance qui s'y rattache — par exemple la souffrance d'admettre une facette non aimée de nous-mêmes. Le regard intérieur fixé et bloqué sur un seul thème marmonné et étiré sous toutes ses nuances habite toute la conscience. Il épuise alors toutes les ressources de la personne: c'est le domaine de la redite, du radotage épuisant et des pensées automatiques. Le regard intérieur qui élargit la personne doit d'abord se décrocher de ce lien trop serré avec un thème répété qui risque, au lieu d'élargir, d'enfermer la personne dans une seule définition d'elle-même. C'est plutôt un regard qui se promène et qui balaie (avec conscience) la réalité sans se figer sur une seule de ses facettes.

Depuis des semaines Marie revient sans cesse sur la même question: est-elle ou non adéquate à son travail? Elle n'arrive plus à se défaire de cette idée, et d'une certaine morosité qu'elle traîne partout, tant au travail que chez elle. Elle tente bien d'élargir ses intérêts, de regarder ailleurs, de faire flotter sa conscience sur d'autres facettes de sa vie, mais rien n'y fait. Elle revient sans cesse à son travail et à son sentiment d'inadéquacité. Puis un jour pendant une réunion de son équipe, elle découvre la monotonie des débats comme si ses collègues n'étaient que leur travail. Elle s'étonne alors elle-même de constater combien elle aussi se définit ainsi et que dans une telle définition, il y a tristesse et langueur. Elle se laisse aller, elle abandonne le lien avec son travail — puis tout en suivant les débats de la réunion, elle ressent un détachement de tout ça. Elle se baigne doucement dans son intérieur. Elle éprouve les sensations de son corps, contacte les fantaisies de son imagination, se rappelle le bon livre qu'elle lit. Elle se découvre riche d'elle-même dans une largeur très vaste et maintenant elle sourit intérieurement de la monotonie des débats de la réunion.

Le fait de rencontrer et de confronter l'anxiété d'être ce qu'elle est malgré et avec toute la souffrance qui s'y rattache défocalise la personne d'une seule facette d'elle-même et l'élargit à la mesure de tout ce qu'elle est, de tout ce qu'elle vit à l'intérieur.

Un autre obstacle à la confiance en soi concerne le soi lui-même. C'est en fait sensiblement le même obstacle que l'on retrouve dans la crainte de la descente au fond de soi-même — le jeu des aspects bons et des aspects mauvais du soi.[28] La confiance à qui, à quoi? Le recours à quelle partie de soi-même? Le contact avec quelle facette de soi-même? C'est un questionnement qui se retrouve surtout chez les personnes — et elles sont nombreuses — qui se perçoivent et se vivent comme divisées, déchirées, entre le bon et le mauvais d'elles-mêmes. D'un côté, le bon, le noble et le pur qu'elle présente et paraît devant les autres; de l'autre, le mauvais, le mesquin et l'égoïste qu'elle camoufle et dans lesquels elle enferme toutes ses petitesses, ses peurs et ses désirs inavoués. À qui faire confiance lorsque nous sommes deux — à l'angélique ou au diabolique? Et si nous faisons confiance à l'angélique, n'y -a-t-il pas de danger que le diabolique suive aussi — apparaisse? Dans une telle situation, plonger en soi-même devient «tout risquer», et la personne pour se protéger préfère souvent suivre les normes et les règles extérieures à elle plutôt que de se fier à elle-même. Mais pour reprendre ou prendre confiance au soi qui est le nôtre, il faut risquer le risque. Plus la division entre le bon (le pur, le beau, le noble, l'ordonné) et le mauvais (l'impur, le laid, le grossier, le désordonné) s'est installée précocement, plus le courage qu'il faut pour risquer le risque devra être grand.

Normand n'avait que 5 ans lorsque jouant à la cachette, il s'est réfugié avec une petite voisine sous le balcon de ses parents. Leur course avait réchauffé leur petit corps et Normand a ressenti pour la première fois l'émerveillement d'être proche de cette petite chaleur féminine — toute près de lui. Il était en train de savourer ce plaisir lorsque tout à coup il a entendu la voix de sa mère: «Normand! qu'est-ce que tu fais là — petit salaud!» Les jambes coupées et tout repentant, il s'est blâmé de cette petite sensation de plaisir qu'il a d'ailleurs repoussée bien au fond dans un coin de lui-même pour conserver l'amour de sa mère. Depuis ce temps, il a emmagasiné dans ce lieu toutes les misères et les petitesses qu'il détachait du «bon gars», qu'il présente aux autres.[29]

La réconciliation avec soi-même, tout soi-même, doit précéder la fiance en soi. Se fier avec patience et calme à soi-même, c'est se fier à l'être en nous, à cette source de vie qui est à l'intérieur de nous et c'est aussi la voie principale vers la confiance en soi. Croire fondamentalement que la vie à l'intérieur de nous s'éveille par le contact et que notre besoin et notre goût d'être sont aussi forts que notre tendance à la passivité et au non-être — croire à cela, amène l'humain en nous à respecter et à estimer le moteur d'existence qui fait sortir la vie du néant: nous-mêmes.

Le style intérieur

En dessous des apparences et des comportements manifestes, la personne se donne au cours des années, un style intérieur. C'est une manière habituelle d'être et de ressentir les choses[30] et, en autant qu'il respecte les caractéristiques de la vie

---

28. Voir p. 249.
29. Cette vignette s'inspire d'un chapitre de Bugental (1976).
30. Manière habituelle d'être et de ressentir que certains appellent le caractère ou le tempérament. Par opposition au paraître qui est extérieur, l'expression «style intérieur» nous semble plus pertinente pour décrire cet état habituel et intérieur souvent camouflé ou déformé dans le paraître.

et du vivant, un puissant stimulant au goût de vivre. L'élan vital et le goût de vivre dépendent du style intérieur. Une personne bien ancrée et installée dans un style intérieur qui favorise la vie — peu importe ses comportements extérieurs et son paraître — développe automatiquement son goût de vivre; une personne qui, au contraire, s'installe dans un style intérieur mal ajusté à ses caractéristiques de vivant verra son style intérieur limiter son goût de vivre et emprisonner son élan vital. L'état d'esprit ou le style intérieur dans lequel une personne envisage la vie peut donc susciter son goût de vivre tout comme il peut aussi la vider graduellement de son intérêt à vivre.

> Malgré l'insatisfaction que lui laissent ses conduites, malgré sa mine défaite et ses difficultés à s'exprimer ces derniers temps, Serge arrive de plus en plus souvent à contacter et à ressentir son style intérieur. Il aime s'y baigner et s'y densifier, espérant qu'un jour, il arrivera à le manifester entièrement. Ce style en lui est fait d'attitudes comme celles-ci: l'important c'est de vivre; prendre la vie partout où elle se trouve; en moi, je suis maître à bord; ce n'est pas ce que je fais qui compte, c'est ce que je suis. Il cherche à être en complicité avec lui-même, avec ce style intérieur plutôt qu'en évaluation de ce qu'il paraît. Il cherche à ce que son style extérieur de comportements reflète de plus en plus son style intérieur.

Une manière d'être et un repère constant

Tout être humain s'installe dans un style intérieur qui, à l'origine, lui paraît favoriser la vie. Cherchant à continuer le mieux et le plus possible, la personne développe son style intérieur et s'en sert comme repère constant pour ses agirs et ses comportements. Mais plus fondamentalement, le style intérieur est là pour permettre à la personne de vivre plus, de ressentir plus de plaisir à vivre ou pour éviter le plus possible la souffrance de vivre.

Le style intérieur ne réussit pas toujours à favoriser la vie. Le plaisir de vivre, plutôt qu'un accompagnement de vivre, peut facilement devenir une fin et un but — le plaisir de vivre se disproportionne ou davantage, se transforme pour finalement se confondre avec la recherche du plaisir immédiat, et le style intérieur au bout du compte ne favorise plus la vie. La plénitude de la personne s'est rétrécie à n'être qu'une poursuite du plaisir. De la même façon, le besoin d'éviter la souffrance peut devenir si important que pour éviter toute souffrance associée à la vie, la personne cherche à éviter la vie elle-même. Son style intérieur ne favorise plus la vie puisque pour éviter de souffrir la personne évite d'investir la vie — la personne préfère se couper de toute vie plutôt que d'accepter sa souffrance. Cette rigidité, qu'elle soit dans la recherche du plaisir ou dans l'évitement de la souffrance, s'associe le plus souvent à un doute sur soi-même, une insécurité fondamentale.

> Claire aimait faire ses emplettes en toute tranquillité. Graduellement, son souci pour la tranquillité devint obsédant: elle cherchait à identifier le moindre petit bruit; elle était à l'affût de tout son discordant. Elle finit par s'empêcher d'aller magasiner au centre-ville — trop de bruits d'auto, et au centre d'achat — trop de gens bruyants. Finalement, elle avait établi un circuit entre le dépanneur et le petit commerce de vêtements du coin de la rue. Elle rageait des prix élevés et du peu de choix. Tranquillement son refus du bruit l'a conduite à perdre la paix intérieure auparavant associée à faire ses emplettes.

Il arrive aussi souvent qu'un style intérieur favorise la vie ou plusieurs de ses facettes pendant un certain temps mais qu'il perde à la longue son pouvoir comme stimulant à vivre. Le style intérieur peut alors devenir comme une véritable prison et se retourner contre la personne et son bien puisque, au lieu de faciliter le plaisir de vivre, il étouffe le vivant, l'encercle ou le traîne. Dans une telle éventualité, la personne doit changer son style intérieur pour le rendre plus approprié à ce qu'elle est devenue.

Marié et père de trois enfants, Jacques a suivi toutes les étapes qui conduisent au succès. Études, travail, efforts et toute sa vie s'engageait à accomplir sa devise: Réussir malgré tout. De fait, tout le conduisait à son style de «propriétaire de maison de banlieue aux voisins respectables». Un jour Marie, son épouse, étouffée par ce style de vie et prétextant un besoin d'autonomie, a quitté Jacques et s'est remise aux études. Surpris, étonné puis scandalisé, Jacques finit cependant par réaliser que son style de vie était devenu pour lui aussi un véritable fardeau. Il vend sa maison, vit en appartement et change du tout au tout sa présentation vestimentaire et ses habitudes de vie. Au début, ces changements lui font goûter à une nouvelle manière d'être mais graduellement son ancien style de réussir à tout prix revient à la surface. Et même s'il découvre ainsi que son style intérieur n'a pas véritablement changé, il sait que c'est pourtant là, dans cet esprit intérieur, dans cet état d'âme, que la transformation se fera. Dorénavant, il sait que la reconquête de lui-même et de sa liberté devra s'appuyer sur l'abandon de sa préoccupation de réussir.

La personne enfermée dans un style insatisfaisant de vivre risque de se voir un jour ou l'autre confrontée à un ennui, une sorte de tristesse de vivre qui d'ailleurs souvent lui sert comme premier critère en vue de la nécessité d'un véritable changement. Le contact avec le constant, le semblable[31] et le routinier déracine le goût et l'intérêt à vivre. Toujours les mêmes comportements, toujours les mêmes émotions, toujours l'impression de répéter et de tourner en rond quels que soient le jour, la semaine et la saison rigidifient l'intérieur et le rend stagnant. L'état intérieur possède pourtant toute la malléabilité nécessaire pour voir naître de nombreuses émotions, des styles très variés de vivre et des manières très diverses d'être et de s'exprimer.

Un système qui s'entretient par lui-même

L'analogie avec un modèle d'explication systémique (modèle qui cherche à lier différents éléments entre eux) peut nous aider à mieux comprendre le mouvement impliqué dans le fonctionnement du style intérieur: dans l'un comme dans l'autre, lorsqu'un des éléments est activé, les autres suivent automatiquement. Tout se passe comme si, sur le plan psychique, différents systèmes (à savoir des circuits liant des pensées, des émotions et des comportements) correspondaient à différents styles intérieurs. Si la personne prend conscience d'une émotion ou d'une idée, les autres éléments correspondant à l'émotion ou à l'idée s'énergisent. Ces systèmes peuvent être entre autres de plaire aux autres, de rejoindre son idéal, de devenir un expert, de goûter la vie, de se comparer aux autres ou d'être bien et adéquat mais chacun possède ses émotions et ses comportements spécifiques. Si l'un ou l'autre de ces systèmes est activé, c'est la personne tout entière qui, de façon plus ou moins

---

31. Voir le chapitre 4: Le goût de la différence, p. 39.

permanente, l'habite. Et plus la personne est sensible à un style, plus un seul indice, si minime soit-il, suffit pour engager le système. Par exemple, le chant d'un oiseau, un gâteau raté ou une parole entendue pourra venir éveiller le poète, l'inadéquat ou le serviteur des autres. Une fois initié, le système s'entretient par lui-même; le style installé, la personne répète sans cesse les éléments, les idées, les émotions et les comportements accrochés les uns aux autres à l'intérieur de ce système: voilà, c'est cela, le style intérieur.

> Pierre ne se reconnaît plus: tout ce qu'il était, tout ce qu'il pensait de lui et lui donnait des frontières et une identité face aux autres, s'est effondré couche par couche, carapace par carapace. Qui est-il maintenant? Rien! Il n'a plus de définitions de lui-même. Avant, il se disait poète et maintenant, les mots ne l'habitent plus; avant, il se disait généreux et amoureux, maintenant, il fuit tout le monde; avant, il se disait un bûcheur, maintenant, il n'arrive plus à travailler. Il cherche à toucher le fond de son marasme intérieur pour reprendre vie mais il glisse de partout. Découragé et complètement défait, il réalise que pour se trouver, il doit laisser aller, abandonner tous ses styles intérieurs du passé. Il doit défaire les liens entre les thèmes de lui-même, les émotions et les comportements. Pour une telle entreprise d'abandon de lui-même, il doit se reposer sur la vie et prendre ses alliés partout ailleurs que seulement dans les conceptions figées de lui-même.

Reprendre et revoir, au départ et dans chacune de leurs racines, les liens entre les pensées, les émotions et les comportements impliquent donc d'accepter de plonger en soi-même et de prendre le risque de se perdre et de perdre ses acquis.

Le changement se fait par l'intérieur

Pour une personne prisonnière de son style de vie et robotisée dans ses choix et ses comportements, pour celle dont la vie est lourde et insatisfaisante, un changement de manière-d'être-au-monde peut sembler à première vue impossible parce que tout à fait en dehors de ses capacités. Elle peut très bien se demander comment trouver l'énergie pour entreprendre un tel virement? Comment accéder à ce changement de style intérieur? À quel mécanisme faire appel?

> Georges se sent embourbé dans ses problèmes: il n'arrive plus à voir clair. Soudainement il doit affronter des problèmes financiers suite à un budget mal équilibré, des difficultés avec ses amis qui ne le comprennent plus, et des reproches et des blâmes de ses enfants. Toutes ces misères mises ensemble l'épuisent. Il sait que son attitude avec l'argent doit changer; que sa manière d'être avec ses amis aussi; qu'il doit se découvrir un *nouveau* style de paternité, mais comment y arriver? Comment y parvenir alors que juste le simple fait de conserver le minimum vital, de continuer à vivre lui semble déjà une montagne. Il sait pourtant deux choses bien claires: d'abord le changement se fait par l'intérieur de lui-même; ensuite, il est profondément seul pour changer son intérieur.

Le degré de conscience atteint par l'être humain lui permet de construire le réel en lui et autour de lui. Par son intentionnalité, il se pose lui-même comme conscience et il édifie son monde.

Toute personne qui réfléchit sur sa condition sait et réalise que tout est en elle. Tout est dans sa façon d'envisager sa vie et la vie autour d'elle. Elle sait aussi que son monde prend différentes couleurs selon qu'elle l'intentionnalise à partir de points de vue divers et que ses émotions et ses sentiments suivent ces métamorphoses d'elle-même et de son milieu. Prenons, par exemple, la fête humaine: un jour de fête coupe les routines et les monotonies et à cause de cela il permet un renouveau de l'espérance de vivre chez celui qui accepte de changer son style, extérieur et intérieur, pour le temps de la fête. S'il est ainsi possible de se vivre pendant quelques heures comme tout à fait différent, pourquoi ne le serait-il pas à long terme?

Le véritable changement transforme l'intérieur et le style de vivre plutôt que le comportement ou l'expression publique de soi-même. Il est toujours possible de déplacer les facteurs extérieurs de sa vie (partir en voyage, divorcer, changer de métier) avec le vague espoir que ces changements de situations finiront par faire naître une nouvelle manière de se vivre. Mais chez l'humain, il n'en est pas ainsi. Pour être approprié à la personne, le changement doit d'abord s'effectuer à l'intérieur, dans les attitudes et dans le subjectif, là où réside en très grande partie, la personne. Rien ne sert de changer une situation si l'attitude demeure la même. Bien sûr, il arrive souvent qu'une situation doive changer — par exemple un mariage insatisfaisant doit se terminer, un nouveau métier peut s'apprendre, un comportement extérieur doit cesser — mais tous ces changements ne pourront aucunement stimuler le goût de vivre si l'état d'âme morose, la manière ennuyante de se poser dans l'existence et la perception figée des choses, des personnes et des caractéristiques de vivre demeurent les mêmes.

L'effort, la constance et la détermination à bien se vivre

Le goût de vivre naît ou se développe par son style de vie lorsque la façon d'être conscient diffère, lorsque l'allure que prend son monde change, lorsque les manières de contacter le réel s'élargissent et s'assouplissent. Plus subtiles que les changements des circonstances de sa vie, ces évolutions du style intérieur impliquent une application constante, un effort persistant et souvent un courage bien campé devant les peurs de l'inconnu et du nouveau.

Depuis bientôt quinze années Benoît cherche à établir en lui des attitudes d'équilibre entre d'un côté son bien, ce qu'il désire et aime, et de l'autre côté, le bien des autres, particulièrement de ceux qu'il aime. Il a beau avoir réussi à se défaire d'un mariage insatisfaisant, avoir reconquis son goût de solitude et s'être donné une nouvelle façon d'être avec les autres, il n'en demeure pas moins qu'il sait sa fragilité à l'envahissement par l'autre. Il est facilement enclin à laisser tomber ses besoins et à retenir ses goûts et ceci, encore plus, lorsqu'il s'installe en vie commune avec une amie. De là, il recontacte sa tristesse et son abattement à vivre. Comment arrive-t-il encore à suspendre ses besoins et à taire ses désirs? Pourquoi n'arrive-t-il pas à se faire l'avocat de ses besoins et de ses désirs? Tout se passe comme s'il avait honte de lui-même — il ne peut pas affirmer ce dont il a honte et le cercle vicieux se referme. Il a honte de lui-même parce qu'il ne s'occupe pas assez de ses besoins et de ses désirs — c'est ça, il ne les exprime pas et ne cherche pas à les combler parce qu'il a honte de lui-même. Malgré le risque d'y perdre son amie, il sait maintenant qu'il doit continuer le changement de son style intérieur en choisissant courageusement d'affirmer et de répondre à ses besoins et à ses goûts. Par ce nouveau gain, son style intérieur s'approche encore plus de sa recherche d'équilibre et nourrit encore plus son goût de vivre.

Un style intérieur de vivre s'installe lentement à force de répétitions, de focalisations multiples et répétées sur ses attitudes et ses comportements[32]. L'émer-

---

32. Comme le style intérieur constitue un ensemble serré d'attitudes nombreuses, diverses et interreliées, il faut se méfier des conversions soudaines et surtout lorsqu'elles ne s'harmonisent pas avec l'ensemble de la personne et ne se placent pas au service de sa vitalité.

gence d'un nouveau style implique donc une démarche à long terme souvent pénible et à travers laquelle la personne se lance à la recherche d'elle-même avec la plus grande honnêteté possible face à ses découvertes en plus de l'inévitable respect des caractéristiques de la condition humaine: la finitude, la solitude fondamentale, la conscience, les besoins d'identité, d'altérité et d'amour. Toutes les techniques de transformation des comportements sont inutiles si au cœur d'elle-même, la personne n'accepte pas de se changer, de modifier sa vie et ses options vitales.

Remettre en question ses facilités, bousculer ses habitudes, déranger ses acquis, réfléchir sur ses manières d'être — tout ce travail sur soi-même s'effectue dans la constance, dans l'effort et dans la détermination à bien se vivre, à se rendre content et satisfait de soi-même.

L'effort pour changer est constant et répété parce qu'il est difficile de maintenir — de rester conscient — des attitudes qui à la base vont stimuler et favoriser le goût de vivre. Constamment la pensée nous ramène ailleurs dans toutes sortes de thèmes et d'émotions secondaires et superficielles qui nous influencent dans notre cheminement et qui malgré nos bonnes intentions nous distraient sans cesse de notre engagement:

> «Il faut bien avouer que nous sommes toujours le siège de pensées subsidiaires, satellites plus ou moins clairement perçues de notre pensée intentionnelle, qui s'accompagnent aussi de toute une traîne de sentiments, d'intuitions, de perceptions, bref de multiples contributions subjectives, que l'on s'efforce en général de réduire au silence.» Jung (1962), p. 123

Ces pensées et ces émotions (satellites de nos intentions de conversion du style intérieur) doivent être confrontées et amenées à la lumière de la conscience éclairée car souvent elles résultent de ce que nous refusons d'admettre et d'intégrer à notre vie.

La focalisation? Oui; mais avec souplesse, relativité, et toujours sur la vie.

En fait, la modification d'un style de vivre tient sa faisabilité du fréquent regroupement des attitudes autour d'un thème particulier important pour la personne. Le travail sur soi-même peut donc, malgré sa diversité d'applications, se focaliser sur un objet précis.

> Depuis son adolescence, Luc se vit avec un seul leitmotiv: *le plus possible*. Au collège, il voulait la plus haute note possible, il participait au plus grand nombre possible d'activités. À l'Université, il voulait connaître le plus possible, accumuler et accumuler du savoir et des connaissances. Plus tard, comme médecin, il cherche à traiter le plus de cas possible pour se donner le plus d'expériences possible. Toute sa vie se déroule au nom du *plus*, de la *quantité* et du *nombre*. Présumant de ses forces, un jour il s'écrase nerveusement sous le poids de toutes ses responsabilités: le *plus* est devenu le *trop*. Il est défait et brisé par la quantité et le nombre. Puis lentement, avec peine et misère, il essaie de se reconstruire un nouveau style de vie, luttant sans cesse contre le retour de ses anciennes valeurs. Graduellement, étape par étape, il réussit à se vivre différemment, à se centrer sur le zest et la satisfaction de vivre plutôt que sur la quantité de ses succès.

La valorisation de la quantité, du nombre, du toujours plus, rejoint somme toute une croyance très primitive selon laquelle la quantité permettait d'acheter l'immortalité ou de reculer la mort. Évidemment, il n'en est rien. Se dépêcher à vivre ou se hâter d'accumuler diplômes, biens ou conquêtes devant l'éphémère séjour d'un individu sur la terre et la futilité de la quantité pour assurer la survie reproduit une mentalité primitive qui associe le nombre et la durée — et comme tout autre objectif démesuré, il coupe et empêche l'actualisation des vraies potentialités d'une personne.

En somme, plus la conscience de la personne s'élargit, plus sa perception s'ouvre, plus son style intérieur gagne en souplesse et en relativité et plus son goût de vivre s'accommode et s'adapte, quel que soit le milieu. Tout en réalisant l'importance d'un thème autour duquel s'organise son style de vie, la personne doit rester consciente du caractère relatif de chacun des indices du milieu et elle doit aussi en même temps constamment refuser d'y enfermer son intérieur.[33]

> Fin d'avril, Louis frissonne dans la grisaille du matin. Dehors, c'est la neige sale et mouillée des rues de la ville. Il pense au printemps qui ne finit plus de commencer et à l'hiver qui ne cesse pas de continuer. Puis lentement les thèmes en lui se remettent en perspectives: le printemps viendra, le soleil reviendra. Bien plus, il y a même une harmonie douce dans cette grisaille du matin — ce mélange d'hiver et de printemps permet de différencier les petits bouts de verdure qui s'annoncent — leur contraste avec la neige. Seul un temps de printemps-hiver peut lui permettre de savourer ces différences. Il y a un cœur pour l'hiver, un cœur pour le printemps et aussi un état d'âme pour le printemps-hiver.

Les caractéristiques d'un milieu ou d'un environnement qui servent d'indices à l'état d'âme, à l'humeur d'une personne, s'évaluent et s'apprécient selon leurs diverses facettes et de façon relative mais toujours en lien avec le vivant. Les caractéristiques ou les indices du milieu s'individualisent et se nomment différemment si le style intérieur d'une personne s'est édifié en respectant les conditions du vivant.

Le style intérieur doit se focaliser sur la vie et l'accueillir sans cesse quelle que soit sa forme. Avec un style intérieur axé sur la vie et le vivant, tout ce que la personne perçoit par ses sens, tout ce qu'elle associe par ses idées et tout ce qu'elle imagine par ses fantaisies — peu lui importe, tout cela devient une nourriture pour sa vitalité; tout cela devient pour elle une source intarissable de stimulations pour son goût de vivre.

La subjectivité c'est donc en somme être — être et se vivre comme sujet de sa propre vie, c'est-à-dire vivre en se guidant sur sa vie intérieure, ses désirs et ses besoins tout en maintenant une relation harmonieuse avec le monde extérieur, objectif.

Évidemment y parvenir nécessite plusieurs efforts... et du temps — être subjectif est un art! Un art vers lequel nous ne pouvons que tendre car en réalité, jamais nous ne pouvons y parvenir tout à fait. Certaines conditions peuvent malgré tout faciliter cette démarche: se vivre au fond de soi-même, développer une saine confiance (fiance) en soi et bien sûr, un style intérieur essentiellement polarisé sur la vie.

Pourquoi tant d'efforts et tout ce travail? Pourquoi chercher à maîtriser l'art d'être subjectif? Simplement pour vivre mieux et chaque jour ressentir encore un peu plus le goût de vivre et de continuer sa vie.

---

33. La focalisation trop serrée sur un thème peut en certaines occasions nuire au mouvement intérieur nécessaire et naturel au goût de vivre.

B) LE MONDE INTERPERSONNEL

Si une personne se nourrit de sa vie intérieure pour cultiver son goût de vivre, elle se nourrit aussi du monde extérieur, de la vie en dehors d'elle et surtout de celle qui se loge à l'intérieur d'une autre personne. La diversité incommensurable des êtres humains fait de chacun de ses spécimens une entité des plus stimulante pour le développement de l'émotion de l'intérêt et particulièrement souvent de l'intérêt à vivre.

Le monde de la relation humaine, celui de la relation qu'une personne établit avec les autres, est à la source de bien des goûts de vivre. Pour une personne, rien n'est plus intéressant dans le monde extérieur qu'une autre personne — rien ne réussit à susciter autant d'intérêt. La complexité, le mouvement, la densité et les changements d'une personne font que, spontanément, elle ne cesse d'intéresser et finalement de susciter du goût.

Parce que chaque personne représente pour une autre une source éminente d'intérêt à vivre, c'est à cet espace de l'autre que nous nous arrêterons maintenant — l'autre particulier donneur de vie, de vitalité, de goût de vivre.

CHAPITRE 11

LES AUTRES

La vie est attirée par la vie. La vitalité se nourrit de la vitalité. Le goût de vivre s'énergise par la rencontre de l'intérêt à vivre. Or, le plus beau spécimen de vie, le vivant le plus dense de vitalité pour une personne humaine, c'est une autre personne humaine. Répétons-le, rien n'est plus stimulant, plus intéressant pour un être humain qu'un autre être humain.

> Dans le métro tôt un lundi matin, Sam regarde autour de lui des travailleurs endormis qui reviennent du quart de nuit, et des hommes et des femmes qui se rendent préparer les bureaux et les usines pour la journée qui vient. Tant de variétés d'humains, de formes différentes, de visages divers; tant de métiers, de corps particuliers, de postures diverses! Sam s'étonne de voir tant de nuances chez les humains: «S'ils se mettaient à me parler — combien de voix, de pensées, de préoccupations différentes je découvrirais? Y-a pas à dire, les humains sont d'une telle densité que je pourrais avec bonheur passer ma journée dans ce wagon de métro à les examiner.»

La très grande complexité des être humains (les plus diverses formes de vie et de mouvements corporels, intérieurs ou émotifs) ouvre l'expérience de chaque personne sur tout un monde — un monde sans cesse en activité, sans cesse créateur de nouveautés et de différences. Or, c'est justement le nouveau et le différent qui le mieux servent de stimuli extérieurs à l'émotion de l'intérêt chez l'humain[1]. Ainsi, une personne intéresse une autre personne parce qu'elle se renouvelle sans cesse et en cela elle diffère continuellement. Une personne régénère donc sans cesse pour une autre personne le stimulus de l'intérêt: la nouveauté.

LES BIOPHILES[2]

Certaines personnes possèdent plus que d'autres cette qualité de susciter la vitalité chez les autres. On les appelle les biophiles, les amis de la vitalité. Par leur façon particulière d'être, par leurs attitudes, ces personnes font vivre plus et elles encouragent les autres à vivre et à développer leur vitalité. Une personne biophile est une personne qui par sa propre vitalité suscite chez une autre ou chez les autres, la vitalité et le goût de vivre.

Lorsque, à 54 ans, le comédien Charles Spencer (Charlie) Chaplin a rencontré sa quatrième épouse Oona O'Neill, 18 ans, il vivait ses heures les plus noires. Poursuivi par la commission des activités anti-américaines, harcelé financièrement par ses anciennes épouses, Charlie Chaplin songeait au suicide. Mais Oona, par ses attitudes et ses manières d'être, a littéralement bouleversé sa vie. Plus tard, il raconte qu'enfin il avait trouvé une femme qui l'aimait pour lui-même et non pas

---

1. Voir chapitre 4: Le goût de la différence, p. 39.
2. Le terme *biophile* est emprunté à Fromm (1964). Cet auteur l'utilise pour désigner l'adulte sain, aimant la vie et qui aide l'enfant à croître.

pour sa gloire ou sa fortune. Il a eu huit enfants avec elle et avant de mourir pendant la nuit de Noël 1977, il confie:

«Cette femme m'a sauvé (du désespoir) et tous les jours (de ma vie avec elle), elle me donne le goût à la vie.»[3]

Tout comme Oona O'Neill, certaines personnes appellent les autres à la vie — c'est un fait incontestable. Elles réussissent à éveiller la vitalité chez ceux avec qui elles interagissent. Qui sont ces stimulateurs de vie? Quels sont leurs caractéristiques?

Des humains qui présentent leur humanité

La caractéristique la plus importante de ces personnes, c'est qu'elles sont elles-mêmes des êtres humains et qu'elles présentent et offrent encore plus à l'autre leur humanité. Qu'est-ce à dire? Tout être humain constitue un spécimen de vie. Il est vie et vivant et de ce fait, il stimule le semblable, ce qui vit auprès de lui. Or, l'intérêt de l'un — cette émotion qui pointe la personne vers l'extérieur — rencontre la vie et la vitalité d'un autre; l'un tire l'autre vers sa vitalité suscitant ainsi chez l'autre sa propre vitalité et son propre goût de vivre. L'élan vitalisant que la personne perçoit chez l'autre, elle en retrace en elle-même les prémisses; elle se sent d'une certaine façon en parenté avec ce vivant — de là, elle risque de développer elle-même cet élan, de devenir elle-même en goût de vivre.

Fatigué et lourd, Pierre regarde à la télévision une entrevue avec une journaliste qui parle de son métier. Il perçoit chez cette femme un appétit de vivre qui d'abord l'étonne. Elle est d'une telle curiosité intellectuelle — elle veut tout connaître et tout comprendre. Elle parle aussi de sa relation avec ses amis. Pierre y voit tout le respect et la bienveillance qu'elle leur porte. Il remarque également combien sa qualité de présence et sa fierté d'elle transpercent l'écran. Il se dit: «Cette journaliste a un sens profond d'elle-même qu'elle allie harmonieusement au sens de l'autre — quel beau spécimen humain!» Puis lentement, il participe à distance à la vitalité de cette personne. Il s'énergise dans son rapport avec elle, là à la télévision. Il se lève, se sent ragaillardi et il plonge dans la correction des examens de ses étudiants.

La perception du lien de parenté avec la vie et avec l'humanité sert d'amorce à la «vitalisation» d'une personne par une autre. Une fois ce processus d'identification enclenché, le fait de se sentir semblable — de même nature que la personne chez qui jaillit la vitalité — entraîne la mise en conscience de sa propre vitalité et ensuite, du goût de vivre. C'est de cette perception, de ce ressenti et de cette mobilisation de la conscience sur le vivant en nous — c'est de tout cela qu'il s'agit lorsque nous parlons de participation de la vitalité de l'un au déclenchement de la vitalité de l'autre. Certaines personnes possèdent plus que d'autres cette facilité à déployer leur humanité et leurs qualités de vivants, et ainsi, à faire participer plus les autres au goût de vivre.

Je connais un homme heureux de vivre. Même à son âge avancé, il adopte des postures vitales qui me stimulent à continuer, qui me tirent vers la vie. Il a une façon d'être présent dans les situations qui fait qu'il en prend toutes les caractéristiques: il ne perd rien de ce qui est vivant. Tout cela coule doucement, sans effort, comme s'il avait dans toutes situations l'aisance, la fluidité et le mouvement d'un poisson dans l'eau. Lorsqu'il nous parle, il a toujours le bon mot, chaud et acceptant qui nous rend fier d'être ce que nous

3.   Agence France-Presse: Vevey Suisse — voir *La Presse*, 28 septembre 1991.

sommes. Lorsqu'il nous écoute, il est pleinement présent à ce que l'on dit; s'il diverge d'opinion avec nous, il le dit simplement sans nous blesser en nous entraînant dans son souci d'authenticité. Je connais un homme, aussi précieux à mon humanité que le soleil l'est pour mon corps, et cet homme m'est précieux simplement parce qu'il est heureux de vivre.

Les personnes biophiles offrent spontanément ce spectacle de vitalité qui ne peut d'abord que rejoindre pour ensuite réveiller l'autre et l'amener à imiter lui-même cette vitalité. Cet autre arrive ainsi au goût de vivre.

Des allumeurs de vie

Les biophiles sont des allumeurs de vie. Leur vitalité est particulièrement perceptible à travers l'harmonie de leur mouvement dans la vie. Ces personnes paraissent se déplacer et bouger dans la vie sans jamais rester coincées ou bloquées dans le même et le routinier. Si elles doivent répéter certaines actions ou certains comportements, elles y manifestent toujours une présence qui transforme la répétition en une création — une présence qui invente et qui crée le nouveau et le différent même à l'intérieur du pareil, du même et du semblable.

> Maryse a beau préparer tous les repas de sa famille sept jours sur sept, et cela depuis de nombreuses années, à chaque fois, elle donne l'impression de faire quelque chose de neuf. Elle ne prépare pas ses repas, elle les crée. Elle est aussi intense et présente à rassembler les ingrédients qu'à les faire mijoter et à les servir. Elle se déplace dans tout ce travail comme de la musique sur une belle valse: elle est heureuse de cuisiner.

En réalité, la biophilie est une qualité que tous les êtres humains possèdent — au même titre que l'intelligence ou la sensibilité — mais que certains manifestent davantage. Certains l'expriment avec plus d'éclat et cet éclat éclaire ceux qui les côtoient. Les biophiles sont de grands vivants — amoureux de la vie et de toutes ses manifestations. Lorsqu'ils perçoivent la vie chez un être humain, le vivant le plus évolué, cette espèce si belle et si émouvante de vivants, ils ont spontanément tendance à l'encourager, à appeler son développement afin de le contempler encore plus. La personne qui fréquente un biophile ne peut pas s'empêcher de noter sa vitalité et de remarquer son amour vif de la vie.

C'est par sa complexité et son harmonie que la personne biophile intéresse l'autre, et finalement suscite chez lui du goût de vivre. D'elle, émanent toujours la complexité et l'harmonie de ce qu'elle est, mais elle reste toujours simple d'approche, humble. Dans chacune de ses interactions, l'autre sent en elle toute sa densité. Elle est pleine de vie — en tout et en chacune de ses ressources.

> Rencontrer Pierre, c'est se payer une douche de vitalité. Il a une de ces façons de présenter les choses qui fait qu'avec lui, tout devient intéressant et passionnant. La moindre petite activité regorge de possibilités. Sa densité de vivre nous contamine — il nous plonge automatiquement dans son tourbillon de vivre et son intensité d'exister.

Le biophile ne se gêne pas pour manifester sa spécificité et sa différence, mais il le fait toujours avec simplicité. Il est original parce que pleinement individuel et l'interaction avec lui, plus une transaction qu'une interaction, apporte tout un lot de spécificités puisqu'il est unique et qu'il le manifeste. Impossible de rester indifférent devant lui — son élan et sa tendance vers la continuité nous tirent nécessairement dans le même désir de vivre devenu projet. Il ne se lasse jamais de faire des projets et les ayant faits, il les donne aux autres — son intentionnalité débouche sur faire vivre les autres qui, par son action, s'ouvrent vers l'avenir.

Louis possède une manière toute particulière de nous encourager à vivre en vivant lui-même et en étant toujours en état de projet. Tout naturellement il nous tire vers la vitalité et fait en sorte que nous sommes spontanément happés par ses projets pleins de vie: des projets pour l'instant d'après comme à plus long terme. Il nous encourage — il nous met en courage tout en nous rassurant sur nos capacités. Il veut nous voir vivre. Que cela est bon et rassurant!

Le biophile est donc celui qui possède une facilité toute spontanée à mobiliser le bon et le vivant chez l'autre. En quelque sorte, le biophile trouve et nomme le bon chez l'autre. Il sensibilise ainsi l'autre qui, éveillé et attentif par la reconnaissance du bon en lui, est alors mieux disposé à recevoir. Il s'engage plus à écouter le biophile. De là, l'interaction avec le biophile est plus stimulante que n'importe quelle autre parce que maintenant le cœur, la sensibilité, sont présents. Cela permet à la personne de découvrir le précieux du biophile et de ressourcer alors en elle-même la vitalité.

LA RENCONTRE DE DEUX PERSONNES

«La condition la plus importante pour que l'enfant développe l'amour de la vie est d'être entouré de gens qui aiment la vie. L'amour de la vie est aussi contagieux que l'amour de la mort. Il se communique de lui-même, sans mots, sans explication et certainement sans sermon. Il s'exprime plus par des gestes que par des idées, plus dans le ton de la voix que dans les mots utilisés...» Fromm, 1964, p. 51.

La personne biophile aime la vie et parce qu'elle aime la vie elle peut spontanément déclencher la vie et le goût pour elle chez une autre personne. S'il est si facile pour le biophile de transmettre par sa manière d'être son goût de vivre, c'est qu'il possède également une facilité toute aussi particulière à entrer en relation, à rencontrer l'autre. Le biophile rencontre l'autre d'une rencontre véritable avec la personne de l'autre ce qui implique que l'autre n'est pas qu'un rôle, qu'un élément quelconque d'un système, qu'une personnalité mais que l'autre est une personne, pleine et entière, une unicité particulière que la rencontre vient confirmer dans cette unicité particulière.

Deux différences qui se lient et qui se confirment mutuellement.

Une personne qui réalise et qui conscientise son unicité à travers la relation qu'elle établit avec une autre personne se sent profondément confirmée dans ce qu'elle est et par là, elle est encore plus — encore plus unique, encore plus elle-même, encore plus vivante, encore plus en goût de vivre. L'autre est là et nous appelle à vivre et à vivre notre unicité.

Tout être humain a besoin de se sentir confirmé, appuyé et reconnu dans son unicité et cela par un autre c'est-à-dire, par quelqu'un qui est différent de lui. Être confirmé dans ce que nous sommes, dans notre particularité comme humain, dans notre individualité allume la vie en nous, nous fait tendre encore plus vers la vie et ainsi nous amène à désirer continuer davantage. Tout se passe comme si la rencontre de l'autre, en nous confirmant, venait déclencher le processus de la vie et du vivant en nous et que, une fois cette vitalité déclenchée, la personne se sentait en goût de vivre. L'autre différent de nous mais en relation ne nous remplace cependant pas, il nous allume.

À 23 ans, Marie a déjà vécu des expériences humaines de toute nature et elle s'est façonnée d'une manière particulière. Malgré ses rôles d'étudiante, de citoyenne, de futur médecin, de fille et de sœur, émerge d'elle une personne originale, spéciale et unique. Pendant plusieurs années, portée par ses rôles, elle a tenté d'être la meilleure étudiante, la sœur la plus aimante, la fille la plus appropriée mais elle n'arrivait pas à mordre vraiment dans la vie. Puis un jour, elle a rencontré Philippe. Depuis le début de cette relation, elle se sent devenir de plus en plus différente, de plus en plus elle-même — avec elle-même et avec les choses de sa vie. C'est un peu comme une nouvelle naissance à elle-même. Elle pense que c'est parce que Philippe aime son individualité, son unicité et qu'il fait qu'elle se ressent ainsi: unique, spéciale et originale. Par toutes ses différences (d'homme, d'artisan, de milieu différent), par sa qualité d'autre et par la confirmation qu'il fait de l'existence propre de Marie, Philippe l'éveille au vivant, en elle et autour d'elle. Puisque, pour Philippe, elle vaut la peine d'être ce qu'elle est — que sa contribution particulière et personnelle à l'humanité vaut la peine — elle sera encore plus elle-même et sans cesse elle continuera. À partir de là, évidemment son goût de vivre fleurit encore plus.

Confirmer le différent dans son unicité, sa particularité et son originalité n'est cependant pas spontané chez la majorité des êtres humains. Le problème avec la confirmation du différent est effectivement que la tendance veut plutôt que ne soit confirmé que ce qui est conforme, ce qui est pareil. L'être humain est souvent menacé par l'unicité de l'autre — il cherche à l'oublier, à l'occulter et s'il la perçoit, il tente de la réduire à l'ensemble. Seul le biophile, lui-même énergisé par sa propre individualité, cherche à retrouver partout dans le vivant cette unicité. La rencontrant chez une autre personne, il la reconnaît, la nomme et la confirme. Nullement menacé puisque solidifié par sa propre unicité, il peut rencontrer l'individualité de l'autre, la contempler, et par le fait même, la confirmer chez l'autre et, lui-même, s'en nourrir.

Tant que Pierre cherchait les hommages et les considérations de ses confrères à travers ses travaux d'historien, il répétait et répétait les mêmes thèmes, les mêmes avenues et les mêmes valeurs que ceux-ci. Il recevait leur considération et pouvait gravir les échelons de sa carrière de professeur. Un jour il a décidé de «faire de l'histoire» à sa façon tout en respectant les méthodologies les plus rigoureuses et il s'est allié avec un psychologue pour fouiller encore plus les personnalités historiques. Cette originalité lui a d'abord valu une mise au ban par ses confrères historiens, puis cela lui a malheureusement coûté son poste de professeur. Mais après de nombreuses années de travail solitaire, un groupe d'anthropologues a reconnu l'apport tout à fait unique de Pierre pour la compréhension des êtres humains: l'étude historique détaillée des grandes personnalités d'une époque. Ainsi confirmé, Pierre est par la suite devenu un historien prolifique et de haute renommée.

C'est cette possibilité d'être confirmé dans ce que l'on est par une autre personne qui fait de la rencontre interpersonnelle une source indéniable du goût de vivre.[4] Cette confirmation se situe au cœur du ressourcement du goût de vivre par la rencontre interpersonnelle.

---

4.   De la même façon, la non-confirmation, le rejet ou le blâme d'une personne dans son unicité et dans ce qu'elle est profondément est à la source de bien des misères et de bien des souffrances psychologiques — surtout lorsque le rejet de l'unicité d'une personne se fait pendant l'enfance, c'est-à-dire à un moment où la personne ne peut pas retrouver ailleurs ou autrement que par l'autre la confirmation d'elle-même.

ÊTRE ACCEPTÉ TEL QUE L'ON EST

Être accepté tel que l'on est... Cette phrase peut sembler bien anodine et d'ailleurs, elle est souvent affirmée sans trop de conviction. Pourtant, elle est si dense en pouvoir de vivre. Être accepté tel que l'on est — c'est la reconnaissance de notre particularité, de notre apport personnel à la vie, simplement comme nous sommes, avec ce que nous sommes.

Lise s'étonne toujours du regain de vie qu'elle éprouve lorsque ses grands enfants viennent souper. Les plats qu'elle prépare sont simples mais ils reçoivent les hommages de ses enfants. «Y a juste Mom pour faire un vrai ragoût!» lance Paul. «Ta tarte au sucre, j'en ai jamais retrouvée d'autres comme ça!» souligne Marie. Lise sourit doucement et se promet que la prochaine fois, elle leur en préparera bien d'autres de ses bons petits plats.

Le biophile accepte l'autre tel qu'il *est*, ce qui ne signifie cependant pas qu'il le confirme dans tout ce qu'il fait — cela éloignerait le biophile de sa propre individualité, de ses goûts et de ses appréciations. L'autre est accepté et confirmé inconditionnellement dans son *être* mais cela n'implique pas qu'il est accepté et confirmé inconditionnellement dans son *faire*, dans toutes ses manifestations dont certaines sont peut-être même des déviations de son être-là (son dasein). Accepter et confirmer l'autre impliquent plutôt que le biophile va vers l'autre avec sa propre unicité, ses propres goûts auxquels ne correspondent pas nécessairement les conduites, les manifestations de l'autre. Cependant l'autre, dans son altérité et son ipséité, *est*; cette existence est valable pour le biophile et elle l'est — juste parce qu'elle est là! De plus, la vraie confirmation de l'autre contient assez de souci et de soin de l'autre pour impliquer, à certains moments, la lutte avec cet autre — le confirmer tout en s'opposant à lui. Bien sûr, la confirmation d'une personne peut se marier avec le refus de ses défauts, de ses petitesses — l'autre est accepté et confirmé malgré ses défauts et ses petitesses parce que cet autre n'est ni ses défauts, ni ses petitesses. L'autre est lui-même, être et existence.

Souvent agacé par les tristes lourdeurs de son amie, Laurent la regarde avec un petit sourire malin. Il la connaît bien et il sait bien que s'il persiste, s'il dépasse son agacement, il retrouve toute l'affection qu'il ressent pour elle. Ses tristesses ne sont pas ce qu'elle est — ce ne sont que des manières de passer au monde *ce qu'elle désire* — l'attention de Laurent. Il connaît bien mieux et il l'aime tellement *celle qui désire*.

En somme, être accepté tel que l'on est par une autre personne signifie la confirmation de notre unicité et cela à partir de la propre unicité du biophile comme autre personne.

LE BESOIN DE L'INTERACTION HUMAINE

Pourquoi les êtres humains sont-ils si sensibles à l'influence des biophiles sur leur goût de vivre? L'importance d'une autre personne comme stimulant au goût de vivre s'explique au départ par un besoin fondamental d'interaction humaine.

Inter-agir avec l'autre fait partie intégrante de la nature humaine. Par la réponse à son besoin d'interaction, la personne se développe et croît. Elle précise ses qualités, nomme ses ressources et les fait fructifier. Mais privée d'interaction avec ses semblables, elle peut régresser et alors laisser en friche toutes ses belles potentialités. La légende des enfants-loups est un bon exemple, quoique limite, de ce danger de régression à l'animalité lié à l'absence prolongée d'interaction humaine. Par absence de contact avec d'autres humains, ces enfants perdraient leur capacité à actualiser leurs ressources symboliques — la parole, la pensée, l'intérêt social — pour revenir à des formes plus primitives d'adaptation liées à l'instinct.[5]

Un besoin propre à l'humain

Le besoin d'interaction humaine chez la personne n'est donc pas un besoin superflu, de luxe — il est propre à l'humain, et d'une certaine manière il le constitue. C'est de l'actualisation plus poussée de ce besoin mais aussi de la qualité de ses réponses que naissent la capacité symbolique et avec elle, le très grand pouvoir d'un être humain.

Le vivant humain s'est équipé d'une capacité particulière d'ouverture sur son milieu qui lui a permis non seulement d'entrer en contact avec son monde extérieur mais d'interagir avec lui et surtout, de l'utiliser pour maximiser sa vitalité — que pouvait-il choisir de mieux sinon un autre être humain pour inter-agir et alors maximiser sa vitalité! Effectivement, comme nous le soulignions plus haut, système ouvert sur son milieu et sans cesse en mouvement afin d'augmenter la multiplicité de ses milieux, l'être humain nourrit sa propre vitalité à partir du contact avec ce qui, comme lui, a atteint un niveau maximal de vie dans l'échelle des vivants, c'est-à-dire *un autre être humain*. La complexité, la nouveauté et la haute forme de vitalité de l'un exercent chez l'autre un attrait irrésistible car c'est sa propre vie qui est augmentée par ce contact. C'est ce qui lui sert le plus pour continuer.

> Quand Brigitte pense à toutes les différentes facettes de vitalité que présente son amie Marjolaine, elle est pleine de joie. Du lundi matin au dimanche soir, chaque semaine, chaque jour, chaque minute, Marjolaine offre un *nouveau* coin d'elle-même: son ardeur au travail, sa passion pour le cinéma, son sourire multiforme, ses chants stimulants, ses idées soulevantes — tout ce qui sort d'elle est apprécié et savouré par Brigitte. Quelle amie précieuse!

Comme deux systèmes en synergie

La rencontre entre deux personnes s'apparente et peut se comparer à la synergie qui se crée parfois entre deux systèmes qui s'articulent l'un à l'autre pour maximiser mutuellement leur force et leur productivité: un système ouvert, complexe et dense rejoint et s'harmonise à un autre système ouvert, tout aussi complexe et dense pour le rejoindre et s'y ajuster à son tour. Évidemment, les rouages ne se marient pas toujours harmonieusement. Les éléments peuvent se mêler, se fusionner et alors produire une perte d'énergie pour l'un ou l'autre des systèmes ou pour les deux. Mais cette disharmonie, si elle se présente, correspond beaucoup plus à la manifestation d'une défense, d'un manque d'ouverture, de l'imprécision qu'elle ne résulte

---

5.   Dans la mémoire populaire, les enfants élevés par les animaux perdent la plupart de leurs caractéristiques humaines pour prendre celles de l'espèce adoptive. Dans le film italien *Pain et chocolat*, les membres d'une famille d'aviculteurs choisissent dans leurs loisirs d'imiter les gestes, les postures et le caquetage des poules.

de la nature même des systèmes. L'attitude de méfiance d'une personne face à une autre est un exemple de ce qui peut provoquer cette disharmonie à l'intérieur et entre les systèmes — des accrochages à l'intérieur du système qui viennent entraver le goût de vivre.

> Louis-Georges se promène dans la vie avec une moue perpétuelle. Il rencontre les gens avec un déplaisir évident. Il se méfie et se répète sans cesse: «Les gens sont stupides, ils ne méritent même pas mon attention.» En réalité, il craint tellement d'être blâmé par les autres qu'il blâme avant même d'être blâmé — particulièrement sur deux facettes si importantes pour lui-même: sa clairvoyance et sa lucidité. Au fond, il est insécure; il ne se trouve pas si clairvoyant, ni si lucide que ça alors il se protège doublement avec une carapace d'invulnérabilité qu'il renforcit encore plus en dévalorisant le jugement possible des autres: «Les autres sont trop stupides pour évaluer ma clairvoyance.» Ainsi l'interaction humaine le défait et l'épuise au lieu de le nourrir et de l'enrichir.

Avancer dans la vie comme un porc-épic — piquer avant d'être piqué — est tout aussi désavantageux que l'attitude inverse qui consiste à assimiler tout ce qui vient de l'autre et à disparaître soi-même à l'intérieur de cet accueil sans limite.

> Lise fait confiance à tout le monde. Elle croit sur parole chaque vendeur et ne questionne jamais les motivations des gens. Elle engloutit une bonne partie de son salaire dans la consultation de diseuses de bonne aventure et de charlatans de tout acabit. Un artiste connu annonce un produit; elle l'achète. Elle ne se résout pas à croire que les motivations humaines sont tout autant démoniaques qu'angéliques — tout autant égocentriques qu'altruistes. Lorsqu'elle constate qu'on a abusé d'elle ou de sa bonne foi, elle absolutise pendant un certain temps la méchanceté humaine, l'horrible sournoiserie humaine mais l'orage passé, elle finit toujours par reprendre son attitude naïve. Elle refuse toujours de prendre conscience du fait indéniable que des «démons» habitent en elle-même comme en chacun; plutôt, elle se carapace et se défend de cette conscientisation en projetant son idéal de pureté dans les intentions des autres. Elle dit croire en l'humain mais au fond elle adhère à l'angélisme.

Un obstacle au besoin d'interaction: l'attente d'être aimé

Même s'il se définit et s'explique fondamentalement par la nature même du vivant, le besoin d'échange et d'interaction entre les humains n'en est pas moins souvent occulté, court-circuité; trop fréquemment, la personne installe à sa place l'attente d'être aimée — d'être considérée par l'autre. La personne confond besoin d'interaction et attente d'être aimé — une excellente source du goût de vivre, et une attente qui risque plus souvent qu'autrement d'y faire obstacle. N'étant donc pas consciente que son véritable besoin se définit comme une facette du goût de la vie, la personne croit, à tort, que son «besoin» est d'être aimé. Elle déforme ainsi ses attentes et se prive en même temps d'une excellente source de croissance comme vivant.[6]

---

6.   L'être humain possède cet étrange pouvoir de déformer ses vrais besoins, de braquer sa conscience sur une avenue de réponse, ce que nous appelons une attente, et d'oublier par la suite, l'aboutissement de cette avenue, son but et son objectif. Ces attentes diverses substitutives au vrai besoin sont peut-être plus faciles à combler mais au bout du compte souvent très éloignées du but premier: trouver une réponse au vrai besoin. Si l'attente se substitut ainsi au vrai besoin c'est donc parce qu'elle peut plus facilement se garantir une réponse et alors assurer le maintien d'une certaine sécurité chez la

Parfois l'attente mène à l'interaction humaine mais trop souvent seulement lorsqu'elle est comblée, c'est-à-dire qu'à travers sa quête de réponse à une attente la personne arrivera à échanger avec ceux et celles qui l'aiment, l'admirent ou la considèrent. Cette attitude, attendre d'être aimé pour interagir avec les autres, peut cependant l'amener à se cacher et à se barricader derrière des défenses, des masques ou des carapaces tant qu'elle ne sera pas assurée d'être assez aimée, admirée ou considérée pour risquer de se présenter le vivant et la personne authentique. Elle se coupe ainsi d'une richesse à vivre.

Revenant d'une randonnée à bicyclette, Gaétan, grand connaisseur de vélo, est approché à la porte de son domicile par un voisin qui, lui aussi, s'intéresse à ce sport. Gaétan connaît l'intérêt de son voisin pour le vélo; il l'a souvent observé à ses départs en vélo. Son voisin l'approche et lui glisse quelques mots sur la marque de son vélo. Gaétan hésite à s'arrêter puis passe lentement près de son voisin en lui marmonnant quelques mots mais finalement, il ne s'arrête pas. En rentrant chez lui, il se sent mal: «Qu'est-ce qui se passe encore une fois?» se dit-il. En pleine forme après sa randonnée en vélo, il aurait aimé parler des performances de sa bicyclette, des trajets qu'il a parcourus, des vitesses atteintes dans les descentes — et *il ne l'a pas fait*, tout concentré qu'il était sur son besoin d'être aimé. Comme il ne se croit pas aimé par ce voisin, il se prive d'échanger et de cela, il s'en veut — son organisme le blâme. Puis là, effondré sur une chaise, il continue l'escalade: sûrement que ce voisin ne l'aime pas d'avoir présenté une attitude si suffisante et si froide. Il est doublement en déficit — pas aimé par ce voisin et encore moins aimé par sa propre attitude plutôt refroidissante.

Lorsque, comme Gaétan, la personne dénature son véritable besoin, lorsqu'elle déforme la réponse possible, son organisme a tôt fait de s'abattre sur sa conscience puisque lui-même a été privé de ce qui est nourrissant, à savoir ici l'échange humain.

---

personne. Évidemment, il en est autrement du vrai besoin qui implique plutôt l'insécurité: la recherche complexe et contingente sans l'assurance d'une réponse ou du moins dans l'inconstance quant à l'obtention d'une réponse. Par exemple, il est plus facile de trouver une réponse à une attente comme «faire de l'argent» que de trouver une réponse au vrai besoin qui y est souvent sous-jacent, c'est-à-dire se donner une place dans l'existence — comme si «avoir de l'argent» assurait d'emblée une place, attente et vrai besoin confondus. On peut remarquer le même phénomène entre d'une part s'attendre à être unique, spécial ou extraordinaire et d'autre part, le besoin plus profond d'avoir un sens ou de signifier quelque chose pour quelqu'un — comme si l'unicité garantissait le sens de ce que l'on est pour quelqu'un d'autre, attente et vrai besoin confondus. N'est vrai besoin que celui sur lequel la personne possède un pouvoir — le pouvoir de le combler, d'y répondre par elle-même; autrement c'est une attente. Sur l'attente, la personne n'a souvent pas de pouvoir; elle ne peut pas toujours se garantir de réponse. L'attente peut être justifiée et appropriée à la personne mais sur le plan de la croissance et du développement humain, elle n'a pas le même impact. Trouver une réponse à une attente reste le plus souvent moins satisfaisant pour la personne. Parce qu'elle masque le vrai besoin, l'attente risque effectivement de laisser une impression de futilité et d'impuissance. Le sentiment de futilité sera alors proportionnel à la quantité d'énergie qu'aura mobilisée la personne pour maintenir refoulé le vrai besoin qui y est sous-jacent. La réponse au vrai besoin apporte au contraire une impression de plénitude et de solidité qui enracine encore plus la personne dans ses fondements. Lorsque bien identifié et bien nommé, le vrai besoin est un lieu de pouvoir — pouvoir plus grand sur la réponse à obtenir et pouvoir d'enracinement et de plénitude pour qui parvient à le conscientiser et à y trouver réponse.

D'une certaine façon, c'est une bonne chose que Gaétan se sente abattu et coincé — cela devrait l'aider à réajuster son tir et, à l'avenir, à mobiliser son énergie pour répondre à son vrai besoin: échanger avec son voisin. Évidemment, tout cela n'est pas facile.

Croyant faussement qu'il est absolument essentiel d'être aimé pour échanger avec les autres, l'humain se coince la conscience et se cache derrière une série de masques. Voulant à tout prix être aimé, il cherche à «s'arranger» ou à se transformer pour être aimable aux yeux des autres. Qu'est-ce que l'autre peut aimer? La force, le pouvoir, l'intelligence, la faiblesse, la déficience? Quel que soit l'hameçon pour attraper l'amour de l'autre, il va se l'imposer et il le fera le plus souvent au prix du rétrécissement de sa vraie personne. Coincée dans cette carapace, déformée par ce masque, la personne perd son naturel et sa spontanéité; ses ressources sont alors mal utilisées. Ce qui est paradoxal, c'est qu'en cherchant ainsi à être aimable la personne risque de se rendre moins aimable.

> Jeannine est toujours à l'affût de plaire à ses collègues. Son sourire presque constamment figé sur son visage, elle se promène dans la vie. Elle sourit lorsqu'elle traverse la rue, elle sourit lorsqu'elle fait ses emplettes, elle sourit lorsqu'on la bouscule, elle sourit partout et devant tous. Elle souhaite tellement être acceptée et aimée qu'elle ne peut penser qu'à ça: établir des ponts avec les autres. Pourtant les gens qui la rencontrent la trouve bizarre: Qu'est-ce qu'elle veut? Que se passe-t-il pour être ainsi si inapproprié aux situations? Qu'est-ce que ce sourire figé? Un rictus? Elle passe même à côté de ce qu'elle cherche: plaire aux autres.

En se soumettant aux artifices de paraître selon les attentes des autres, en quémandant l'amour, l'être humain perd sa belle fierté d'être lui-même — et effectivement il se prive ainsi de ce qui le rendait aimable, en premier lieu, à ses propres yeux. Personne n'a de pouvoir sur l'amour d'une autre personne. Chaque personne doit parvenir à composer avec le fait inéluctable que son attente d'être aimé dépend de la liberté de l'autre — seul l'aimant peut agir son amour et cela gratuitement.

Le vrai besoin humain d'échange avec ses semblables émerge de capacités qui sont proprement humaines; la personne a du pouvoir sur ce besoin. Elle peut par ses propres moyens y trouver des réponses comme par exemple, rencontrer d'autres humains, échanger avec eux, interagir et croître. Ici, le pouvoir lui appartient; lorsqu'elle s'attend à «être aimée» des autres, le pouvoir ne lui appartient pas.

> Depuis que Philippe a accepté que ce qui fondamentalement l'énergise le plus résulte de la rencontre et de l'échange avec les autres, son style de vie a bien changé. Antérieurement, il était gêné d'aller vers des étrangers, des nouvelles personnes. Il établissait alors des scénarios ou il répétait des rôles: séducteur avec les jeunes femmes, démuni avec les femmes plus âgées, conquérant avec ses confrères et bien d'autres, selon les situations. Plus il avançait vers de nouvelles situations, plus il devenait hyper-conscient de lui-même, de ses gestes et de ses paroles. Dans ces rencontres, il se sentait étriqué et faux. Même si à l'occasion il réussissait à impressionner, par la suite il repassait dans sa tête chacune de ses paroles et de ses gestes pour en vérifier les effets. Lorsqu'il se rappelait telle parole ou tel geste, des chaleurs lui montaient à la tête et il se disait: «Que ces situations sont pénibles!» Ce n'est que très lentement qu'il a réussi à défaire son style qui consistait à vouloir l'amour et la considération des autres. Il en est finalement venu à réaliser qu'au fond ce qu'il aimait, lui, de ces rencontres nouvelles, c'était justement leur nouveauté. De nouveaux visages, des idées neuves, des façons

différentes de vivre — cela était vraiment bon pour lui. Or, si ce *bon* pour lui importait, pourquoi tout ce rituel pour être aimé? C'est en cherchant sans cesse à se rebaigner dans cette nouvelle attitude (prendre le bon des nouvelles rencontres) qu'il est arrivé à briser son vieux style. Par la suite, c'est à l'avance qu'il savourait la venue éventuelle de nouvelles rencontres; pendant, il goûtait à toute leur nouveauté; après, il se remémorait avec plaisir les différents moments et leur richesse.

Se calme et s'accepte davantage celui qui arrive à laisser aller l'acharnement à vouloir être aimé pour plutôt se centrer sur son vrai besoin, celui d'interagir avec ses semblables. Plus en contact avec lui-même (qu'avec l'autre) il se laisse appeler par la richesse de l'autre telle qu'elle est; plutôt que de découper l'autre, d'isoler l'acceptation et l'amour de cet autre, de se concentrer sur cette facette de l'autre et ainsi de réduire l'autre à un donneur de considération, l'autre devient une personne entière à rencontrer et à découvrir. Les tensions s'estompent et l'énergie est récupérée — l'énergie qu'auparavant il mettait pour rejoindre ce qu'il fallait pour obtenir l'amour et la considération. L'énergie libérée, elle est mise au service de sa propre personne et pour interagir avec l'autre dans son ensemble.

LA CONFIRMATION PAR L'AUTRE: VALOIR LA PEINE D'EXISTER

Rien ne peut autant enraciner une personne en elle-même que la confirmation de son existence et de son identité par une autre personne — une autre qui affirme, dit et reconnaît qu'elle vaut la peine d'exister. Entendre, saisir et ressentir qu'elle vaut la peine d'exister et de vivre de la manière dont elle existe et dont elle vit *conduit* la personne à sentir qu'elle vaut aussi *sa propre peine* de vivre et d'exister, à ses propres yeux. Elle se donne alors la peine de valoir; elle s'accorde la permission et le droit et ainsi, elle mord à la vie, à tout ce que lui donne la vie. Elle s'intéresse conséquemment à vivre et à valoir — à continuer encore à valoir, donc à avoir du goût de vivre. Par sa confirmation, l'autre l'invite donc à vivre: et à continuer à vivre. Aussi courte soit-elle, l'invitation à vivre laisse un effet persistant sur la personne. Elle habite ses matins et ses soirs, elle la suit partout et la pousse vers le développement.

Depuis quelques semaines, Serge éprouve une certaine lourdeur à vivre son quotidien — sa routine de travail et ses obligations lui pèsent. Il doit se pousser dans le dos et se bousculer sans cesse pour vivre et pour faire face à chacune de ses activités. Il s'essouffle sans cesse à contredire sa pente spontanée. Il est morose et triste. Un jour, une amie très chère lui dit: «Serge, regarde autour de toi et vois comme le monde t'aime. Regardes tel geste de ton voisin, telle allusion de ton confrère! Tu ne trouves pas qu'il y a de l'amour dans ça?» Serge se ressaisit et se rend compte de toutes les marques d'affection qui, effectivement, existent autour de lui. Bien plus et surtout, il reconnaît ce grand geste d'amitié de son amie. C'est toute une parole d'amour que celle qui indique l'amour des autres. C'est un beau cadeau, impossible à attendre mais tellement bon à recevoir. Serge se sent aimable d'un tel amour. Il vaut donc la peine — il vaut sa propre peine de pousser sur son quotidien. Du coup, il cesse de transporter sa lourdeur — il s'ouvre davantage.

Valoir la peine d'être l'être particulier et unique que nous sommes

L'acceptation et la confirmation par l'autre élargissent et densifient la personne dans son être-au-monde et, conséquemment, dans son goût de vivre. Confirmée, elle vaut effectivement la peine d'être mais en plus la peine d'être ce qu'elle est dans ce qu'elle a de particulier et d'unique; c'est le sentiment d'unicité qu'elle éprouve qui vient activer sa tendance vers la vie et alors son goût de vivre. La confirmation par l'autre vient favoriser chez une personne la perception intérieure de ses ressources mais aussi et particulièrement de leur caractère unique — le caractère original et unique de l'unité de ses ressources, de ses parties organisées en un tout unique, harmonieux et cohérent: ce qu'elle est, son identité. Son corps et son esprit s'associent; ses idées et ses imaginations s'autogénèrent; ses fantaisies et sa logique s'intègrent. La personne unifie et harmonise les secteurs de sa vie: son travail et ses loisirs, son érotisme et ses relations humaines. Confirmée, elle existe et elle est dans tout ce qu'elle est; elle existe et elle est encore plus parce qu'elle vaut la peine d'exister et de faire exister tout ce qu'elle est — ce qu'elle est comme tout unique et unifié, bref comme personne.

> Surpris et blâmé par sa mère pendant le jeu de découverte sexuelle avec une petite voisine, Jacques a bien vite et pour longtemps enfermé en lui-même cette expérience délicieuse du corps d'une petite fille. Rapidement, il a senti que pour ne pas perdre l'amour de sa mère il devait enfouir ce doux souvenir et le traiter comme une mauvaise partie de lui-même. Puis, tout au cours de sa vie, il a continué à refouler en lui toute sorte de fantaisies, d'idées et de pensées et à les ranger au même endroit que le souvenir de ce petit corps féminin. Finalement, aujourd'hui à 40 ans, il se vit comme divisé entre d'un côté, tout le monde montré de sa famille, de son métier et, de l'autre côté, tout le monde caché de ses fantaisies et de ses idées. Mais dernièrement, une de ses amies a commencé à taquiner la carapace respectable de Jacques tout en se montrant complice de l'univers de fantaisies de celui-ci. Surpris mais content d'une telle acceptation, Jacques se met graduellement à laisser paraître plusieurs éléments de son monde caché. À son grand étonnement, il réalise que ce monde peut très bien se marier à son monde ouvert si celui-ci s'assouplit. La reconnaissance de son amie le conduit à s'unifier davantage en plus de jouir de l'énergie de vivre antérieurement bloquée par la répression de son monde caché.[7]

Seul et séparé mais toujours lié, en relation

Comment expliquer cet étrange pouvoir qu'ont les êtres humains de confirmer l'existence d'une autre personne et ainsi de permettre que cette reconnaissance de soi par l'autre ouvre du goût de vivre, le goût de continuer? Même si tout être humain est fondamentalement seul et séparé, il ne peut pas prendre la plénitude de son existence en dehors de l'interaction avec les autres. Le développement et la croissance de ses ressources, de ses capacités et de ses énergies impliquent cette interaction et cela même si la direction de ce développement et de cette croissance est et demeure toujours à l'intérieur de lui-même.

L'autre qui est d'abord réel, une vraie personne (et souvent premièrement la mère), devient partie intégrante de la personne qui est confirmée; elle l'intègre à l'ensemble de sa personnalité et il devient ainsi un autre à l'intérieur d'elle — un autre qui agit comme symbole. Tout se passe effectivement comme si cette importance de l'autre d'abord réel puis symbole à l'intérieur de chaque personne était neurologiquement programmée pour servir comme feu vert au développement de

---

7.   Vignette inspirée par Bugental (1976).

plusieurs de ses ressources. Le nouveau-né est déjà tout équipé pour s'orienter vers ses congénères et répondre tout particulièrement aux riches stimulations qui viennent du visage humain. À travers le contact répété avec d'autres personnes il développe sa vision, son toucher et toutes ses autres capacités sensorielles; par la multitude et la variabilité de ses contacts avec l'autre, il développe et déploie l'ensemble de ses capacités symboliques (représentations, images mentales, langage). Grâce à cette interaction, il s'ouvre à la vie en lui et autour de lui.

Marjolaine tient dans ses bras son fils de deux mois. Elle le regarde tout envahie par la chaleur de ce petit être tout arrondi dans ses bras, la tête bien collée sur son épaule. Dès qu'il ouvre les yeux, Marjolaine saisit son regard comme pour le retenir à elle. Elle sourit et babille à l'enfant tout en le serrant plus fort sur elle. Elle est tellement contente de sa présence; elle bouge la tête, marmonne des badineries, le brasse délicatement et seule la fragilité de l'enfant l'empêche de serrer plus fort son étreinte. Le petit concentre son regard sur le visage de sa mère et il insiste comme s'il explorait une nouvelle planète. Puis un léger sourire se dessine sur son visage — il baille et referme ses yeux. Marjolaine a ainsi permis à son fils d'exercer sa capacité de vivre.

Dans cette fine interaction entre la mère et son enfant, il serait abusif de présumer que c'est par amour pour sa mère que l'enfant oriente son regard et son sourire vers elle. Tout indique plutôt que c'est pour lui-même, pour son propre besoin qu'il le fait. L'enfant s'oriente vers sa mère et plus tard vers d'autres parce qu'il a besoin d'établir des liens et d'interagir pour se développer. L'enfant rejoint l'espèce humaine, s'«humanise» par ces premières interactions. À travers elles, il apprend à percevoir, à connaître et à ressentir — à se construire et cela, dès les premiers jours de sa vie.[8]

À ces premières interactions viendront s'en ajouter d'autres et encore d'autres à partir desquelles s'organisera progressivement tout un monde intérieur — c'est le système de l'autre-en-soi,[9] c'est à dire un monde intérieur peuplé de tous ces autres extérieurs significatifs graduellement devenus nôtres.

La mise en place de ce système s'explique par la nécessaire solidarité humaine pour la continuité de la vie. La personne se complète, se construit et continue la vie par le jeu de l'autre-en-soi. Et si la confirmation par l'autre est donneuse de valeur d'exister, de droit et de goût de vivre, c'est en partie parce qu'elle vient éveiller le pendant positif du système autre-en-soi, à savoir son caractère interne acceptant — elle nous aide à nous accepter et à nous confirmer nous-mêmes plutôt que de nous accabler d'auto-reproches ou de blâmes — prototype du pendant négatif de l'autre-

---

8. Voir Gouin-Décarie, T. (1980).

9. Le jeu de l'autre-en-soi peut se rapprocher de ce que certains auteurs appellent le surmoi et d'autres, la conscience ou le parent critique. Le concept de l'autre-en-soi se distingue nettement des anciennes conceptions de la conscience humaine qui en fait réduisaient la conscience à un lieu entièrement et uniquement habité par l'autre. Jung (1964) souligne par exemple que pour nos ancêtres lointains, c'était la voix des dieux en eux qui seule dirigeait leur vie, motivait leur choix, etc. L'être humain est cependant tout autant séparé que lié, tout autant à part qu'une part — lui-même et en solidarité. L'autre devient une partie de lui-même par la solidarité, mais une partie seulement (voir aussi chap. 10: La subjectivité, p. 215).

en-soi. Libérée du reproche, la personne s'éveille à ses potentialités et à ses possibilités.

> Lorsque Maryse raconte son emploi du temps à son frère, elle a l'impression de parler en écho. Il y a d'abord ce qu'elle fait effectivement de ses journées, puis il y a comme quelqu'un, un juge en elle qui lui dit: «Ce n'est pas assez! ça manque de qualité! Tu devrais te forcer un peu plus!» ou d'autres invectives semblables. Elle se sent toujours obligée de répondre à cet écho — et comme pour se justifier, elle ajoute sans cesse des explications à la description de ses tâches: «J'ai rencontré deux de mes patients, mais tu sais, avec le ménage de la maison, je n'ai pas beaucoup de temps. J'ai réussi à laver ma vaisselle mais tu sais, avec les enfants, c'est pas facile de garder la maison propre». Devant ses multiples justifications, son frère s'étonne: «Mais voyons Maryse, c'est tout à fait bien ce que tu fais! Pourquoi tu t'en fais à ce point là. Tu es bien correct, ma petite sœur!» Maryse ressent une bonne détente et comme un petit sourire intérieur: «c'est vrai que tu es correct, ma Maryse», qu'elle se dit; «Arrête donc de toujours exiger de toi!»

En somme parce que la personne s'est construite à travers le lien avec une autre (que cette interaction lui a permis d'accéder à l'*homonisation* et de s'orienter vers la vie), elle restera toujours liée et elle cherchera toujours à préserver ses liens. L'autre n'est donc pas simplement un quelconque, un stimulus parmi d'autres — l'autre est catalyseur de l'élan vers la vie en soi et en dehors de soi, dans le non-moi.

L'EXPRESSION VERBALE DEVANT LES AUTRES: CRÉATION DE SOI-MÊME

S'exprimer, c'est exister, se mettre au monde. S'exprimer devant une autre personne permet d'arriver à l'existence; se sentir partie prenante de l'existence, c'est se garantir du goût de vivre.

> Après avoir donné son cours, quand elle a réussi à bien présenter son idée, Louise aime bien ce sentiment de plénitude qu'elle éprouve. Par l'explication de son idée, elle ne s'est pas vidée la tête; elle s'est remplie de présence à elle-même: elle est bien et contente même si elle est fatiguée. Tout se passe comme si un coin d'elle-même était avant son cours silencieux ou muet et que maintenant après le cours, il est tout illuminé et il regorge de nouvelles idées. Louise a hâte à son prochain cours.

Se créer soi-même en s'exprimant; l'impact de l'autre

La personne qui s'exprime se crée au fur et à mesure de son expression. Elle s'exprime pour se créer elle-même mais du coup, elle réalise l'impact qu'elle crée sur l'autre. Voyant et percevant ainsi l'effet de son expression sur l'autre, la personne s'engage et s'encourage encore plus à puiser dans ses ressources, à les mettre au monde et à les exprimer dans la réalité. La personne s'exprime, l'autre l'écoute; par son écoute, l'autre encourage la personne à s'exprimer encore plus — à se mettre encore plus au monde.

> Ces longues conversations entre Claire et France pendant lesquelles chacune se raconte; chacune se raconte encore plus à mesure que l'autre l'écoute! Il y a comme un effet d'entraînement. Quelles belles soirées elles ont passées à se dire, et à s'exprimer! Elles sortent toujours de leurs rencontres comme si elles étaient toutes neuves: de bonnes vieilles amies mais chacune toute neuve d'existence.

Une personne qui s'exprime a donc avantage à être écoutée car l'écoute de l'autre participe à la création de son expression, à la création d'elle-même.

Par exemple, Martin Buber[10], penseur existentiel connu pour ses travaux sur les relations interpersonnelles, souhaitait toujours que les auditeurs présents à ses conférences posent le plus de questions possible. Loin de se vivre comme porteur de La vérité, Buber entendait par là qu'à chacune des questions posées correspondait une réponse à inventer. Chaque question lui permettait de créer une idée nouvelle, des idées qui n'existaient pas avant. Chaque question posée devenait pour lui une occasion de s'inventer, de se créer lui-même — la réponse ne pouvait advenir que dans la mesure où il y avait eu une question.

L'expression de l'un rejoint l'expérience de l'autre

S'exprimer signifie manifester son être — le manifester en le créant et en l'inventant au fur et à mesure. S'exprimer devant l'autre devient manifester son être en souhaitant rejoindre par là l'être de l'autre. La relation devient source de création de soi-même, d'invention, lorsque l'expérience[11] de l'un est rejointe et touchée par l'expression de l'autre; c'est cela qui amène l'élargissement de l'être. L'expérience qui au départ est implicite, non-formée et imprécise, prend de la forme et s'explicite parce que la parole de l'autre favorise le passage de la prise de conscience chez la personne qui alors, touche à son expérience, l'explicite et ainsi élargit son être.

Par leur expression (par exemple en écrivant, en peignant ou en composant de la musique ou des chansons) certaines personnes vont plus facilement que d'autres rejoindre l'inconscient ou certains archétypes inconscients des autres (par exemple de ceux qui aiment leurs écrits, leurs toiles, leur musique ou leurs chansons). La popularité n'est alors pas le simple résultat de la présence répétée de la personne populaire mais beaucoup plus la conséquence complexe de la qualité du créateur ou plutôt de sa capacité à rejoindre son propre inconscient (en nommant son expérience) et ainsi, celui des autres.

> Plein de tension et de mal-être, Philippe décide d'écouter de la musique. Il choisit le *Requiem* de Fauré. Lentement, cette musique l'habite comme s'il en devenait lui-même l'auteur en train de la créer. Toute cette douce tristesse et cet appel au repos éternel! Fauré lui permet de mieux se ressentir. Il peut vraiment souhaiter la lumière perpétuelle; il peut vraiment vouloir être libéré de ses misères. La musique de Fauré, en suscitant son vouloir, l'a délivré du chaos qu'il éprouvait avant de l'écouter.

Par ses expressions, tout être humain est d'une certaine façon créateur de l'univers intérieur de l'autre. Ce faisant il précise en lui-même sa propre vitalité — il la conscientise et il la ressent plus. S'exprimer devant les autres, finalement, c'est se créer soi-même en créant des liens et à travers ces liens, s'exprimer encore plus, se sentir confirmé. S'exprimer c'est se donner du goût de vivre.

---

10. Voir Freidman, Maurice, 1983.
11. Voir Gendlin (1962) et aussi note 62, p. 170.

COMMENT LA PERSONNE BIOPHILE EN ARRIVE À SUSCITER LE GOÛT DE VIVRE?

La parole, le regard et le soin de l'autre sont trois voies particulièrement fécondes qu'utilise le biophile pour rejoindre une personne et éveiller chez elle son goût de vivre.

Un outil du biophile: sa parole

Il y a dans la parole de l'autre — l'autre qui parle sur nous — un pouvoir de création, d'éveil à nous-mêmes. Le dire de l'autre sur ce que nous sommes peut susciter en nous l'amorce de l'acceptation inconditionnelle du système autre-en-soi[12].

> Même si jusqu'à maintenant Francine a bien réussi sa vie (étudiante brillante, sportive, sociable et pleine d'amis) elle connait depuis quelque temps une série d'échecs et de complications dans tout ce qu'elle entreprend. Au début, elle est étonnée. Qu'est-ce qui se passe? Elle n'en croit pas ses yeux. À chaque tournant de cette séquence de vie, elle rencontre humiliations et rejets. Plus elle avance dans ce marécage de lourdeurs, elle se sent petite, vide et sans énergie. Serait-elle profondément fausse? A-t-elle complètement passé à côté de sa vie? Est-elle fondamentalement dans l'erreur? S'est-elle trompée sur elle-même? Elle assiste à ses cours mais complètement recroquevillée dans la dernière rangée de sa classe en espérant que surtout personne ne lui parle. Pourtant, un jour (et en oubliant l'espace de quelques minutes sa «poubelle intérieure» comme elle l'appelle) elle ose un commentaire durant un cours. Le professeur s'arrête et apprécie la justesse de sa remarque. À la fin du cours, il interpelle Francine et lui demande de continuer son commentaire, de développer son idée et sa pensée sur le sujet. Francine est tout étonnée! «Moi, vous donner mon idée... vous croyez vraiment que j'ai quelque chose à dire?» «Oui» rétorque le professeur, «on ne peut pas faire le commentaire que tu as fait sans avoir une conception neuve et originale du sujet.» À partir de ce moment, Francine s'allume -elle réagit. Si on lui croit des idées, elle en aura; si on estime sa pensée valable, elle créera d'autres idées valables. De moins en moins recroquevillée, elle prend plus de place à ses cours. Elle suit avec plus d'intérêt les idées exposées — elle en discute avec ses compagnons et compagnes. Elle se remet à croire en elle et à la vie.

Par ce jeu de la parole de l'autre qui confirme, la personne se remet à croire en elle — elle redevient elle-même le moteur autonome de sa propre vie. Par sa parole, l'autre tient lieu d'amorce: il démarre la personne à elle-même et à ses ressources. En puisant davantage dans ce qu'elle est, dans ce dont elle est capable, elle se pointe ainsi plus fermement sur la vie, à l'intérieur comme à l'extérieur d'elle-même.

La confirmation d'une personne dans ce qu'elle est (à travers le dire ou la parole d'une autre) agit sur elle comme une invitation à vivre plus — à continuer à vivre pour poursuivre sa contribution personnelle à la vie et au vivant. Invitée par l'autre, la personne peut plus facilement elle-même s'inviter à vivre; elle se sollicite plus à s'ouvrir à la vie. Après tout, qui est mieux placée qu'elle-même pour s'inviter à la vie? Qui est plus proche d'elle-même pour identifier ses goûts et ses désirs de

---

12. Si la parole de l'autre sur nous peut ainsi être créatrice de nous-mêmes et éveiller positivement l'autre-en-nous, c'est principalement parce que, à l'origine, c'est par la parole que le système autre-en-soi s'est édifié. La parole participe à la même nature symbolique du monde de la représentation que l'image du système autre-en-soi, et c'est d'ailleurs pourquoi elle reste toujours une source privilégiée pour activer ce système.

vivre? Qui peut mieux qu'elle trouver des réponses appropriées à ses goûts et à ses désirs? Elle seule peut en bout de ligne ressentir le juste, connaître l'adéquat et être appropriée quand il s'agit de la quête de sa propre vie.

Un outil du biophile: son regard bienveillant

Comme pour la parole, le regard posé sur une autre personne transporte une capacité réelle de création de l'autre — de réveil de son être et de sa significativité[13]. Le pouvoir de confirmation se retrouve dans la forme du regard. C'est une certaine manière de regarder, ni béate d'admiration ni servilement soumise, qui soulève chez celui qui la reçoit un sens de lui-même qui lui fait sentir et goûter la qualité de sa présence et qui vient le confirmer dans ce qu'il est. En bref, le regard bienveillant du biophile confirme parce qu'il est plein d'intériorité et d'unicité. Le biophile qui regarde, regarde avec son intériorité et son unicité, ce qui lui permet spontanément d'accueillir et de respecter l'intériorité et l'unicité de l'autre, celui ou celle qu'il regarde.

Nostalgique en cette fin de journée, Céline ressent particulièrement lourdement sa solitude. Elle rumine les événements de sa journée et elle n'y retrouve pas de chaleur humaine. Tout n'a été que froideur, indifférence et lassitude. Puis, elle se souvient du regard de sa compagne lorsqu'elle est arrivée en retard à son cours de l'après-midi. En y repensant doucement, elle éprouve comme une grande bonté, celle de son amie complice de son retard. Elle se souvient que malgré son petit sourire gêné, elle avait senti fondre sa petite culpabilité d'être en retard. Que de bienveillance, elle a perçue dans ce regard! Elle doit valoir la peine, sa propre peine pour susciter ainsi la bienveillance de sa compagne. Lentement sa nostalgie de fin de journée disparaît au profit d'une paix d'être avec elle-même devant la soirée qui débute.

Le regard bienveillant rejoint l'autre dans les racines de son être et de son existence. Ce regard est dirigé vers la personne de l'autre beaucoup plus que vers ses caractéristiques et ses paraîtres. C'est un regard qui veut et qui cherche le bien de l'autre et par cette volonté et ce vouloir, il amène l'autre à se traiter lui-même avec bienveillance, à vouloir son propre bien — il le stimule à s'occuper de lui-même, à se donner de la vie.

Rôles et carapaces sont des obstacles particulièrement encombrants au fait que le regard bienveillant soit donné et reçu. Tout aussi important que puisse être un rôle comme langage et forme d'expression d'une personne, il n'en demeure pas moins que le rôle peut (et la plupart du temps y parvient) limiter la personne et la réduire à des dimensions superficielles d'elle-même. Le regard bienveillant n'est alors plus possible car il s'adresse fondamentalement à l'être et non pas aux rôles. Et si la personne qui est regardée se regarde à travers ses rôles et ses paraîtres, c'est également à travers ses rôles et ses paraîtres qu'elle percevra le regardant et ainsi elle ne pourra qu'annuler l'essentiel du pouvoir bienveillant du regard reçu. Lorsque

---

13. Évidemment, à cause de son pouvoir symbolique d'investissement, le regard (tout comme la parole d'ailleurs) peut aussi être porteur du contraire, i.e. d'un pouvoir d'anéantissement de l'autre — le pouvoir de le rejeter dans son être et de le réduire à plus ou moins rien quand le regard est réprobateur, désinvesti ou carrément absent.

le rôle enfouit et barricade la personne, celle-ci devient insensible au message de l'autre à moins que ce message ne s'adresse qu'au rôle.

Le rôle finit par filtrer les interactions et par les catégoriser de manière dichotomique en termes de pour ou contre sa structure (la structure du rôle). Par exemple, l'épouse qui ne se voit que comme épouse laisse pour compte la majeure partie du message qu'elle reçoit de son mari — de tout ce qu'elle reçoit de lui, elle ne retient que ce qui la confirme dans son rôle d'épouse; si le mari la confirme dans ses qualités de personne elle risque de n'y voir que l'avantage de son mari pour maintenir son rôle de mari, car elle ne peut retenir de lui que ce qui le confirme lui aussi dans son rôle de mari. L'échange devient très limitatif lorsque le rôle emprisonne les personnes — uniquement deux rôles et deux rôles pairés qui interagissent ensemble. Lorsqu'il enferme ainsi la personne, le rôle peut en effet comporter l'énorme désavantage d'installer le pairage et de bloquer l'autre en tant qu'autre. Les paires de rôles (patron-employé, époux-épouse, dominant-dominé, père-fils, etc.) possèdent une force associative très marquée (me voir comme employé me conduit à diviser le monde des autres entre patrons et employés). Ce pairage fréquent des rôles isole et enferme l'individu dans le fait qu'il est essentiellement un des membres du couple, ce qui l'amène obligatoirement à regarder l'autre comme le membre correspondant du même couple. L'autre perd ainsi ses qualités d'autre et de différent et sa possibilité de confirmer la personne par son unicité d'autre.

> André n'arrive pas à bien se vivre comme père de famille. Il a beau tout lire sur le nouveau père, sur l'art d'éduquer et chercher à changer ses attitudes mais il n'y a rien à faire, il est mal et toujours inquiet du jugement de ses fils. Ses fils ont beau lui témoigner leur appréciation et louer son courage de se lever tous les matins, de partir avec constance pour son travail, de lutter avec acharnement pour conserver son travail mais André continue à n'y voir que des manèges de fils dépendants — pour faire augmenter leurs pensions, pour obtenir des avantages matériels. André se vit complètement à l'intérieur de son rôle de père et peu importe ce qui peut exister à côté dans sa relation à ses fils, il ne le voit pas. Malheureusement, avec ça, André, l'homme — l'homme en dehors du père — ne respire plus.

Être trop conscient ou trop focalisé sur un de ses rôles entraîne nécessairement la personne à focaliser son attention sur l'autre rôle qui lui est pairé.

Les rôles peuvent facilement devenir une véritable cage à l'intérieur de laquelle la personne est automatiquement coupée d'elle-même, de l'autre en tant qu'autre et conséquemment de la possibilité d'être confirmée dans son unicité de personne par l'unicité d'une autre à travers son regard bienveillant. Reconnaître l'autre pour ce qu'il est dans sa totalité et son originalité, c'est s'offrir la chance d'être soi-même reconnu pour ce que nous sommes (unique, global et original) par et dans le regard de cet autre, et c'est aussi se garantir davantage de goût de vivre.

> Pierre en a connu des femmes — de tous les âges, de toutes les conditions, de tous les métiers — mais personne n'a réussi comme Louise à susciter son intérêt de vivre. Pour lui, Louise c'est tout: une amie, une compagne, une épouse, une maîtresse, une conseillère, une confidente etc. Il n'y a personne aux yeux de Pierre qui se compare à Louise. Tout ça, parce qu'un jour Louise a expliqué à Pierre qu'il était pour elle son *numéro un*, sa personne favorite.

Le goût de vivre venu du regard bienveillant du biophile est multiplicateur. Une fois que ce regard est devenu nôtre — non seulement parce que nous l'avons reçu mais parce que le recevant, nous sommes davantage devenus nous-mêmes — nous sommes plus capables de l'offrir à d'autres.

Un autre outil du biophile: son soin pour l'autre

Comme nous le disions précédemment[14], le biophile est porteur de goût de vivre fondamentalement parce qu'il aime la vie. Amateur de vie, il cherche la vie partout où elle se trouve, et comme rien n'est plus spécimen et expression de vie qu'un être humain, c'est automatiquement vers lui que prioritairement le biophile se tourne. À cet être humain porteur de vie par excellence le biophile s'intéresse donc tout particulièrement mais beaucoup plus, de lui il prend soin, il s'en préoccupe et s'en soucie.

> Martine est vraiment une femme bien en vie. Elle adore tout autant écouter les exploits de ses enfants en se gardant bien de briser leur spontanéité que de participer à un bon débat vigoureux avec ses collègues de l'école. Ce sont les gens qui l'intéressent — elle trouve cela extraordinaire l'humanité qui sort des êtres humains quand on les approche en les respectant. Elle tente toujours d'en stimuler plus sans bousculer — délicatement ou fermement avec un souci de leur fragilité et de leur autonomie. Elle contemple tout autant qu'elle cultive: qu'elle advienne l'humanité!

Prendre soin de l'autre repose donc sur la foi dans le précieux de son humanité et dans son besoin de solidarité: tout ce qui croît humainement requiert de l'amour et du soin.

Le biophile veut voir continuer la vie, c'est pourquoi il la protège et en prend soin — à l'intérieur comme à l'extérieur de l'être humain. Tout comme certains prennent délicatement soin de leurs fleurs pour qu'elles continuent à vivre et qu'elles s'épanouissent, le biophile tout naturellement prend soin de l'être humain. Pour que les humains s'épanouissent et continuent la vie, il en prend soin. C'est la vie chez l'autre qui suscite en lui ce soin. C'est le souci pour la vie qui le guide quotidiennement.

Prendre soin de la vie de l'autre, s'en soucier particulièrement, est une attitude fondamentale sur laquelle reposent plusieurs autres qui enrichissent les relations humaines: l'empathie, la charité, l'amour ou l'amitié. Plus que de beaux principes, ces attitudes commandent le respect et le soin pour l'autre, pour la vie en lui et pour sa nature de vivant[15]. Ce soin pour l'autre implique une capacité d'identification à l'autre, d'empathie, c'est-à-dire être capable de se mettre à la place de l'autre et de reconnaître et d'être attentif à tout ce qui constitue sa nature de vivant: sa différence, ses besoins, sa solitude, sa liberté, ses limites, sa responsabilité et inévitablement,

14. Voir p. 274.
15. Ce soin pour l'autre ne fait évidemment pas abstraction de l'affirmation de nous-mêmes, de l'agressivité (voir chap. 7: L'énergie vitale) qu'aussi nous ressentons envers l'autre par exemple lorsqu'il nous refuse notre propre différence, notre espace vital ou la poursuite de notre propre vie. Que serait le soin pour l'autre sans reconnaître l'inévitable ambivalence?

sa finitude — la même que la nôtre autrement dit. Reconnaître et permettre ainsi à l'autre différent la même réalité vivante que la nôtre sont difficiles mais prendre soin de l'autre, de la vie en lui, différent de nous, l'est aussi.

> Lorsque Pierre est fatigué et irrité après ces rencontres frustrantes avec ses collègues, il doit vraiment faire un effort pour s'installer dans une attitude positive. «Et puis après» se dit-il, «c'est pas si grave que ça: les autres ont droit à leur opinion. Quand j'y pense vraiment, c'est du bien bon monde! Leurs idées sont différentes mais ils les soutiennent avec tellement de passion que ça donne un beau spectacle quand je les affronte avec les miennes.» Pierre sait très bien que ses collègues autant que lui sont pris dans leur réputation d'intellectuel à soutenir, qu'ils cherchent autant que lui «à être quelqu'un» — il sourit de leurs différences. Puis là, il réalise que sa fatigue et son irritation sont disparues.

Le biophile, tout comme Pierre, se réconcilie avec les différences de l'autre puisqu'il s'en nourrit tout autant qu'il s'appuie sur sa solidarité avec lui dans la même nature de vivant participant à la même finitude.

Si le soin pour l'autre est fondamentalement un soin pour la vie, pour la continuité de la vie, toute menace à la vie et à sa continuité (de quelle que nature qu'elle soit: psychologique ou physique) éveille d'autant (d'égal à égal) le désir d'en prendre soin. La vie peut être menacée de bien des manières mais en ce qui concerne celle de l'être humain, elle est menacée par la nature même de son plus grand porteur: l'être humain est psychologiquement vulnérable; l'être humain est mortel[16].

Malgré ses forces, ses qualités et ses ressources ou plutôt justement à cause de son haut degré de complexité de vie, l'humain demeure un spécimen de vie très vulnérable, et donc tout à fait susceptible de souffrance, de misères, de maladies, et donc tout à fait obligatoirement de mort. En plus d'être vulnérable, l'humain est conscient de l'être; en plus de mourir, il est conscient qu'il va mourir. Cette conscience douloureuse mais inévitable ajoute à la qualité du soin dont il a besoin pour lui-même mais aussi, à la qualité du soin dont il est capable pour l'autre. Plus il est vulnérable, plus l'autre en prend soin; plus il est vulnérable mais en est conscient, plus il est capable de prendre soin de l'autre.

> Philippe éprouve beaucoup de tristesse lorsqu'il pense à ses parents décédés. Il les aimait tellement et aujourd'hui, il ne sont plus là! Même s'il s'est toujours occupé d'eux, il se demande aujourd'hui s'il en a fait assez. N'aurait-il pas dû dépasser plus souvent les oppositions qu'ils portaient à son style de vie pour leur apporter tendresse et amour? Peut-être qu'il peut se reprendre aujourd'hui avec ses propres enfants: un peu plus de tendresse, un peu plus d'affection parce qu'un jour il ne sera plus là pour leur en donner.

Ainsi, notre souci pour l'autre et notre désir d'en prendre soin reposent sur la reconnaissance de sa nature d'humain. L'autre n'est pas une chose, un objet qui nous sert — il est sujet d'existence et de vie, avec ses soucis et ses misères. Ce sont sa conscience et sa fragilité qui le rendent sujet d'existence.

---

16. Ces deux dernières conditions indéniablement humaines font évidemment que le soin pour la vie et le vivant que nous portons à la personne, à l'humain, dépasse celui que nous pouvons ressentir et porter à tous les autres vivants. À plus haut degré de vitalité correspondent plus haut degré de vulnérabilité et plus haut degré de soin sans quoi la continuité de la vie ne peut pas être assurée.

En plus de reposer sur les caractéristiques de l'autre (ses qualités de vivant et de sujet, sa vulnérabilité particulière, sa conscience) le soin pour l'autre se nourrit de la solidarité fondamentale — le sentiment profond d'être de la même humanité. Nous nous reconnaissons comme humain dans l'autre. Le soin que nous avons pour lui, c'est d'une certaine manière à nous-mêmes que nous le portons.

LES MURS DE L'INDIFFÉRENCE

La personne érige trop souvent des obstacles ou des barrières devant l'influence et toute la richesse qu'elle pourrait tirer de l'interaction avec l'autre, particulièrement avec le biophile. Certains de ces obstacles ont plus de force et de subtilité que d'autres — ce sont les murs de l'indifférence à l'influence du biophile. Parmi eux, la tendance à préserver à tout prix son statut se distingue particulièrement en ce qui concerne son pouvoir d'empêcher la rencontre entre deux personnes.

La sur-conscience du statut; un statut qui se protège

Pour profondément ressentir toute la densité de l'effet positif des autres personnes sur notre goût de vivre, il suffit de s'arrêter juste un instant pour se rappeler les moments de chaude présence que nous avons connus ici et là dans notre vie avec notre famille ou nos amis — ces moments de fraternité et de solidarité desquels chacun ressortait renforcé et encore plus stimulé à vivre et à continuer le quotidien. Chacun était lui-même, sans bravade ni artifice pour impressionner sachant bien que son contentement était lié à son authenticité et à sa vérité. Personne n'attendait rien d'autre de lui que sa présence vraie et authentique. Ces bains de chaleur humaine, trop vite oubliés pour reprendre les rôles et les carapaces du quotidien, habitent la mémoire de chacun de nous — des souvenirs d'interactions si généreuses, pleines et abondantes de vie que nous évoquons avec tant de plaisir et que nous gardons toujours disponibles dans le présent et pour l'avenir.

Pensez maintenant à tous ces autres moments où tout ce qui vous préoccupait était de préserver votre statut — une réunion entre collègues, un contrat à obtenir, un examen oral à passer, une personne à séduire, à qui vous voulez absolument plaire, de qui vous voulez absolument être reconnu... Que ressentez-vous? Etes-vous spontané? vous-mêmes? authentique? Sentez-vous que vous prenez tout le bon possible de cette interaction? Probablement que le simple fait d'être prioritairement préoccupé de *votre statut* crée un obstacle majeur entre vous et la reviviscence possible de la rencontre. Dans une interaction, vouloir protéger son statut coupe la personne de l'influence positive de l'autre — il lui fait obstacle.

En avançant dans la vie, la personne construit et acquiert graduellement un statut, une forme de reconnaissance devant les autres, qui à force de répétition et de confirmation devient tellement lié à la perception que la personne se fait d'elle-même qu'elle s'y confond. En d'autres mots, le statut devient presque la personne elle-même — son identité[17]. Le statut peut effectivement prendre tellement d'importance que chacune de ses éventuelles remises en question peut faci-

---

17. Le statut se mêle à l'identité, il en fait partie, mais il n'est pas l'identité elle-même. Il est comme un masque spontané de l'identité qui elle, est plus globale et implique toute la personne intérieure et subjective.

lement être vécue comme une attaque profonde à toute l'identité ce qui équivaut à une sorte de mort personnelle.

Gilles est en petits morceaux et marmonne dans sa tête cette phrase que lui a lancé Diane: «Tu es un salaud!» Il n'arrive plus à dormir, n'arrive plus à se concentrer, à travailler. Sans cesse, cette phrase le harcèle: «tu es un salaud... tu es un salaud!» Comment est-ce possible? Lui qui a toujours tout fait pour Diane. Comment est-ce possible? Lui qui se voyait comme le chevalier de ces dames, le nouvel homme tendre et extraordinaire! Gilles est défait, détruit; il n'existe plus.

Pour éviter cette mise à mort intérieure, la personne devient hyperconsciente de son statut et elle cherche sans cesse à le préserver. Ainsi elle en arrive à tellement vouloir protéger et défendre son statut que toute rencontre et toute situation qu'elle vit sont évaluées en fonction de la place qu'y occupe, ou pas, son statut. Alors, toutes les situations qui comporteront le risque de voir le statut attaqué seront ou bien évitées ou bien refusées. Il est étonnant de constater combien cette sensibilité au statut ne connaît ni âge ni *statut* réel — tout être humain, peu importe son âge et son statut réel, peut se couper la vie simplement parce qu'il se soucie trop de protéger son statut.

Jacques se souvient avec nostalgie des belles rencontres familiales. Le rire, la taquinerie et la fraternité qu'il y trouvait le réchauffaient pour des semaines à venir. Mais aujourd'hui, il n'ose plus fréquenter sa famille. Plusieurs incidents lui ont fait perdre la sécurité en son statut et une rencontre familiale risquerait de lui faire ressentir son malaise et sa misère. On le questionnerait sûrement sur sa vie, sur ce qu'il advient de lui, et la honte de n'être pas à la hauteur de son statut l'étoufferait. Pourtant, il sait bien qu'il prendrait encore beaucoup de vitalité de ces rencontres si seulement il pouvait se débarrasser de ce souci envahissant de protéger son statut. Comment arriver à s'en libérer? Comment retrouver la fraîcheur d'être lui-même dans les différentes situations? Comment se décarapacer de tous les artifices de sa vie pour plonger dans l'abondance de la vie?

C'est évidemment surprenant qu'une personne tout équipée pour goûter à la vie, pour se réchauffer des rencontres interpersonnelles, pour se stimuler de découvertes et de connaissances, en arrive à s'édifier des défenses aussi fortes contre la fraîcheur de vivre simplement pour protéger son statut. Il faut donc que ce statut ait profondément pénétré la personne, se soit graduellement et insidieusement enraciné en elle pour qu'elle en vienne à s'y tenir et à y loger la totalité de sa personne, pour qu'elle en vienne aussi à considérer conséquemment que le simple fait de lui extirper son statut équivaut à l'évidement de toute sa personne — comme le déracinement d'un arbre ne laisse derrière lui qu'un trou béant. Quel pouvoir a-t-on accordé à ce statut pour finir par en faire un monstre qui étouffe la personne et son goût de vivre? Quels avantages le statut accorde-t-il pour que la personne cherche à le protéger au point de se priver elle-même de la vie qui l'entoure? À première vue, il semble bien qu'aucun être humain ne mérite un tel sort. Aucun être vivant ne devrait se bloquer lui-même, contre sa propre nature de vivant, du contact avec la vie; aucun être vivant ne devrait bloquer son élan spontané de vivre pour s'étouffer lui-même à l'intérieur de ce corset infâme qu'est le statut. Pourtant, l'évidence est là: le souci du *statut* a tué la vie de bien des vivants.

Les vacances approchent et Paule pense à ce qu'elle en fera. Il y a la mer et ses beaux souvenirs qui l'attirent mais qui y sera-t-elle? Elle aura l'air de quoi en costume de bain sur la plage alors qu'elle a pris du poids depuis quelques années; de plus, elle sera gênée de s'informer auprès des étrangers des milles détails de la vie dans un pays qui n'est pas le sien; toutes les inquiétudes qui l'assaillent sur les horaires et sur ses déplacements. Finalement, tout compte fait elle n'ira pas à la mer. Elle passera ses vacances dans son petit appartement à suffoquer des chaleurs de juillet plutôt que d'avoir «l'air folle» à la mer.

Dans ce jeu de l'étouffement de la vitalité de la personne par le statut, c'est le plus souvent la référence à l'autre et la sur-conscience du regard des autres sur soi qui prennent le dessus. C'est effectivement en fonction des autres réels ou imaginés que la personne veut et tient tant à protéger son statut — en fonction des autres, de ce qu'elle en perçoit et de ce qu'elle veut ou pas en recevoir. Si elle pouvait vivre dans un univers aseptisé de l'autre, elle n'aurait sans doute pas toute cette misère à se mesurer à ce qu'elle paraît à leurs yeux. L'autre ainsi, c'est-à-dire l'autre vécu comme gardien et évaluateur du statut, c'est bien entendu l'enfer — «l'enfer, c'est les autres» nous répéterait sans doute Sartre (1947, p. 182).

Mais comment l'évaluation réelle ou présumée des autres en vient-elle à prendre tant de pouvoir — un pouvoir assez grand pour éteindre ce que spontanément tout être vivant, toute personne, désire? Il y a le manque d'humilité vraie (les tentacules de l'orgueil) qui a réussi à installer le statut et qui continue à réussir à le conserver qui explique l'importance démesurée accordée à l'appréciation par les autres. Mais lui-même repose sur un désir plus profond qui est de se sentir quelqu'un devant les autres (et à ses propres yeux) et le doute sans cesse renouvelé quant au fait d'y être assurément parvenu qui (les deux ensemble) placent la personne dans cette quête sans fin — celle d'être confirmée dans un statut à défaut d'être confirmée et acceptée plus profondément dans ce qu'elle est.

La personne tient à son statut plus qu'à elle-même et elle s'en enorgueillit parce qu'elle pense que c'est ce statut qui, contrairement à ce qu'elle est, lui a permis de se sentir quelqu'un, d'avoir une place, un droit d'exister. Pourtant, chacun sait en son for intérieur qu'il n'est pas autrement que ce qu'il est. Le statut nourrit l'orgueil et participe à l'illusion — celle de se sentir quelqu'un dans le paraître mais de continuer à en douter au fond de soi-même.

Serge a des allures de grand penseur: il s'arrange pour être toujours un peu en retard à ses rencontres; il prend un air soucieux, mâchonne le bout de ses lunettes et fait des déclarations d'oracle. Et cela n'a jamais de cesse... c'est toujours à recommencer parce qu'au fond de lui-même, il se demande vraiment s'il sait vraiment penser par lui-même.

L'orgueil veut faire paraître autrement ce qui est; détourner et mentir la réalité personnelle pour la camoufler derrière un paraître, un statut — que ce paraître soit le corps, l'argent, la santé, les ressources ou peu importe.

Notons que la *fierté* et le contentement de soi-même (de ce que nous sommes, de ce que nous avons) ne sont pas de l'orgueil. La fierté est liée à l'être, à l'authenticité et à la vitalité tandis que l'orgueil l'est au paraître, à l'inauthenticité et au statut. La fierté, c'est tout simplement de la vitalité même si certaines personnes peuvent s'en offusquer et nous la retourner comme de l'orgueil. Vivre de cette vitalité d'être et d'avoir est une affirmation de soi qui peut être considérée par certains comme un affront. Évidemment, être fier, c'est un peu plus que d'avoir ou d'être — que de posséder une qualité ou une ressource; c'est réfléchir et revenir sur cette qualité ou cette ressource — en prendre conscience et peut-être même exprimer avec satisfaction notre sentiment d'appartenance. Cette qualité ou cette ressource nous appartient. Ainsi être fier — c'est posséder, ou avoir; c'est aussi prendre conscience de cet avoir — et ainsi éprouver un *plaisir particulier* de cette conscience, de la connaissance de cette appartenance. Par ce plaisir qui émane de la conscience, le sentiment d'appartenance augmente — comme si la personne possédait encore plus du fait d'en prendre conscience et d'en éprouver du plaisir. La fierté élargit la personne.

Le non-contentement de soi; vouloir plaire à tout prix

L'interaction humaine est donc source de grandes richesses à condition de ne pas lui faire obstacle. Et un autre des principaux obstacles au plaisir tiré de la relation humaine réside dans le sentiment de non-contentement de soi. Celui qui n'est pas content de lui-même craint et fuit les autres; il évite leurs contacts, ou à tout le moins, les limite au strict minimum.

> Insatisfait de lui-même, Paul n'arrive pas à être bien avec les gens. Il ne se sent pas à la hauteur. Devant les autres, il devient sur-conscient de toutes ses petitesses, de tous ses défauts et de toutes ses misères. Tout ce qu'il est, il l'évalue négativement et la présence de l'autre, même silencieuse, active cette évaluation. Il voudrait bien s'en sortir. Il voudrait bien reprendre sa place et échanger avec les autres comme il le faisait avant lorsqu'il était content de lui-même — mais il n'y a rien à faire. Chaque occasion de rencontre le défait et l'épuise, tellement il est envahi par l'anxiété.

Comment peut-on comprendre le phénomène du non-contentement de soi quand la réalité objective de ce que nous sommes, simplement comme être vivant, est si vaste, si pleine de passé, de présent, de futur, de possibilités, de vitalité et de potentiel? En fait, ce qui est difficile à comprendre c'est comment une personne, qui de par sa nature même comme être humain est un ensemble de richesses, n'arrive pas à être contente de ce qu'elle est — quels que soient ses problèmes ou ses difficultés. N'est pas content de lui-même la plupart du temps celui qui veut être un autre, qui ne se contente pas de ce qu'il est parce qu'il veut être plus, meilleur, plus proche de l'idéal. En partie, il refuse sa condition d'humain — celle d'être limité: plein de manques, d'imperfections, de faiblesses, de vulnérabilités... Il n'accepte pas d'être lui-même parce que d'être lui-même, c'est pour lui ne pas être assez — jamais assez, jamais à la hauteur, jamais satisfait, jamais content de ce qu'il est. Le non-contentement de soi fait vivre de la honte. La honte est cette émotion qui nous conduit à ne pas nous montrer, à ne pas paraître — comme si nous n'étions pas prêts pour être montrés.

La personne veut être idéale pour être aimé, pour plaire, et elle veut plaire à l'autre, ultimement, pour qu'il ne soit pas agressif ou rejetant envers elle. Plaire pour garder l'autre, pour le garder aimant et bien disposé. Plaire pour éviter les conflits, pour se protéger, s'immuniser contre la colère et l'hostilité de l'autre et au bout du compte, contre l'isolement. Pour cela, la personne est effectivement prête à beaucoup (et souvent à trop) comme sacrifier sa liberté d'être, son authenticité, sa vérité. Elle sacrifie malheureusement en même temps la véritable rencontre avec l'autre source de goût de vivre.

Paul se sent tout croche. Il n'arrive pas à s'assurer que Sylvie ne lui en veut pas —
qu'elle est contente de lui. Il est incapable de partir travailler, tout tiraillé envers elle.
Il est prêt à arriver en retard, perdre du salaire plutôt que de prendre l'hostilité de Sylvie.
Tout ce qu'il veut c'est qu'elle ne le rejette pas, qu'elle lui sourit et qu'elle lui dise qu'il
est bien correct. Et Sylvie refuse. Elle garde sa mauvaise humeur et Paul, sa misère.

Plaire aux autres peut facilement devenir un mode de vie, une manière d'être,
une façon de se présenter et d'entrer en relation. Plaire peut alors représenter
l'essentiel de ce qui caractérise et de ce qui explique l'ensemble de nos relations
avec les autres. Conséquemment, peu importe d'en être conscient ou de lui adresser
reproches et jugements, il devient bien difficile de se défaire de ce désir de plaire
— nous avons l'impression qu'il fait tellement partie de nous.

Peu importe alors si vouloir plaire à tout prix risque d'emprisonner nos vies[18],
de sacrifier la richesse de vitalité que nous pourrions prendre de l'interaction saine
avec les autres, de nous couper de la satisfaction d'être avec nous-mêmes pour nous
traîner et drainer nos énergies dans une incertitude toujours renouvelée: plaisons-
nous? avons-nous plu à l'autre? en avons-nous assez fait pour lui? est-il en colère
contre nous? — peu importe et malgré tout, nous continuons à vouloir plaire. La
colère et l'hostilité de l'autre sont-elles à ce point dérangeantes que nous devions
nous acharner sans cesse à plaire, même au prix de nous-mêmes, pour les éviter,
nous protéger contre elles?

Quand l'«ennemi» vient de l'intérieur...

Comment expliquer que nous ne pouvons pas accepter et prendre le risque de
faire face à la colère, à l'hostilité et à l'agressivité (réelles ou imaginées) d'une
autre personne? Comment comprendre que nous nous sentons incapables de les
accepter, de les affronter et même de les confronter? Comment expliquer notre
incapacité totale ou partielle à distinguer l'hostilité d'une simple affirmation, d'un
simple désaccord entre deux points de vue différents, de l'absence de similitude
des intérêts? Comment comprendre notre insistance à vouloir l'accord, la similitude, la ressemblance ou le pareil et cela au point de dénaturer notre vérité?
Évidemment plusieurs questions se posent mais la réponse se résume essentiellement à une chose, c'est l'intériorisation de l'autre en nous. L'intériorisation de
l'autre, comme nous le soulignions précédemment, ce n'est pas l'autre réel, séparé
et différent de nous à qui nous cherchons à plaire dans la réalité extérieure — c'est
l'autre symbolique, c'est-à-dire celui qui est à l'intérieur de nous et que certains
appellent la conscience, ou le surmoi[19]. C'est l'autre comme partie de nous-mêmes,
l'autre intérieur qui juge et qui évalue — qui nous juge et nous évalue. C'est aussi

18. Le désir de plaire n'est pas toujours destructeur de la personne. Il est vrai que chercher
     à plaire à tout prix ou encore que la vie d'une personne se résume à plaire sans qu'elle
     existe elle-même pour elle-même est une horreur et une souffrance permanente. Toute-
     fois, pour permettre que la relation humaine soit harmonieuse, cela implique (jusqu'à
     un certain degré, tout en respectant son authenticité) une certaine séduction de l'autre,
     l'amener à soi (*se*: soi, *ducere*: conduire) à savoir identifier ce qui lui fait plaisir et
     l'exercer, l'actualiser pour le bien-être d'une bonne relation et conséquemment pour le
     plaisir de la personne qui plaît.

19. Et que nous avons nommé et expliqué comme l'autre-en-nous.

cette partie de nous-mêmes que nous cherchons à calmer et à taire pour éviter les auto-reproches, le blâme, pour lui enlever sa colère sachant très bien qu'autrement elle peut vite devenir d'une implacabilité, d'un primitif et d'une destructivité qui poussés à leur extrême limite risquent de nous détruire entièrement ou dans ce que nous pensons de nous-mêmes.

En réalité c'est notre propre conscience, notre propre surmoi, que nous tentons d'amadouer en désirant plaire aux autres. Ressentir une différence ou un désaccord avec cet autre en nous — c'est se sentir profondément divisé, déchiré et surtout, réaliser qu'au plus intime de nous-mêmes (à la source de nos émotions, de nos idées, de notre vie intérieure) réside un *ennemi*. Qui peut accepter qu'au plus intime de lui-même — pendant son sommeil comme son état de veille et la plupart de ses activités — loge un ennemi hargneux, blâmant et si puissant qu'il peut conduire à l'auto-destruction et parfois, à la mort?

> Depuis quelque temps, aussitôt qu'elle entend dire qu'une femme est belle, Louise sent monter en elle des pulsions primitives comme une envie de se blesser, de se lacérer les seins et de se taillader le visage. Elle n'est pas aussi belle qu'elle voudrait l'être — elle n'est pas à la hauteur de son idéal. Pourtant Paul, son amoureux, l'adore et n'a de cesse de louanger sa beauté. Louise le sait bien. Ce n'est pas Paul son problème, c'est de réussir à déloger le juge en poste dans son cœur, celui qui la ridiculise sans cesse de ne pas être aussi belle que la plus belle des femmes. Elle doit donc entendre sans cesse qu'elle est la plus belle et pour cela elle doit tout faire pour être la seule à plaire par sa beauté sinon elle doit se détruire.

En somme, vouloir plaire à tout prix aux personnes réelles que nous rencontrons quotidiennement c'est vouloir plaire à l'autre en nous, et lui plaire suffisamment, répondre suffisamment à ses critères pour éviter qu'il nous assaille — c'est en quelque sorte se garder la conscience tranquille. Toute personne réelle, à l'extérieur de nous, est susceptible de représenter cet autre intérieur évaluateur et parfois ennemi; déplaire à la première c'est risquer la condamnation par le second, par notre surmoi, finalement par nous-mêmes.

La peur de perdre

Nous pouvons peut-être mieux comprendre maintenant la motivation derrière l'acharnement au désir de plaire aux autres vécus comme des représentants symboliques de l'autre-en-nous — mais, pouvons-nous vraiment l'accepter et nous y soumettre? Sommes-nous condamnés à toujours vivre sous l'emprise de ce désir? Sommes-nous éternellement ses esclaves? Pouvons-nous nous en libérer? Est-il possible de se défaire de l'autre-en-nous, de son pouvoir et de le museler ou de l'extirper de notre intimité pour qu'il cesse de s'allier avec les autres autour de nous — tous ceux et toutes celles qui sont en désaccord avec nous et qui peuvent plus ou moins consciemment sentir leur éventuel pouvoir d'éveil de notre surmoi?

Pour ramener l'influence de l'autre-en-nous à des proportions raisonnables, c'est-à-dire pour que notre conscience soit vraiment au service de notre croissance et de notre développement et conséquemment perdre l'attitude de *vouloir plaire* aux autres comme caractéristique première de nos relations interpersonnelles; pour tout cela, il faut effectuer deux virages intérieurs importants: faire le deuil de ce pourquoi nous avons laissé s'élaborer ce surmoi primitif que les autres représentent;

se consacrer à notre authenticité, à notre vérité, à savoir montrer et exprimer ce que nous sommes vraiment. En d'autres mots, c'est effectuer le deuil des avantages à plaire et c'est parallèlement se convertir à soi-même.

Mais de quoi s'agit-il au juste? Qu'est-ce que ça veut dire *faire le deuil*? De laisser aller? D'abandonner? Mais quoi? Quelle personne? Quel avantage? Quel acquis? Quelles personnes et quels biens sont devenus à ce point importants pour que nous leur accordions tant de pouvoir? Faire le deuil, c'est tout simplement accepter de perdre. Accepter de perdre, à la limite, tout ce que nous avons trouvé, et trouvons toujours, important.

Au départ, c'est l'approbation, l'affection et l'amour de nos parents que nous ne voulions surtout pas perdre mais garder. Cet amour et cette affection étaient nécessaires alors puisqu'ils garantissaient la réponse à nos besoins d'enfant, donc notre survie comme individu[20]. Pour nous assurer de ne pas perdre leur amour, nous nous sommes à ce moment-là soumis à leurs attentes, à leurs désirs, et nous avons intégré leurs interdits. Une fois cette intégration effectuée, c'est le surmoi qui depuis se charge de nous les rappeler. Enfant, chaque occasion de déroger à la volonté parentale nous plaçait effectivement devant la menace de perdre leur approbation, leur soutien, leur amour — ce qui risquait alors de nous condamner à un isolement impensable pour un enfant; adulte, chaque occasion de déroger à la volonté de l'autre, à l'extérieur ou à l'intérieur de nous, nous place devant la menace de perdre l'approbation du surmoi, c'est-à-dire de perdre le sentiment primordial d'être correct à nos propres yeux — ce qui risque de déclencher le sentiment de ne pas mériter ce que nous avons et alors le danger de le perdre.

> Une des étudiantes de Pierre remet en question son encadrement. Un comité est formé pour évaluer ses rapports avec les étudiants mais même avant que le comité remette son rapport, Pierre est mal à l'aise. Il a beau réaliser qu'il s'agit d'une seule étudiante, que les autres semblent apprécier son travail, qu'il fait tout son possible et qu'il a toujours eu de bonnes relations avec ses étudiants, il n'en demeure pas moins qu'il est bouleversé par l'existence de ce comité. Il n'arrive plus à enseigner avec facilité — il se surveille constamment. Il a perdu lui-même à ses propres yeux, son sentiment d'être correct et il a peur même de perdre à jamais la considération des autres pour son enseignement.

Ainsi donc, si nous ne plaisons pas à l'autre nous avons peur de perdre, et cette peur finit par s'étendre à tout ce que nous avons, à tout ce qui compte, qui est investi, qui est important pour nous. Nous avons conséquemment peur de perdre nos amis, nos compagnes, l'affection des autres, leur reconnaissance, notre réputation, nos acquis, nos biens... La peur de perdre prend les largeurs de ce que nous avons et les frontières de ce que nous sommes.

La peur de perdre nourrit la peur de déplaire et la peur de déplaire nourrit la peur des autres. L'autre n'est plus vécu comme un autre à découvrir et à rencontrer avec plaisir mais comme une occasion de déplaire et de tout ce qui s'en suit. La peur des autres est une peur bien précise. Celui qui la ressent sait de quoi il parle — il pourrait nous la décrire dans les moindres détails. Il pourrait nous parler de

---

20. N'en déplaise à l'amour-propre des parents, l'enfant désire surtout se protéger lui-même en cherchant l'affection des parents. Son obéissance et ses gestes d'apaisement ne sont pas au départ un hommage à la qualité des parents mais une tentative de s'assurer des réponses à ses besoins de nourriture, de chaleur, de protection et bien d'autres.

l'emprise de cette peur, des inquiétudes et des doutes qu'elle suscite, des paralysies de l'être et du mal à vivre aussi. Il pourrait nous raconter toutes les misères et tous les tiraillements qu'éveille en lui chacune de ses rencontres avec les autres — l'autre qui, parce qu'il est autre et donc différent, devient source d'anxiété, de tension et parfois même de terreur et de panique.

> Louis a besoin de plaire à tout prix. Il ne peut tolérer de déplaire à ses amis. Lorsqu'il leur parle, il a toujours une partie de sa conscience qui mesure ses paroles à son souci de plaire. Plaît-il? Est-il aimé? Le considère-t-on? S'il cesse de plaire, il disparaît. Il n'est plus — comme si d'un coup il meurt. Quelle souffrance! Ses journées, du matin au soir, sont remplies de cette inquiétude de plaire — et de sa crainte de disparaître s'il ne plaît pas. Il en arrive à être figé dans ses gestes et ses mouvements, à questionner avant, pendant et après chacune de ses conversations: il n'est plus une personne, il est devenu un souci de plaire, une peur des autres.

Mais à travers tout cela, il pourrait bien finalement nous parler de l'absence d'interaction vraie avec les autres puisque, au fond, c'est de cela qu'il s'agit. Si nous ne nous nourrissons pas de la rencontre avec les autres, nous avons peur. Quelqu'un ne peut toutefois pas se nourrir de la relation à l'autre, s'il n'a pas auparavant développé une relation à soi, une sorte de complicité avec lui-même — s'il n'est pas devenu, entre temps, son propre ami.

BRISER LES MURS DE L'INDIFFÉRENCE

Devenir son propre ami permet de défaire les obstacles à la véritable relation à l'autre mais bien plus, c'est une attitude qui d'elle-même suscite du goût de vivre.

Devenir son propre ami

Nous sommes probablement en droit de nous attendre à ce que tout être humain soit spontanément son propre ami; que toute personne ressente pour elle-même une amitié chaude et intime. Pourtant, la plupart du temps et pour diverses raisons[21], l'être humain est plus automatiquement porté à s'acharner férocement sur lui-même, à se blâmer pour tout et pour rien, à se reprocher sans cesse ce qu'il est et à la limite, à s'auto-détruire. Phénomène étrange qui s'explique cependant par le rapport à l'idéal — l'idéal, dont le propre est d'être démesuré et donc en soi impossible à atteindre — que nous entretenons comme critère d'évaluation dans la conscience que nous avons de nous-mêmes. Et pourtant, si de la course à l'idéal nous passions à la pleine conscience et à l'acceptation de nos limites (si de l'orgueil nous passions à la véritable humilité), ce qui constitue parfois une forme de haine envers soi-même pourrait devenir un amour de soi — l'amour de ce que nous sommes, ni plus ni moins. Au bout du compte, c'est évidemment la personne elle-même qui en ressort gagnante car son goût de vivre se multiplie d'autant. Celui qui s'aime profondément à l'intérieur de ses frontières et de ses limites bénéficie d'une quantité étonnante d'énergie qu'il peut mobiliser pour sa continuité. S'il s'aime, il désire continuer; s'il s'aime, il recherche les meilleures conditions possible à son état de vivant pour s'assurer de sa continuité.

---

21. Voir plus loin p. 302.

Être positif envers soi-même: s'aimer, s'accepter mais s'assumer aussi

S'accepter, s'aimer, devenir son ami se rattachent en réalité à une seule et même attitude, celle d'être positif envers soi-même, c'est-à-dire de s'accorder de l'estime et de la considération. Chacun connaît l'immense bénéfice qu'il peut tirer d'une telle attitude puisque dans sa propre expérience de vie chacun a un jour ou l'autre ou à un moment ou à un autre éprouvé la plénitude et la vitalité associées au fait d'être en amitié avec lui-même.

Louis-Georges ne s'aime pas. Il se reproche sa vie, ses choix et ses attitudes. Il se promène dans la vie avec un petit air triste, sollicitant la pitié pour ce qu'il est. Un jour il s'est arrêté suffisamment longtemps sur lui-même pour se rendre compte de la manière négative avec laquelle il se traitait et à partir de là un lent changement s'est amorcé: «Qu'est-ce que cette antipathie envers moi? Pourquoi tout ce blâme sur tellement de facettes de ma vie? Quel crime monstrueux ai-je commis pour m'en vouloir à ce point?» Il s'écoutait se questionner et les réponses qui lui arrivaient n'apportaient aucune explication satisfaisante: «Tu n'as pas terminé ce que tu as entrepris! Tu as des problèmes avec tes amis, avec tes supérieurs, avec tout le monde! Tu es croche dans tout ce que tu fais et que tu choisis.» Ces réponses ne faisaient que maintenir le sentiment négatif. Puis, au bout d'un certain moment, la vraie réponse est venue: «C'est parce que tu ne t'aimes pas que tout cela arrive et que tu ne te donnes pas la vie que tu veux. Si malgré tout ce que tu dis de toi, si avant que tous ces reproches s'abattent sur toi, si à la source de toi-même tu t'aimais, tu serais ton ami. Tu t'aimerais toi-même comme tu aimes tes amis, c'est-à-dire malgré tous leurs défauts.» Louis-Georges a pleuré longtemps ce début d'amitié avec lui-même. Mais après, il a vite senti naître en lui un goût de mettre en forme tout un programme de vivre — de vivre bien et content. «M'apprécier, être en contact avec moi-même et goûter la vie avec un petit sourire intérieur. Savoir et connaître mes goûts et mes besoins. Être dégagé du regard des autres et être surtout regardant, sentant et vivant dans le contact avec l'autre. Prendre toutes les minutes de la vie sans gaspiller ce temps précieux de vivre les situations. Me faire confiance, me fier à moi pour savoir comment être, comment dire, comment faire. Écouter profondément la vie en moi — son impact sur moi et son pétillement en moi. Garder le souci de bien me vivre, sans carapace, sans honte, sans me fuir et sans fuir les autres. Risquer, aller vers les autres avec le soin approprié pour les contacter et pour prendre d'eux les facettes de la vie qu'ils peuvent offrir. Croire en moi, à mon inventivité, pour trouver des solutions, pour vivre des interactions. Faire avec harmonie et avec soin ce que j'ai à faire. M'aimer avec empathie, tendresse et délicatesse. Me permettre la fatigue, la paresse, l'imprécision, la brume. Ne pas me blâmer de mes petits coups ou de mes gaucheries. Être mon ami, vraiment mon ami, plutôt que d'attendre qu'un autre m'aime et s'occupe de moi, cela me permet d'espérer — cela m'ouvre vers l'avenir et vers le futur.»

Au cœur même du goût de vivre se retrouve comme point central et d'appui cette amitié envers soi-même, c'est-à-dire la satisfaction d'être soi-même ou l'amour pour ce que l'on est. Lorsque la personne peut compter sur cette amitié, s'appuyer sur elle, elle négocie la vie avec plus d'à-propos parce que plus en proportion de ce qu'elle est. Ressentir ce cœur d'être, cette amitié pour soi-même ouvre la personne à ses goûts. Elle veut accorder tout le temps et tout le bien possible à cette personne que maintenant elle affectionne et qu'elle estime: elle-même. La conversion à l'amour de soi amène la personne à prendre possession, responsabilité et appartenance de ses émotions — de ses émotions quelles qu'elles soient:

positives ou négatives, claires, stimulantes, vitalisantes ou mélangées, lourdes et anxiogènes. Elle assume ses actions même si parfois elles sont incomplètes et non-terminées. Elle accepte tout ce qu'elle voit d'elle-même, petitesses ou qualités, parce que fondamentalement elle s'accepte, et elle s'accepte, fondamentalement parce qu'elle s'aime[22].

> Chaque fois que Francine pense à ses difficultés, à ses défauts et à ses erreurs, elle sent monter en elle misère et anxiété. Elle détourne alors le regard d'elle-même. Elle voudrait s'arracher ce passé si lourd, déchirer d'elle-même ces souvenirs misérables. Puis lentement, elle a réalisé qu'elle ne pouvait pas se fuir ainsi — que ses petitesses et ses erreurs même si elle n'en était pas fière lui appartenaient; elle ne pouvait pas les faire disparaître en se cachant la tête dans le sable. Elle pouvait bien réaliser que tout ça originait d'elle — en prendre appartenance — mais elle ne pouvait pas se réconcilier avec ses lourdeurs si elle ne se comportait pas avec elle-même comme elle se comporte habituellement avec ses amis — avec empathie et affection. Ainsi, elle en est graduellement venue à comprendre que si elle s'acceptait, si elle avait de la sympathie pour elle-même, pour ses limites, elle en arriverait sûrement à se pardonner et à se vivre avec plus de sérénité.

Patience et solitude

Mais comment une personne en arrive-t-elle à s'accepter et à s'aimer suffisamment pour s'accorder le plus de vie possible? Évidemment, il n'y a pas de recette-miracle ni de technique particulière facile et rapide pour amener une personne à installer vis-à-vis elle-même une relation d'amour — à installer l'amour de soi plutôt que la haine et le reproche envers soi-même. Ce n'est que graduellement, très lentement qu'une personne arrive à s'installer dans une attitude positive envers elle-même et en autant qu'elle intègre en elle certaines attitudes fondamentales liées à sa condition existentielle.

Par exemple, à la base de tout ce que nous sommes, il y a une donnée existentielle inéluctable, à savoir que l'être humain est fondamentalement seul et séparé. Personne d'autre que nous-mêmes ne peut nous aimer comme nous, nous pouvons nous aimer. Personne ne peut nous remplacer dans cette tâche d'amour. Il est tout à fait illusoire de croire que nous pouvons espérer qu'un autre nous aime à notre place parce que s'aimer implique une connaissance de soi que nous sommes les seuls à posséder sur nous-mêmes.

La personne s'amène sans cesse à l'existence et elle est seule pour cela. Le toujours neuf d'existence, cette beauté d'actions et de mouvements, de réflexions et de pensées, d'imaginaire et de fantaisies, ces nuances émotives et ces variétés affectives, leurs détails et leurs ensembles... c'est *seule* que la personne les vit et *seule* la personne qui les vit peut vraiment les vivre et les apprécier. Les pensées d'une personne, ses faits et gestes comme ses émotions se reflètent dans le miroir de sa conscience; ils ne peuvent donc pas être célébrés autrement qu'intérieurement

---

22. Il ne s'agit pas ici de la complaisance à soi-même, souvent vaniteuse, de la personne qui se fige le regard sur elle-même et qui refuse de croître par l'interaction avec les autres. Il s'agit plutôt de l'amour profond de l'être que nous sommes (pas nécessairement le paraître), de cette affection saine pour ce moteur de vitalité, ce support du vivant que nous (comme tous les autres humains) sommes.

et autrement que par leur auteur, c'est-à-dire que par la personne elle-même. La condition existentielle d'être séparé, l'expérience de la solitude, sert autant à situer à l'intérieur de la personne la responsabilité de s'aimer qu'à lui fournir une situation, un espace intérieur propre (là où elle n'est pas distraite par les autres) pour contempler et pour estimer ce qu'elle observe, elle-même. Si seule avec elle-même la personne en arrive à être contente de ce qu'elle est, à s'apprécier et à s'aimer, elle établit ainsi en même temps une des assises les plus solides pour voir émerger son goût de vivre et de là, pour s'engager vers la découverte et vers l'ouverture à la vie.

> Andrée repasse dans sa tête toutes les émotions qu'elle vit depuis quelque temps: des joies intenses aux tristesses profondes, des hontes aux fiertés d'elle, des enthousiasmes aux haines. «Que de vitalité émotive!» se dit-elle. «Tellement d'émotions différentes dans une seule journée!» — au point qu'elle n'arriverait jamais à pouvoir toutes les exprimer. «Quelle belle machine émotive je suis!» continue-t-elle «et je suis seule pour les ressentir. Personne ne peut les ressentir à ma place, tout comme personne ne peut les goûter autant que je peux les goûter. J'ai hâte d'en vivre et d'en découvrir d'autres!»

S'accepter et s'aimer sont souvent entendus au début comme des mots vides, des mots creux ou des mots qui flottent à la surface de la personne sans jamais vraiment parvenir à la toucher et à la rejoindre. Patience. En d'autres temps et en d'autres circonstances s'aimer et s'accepter finissent par prendre leur véritable sens en atteignant l'émotif et le senti pour les faire bouger et alors amener la personne vers la pacification qu'apporte d'être simplement soi-même. À ce moment-là, ces mots rejoignent l'être — comme si l'existence même de la personne venait d'être acceptée et appréciée. Alors par cette profonde acceptation de soi-même, la personne découvre en elle-même un dynamisme nouveau qui la pousse à s'incarner davantage à travers ses gestes et ses comportements. Davantage présente dans ce qu'elle exprime d'elle-même la personne développe le goût de s'exprimer, et avec lui, son goût de vivre.

L'auto-regard affectueux: s'aimer soi-même comme son prochain

Le regard positif et amical posé sur soi par soi-même dépend de la capacité à laisser aller l'attente du regard de l'autre sur soi ou l'acceptation de soi par l'autre[23]. Tant que nous nous réduisons à n'être que l'attente de l'acceptation et de la considération par l'autre, nous restons impuissants à nous considérer nous-mêmes. C'est en cessant d'attendre des autres (de toute façon, nous sommes irrémédiablement seuls et séparés) que nous pouvons finalement parvenir à exprimer ce que nous sommes, ce que nous pensons et ressentons. Nous découvrons alors toute la richesse intérieure qui nous habite. Nous nous surprenons même de voir tout ce qui peut sortir spontanément de nous. Le regard porté sur nous-mêmes nous fait

---

23. Cela est bien paradoxal: c'est lorsque la personne est capable de se passer du regard et de l'acceptation de l'autre qu'elle est capable de les prendre et de s'en nourrir comme nous le soulignions précédemment (voir p. 287). En d'autres mots, lorsque nous sommes capables d'être seul, nous le sommes d'être en relation — en relation saine et égalitaire entre nos deux différences, deux personnes séparées, qui se nourrissent l'une l'autre.

---

conscientiser que nous valons la peine — que nous méritons de nous accorder de la considération.

Entre le regard d'affection porté sur soi-même et le regard sollicitant porté sur l'autre en vue d'obtenir son amour, existe une position d'équilibre très difficile à atteindre — et la plupart du temps, le déséquilibre s'effectue au détriment du regard affectueux posé sur soi. Plus la personne pose son regard sur l'autre pour solliciter et obtenir son affection et sa tendresse, plus elle se coupe et se détourne d'elle-même. Attendant le regard affectueux de l'autre, elle ne se le donne pas à elle-même, et comme elle ne peut l'obtenir autant qu'elle le voudrait et au moment où elle le voudrait, à la longue, le regard sollicitant posé sur l'autre entraîne une sorte d'évidage de la personne qui, conséquemment, se vit comme si elle n'était qu'un creux, qu'un vide en attente d'être rempli. Mais retournée sur elle-même, convertie à elle-même, la personne peut orienter son regard sur ce qu'elle est et y mettre ainsi toute l'affection et toute la douceur dont elle a besoin pour accorder toute la sympathie et la chaleur à la personne qu'elle perçoit en elle, c'est-à-dire elle-même. Alors, avec ses défauts, avec ses limites, avec ses erreurs et ses faiblesses, elle s'aime. Elle s'aime et elle s'accorde à elle-même ce que spontanément elle donne à ceux qu'elle aime — l'amour de ce qu'ils sont, l'amour de leur être plutôt que l'amour de ce qu'ils font ou réussissent.

> Philippe touche en lui ses différents amours — particulièrement l'amour qu'il éprouve pour ses enfants et ses amis. Il promène son regard sur leurs faiblesses et leurs erreurs et il sourit avec complicité. Il les aime au-delà de leurs limites et de leurs faiblesses. Il aime leur être en dessous de ce qu'ils paraissent. Puis il revient sur lui et sur ses angoisses devant ce qu'il est. Comment peut-il arriver à tant s'en vouloir, à se malmener et à se déchirer dans la tension, le stress et l'anxiété? Pourquoi a-t-il si peu de sympathie pour lui-même? À un ami qui s'en voudrait comme lui, il le prendrait dans ses bras et le consolerait; il lui dirait qu'il vaut la peine malgré tous ses défauts. Puis tout à coup il s'entend dire — «pourquoi tu ne te le fais pas, tu ne te la donnes pas cette tendresse?» Alors il se voit lui-même se prenant dans ses propres bras et s'affectionnant. Philippe éclate en grands sanglots — puis plus doucement il ressent pour lui de l'amitié et de la tendresse et débute ainsi un long cheminement pour le conduire en amitié avec lui-même.

Un regard tendre porté sur nous-mêmes engendre l'amitié serrée et constante de nous-mêmes avec nous-mêmes. C'est un lien particulièrement fort, peut-être le plus fort qui soit, et c'est d'ailleurs pourquoi la carence d'un tel regard peut dramatiquement priver la personne du support et de l'appui dont elle a besoin pour actualiser ce qu'elle est, pour faire ce qu'elle veut faire et interagir avec les autres de façon appropriée, adéquate et nourrissante.

...Mais quand soi-même se déteste

Existe-t-il chez l'humain une souffrance plus misérable et tenace que celle de se détester, de s'en vouloir, de se haïr? Cette attitude est évidemment profondément néfaste pour la personne elle-même mais aussi pour sa relation avec les autres car d'elle naissent toutes les projections, toutes les haines de l'autre, de la différence, toutes les déformations de la réalité comme toutes les misères et les tristesses. S'il nous était possible de faire disparaître cette haine de soi chez les humains, s'il était possible de déplacer l'énergie mise au service du fait de se détester pour la mettre au service de l'appréciation de soi-même, la vitalité humaine serait débordante, l'amour des autres serait plus riche et plus approprié, la créativité de l'individu refleurirait.

De tout temps et depuis très tôt dans sa vie, l'être humain est déchiré entre l'amour et la haine. Il est en conflit entre aimer et détester — entre s'aimer et se détester. Comme base, l'enfant a à sa disposition ces deux puissants sentiments: l'amour et la haine. Deux sentiments qui lui permettent d'entrer en relation, mais que de façon absolue. Lorsqu'il aime, il aime; lorsqu'il déteste, il déteste — pas de place pour la relativité des sentiments. Il traite les autres comme lui-même et lui-même comme les autres parce que lui et l'autre ne sont pas différenciés et vécus comme deux personnes distinctes et séparées l'une de l'autre. Cependant, si graduellement l'enfant se distingue, se sépare de l'autre, s'individualise et lentement parvient à découvrir la relativité des autres (à la fois bons et frustrants) et la relativité de ses sentiments pour eux (à la fois aimés et détestés) il en va tout autrement pour lui-même. Quand il s'agit de lui-même, il parvient beaucoup plus difficilement à cette relativité. En effet, quand ils sont pointés sur lui-même, les sentiments absolus d'amour et de haine ont tendance à persister et à conserver leur implacabilité, même chez l'adulte[24].

> Alex voudrait se gifler à tour de bras, se frapper le ventre avec un bâton, cracher sur le reflet de son image dans un miroir — il voudrait se déchirer et se piétiner avec rage. Qu'est-ce qui lui arrive? Qu'est-ce qui explique une telle rage contre lui-même? Lorsque le professeur lui a posé une question en classe, il s'est levé — puis là, un brouillard a recouvert sa mémoire. *Il ne savait pas* et tous ses confrères de classe se sont mis à rire. Il s'en veut et se déteste — il pense qu'il mérite de se détruire.

Se détester est sans contredit un mal atroce. S'en vouloir, se blâmer et se reprocher sont des misères et des souffrances dont l'intensité et la persistance sont difficiles à comprendre et à accepter. On peut comprendre qu'un enfant n'a pas tous les outils pour relativiser ses émotions; mais un adulte, comment peut-il arriver à une telle haine de lui-même?

Les ravages de l'idéal

La haine de soi-même est proportionnelle à l'idéal, plus communément à l'orgueil, que nous entretenons par rapport à nous-mêmes. L'orgueil n'est pas toujours triomphant, il peut même donner à la personne une allure de fausse humilité — l'humble serviteur des autres. L'orgueil, c'est lorsque nous en sommes venus à trop nous en demander (et quelquefois à trop en montrer aux autres) parce que nous n'acceptons pas ce que nous sommes vraiment, c'est-à-dire limités. C'est lorsque par souci d'obtenir l'amour et la considération des autres (parent, ami) nous aliénons notre vraie identité, notre réalité pour élaborer et tenter d'atteindre un idéal de nous-mêmes que nous pensons capable de nous garantir l'amour, ou à tout le moins, la considération de l'autre. Mais nous nous trompons. Nous faisons fausse

---

24. Pour la plupart des personnes, l'ambivalence entre la haine et l'amour persiste — la haine n'est pas clivée et privée de son pendant l'amour. Lorsque la haine envers soi-même est absolue, il y a carence ou blocage dans le développement normal de l'individu et des soins sont requis.

route. L'idéal est impossible à atteindre car il exige aucune limite — rien de moins que l'inaccessible perfection. Cet idéal de nous-mêmes est implacable — il n'accepte aucune erreur, aucun défaut, aucune faiblesse. Il nous écrase et nous dévalorise avec toute la primitivité du barbare.

> Depuis sa plus tendre enfance, Léon essaie de devenir le meilleur dans tout ce qu'il est et dans tout ce qu'il fait et il n'est à ses yeux qu'ordinaire, minable et petit. Malgré ses assauts répétés pour être le premier de classe, le meilleur joueur de hockey, le préféré des filles, il n'arrive qu'à se classer dans «la moyenne». Il se déteste. Il se méprise d'être aussi ordinaire et il n'accepte aucune excuse pour ses faiblesses. Il se traite comme s'il était une véritable poubelle: un déchet.

Les autres autour de nous peuvent nous taquiner l'idéal — puisque bien sûr nous ne pouvons qu'en être loin — mais par l'interaction avec les autres, nous allumons en nous le symbole «autre», «plaire à l'autre» lequel est justement la base et la raison d'être du gonflement de soi-même jusqu'aux dimensions de l'idéal. L'idéal finit par devenir au bout du compte plus important que ce pourquoi il s'est construit, c'est-à-dire que l'amour et la considération de l'autre (même s'ils sont présents) ne seront pris et goûtés par la personne que si l'idéal est atteint. Les autres à l'extérieur peuvent donc aimer et considérer la personne, mais elle (l'autre internalisé) ne pourra se considérer et s'aimer elle-même que lorsqu'elle aura atteint son idéal — et si idéal veut dire sans limite et sans faille — aussi bien dire jamais[25]. L'idéal et l'orgueil (son porte-voix) risquent de mener la personne à se condamner elle-même avant même que l'autre réel ne le fasse — si jamais il le fait. Se condamner soi-même et se blâmer deviennent en quelque sorte une forme de seconde nature, et la personne peut à la limite les récupérer pour solliciter à travers eux l'acceptation de l'autre. Par exemple, le dialogue intérieur peut se dérouler ainsi: «Puisque je me blâme, puisque je me condamne, tu peux maintenant me donner ta pitié; tu ne peux plus m'apporter la souffrance de me rejeter puisque je me rejette moi-même.» Une fois installés, l'idéal de soi-même et le symbole de l'autre (les deux) servent de critères d'évaluation et jouent comme force d'aliénation de la personne; ils servent à aliéner encore plus le contact avec la vraie personne, la vraie identité et ainsi à défaire toute spontanéité vitale que peut éprouver la vraie personne.

> Toute petite, Pierrette était très liée à sa mère et malgré son désir de lui plaire et de la satisfaire, elle subissait plus souvent qu'autrement son regard désapprobateur — sa mère n'était jamais contente d'elle. Aujourd'hui, adulte, Pierrette ressent toujours le regard désapprobateur de sa mère posé sur elle, même si elle habite un autre continent. Quel que soit son geste, son idée ou son action, Pierrette ressent en elle le reproche et le blâme de ce qu'elle est, de ce qu'elle fait. Par exemple, son goût spontané de danser ne se réalise qu'à travers quelques pas puis presque immédiatement, elle ressent une insatisfaction et une lourdeur qui la conduisent à cesser de danser. Lorsqu'elle s'attarde sur cette insatisfaction et cette lourdeur, elle revoit sa mère, la main de sa mère avec l'index recroquevillé et branlant qui désapprouve. Elle ressent alors un frisson dans le dos. Qu'a-t-elle encore fait pour mériter ce blâme? Que peut-elle faire pour l'éviter? Sa

---

25. Jamais, dans la mesure où la personne reste dans la dynamique de l'idéal, c'est-à-dire tant et aussi longtemps qu'elle n'effectuera pas le deuil de cet idéal, ce qui signifie accepter profondément ses limites, sa nature propre de vivant, celle d'être, en soi, un être limité — et mortel.

solution a été jusqu'à maintenant de cesser son action, de ne plus agir, de ne plus penser, de jouer la morte. Le simple fait de penser à la désapprobation de sa mère lui coupe les jambes, la fige sur place. Elle ne cherche alors qu'à s'écraser dans le coin et à ne plus bouger. Elle se transporte dans sa vie avec un petit nuage noir au-dessus de sa tête: celui du regard et du doigt réprobateurs de sa mère qui peuvent s'abattre sur elle aussitôt qu'elle cherche à se vivre pour elle-même, avec spontanéité. Elle blâme sa spontanéité avant même que le symbole de sa mère le fasse. Elle se rejette avant même de se contacter, de s'exprimer. Elle n'est rien, rien de valable ou de vrai. Elle se vit comme si tout était à l'extérieur d'elle-même dans l'approbation du regard de sa mère, approbation qui ne vient jamais.

Dans le jeu intrapsychique entre l'idéal non réalisé et le reproche du symbole «autre», la personne dispose de bien peu de choses outre l'insatisfaction d'elle-même et la tristesse de ne pas être idéale. Deux émotions bien proches l'une de l'autre et qui en recouvrent plusieurs autres allant de la gêne et de la honte d'elle-même, d'une super-conscience de ses conduites et de la réaction des autres, d'une focalisation sur le jugement des autres à l'anxiété, l'angoisse et parfois la panique. Tous ces états émotifs s'alimentent à une même source: le non-contentement de soi-même. Souvent la personne n'est pas consciente que c'est un mécontentement d'elle-même qui est à l'origine de son mal-être et c'est alors partout ailleurs qu'en elle-même qu'elle en cherche la cause.

Cécile se trouve bien bizarre. Avec son groupe d'amies, elle ne dit jamais qu'elle est courtisée par un homme. Elle joue le rôle d'une célibataire libérée et autonome et elle craint de révéler par l'une ou l'autre de ses paroles qu'il y a un homme dans sa vie. Ailleurs, avec ses parents et ses voisins, elle est toute gênée de ne pas être mariée, de ne pas recevoir de demande en mariage par son ami comme si elle n'était pas assez aimable pour être mariée. Comment une seule et même relation la défait autant par sa présence que par son absence? Au fond, c'est d'elle-même que Cécile n'est pas contente — c'est d'être elle-même devant tout le monde (plutôt que sa relation) qui lui cause problème.

La source du mal-être d'une personne tire ses origines du pouvoir accordé au jugement de l'autre au détriment de son propre jugement. La personne qui ne s'aime pas et qui ne s'accepte pas ne peut pas s'accorder elle-même le pouvoir de juger ce qui est bon pour elle — ne s'aimant pas, elle ne se fait pas confiance et donc, pas plus à son bon jugement.

Prendre conscience de ses limites et se les pardonner

Toute personne doit parvenir à accepter ses limites et à se les pardonner. Tout être humain, à un moment ou l'autre de sa vie, est inévitablement confronté à la prise de conscience pénible de ses défauts, de ses erreurs et de ses difficultés à vivre. Bien entendu, plus la distance entre ce qu'il peut et ce qu'il imagine ou entre ce qu'il désire et ce qu'il réalise ou entre sa perception idéale de soi et ses vraies ressources et capacités est marquée, plus le risque de se blâmer et de s'auto-reprocher est présent. Pourtant (et il en va de la nature même de l'être humain, de sa condition existentielle), nous ne sommes jamais la personne que nous voudrions être; nous n'arrivons *jamais* à être tout ce que nous imaginons pouvoir être; nous ne sommes *jamais* aussi intelligents, aussi beaux, aussi bons, aussi forts que nous voulons bien nous l'imaginer. Aussi bien en faire notre deuil, l'accepter et nous pardonner nos inévitables limites au lieu de nous condamner et de souffrir en cherchant sans cesse à atteindre l'inatteignable idéal.

En effet, que pouvons-nous faire de mieux que de nous pardonner nous-mêmes — nous pardonner cette inévitable distance entre notre idéal et notre réalité personnelle, limitée; nous pardonner nos misères, défauts ou erreurs; nous accorder le pardon qu'en fait, aucune autre personne ne peut vraiment nous accorder. Personne d'autre au monde que nous-mêmes quel que soit son pouvoir, sa qualité ou son prestige ne peut nous pardonner vraiment, profondément et demeurer complice avec nous-mêmes[26].

> Le lendemain de son abus d'alcool, André se souvient de tout ce qu'il a dit à sa femme. Il réalise l'exagération de ses propos et son manque de courtoisie... Il a tellement honte de lui-même et se traîne devant sa femme pour lui demander pardon. Sa femme se montre compréhensive, tente de le rassurer en lui rappelant son amour pour lui et bien qu'elle désapprouve son attitude de la veille envers elle, finalement, elle lui pardonne. Mais André n'est pas soulagé. Il gaspille sa journée à se morfondre de culpabilité. Au coucher, André réalise qu'il est aussi mal dans sa peau qu'à son lever: il ne s'est pas pardonné son abus et ses excès, et malgré le pardon de sa femme, il n'a pas réussi à soulager sa culpabilité.

La honte et la haine contre soi-même résultent parfois de la conscience de ne pas avoir développé ses ressources, de la perception de notre carence d'être, c'est-à-dire de tout cet amour que nous n'avons pas ressenti ou que nous n'avons pas exprimé, de toute cette intelligence que nous n'avons pas exercée, et de tout ce qui est maintenant impossible (ou trop tard) à rattraper.

> Louise ne comprend pas pourquoi depuis quelque temps la haine et la honte d'elle-même la poursuivent sans arrêt. Mais soudainement, sans trop savoir non plus pourquoi, tout s'éclaire en elle — c'est les enfants qu'elle n'a pas eus, et qu'elle n'aura jamais puisque maintenant, elle a plus de 50 ans. Louise s'effondre en larmes. Elle réalise tout à coup qu'elle aura à faire le deuil de ces enfants qu'elle n'a jamais eus et à se pardonner son manque — celui de ne pas avoir développé ses capacités de reproduction.

Lorsque le mécanisme de la honte et de la haine de soi s'enclenche, la personne cherche l'objet de cette honte et de cette haine de soi mais souvent elle ne le sait plus: son corps? ses idées? Et devant l'imprécision, elle s'en prend à son être, à ce qu'elle est. Tout se passe comme si l'imprécision quant à l'objet de sa honte et de sa haine la conduisait à s'attaquer à elle-même. Elle ressent alors l'étouffement, le rétrécissement de son univers et se vit dans l'attente anxieuse que quelqu'un la pointe du doigt. La personne doit parvenir à identifier l'objet précis de sa honte d'elle-même et se pardonner — pour s'accepter avec tous ses défauts, ses manques et ses limites; pour ressentir une détente, un dégagement et un épanouissement serein; pour s'accorder le droit de bien vivre et de continuer.

L'ami, le juge, et entre les deux, la personne

L'amour de soi et sa douloureuse contrepartie, la haine de soi peuvent d'une certaine manière se rapprocher de ce que nous pouvons concevoir comme deux rôles bien particuliers de la conscience, c'est-à-dire celui de l'ami et celui du juge[27].

---

26. Personne d'autre à part nous-mêmes peut nous assurer d'un pardon effectif car le pardon de l'autre restera sans effet si nous-mêmes nous ne nous pardonnons pas.

27. Le juge, le surmoi, l'autre-en-nous sont des étiquettes qui coiffent des facettes différentes d'une même réalité: la conscience — la conscience qui a d'ailleurs aussi des facettes amicales: l'ami, l'actualisation de soi, etc. La conscience, cette capacité d'auto-

Deux rôles qui à certains moments se personnalisent pour devenir le juge en nous et l'ami en nous.

Le juge est là pour juger, blâmer, harceler et parfois (au pire) démolir à chaque fois que la personne est confrontée à une partie d'elle-même qu'elle n'accepte pas (par exemple ne pas s'accepter comme vieillissant et se retrouver parmi un groupe de jeunes). La sévérité du juge varie énormément d'un individu à l'autre — au pire, il accable la personne de blâmes et de reproches au point tel qu'elle peut se sentir complètement détruite dans ce qu'elle est; au mieux, il permet à la personne de s'ajuster intérieurement pour obtenir ce qu'elle veut, plus de vie. Au mieux, il sert de phare pour avertir la personne qu'elle doit modifier tel comportement, réajuster et raffiner telle attitude, corriger tel défaut ou stopper tel laisser-aller afin de profiter plus de la vie, de la sienne — en prendre charge et la construire selon ses besoins; au pire, sa sévérité est telle qu'elle coupe la vie.

L'ami, l'autre instance en nous, est là pour nous accepter et nous accompagner avec complicité. En réalité, ses racines sont plus profondes que celles du juge. Car en fait c'est lui, l'ami, qui cherchant le bien-être et le développement de la vitalité de la personne, a inventé, créé, le juge — un juge pour aider la personne à cerner et à dépasser ses défauts, à savoir ceux qui l'empêchent de vivre et de vivre mieux. Pourtant, leurs influences sont mutuellement exclusives: le juge présent, l'ami n'a plus de prise, et vice versa. Toutefois, une chose reste claire, c'est la personne globale qui donne au juge ou à l'ami le pouvoir et l'exclusivité.

> Philippe refuse de se laisser entraîner dans ses anciennes tristesses. Il est vrai qu'il a raté sa sortie à son numéro de magie et qu'il a bafouillé un merci. Il est vrai qu'ancien-nement il aurait «perdu la face» et se serait blâmé mais il n'en est plus question. Hier soir à son spectacle de magie, il a fait son possible et cela suffit! C'est lui le maître de sa vie — aucunement l'une ou l'autre de ses faces et sûrement pas sa face de magicien.

La personne sécrète en elle le juge ou l'ami parce que fondamentalement elle désire vivre et vivre plus. Trop souvent la force que la personne laisse prendre au juge par rapport à l'ami devient tellement grande que le but premier de leur existence est oublié, biaisé — de donneurs de vie ils deviennent des empêcheurs de vivre. Alors, le juge juge malgré et contre le goût de vivre de la personne; les instances et la structure prennent toute la place au détriment de la vitalité de la personne et de son goût de vivre. Ainsi la personne se joue le tour de détruire ce que justement elle voulait protéger: sa vitalité. La personne finit par être tellement envahie par la structure, le juge, qu'elle se distrait elle-même de ce qu'elle cherche, la vie.

> À 8 ans Jacques avait comme compagnon un petit poulet qui par sa vitalité faisait son bonheur. Un jour, il a décidé de lui construire une cabane avec une petite cour et différents perchoirs. Tout absorbé et concentré à bâtir sa cabane, Jacques avait oublié que son petit poulet continuait pendant ce temps-là à circuler ici et là. Puis par mégarde, il a posé son pied sur le bec de son petit poulet qui malheureusement est mort sur le coup. Jacques était tout défait. Dans son enthousiasme à bâtir une cabane pour son poulet, il l'a oublié et il l'a tué.

---

réflexion et de perception par l'intérieur de ce que nous sommes, cette possibilité de mettre un délai avant de répondre à un stimulus croît chez l'être humain tout comme son intelligence. Elle se débarrasse lentement comme l'intelligence des scories des stades primitifs pour atteindre des niveaux de plus en plus formels et nuancés.

La force du juge est inversement proportionnelle à la présence et à la force de l'ami en nous. C'est d'autant plus facile pour le juge de s'installer et de régner si l'ami n'est pas présent. Et lorsque, en nous, le juge s'installe, le processus du reproche et du blâme se déroule de lui-même pour s'étendre à tout ce que fait ou dit la personne. Aucun domaine de sa vie ne résiste à cette évaluation négative: si la personne est seule, cette solitude est la preuve qu'elle n'est pas aimable; si elle est accompagnée, c'est là la preuve qu'elle est incapable de prendre la solitude.

Si l'ami représente la partie de nous capable de donner et de garantir plus de vie et qu'en cela il est le premier promoteur de notre nature de vivant et qu'en plus, il est capable de reconnaître et d'intégrer le caractère inévitablement manquant ou imparfait de la nature humaine — comment peut-il nous déserter et laisser ainsi toute la place au juge qui, lui, tue la vie et condamne à la moindre faille? L'ami déserte et la juge règne et condamne sans répit lorsque la personne *ne veut pas prendre la responsabilité* de tout ce qu'elle est, principalement de ses défauts, de ses manques et de ses embêtements. Refusant sa responsabilité face à l'être foncièrement limité qu'elle est, refusant de répondre d'elle-même, la personne empêche l'ami en elle d'exercer sa capacité d'intégration. Les limites et les manques ne peuvent pas être intégrés par l'ami et dès lors, ils deviennent facilement accessibles pour le juge — le juge a beau jeu de les saisir et d'en blâmer la personne.

> Depuis son réveil aux petites heures du matin, Robert ressent la honte d'avoir bu hier soir. Il est lourd de la boisson consommée et pesant de sa honte qu'il traîne depuis son lever. Il s'entend dire: «Salaud! tu as encore trop bu! Paies maintenant pour cet excès!» Il se cherche des excuses: «La fatigue? Ma femme qui m'engueulait?» Rien n'y fait. Puis, il réalise qu'il n'y a aucune excuse pour le justifier. Il est responsable d'avoir bu, de ne pas s'être limité. Là, il ressent un dégagement. S'il est responsable d'avoir bu, il peut aussi devenir et être responsable de ne pas boire. Il sourit doucement de ce pouvoir reconquis. Il se sent plus en amitié avec lui-même.

Comme nous le soulignions précédemment, juge et ami n'occupent pas le même espace en nous. Conséquemment, ils ne se manifestent pas à travers la même sphère de l'être-au-monde. D'une certaine manière, l'ami rejoint l'espace de l'être; le juge, l'espace du paraître. L'ami habite tout près de nos racines de vivre; l'ami est le compagnon de notre spontanéité et de notre vitalité; l'ami se conjugue avec tout ce qui est proprement nous-mêmes; l'ami est au cœur de l'être. Le juge loge par ailleurs tout près du paraître, de nos rôles et de nos réputations. Le juge s'installe et reste au niveau de ce qui paraît de nous. En ce qui concerne ce qu'il y a de plus fondamental en nous, l'espace de l'être, le juge reste somme toute assez impuissant. Il peut l'attaquer, chercher à le détruire ou vouloir le mettre-à-mort mais jamais il n'y parvient complètement. Le juge n'a pratiquement aucune prise sur la personne qui arrive à s'accepter profondément[28] — qui donne à son paraître la place qui lui revient, celle de le rendre congruent avec son être.

---

28. L'acceptation définitive et complète de soi-même ne se réalise qu'à la fin de la vie et cela, pour le sage. Toute personne humaine, toute sa vie, doit sans cesse chercher à s'accepter pour ce qu'elle est.

Choisir l'espace de l'être: être et vivre dans le présent

Pour être en amitié solide avec elle-même, pour être vraiment son propre ami, la personne doit descendre au niveau de l'être, c'est-à-dire sous ses paraîtres, sous l'attente du regard des autres qu'elle doit d'ailleurs apprendre à laisser aller. À ce niveau d'elle-même avec elle-même, il existe une réceptivité de la vie (en elle et à l'extérieur d'elle) et une préoccupation nouvelle pour sa propre vie qui bouge en elle. Avec une telle attitude, la personne privilégie sa vie et son existence plutôt que sa réputation et la reconnaissance d'elle-même par les autres.

> Ferdinand brasse dans sa tête toutes ses misères à vivre et à réussir sa vie ainsi que toutes les hontes et les haines de lui-même. Avec chaque contact, comme à chaque fois, il se pose toujours la même question: «Mais qu'est-ce que tu veux de ta vie?» Cette phrase tel un marteau-pilon finit par lui rejoindre le cœur: «Ce que je veux, c'est vivre! vivre le plus possible, le mieux possible. La vie n'est pas dans mes échecs, mes misères. Elle est là, maintenant et demain, et devant elle, les échecs ne peuvent rien.»

Bien installée en amitié avec elle-même, la personne est plus présente et elle se sent plus vivante; plus consciente de son existence, davantage partie prenante de la vie qui l'entoure. Elle peut maintenant rejoindre l'extérieur, les autres et le monde, pour saisir toute la vie qui s'y trouve. Et elle court-circuite ainsi l'évaluation du juge en elle.

La personne en amitié avec elle-même (et par conséquent avec la vie) s'inscrit dans le présent. Aucune expérience du passé, aussi terrible qu'elle ait été ne peut en réalité déraciner la personne du maintenant, d'une façon présente et actuelle de construire sa vie et d'établir le contrat avec elle. Vivre dans le présent, ici et maintenant, implique d'apprendre à laisser aller les évaluations négatives du passé, mais aussi les réussites et les gains antérieurs quelque part beaucoup trop fragiles pour y faire reposer l'acceptation de soi-même.

> Pierre énumérait ses diplômes, les accrochait au mur et attirait constamment l'attention sur eux — ça le rassurait sur lui-même, sur sa valeur personnelle. Mais de la même façon aussi, à d'autres moments, il se torturait en s'évaluant, se mesurant, se sentant insuffisant, pas à la hauteur, et en se descendant pour chacun de ses défauts et chacun de ses échecs. Ça été comme ça jusqu'au jour où il a accepté qu'il n'était pas ses diplômes — ses diplômes étaient des réussites du passé mais *que* des réussites, pas lui-même puisque lui-même *était* et *était* dans le présent. À partir du moment où il a réalisé qu'il était processus et donc sans cesse en mouvement, changeant, il s'est senti de moins en mois angoissé et de moins en moins enclin à s'évaluer, à mesurer ce qu'il était, à partir de ses réussites ou de ses échecs. Il vivait là et maintenant et c'est de ce maintenant qu'il voulait profiter.

Être en amitié avec soi-même c'est en fait s'installer au fond de soi-même, dans l'espace de l'être, et dans le présent pour à partir de là, de ce fondement de vivre, construire graduellement et avec adéquacité ce que nous sommes.

Plus qu'un acte de volonté, un style d'être lentement à construire, un devenir

Évidemment, défaire le juge pour mettre fin à ses pouvoirs envahissants et replacer l'ami bien au cœur de la personne ne peuvent pas s'accomplir à partir d'un simple et unique acte de volonté. La conversion à l'amour de soi-même implique un style, une façon habituelle d'être avec soi-même; la volonté est ce qui sous-tend et ce qui permet leur constance. Pour dénouer l'énergie liée dans le combat entre s'aimer et se haïr et la rendre disponible au goût de vivre, la personne doit remettre sans cesse le cap sur ce qu'elle veut vraiment vivre. Changer le style de sa vie implique beaucoup plus que de s'accepter. Le plus difficile est de continuer, de persister dans notre désir et notre tentative de nous accepter tel que nous sommes — continuer et persister malgré les rechutes. Un tel changement implique de laisser aller, d'abandonner ce que l'on veut *avoir* avec intensité pour choisir d'être — être et non plus avoir. Plus concrètement, c'est abandonner la quête absolue des biens matériels mais aussi des biens sociaux comme par exemple, obtenir de la considération, de la reconnaissance et même de l'amour. C'est lentement, avec courage et sur chaque petite facette de soi-même qu'une personne parvient à choisir d'être plutôt que d'avoir — qu'elle finit par installer un style d'amitié avec elle-même.

ÊTRE CONTENT DE SOI-MÊME

Le contentement de soi est l'attitude qui chapeaute et qui regroupe toutes les autres. Être content de soi-même, c'est effectivement tout à la fois s'accepter, s'aimer, donner de la place en nous à l'ami et choisir d'être plutôt que d'avoir.

Un soi ordinaire mais libre, satisfait et content de vivre

Imaginons-nous un instant que nous sommes contents de nous-mêmes. Que ressentons-nous? Probablement beaucoup de fraîcheur et de détachement et peut-être même un sentiment de liberté — la liberté d'être content de ce que nous sommes (et surtout de le rester) malgré que nous connaissons nos limites; la liberté d'agir juste en proportion de ce que nous sommes, ni plus ni moins — la liberté de nous sentir juste appropriés à nous-mêmes.

À chaque fois qu'il se demande: «Pourquoi n'es-tu pas content de toi?», Paul sourit. Il sourit parce qu'il sait que ce dont il n'est pas content, ce n'est pas de lui-même mais de ce qu'il fait, de ce qu'il dit, etc. Car de lui-même, il est content. Cela lui suffit. Alors il se calme et il savoure ce contentement qu'il éprouve de s'accompagner lui-même comme un bon ami le ferait.

Soi content et soi grandiose

Être content de soi, c'est d'être généralement[29] satisfait de ce que l'on est dans le contrat global qu'on établit avec la vie; c'est d'être content de s'actualiser à l'intérieur de son potentiel mais aussi de ses limites — celles d'être un individu ordinaire, comme tout le monde, ni héros ni vaurien; c'est de s'accepter et de s'aimer au-delà des réussites ou des échecs, qualités ou défauts, forces ou faiblesses, parce que content d'avoir été et d'avoir fait tout ce qui nous était possible d'être ou

---

29. Nous ne sommes pas inconditionnellement et toujours contents de nous-mêmes; il arrive que la conscience de nos carences d'être nous mordille l'estime de nous-mêmes et cela est juste puisque cette conscience nous propulse vers la croissance et le développement de nous-mêmes.

de faire à ce moment précis de notre vie; c'est souvent de se pardonner; c'est d'être content d'être; c'est d'être content de vivre.

Le soi content n'est cependant pas à confondre avec le soi grandiose. Le contentement de soi est ce mouvement de réconciliation avec soi-même, d'appréciation de ce que nous sommes qui n'a rien d'une justification de l'égoïsme, de l'égocentrisme, du nombrilisme — qui n'a rien d'une manière détournée d'éloigner les autres pour se retirer repu en soi-même — qui n'a rien de l'appel au Narcisse en nous et du rétrécissement de l'amour pour les autres. Il existe bel et bien une certaine manière d'être avec soi-même qui exagère l'importance du soi mais ce n'est pas le soi content, c'est le soi grandiose — celui qui gruge toute la vitalité d'être, avec soi et avec les autres.

> Sylvie, professeure au collégial, connaît bien ses deux manières d'être aux réunions avec ses collègues. Il arrive qu'elle n'accepte aucune remarque sur son travail; elle s'offusque de tout et ne ressent que du mépris pour ses consœurs envieuses qui osent la critiquer. Après tout, pense-t-elle, qu'est-ce qu'elle fait dans ce milieu minable de CEGEP, elle qui se voit comme une intellectuelle, une femme qui a lu, réfléchi, compris et pensé les grands penseurs plus que tout le monde et sûrement plus que ses consœurs bêtement réalistes à l'esprit concret. Ainsi, elle méprise et se sent au-dessus. Et ceci sans parler de ce qu'elle pense parfois de ses pauvres étudiants! Heureusement d'autres fois, Sylvie est toute différente. Elle est simplement contente de son travail tout en reconnaissant qu'il n'est pas parfait. Elle souhaite les commentaires des collègues afin de l'améliorer. Elle sourit de ses défauts et elle est tellement contente d'avoir la chance d'enseigner aux jeunes sa science qu'elle adore.

Mais comment mieux distinguer le contentement sain de soi-même (le soi content) de l'élargissement démesuré et orgueilleux de soi-même (le soi grandiose)? D'abord, tous autant que nous sommes, nous avons une représentation de nous-mêmes, c'est-à-dire que nous pensons des choses sur nous, nous nous pensons d'une certaine façon et cela, sur plusieurs aspects de notre vie. C'est ce que nous appelons le concept de soi. Or, cette représentation de nous-mêmes nous la chérissons. Nous nous pensons d'une certaine façon et cette façon, qui devient ce que nous sommes (ou pensons être), nous l'investissons. En d'autres mots, à l'acte cognitif de nous représenter nous-mêmes s'ajoute un acte affectif d'investissement de ce que nous croyons être. Cet investissement affectif du soi lorsqu'il est positif, peut ou bien être approprié et alors tenir compte des limites et frontières de la personne; ou bien, être exagéré et alors dépasser de beaucoup ce que la personne est réellement capable d'être ou de faire à partir de ses ressources. Le premier est le propre du contentement de soi et le deuxième, du soi grandiose. Le contentement de soi-même est plus approprié parce qu'il repose sur l'intégration dynamique des diverses représentations de soi-même — intégration dans le sens d'unification du potentiel et des limites; dynamique dans le sens d'orientation vers l'agir, vers le comportement, pour s'exprimer parce que tout ce qui est aimé a tendance à croître, à s'étendre, à aller plus loin.

> En se rasant, Marc se regarde dans le miroir. Bien sûr, il a vieilli, il perd ses cheveux, il engraisse — ce sont là toutes des images de lui-même qu'il préférerait autrement. Mais il sait aussi qu'il se sent maintenant plus serein, moins gourmand de l'acceptation par les autres, plus attentif à la vie qui émane de lui et de ceux qui l'entourent. Il se sent plus en équilibre avec lui-même, plus congruent, plus sympathique aussi à ce qu'il

paraît. Il est content de ce qu'il est et il désire bien profiter de ce qui arrivera dans sa journée.

Le soi grandiose, ce trop grand amour de soi ne possède par contre pas ce dynamisme; il est plutôt passif, comme hyperdépendant des sources externes d'admiration, d'amour et de reconnaissance. Du haut de son soi grandiose, Narcisse attend l'hommage des autres. En attendant et selon ces réactions des autres, il va se vivre alternativement soit comme le héros sans peur ni reproche, soit comme le pire scélérat de la terre — il est tout ou il est rien plutôt que d'être simplement ordinaire, limité. L'intégration de l'amour et de la haine de soi n'est donc pas établie pas plus d'ailleurs que celle du soi réel limité et du soi idéal grandiose, sans limite. L'orgueil conserve alors toute la force de son système.

> Avec hargne et haine, Pierre se reproche d'avoir bafouillé lorsqu'il s'est présenté devant ses confrères de classe. Devant son bafouillage, tous se sont mis à rire. Pendant une bonne partie de la nuit, il tourne dans sa tête sa «gaffe», il entend les autres s'esclaffer et il n'arrive pas à s'endormir. Le lendemain, il raconte sa mésaventure à une amie et tout en racontant, il sent sa tension et son sentiment de blâme se transformer en un goût de vaincre — un désir de vengeance. «Je trouverai bien le moyen de leur faire ravaler leurs rires» lui dit-il. «Mes confrères s'en mordront les pouces» il ajoute, plein de rage. «Mais pour qui te prends-tu, Pierre?» lui lance son amie «t'en vouloir à ce point pour ton hésitation à te présenter et ensuite, en vouloir à ce point à tes confrères.» Ces paroles arrêtent Pierre. «C'est bien vrai, pour qui je me prends, m'en faire à ce point, m'en vouloir jusqu'à m'empêcher de dormir puis m'enrager tant que ça contre mes confrères. D'un côté comme de l'autre, je suis un bel orgueilleux. En réalisant ça, Pierre sait bien qu'il sera un peu gêné de revoir ses confrères mais il se dit aussi qu'après tout, c'est pas la fin du monde — lui-même n'est pas la fin du monde: il est ordinaire comme tout le monde.

Un soi intégré, réaliste, relatif mais aimant la vie, lui-même et les autres

Dans le contentement sain de soi-même, la personne sait et accepte qu'elle est ordinaire, comme tout le monde, limitée. Elle vit autant avec ses qualités qu'avec ses défauts. Elle intègre les deux, qualités et défauts, dans un concept de soi réaliste: elle n'est ni toute bonne, ni toute mauvaise — elle est un peu des deux. Elle est ordinaire, c'est-à-dire tout à fait capable de certaines choses et incapable de d'autres. Elle peut aimer ses qualités et haïr ses défauts mais au niveau de la représentation qu'elle se fait d'elle-même les deux sentiments (aimer et haïr) s'unifient dans l'estime qu'elle se porte.

L'amour pour les autres naît de cette intégration entre l'amour et la haine et de l'estime de soi qui en résulte. Cette intégration ouvre toute grande la porte à la capacité d'aimer les autres. L'amour des autres n'est donc aucunement diminué par le contentement de soi. Bien au contraire, il fleurit et obtient sa pleine qualité que chez la personne qui s'estime vraiment. Celui qui s'estime voit en même temps s'élever sa capacité d'aimer.

Le monde interpersonnel, lieu de la rencontre avec l'autre, est une source importante de goût de vivre. Les autres mais plus particulièrement certains autres, c'est-à-dire les biophiles, suscitent et favorisent chez les personnes qui les entourent une capacité à aimer la vie et une capacité à s'aimer soi-même qui une fois intégrées font d'elles (de ces personnes) de nouveaux biophiles — de nouveaux biophiles qui à leur tour sauront favoriser capacité d'amour pour soi et capacité d'amour de la vie chez d'autres personnes, puis d'autres...

Capable de s'aimer, la personne devient spontanément encline à aimer la vie et les autres comme à recevoir d'eux sans leur faire obstacle toute la vitalité et tout le désir de vivre qu'ils offrent. S'aimer, aimer les autres, se laisser aimer par eux — c'est aimer la vie mais c'est aussi la merveilleuse trilogie des relations humaines harmonieuses, celles qui garantissent du goût de vivre simplement parce qu'elles se jouent et se continuent entre plusieurs et différents biophiles.

C) LE MONDE MATÉRIEL

Après le monde de soi-même et le monde des autres, le monde de la matière, des choses — troisième source de ce qui se manifeste vivement, le goût de vivre. Le monde matériel, c'est le monde physique. Ce monde peuplé d'un côté par tous ces objets fabriqués par les humains et de l'autre, par chacun des éléments de la nature. La simple existence de ces objets, choses et éléments, est une promesse de goût de vivre, en est une source potentiellement débordante. Si une bibliothèque bien fournie est une promesse de connaissance à condition de s'y rendre, d'en emprunter les livres et de les lire; le monde matériel est promesse et potentialité de plaisir et de goût de vivre à condition d'y participer. La personne qui participe au monde matériel, le rencontre, le confronte si nécessaire pour en saisir et en accueillir toute la vitalité.

Comme fil d'Ariane, la *beauté* — elle devrait permettre de cheminer sans s'y perdre à travers le labyrinthe de l'immensité et de la multiplicité des variables du monde matériel. La beauté favorise l'unité des points de vue et de cette façon elle facilite effectivement l'exploration de l'ensemble du monde matériel et physique comme l'examen de l'interaction entre la personne et lui. Tout en pointant les sources de goût de vivre, nous tenterons de décrire (faute de pouvoir en fournir une définition cartésienne) ce qu'est la beauté.

Nous examinerons ensuite ses effets sur la personne et son goût de vivre pour finalement traiter des moyens par lesquels une personne peut en venir à développer sa capacité à saisir la beauté, à la rencontrer et à l'accueillir.

CHAPITRE 12

LA BEAUTÉ

QU'EST-CE QUE LA BEAUTÉ?

Peut-on cerner l'essence de la beauté à travers une seule et même définition qui serait universelle et applicable à toutes les choses physiques et matérielles? Peut-on par une définition unique saisir et enfermer le concept de la beauté? Depuis le début de la pensée humaine, philosophes et penseurs[1] n'ont pas cessé de chercher une définition de la beauté qui pourrait convenir à tout ce qui est beau. Leurs multiples efforts n'ont cependant malheureusement permis que de cerner une ou l'autre de ses innombrables facettes. Et la beauté, cette merveille, en ressortait toujours aussi insaisissable qu'avant, indéfinissable.

Il est donc inutile de répéter en vain ces efforts. La beauté ne se laisse pas trahir par des mots et des concepts. Insaisissable dans son essence et indéfinissable dans son ensemble, elle se laisse goûter et au mieux décrire. La beauté impose par elle-même ses propres limites. Nous tenterons donc de la décrire plutôt que de la définir, de présenter certaines de ses facettes plutôt que de la restreindre et de la réduire en voulant synthétiser toutes ses manifestations à l'intérieur d'une seule et même idée ou concept.

Tout être humain a plus ou moins fréquemment l'occasion de vivre l'expérience de la beauté. Devant d'autres vivants (des végétaux, des animaux), devant d'autres corps humains, devant des spectacles de la nature ou encore devant des objets fabriqués par les humains (des peintures, des sculptures, des bâtisses, etc.) chacun de nous peut éprouver un sentiment bien défini qui suscite une expérience esthétique et qui se traduit le plus souvent par une expression verbale que l'on retrouve dans toutes les langues: «Que c'est beau!». Cette expérience esthétique suscite du plaisir, celui d'être en vie, du goût de continuer à vivre, du goût de vivre.

Connaître ou ressentir des expériences esthétiques diverses est accessible à tous — c'est une chose; mais savoir ce qui les allume et ce qui les suscite, en est une autre. Qui peut répondre? Pour un, «c'est beau et c'est tout» — la beauté doit être vécue et goûtée telle quelle dans sa présence et son immédiateté peu importe les causes. Pour l'autre, «les goûts ne se discutent pas» — ce qui est beau pour l'un ne l'est pas nécessairement pour un autre, alors à quoi bon en chercher les causes, c'est tellement relatif. Et quand certains essaient de proposer une réponse, il est facile de montrer que cette réponse ne s'applique pas à telle expérience esthétique bien particulière. Quoi faire? Rester constamment conscient que l'analyse exhaustive de la beauté est en soi impossible, mais tenter quand même d'en dégager les principales particularités et les caractéristiques les plus marquantes.

---

1. Par exemple, les efforts de Platon, Pythagore, Aristote, Von Schiller, Kant (voir Thinès, *L'empereur*, 1984).

La forme

> La terre était sans forme et vide
> Et Dieu sépara la lumière de la noirceur...
> Et Dieu vit que cela était bon.
>
> Genèse, I, 1-10

La beauté, c'est la mise en forme de la réalité. Si, d'une certaine façon, la laideur déforme la réalité, la beauté l'informe, la met en forme. Or la forme, c'est ce qui donne à une chose son essence; c'est la nature essentielle d'une chose comme distincte de la matière dans laquelle elle est incorporée. C'est par la forme que nous reconnaissons les choses. Sans la forme, c'est le chaos, l'imprécis, le mélangé. La forme d'une chose est donc fondamentalement sa beauté. Évidemment, certains êtres, choses ou objets, ont plus de forme que d'autres, une meilleure forme ou encore une plus grande complexité de formes — c'est ce qui expliquerait pourquoi ils suscitent en nous une expérience de beauté: nous reconnaissons la qualité de leur forme et en cela, leur beauté.

> Depuis des mois Pierre accumule dans son sous-sol vieux meubles, boîtes de toutes sortes, outils et pièces de bois au point qu'il n'est plus capable de s'y déplacer. Tout est en désordre et il ne retrouve rien au point tel qu'il est dangereux d'y circuler. Un jour, il se décide à faire du ménage. Il range ses outils, jette les choses inutiles, place dans des boîtes ce qu'il veut conserver. Il range et se fait de la place. À la fin, contemplant son œuvre, il constate que c'est vraiment beau. Il a donné une forme — il a fait un sous-sol avec ce qui n'était qu'un fouillis chaotique d'objets.

Il en est ainsi, lorsque la matière prend une forme, elle devient belle, ou plus exactement, sa beauté est susceptible d'être perçue.

Ainsi, si nous poussons à son extrême généralité toute expérience de beauté, nous pouvons affirmer que la forme est la beauté dans son sens le plus universel. Là où il y a forme, il y a beauté et là où il y a beauté, il y a forme. Cela nous permet donc, sans la définir véritablement, d'expliquer en partie toute beauté ou la beauté en tout: la forme donnée à la matière la rend belle quelle qu'elle soit:

> Chaque fois que je retrouve la forme, dans la nature ou dans un tableau ou dans une sculpture, ou dans un visage ou dans un corps, je ressens l'expérience de la beauté. Et alors j'exprime un grand cri, juste pour moi-même et pour ceux chez qui j'aime éveiller cette même expérience: «Que c'est beau!»

La beauté est un phénomène universel. Elle ne se limite à aucun art, à aucune chose ou à aucun objet. Cet universel, c'est la forme — la bonne forme, la forme harmonieuse qui sied bien à cet art, chose ou objet. Et le simple fait de s'arrêter pour contempler cette bonne forme donne du goût de vivre.

La beauté peut se retrouver partout. La beauté est dans la vie. Et si en contemplant cette beauté présente un peu partout dans la vie la personne développe son goût de vivre, c'est parce qu'une vie habitée par la beauté est une vie qui vaut la peine d'être vécue — puisque la beauté existe, puisqu'il est possible de la contempler et de répéter à l'infini cette contemplation, vivre vaut la peine. Cela vaut ma propre peine de continuer à vivre parce que vivre me permet de répéter cette expérience de beauté, de la retrouver encore et encore pour la recontacter. Recontacter ce spectacle de la beauté. Nous voulons voir se répéter les expériences de beauté; vouloir voir se répéter ce qui est bon comme la beauté augmente notre goût de vivre.

Lorsque je me promène en forêt l'automne, j'éprouve un sentiment de sérénité et je voudrais que ces instants durent toute l'éternité — ne s'achèvent jamais. Si toute cette sensation de la beauté pouvait continuer et continuer et continuer... J'en ressors toujours comme si je venais de prendre un bain de vitalité.

Ainsi trouver, contacter et goûter la bonne forme, la beauté, où qu'elle soit, d'une certaine manière, informe la personne elle-même — lui donne elle-même une forme, une beauté. D'ailleurs l'expression populaire «se sentir en forme» renvoie en fait plus souvent qu'autrement à «se sentir en beauté».

Une forme qui sied à une matière, une forme appropriée à une matière et voilà la beauté. Voilà l'ordre et l'harmonie nécessaires à la beauté — ordre et harmonie, l'essence même de l'expérience de la beauté, celle qui sert la continuité de la vie.

Mais qu'est-ce qui détermine si une forme est ou non appropriée? Qu'est-ce qui fait qu'elle est harmonieuse et qu'ainsi elle suscite de l'ordre? Seule l'expérience de la personne peut permettre de déceler s'il y a ou pas harmonie. Il y a harmonie lorsque la personne éprouve un sentiment de paix intérieure, de sérénité. La personne ressent comme un bonheur devant la manifestation de la beauté. Elle discerne alors la forme harmonieuse de l'objet, de la chose comme ce qui vient calmer son bouleversement intérieur et lui apporter (à cet intérieur) ordre et paix. Le chaos intérieur, le désordre émotif, la bousculade de l'intrapersonnel cessent et la paix s'installe.

Paul est tout triste, complètement défait par la mort de sa tante tendrement aimée. Il est déchiré et se sent prêt à éclater de peine et de colère — la peine et la colère d'être privé de la chaude présence de cette tante qui en fait était devenue pour lui une véritable amie. Il décide d'accompagner son sentiment de deuil en écoutant le Requiem de Mozart. Lentement la belle musique le rejoint — les chœurs attaquent et crient leur demande de paix puis s'adoucissent pour laisser la place aux cordes. Paul est submergé par tant de beauté! Il a toujours sa peine mais il se sent tellement plus harmonieux, en paix avec lui-même.

L'expérience de la beauté est fondamentalement subjective. La beauté est une expérience éminemment individuelle, personnelle car nous sommes seuls pour la goûter et la savourer afin de se donner à travers elle le goût de continuer, de vivre. Le critère déterminant à propos de ce qui est beau réside donc à l'intérieur même de la personne, de chaque personne, de sa perception individuelle et unique de ce qui est beau. En effet, même si à cause des lois universelles de la connaissance et de la perception, plusieurs personnes peuvent partager sensiblement les mêmes critères de la beauté, il n'en reste pas moins que chaque personne possède pour elle-même des critères individuels d'ordre et d'harmonie pour les choses et les objets — des critères qui lui sont propres et qui lui apportent, à elle-même, ordre et harmonie.

Quelle belle cuisine que Louise s'est donnée! Du blanc partout — sur les murs, les armoires, le plafond et seule une petite ligne de vert qui traverse le tout — c'est comme la pureté d'un champs de neige avec des petits bouts de printemps vert qui percent la neige. Puis Louise sourit. Elle se rappelle la cuisine de sa mère, de tout ce brun et ce jaune. «C'est beau, une cuisine brune et jaune» disait sa mère. «On a le goût d'y travailler!» Qui peut vraiment dire: telle mère, telle fille. Louise a besoin de fraîcheur dans sa cuisine et sa mère, de sécurité et leur goût de la beauté suit leur besoin.

Forme simple ou forme complexe, la bonne forme reste l'essentiel de la beauté. Forme simple peut facilement devenir forme complexe — à partir d'un seul trait, d'un son, d'une couleur plusieurs autres formes peuvent venir s'ajouter et la forme simple initiale devient ainsi de plus en plus complexe, de plus en plus pleine pour finalement nourrir encore plus le contentement de l'observateur qui la contemple.

Lorsque Louis a commencé à aimer ce concerto pour violon — c'est d'abord quelques notes qui l'ont étonné: cette descente rapide puis ce silence. À la longue pourtant c'est tout le concerto qu'il a savouré. Quelle beauté! Ce thème premier qui est repris et repris avec toutes les nuances possibles — puis ensuite morcelé pour être rassemblé autrement. Que de contentement devant toute cette complexité!

Forme simple devient forme complexe et généreuse, mais aussi forme multiple. Le monde physique déborde d'infinies variétés de formes, de couleurs, de manières d'être des choses. Cette richesse extrêmement diversifiée se contemple et se savoure. Elle suscite sans cesse le contact avec notre propre densité comme être humain et avec nos multiples et variées manières d'être-au-monde. Par exemple, la chaleur du soleil nous amène à entrer davantage en contact avec la texture de notre peau, avec nos ressources tactiles qui nous permettent de percevoir et de sentir cette chaleur et cela quelquefois en contraste avec la perception d'un vent frais. Nous varions notre perception du monde en fonction des multiples formes d'un objet qu'il présente — nos états d'âme changent selon les différents jeux de la lumière, du soleil à la noirceur. Cette abondance de formes qui varient, soutient la constance de notre intérêt qui ainsi ne fléchit pas.

Le monde physique, particulièrement la nature, est donc habité par une telle densité de vie — qu'il s'agisse du nombre ou de la variété des chants d'oiseaux ou qu'il s'agisse des sortes de végétaux — qu'à son contact tous les instruments de perception, tous les sens d'une personne sont sans cesse appelés à s'exercer. S'arrêter et prendre conscience de toute cette vie autour de soi suscitent la prise de conscience de toute cette vie à l'intérieur de soi et alors, le goût de continuer pour les apprécier encore plus. L'harmonie, la variété et souvent la vitalité du milieu extérieur et physique suscitent le goût d'un contact sensoriel de plus en plus constant avec lui et augmente ainsi le sentiment de vitalité à l'intérieur d'une personne. Les sources de beauté sont si nombreuses qu'il nous est presque toujours, et avec une certaine constance, possible de les saisir pour en faire naître des expériences esthétiques, véritables sources de goût de vivre.

Mais si la beauté, la belle forme harmonieuse et ordonnée, peut se retrouver partout et avec une certaine constance; sa contrepartie, l'absence de forme, le chaos, le désordonné existe également. Qu'en est-il exactement? L'absence de forme, le chaos, le désordre et l'imprécis — c'est d'une certaine manière ce qui crie pour se former, pour se préciser, pour prendre une forme, un sens — c'est ce qui attend la mise en forme, un ordre, un patron. C'est cependant de cet informe et de ce chaos que peuvent naître la forme et de là, la beauté. La forme naît de l'informe et la beauté, du chaos. Et ce sont les créateurs qui, mieux que quiconque, peuvent permettre ces naissances inusitées.

Les créateurs possèdent une habileté toute particulière à trouver de la forme dans le chaos, à mettre des formes, à créer la forme là où c'est informe — et donc, à créer de la beauté. La créativité mène à l'expérience de la beauté, à cette forme harmonieuse née de l'imprécis et de l'informe. Les gens créateurs sont étonnants. Présentez-leur le chaos, ils sauront l'ordonner, en faire quelque chose[2].

Cette attitude spécifique des créateurs face au vide et au chaos est d'autant plus étonnante qu'elle diffère totalement de celle que l'on retrouve chez la majorité des gens. Placé devant le chaos ou le vide ou l'informe, le commun des mortels éprouve au moins un malaise sinon de l'anxiété, de l'angoisse ou de la peur et parfois même de la panique qui le plus souvent le pousse ou bien à fuir, ou bien à remplir le vide ou bien à organiser rigidement. Le créateur réagit tout à fait autrement. Chaos, informe et vide ne suscitent ni angoisse ni panique mais constituent un véritable (et tentant) défi à relever — un appétit de créer, d'inventer quelque chose, de deviner et de donner une forme, un ordre nouveau. Du rien informe et chaotique le créateur fabrique forme harmonieuse et ordonnée, beauté.

Prenons deux exemples limites: d'un côté celui de Michel Ange[3] et de l'autre, celui des blessés cérébraux de Goldstein[4]. Pour Michel Ange, comme nous le disions plus haut, chaque bloc de marbre comportait en lui-même une forme emprisonnée à libérer. Devant son bloc de marbre chaotique et informe, il se déplaçait, le regardait et y devinait une forme particulière: un genoux dans ce coin, une épaule dans l'autre, etc. Son défi était alors de confronter son marbre pour y faire naître la forme devinée. De la dureté brute et de la rugosité imprécise d'un bloc de marbre, il faisait naître une forme harmonieuse, une beauté indescriptible donnée en héritage à l'humanité. Par ailleurs, pour les blessés cérébraux de Goldstein, le moindre désordre aussi minime fut-il était totalement insupportable. Le moindre déplacement de l'ordre habituel des choses concrètes — comme par exemple un objet déplacé sur la table de nuit — soulevait une grande anxiété et parfois même une panique. Tout désordre était pour eux une source imprenable d'angoisse; ils ne pouvaient absolument rien en faire et encore moins en créer quelque chose, une chose nouvelle[5].

Pour que le chaos soit mis en forme, encore faut-il posséder une sécurité fondamentale en ses ressources mais aussi vouloir et aimer confronter la résistance et l'opposition premières à la naissance de la forme et de la beauté. Pour celui qui connaît et qui a foi en ses ressources, la résistance qu'offre l'informe, le chaos, ou encore la difficulté de la réalité qui résiste à la mise en forme, suscite du goût de vivre — le goût et l'élan de mettre de la forme.

---

2.   Voir les études de Barron (1968) sur la créativité.
3.   Voir Janson (1986) et aussi p. 196.
4.   Goldstein (1940) a étudié des vétérans de la guerre 1914-18, blessés au cerveau par des éclats d'obus. Il a remarqué chez ces personnes une absence presque totale de sécurité en leurs capacités.
5.   Il faut être fondamentalement sécure pour être capable non seulement de tolérer le vide, le chaos mais en plus d'être capable d'en faire quelque chose. Sinon c'est l'envahissement par le chaos, l'aspiration dans le vide et la mort psychique de la personne. C'est cela qu'éprouvaient probablement les grands blessés cérébraux de Goldstein.

Un créateur de beauté possède aussi une facilité étonnante à prendre une forme déjà existante et à la transformer. Il peut ainsi prendre une forme, la défaire et la refaire de manière à créer une nouvelle forme, souvent plus nuancée et plus complexe que la première. On peut par exemple penser à la célèbre tête de taureau de Picasso — un siège de bicyclette et ses poignées renversées qui deviennent une tête de taureau. Picasso prend une forme déjà existante (bicyclette), la transforme (renverse les poignées) et ainsi crée une forme tout à fait autre, plus complexe (une tête de taureau; le siège: la tête et le museau; les poignées renversées: les cornes). Évidemment, c'est génial; c'est Picasso! Mais cette sorte de saut de l'imagination de Picasso, nous sommes tous à divers degrés capables de l'effectuer. Notre esprit cherche toujours à faire des formes de ce qui l'entoure et rien ne l'empêche d'utiliser son imagination pour cela — pour faire encore plus de formes et pour encore mieux les présenter parce que, au bout du compte, cela fabrique de la beauté et de là, du goût de vivre.

Rose-Anne contemple son salon qu'elle vient de transformer et elle déclare: «C'est tellement plus beau comme ça!» Pourtant, elle n'a pas fait grand chose. Elle n'a que changé la disposition des meubles, permis plus de présence à ses plantes vertes et dégagé la lumière de la fenêtre. Mais de tout cela, un nouvel ordre est né — de nouvelles formes sont nées du réaménagement, de la transformation, de son «ancien» salon. Du même transformé est né du nouveau.

Tout le monde peut, à divers degrés, utiliser son imagination pour briser un équilibre déjà existant pour ensuite le refaire autrement. Ainsi nous pouvons créer des formes nouvelles — même si nous serions les seuls à les contempler. Et même à la limite si seuls à les contempler, nous les contemplerions qu'en imagination. Évidemment le passage de la forme transformée en imagination à la forme transformée dans la réalité n'est pas toujours possible mais lorsqu'il l'est, nous avons tout avantage à l'effectuer. En fait, lorsque nous dépassons nos rêveries et que nous confrontons la résistance de la réalité pour mettre dans la matière réelle les formes que nous avons imaginées — eh bien, nous créons de la beauté et nous lui donnons une certaine constance dans la réalité qui nous entoure. Nous sommes les premiers à en profiter et du même coup, nous permettons à d'autres d'en faire autant. Mettre au monde de la beauté, c'est fabriquer de la forme — informer, transformer la réalité et la matière qui dure. En créant de la beauté, en fabriquant de la forme ou en la transformant, la personne se donne du sens à vivre. Elle se fabrique du goût de continuer, de se continuer — du goût de vivre.

Au fond, c'est la forme[6] qui dicte le contenu, c'est-à-dire que c'est l'idée du créateur qui imposera pour son passage-au-monde, tel ou tel matériau. La beauté est d'une certaine façon plus importante que la vérité. Nous cherchons la manière qui serait plus que toute autre susceptible de donner à notre chaos présent, à l'informe du moment, l'ordre et la forme qu'il demande.

Par bout, Anne se sent comme si; par bout, elle se sent comme çà sans savoir vraiment ce qu'elle veut. Elle est toute mélangée — puis elle s'arrête et laisse venir toute son imprécision. Et oh surprise! Elle ressent maintenant précisément qu'au fond de tout cela,

---

6.   La forme dans le sens de l'âme, du principe intégrateur plutôt que dans le sens de ce qui paraît.

ce qu'elle désire vraiment, c'est d'aller magasiner — d'aller voir de belles et de nouvelles choses.

La forme (voir de nouvelles choses) a dicté le contenu (aller magasiner) et cette forme naît de la confrontation de l'informe (le mal à l'âme). Ainsi, trouver la forme appropriée à l'informe présent peut se traduire et se vivre dans le quotidien. C'est par exemple, le goût d'écouter une belle musique (plutôt que de se promener dans la nature ou plutôt que quoi que ce soit d'autre) puisque c'est, à ce moment-là, la forme de la musique, sa beauté, qui (plus que toute autre chose, forme) pacifie la personne, répond le mieux à son besoin spécifique de paix et de beauté, met le plus d'ordre possible dans son expérience chaotique immédiate en proposant *la* forme que réclame *cette* région chez *cette* personne à *ce* moment. À d'autres moments, ce sera peut-être la promenade dans la belle nature, qui, par sa beauté, constituera ce qui donnera le plus de forme, informera le plus le chaos de l'expérience présente de cette personne. C'est alors un autre désordre[7] intérieur qui, à cet autre moment, aura été à l'origine du choix de cette autre forme: la promenade. Ainsi la forme dicte le contenu de l'activité qui suscitera l'expérience esthétique.

> Claire hésite entre écrire des poèmes ou écrire un roman. Elle choisit d'écrire un roman parce qu'elle sait intuitivement que ses questions intérieures, les préoccupations de son cœur, obtiendront plus d'existence par la création de personnages qu'elle installera en scénario que par des belles phrases assorties de beaux mots qu'elle retrouve dans ses poèmes.

Ainsi les préoccupations du cœur de Claire (la forme) l'ont obligée d'écrire un roman (le contenu) parce que ce dernier calmait plus ses questions intérieures.

C'est difficile de faire face au chaos et au désordre. On est souvent fortement tenté de passer outre et trop vite, on les évite. Malheureusement, en même temps, on se prive de leur rôle comme espace propice à la création de formes et de là, de la beauté et du goût de vivre. Éviter et fuir chaos et désordre dissipent certainement, temporairement, le malaise (parfois l'angoisse et la peur) mais parallèlement, la forme ne sera jamais créée, l'ordre non plus ou du moins la forme ne sera jamais pleinement présente — le désordre n'aura pas fait son œuvre de stimulus à la beauté.

Pour créer la forme à partir du chaos et du désordre, il faut accepter le difficile, le souffrant qu'ils suscitent. Il importe donc de tolérer l'ambiguité et d'endurer, jusqu'à un certain degré, le désordre et la désorganisation. Il faut accepter cette souffrance, cette misère, ce trac — c'est la seule manière d'arriver à ce que la totalité de l'expérience de la personne soit touchée et permettre ainsi que la nouvelle forme créée, la beauté prenne toute sa densité.

> Paul se débat avec ce cours à donner. Un sujet tellement difficile à cerner, à organiser et une classe d'étudiants si réfractaires à tout ce qui est complexe. Comment arriver à donner forme à ses idées, à les transmettre avec le plus d'élégance possible et à rejoindre ses auditeurs? Par bout il est tenté de tout envoyer promener — il leur expliquera la pensée d'un seul auteur et c'est tout! Puis, il refuse de démissionner. Il continue son combat avec ce qu'il éprouve: c'est difficile et presque souffrant de mettre au monde ce cours — cela ressemble à un accouchement. Puis finalement, à force d'efforts, cela

---

7. Il ne faut pas penser que ces désordres et ces chaos intérieurs sont des tempêtes de déchirement. Ils peuvent n'être que des grands vents agaçants ou même des brises chatouillantes.

arrive. Il est satisfait de sa présentation. Il s'engage vers la salle de cours tout habité par cette nouvelle forme qu'il a mise au monde: son cours.

La naissance de la beauté n'est jamais magique; elle implique toujours un effort, un accouchement. Pour que la culbute entre le désordre et l'ordre se fasse, pour que le passage de la perturbation à la forme s'accomplisse, il est impératif que la personne qui crée accepte d'emblée la souffrance qui leur est inhérente.

La révélation de la beauté, sa dé-couverte implique une polarisation de la réalité — que cette réalité soit une œuvre d'art, un spectacle naturel ou une expérience intérieure à mettre au monde. Nos limites perceptuelles obligent très souvent un effort supplémentaire pour saisir la beauté, cette forme dans laquelle le tout est harmonieux. Les sens très souvent morcellent et découpent la réalité alors que la forme réside dans le tout, le global. La forme est en elle-même immatérielle. Elle doit son existence à la façon dont les choses se relient entre elles. La forme, c'est d'une certaine façon, la relation qui existe entre les choses, et percevoir cette relation demande une pleine présence à soi-même. On ne peut pas être distrait et en même temps percevoir de la beauté.

En somme, pour que des formes apparaissent, il importe de confronter l'informe et de séparer, diviser et relier autrement ce qui est là. Tout acte de fabrication de la beauté ou de genèse de forme repose donc sur une difformité, un chaos, un vide, un désordonné qu'il s'agit de diviser, de séparer et d'organiser ou de ré-organiser autrement ou encore de briser ou de défaire une forme déjà existante (par exemple le siège et les poignées de bicyclette qui deviennent la tête de taureau de Picasso) pour finalement en faire une forme plus harmonieuse, plus constructive, source de beauté. Le beau est donc ce qui imprime une qualité privilégiée à certains objets, à certaines choses naturelles ou créées par l'homme — une qualité dont la perception provoque dans le cœur de la personne qui contemple un mouvement d'admiration et/ou d'enthousiasme et dans son corps, une expérience d'euphorie, un bien-être physique. C'est une forme qui, une fois observée et perçue, calme le désordre, le chaos et sert à mieux vivre — aide la personne à vivre, à continuer, à ressentir le goût de continuer et de vivre.

La beauté, l'ordre et l'harmonie des choses

L'essence de la beauté, la forme, se perçoit particulièrement à travers l'ordre et l'harmonie des choses, c'est-à-dire à travers ce qui dans un tout s'assemble bien. Toutes les parties sont en harmonie avec toutes les parties. Rien ne peut s'ajouter. Rien ne peut s'enlever. Dans cet état, la beauté est. Ordre et harmonie des choses sont l'espace d'être de la beauté.

> Paul examine la peinture que vient tout juste de terminer Marie: un homme les bras croisés devant la mer — rien d'autre que l'homme et la mer n'existe. Paul est ravi: «que c'est beau! Tout y est — l'impression de froid et cet homme frileux! Tout ce bleu et ce vert! Si on ajoutait quoique ce soit (un arbre, une maison), l'impression se perdrait.» Et l'abondance qu'il ressent à parler de cette peinture lui indique sûrement qu'elle le rejoint. Devant cette peinture, il est en contact avec sa propre expérience.

La forme harmonieuse est celle qui ordonne les parties et renforce le tout. Plus l'ordre et plus l'harmonie sont subtils et nuancés, plus la beauté est présente; plus la beauté est présente, plus les choses peuvent continuer. L'ordre et l'harmonie permettent à la vie de continuer[8]. Et de cette manière, le goût de l'ordre et de l'harmonie rejoint et participe au goût de vivre. Aimer la beauté, vouloir la beauté, c'est effectivement aussi vouloir la continuation des choses, vouloir la continuité de la vie.

Nous voulons répéter le beau, le voir se continuer, le renouveler pour ressentir plus de plaisir à vivre. Notre attitude est fondamentalement différente face à ce qui n'est pas beau — ce qui est laid. La laideur s'oppose à la beauté, elle établit une disconvenance radicale, une disproportion entre les choses qui fait que nous voulons la voir cesser. À l'opposé du beau, le laid fait cesser, ne pas continuer. Nous ne cherchons pas à le voir se perpétuer, se continuer, exister — nous voulons qu'il cesse, qu'il ne se répète pas. Le beau, lui, suscite en nous ce désir de voir les choses se continuer — simplement parce qu'elles sont belles, parce qu'elles sont bonnes, parce qu'elles donnent alors le goût de vivre encore, de continuer à vivre pour en vivre d'autres, d'autres choses qui sont pleines de beauté.

Si la beauté suscite ainsi du goût de vivre c'est donc parce qu'elle est si étroitement liée, en parenté si proche, avec la continuité de la vie. La forme ordonnée et harmonieuse qu'est la beauté réveille chez la personne qui la contemple l'élan et la tendance vers le même état d'harmonie et d'ordre qu'elle désire recréer et revivre, à l'extérieur comme à l'intérieur d'elle. Le goût de l'ordre et de l'harmonie en dehors de soi engage à faire continuer les belles choses; le goût de l'ordre et de l'harmonie en soi engage à se rendre beau, à savoir se rendre ordonné et harmonieux — certains sur certaines facettes d'eux-mêmes et d'autres, sur d'autres facettes. En se rendant belle, la personne s'assure de continuer davantage, de vivre plus.

En maintenant l'ordre et l'harmonie, la beauté protège du désordre, de la désorganisation mais aussi d'une certaine désintégration (désagrégation, morcellement) de la personne et de son milieu. Ainsi, toute action qui s'oppose à la désintégration, qui mène à l'intégration des choses en soi ou autour de soi, favorise l'harmonie et tend vers la beauté. L'harmonie interne des choses (leur intégration, leur proportion, leur mesure) constitue le cœur de la beauté qui ainsi résiste à la disproportion, à la démesure et à la désintégration.

La beauté suscite l'ordre et les deux, le respect. Ce qui est beau et en ordre incite nécessairement la personne à en prendre soin, à respecter l'équilibre et l'harmonie présentés. Ainsi, entretenir la beauté constitue une des mesures les plus efficaces contre les poussées destructrices que l'on retrouve par exemple dans le vandalisme. La laideur ou la désorganisation suscite — chez ceux qui ne peuvent pas pour diverses raisons utiliser leur potentiel créateur afin d'en faire quelque chose d'ordonné, une forme, de la beauté — le désordre et lui, la négligence, le laisser-aller, le non respect des lieux et à la limite, les tendances destructrices. Devant la laideur, le désordre et la désorganisation — le vandale continue à défaire, à détruire ce qui, déjà, est en voie de l'être; devant la beauté, le vandale est comme menotté — il n'ose pas défaire cet ordre et cette organisation harmonieuse.[9]

---

8. Revoir le chapitre 2, pp. 25-32.
9. Généralement, chez la majorité des gens, la beauté suscite effectivement le respect de l'ordre et de l'harmonie créés et ainsi elle protège efficacement du vandalisme. La beauté peut par contre aussi parfois pour certaines personnes dans certains cas bien

Pierre est concierge. Dernièrement il a remarqué que depuis qu'il ne laisse plus aucune porte chambranlante, aucun tapis déchiré et aucun carreau brisé, sa conciergerie n'est plus la cible des vandales. Alors depuis, il ramasse tout ce qui traîne, répare chaque fissure, met des fleurs dans son parterre, entretient ses boiseries, repeint à chaque fois que c'est nécessaire... En entretenant ainsi la beauté des lieux, il a réussi à contrer le vandalisme.

La beauté contribue donc à éviter le désordre et l'anarchie en suscitant de la créativité, de l'ordre et de l'harmonie. La beauté appelle l'ordre à l'extérieur comme à l'intérieur de la personne. Elle lui permet de se mettre en ordre, de s'ordonner et de chercher à maintenir l'ordre ainsi créé. La beauté réussit ainsi à donner de l'espoir — l'espoir pendant les périodes de misère et de destruction parce qu'elle encourage à espérer l'ordre et à continuer la vie.

Le 1er février 1992, *La Presse* titrait: «Au bord de l'anarchie, l'Albanie organise un concours de beauté.» Voici quelques extraits de l'article:

La première Miss Albanie sera élue ce week-end. Le pays le plus pauvre d'Europe, au bord de l'anarchie, veut montrer et se montrer à lui-même qu'il peut «mener une vie normale».

D'ores et déjà, les 25 candidates, âgées de 15 à 23 ans et pour la plupart d'entre elles au chômage, s'entraînent quotidiennement à défiler en mini-jupe sur le podium, au rythme d'une musique pop européenne.

Le maquillage du grand soir, elles l'auront fait venir en fraude de l'étranger. Les robes qu'elles porteront ont été empruntées à un studio de télévision pour pièces de théâtre. Et Valbona Selimilari, 19 ans, de se plaindre qu'elles sont 25 pour trois miroirs.

Il est vrai qu'«un concours de beauté, dans le contexte actuel, apparaît comme un peu surréaliste», confie Vera Grabocka, organisatrice de la manifestation pour la télévision d'état. Mais «ce que nous voulons montrer au monde, et même à nous-mêmes, c'est que nous pouvons mener une vie normale».

Parmi la population, le concours soulève d'ailleurs l'enthousiasme. Plus une place n'est disponible en dehors du marché noir et les conversations n'évoquent plus les problèmes d'inflation ou d'émigration mais les attributs des postulantes.

La Presse, 1er février, 1992, p.A-7

Aussi naïf qu'il puisse paraître, ce concours de beauté en plein pays défait et brisé est un véritable cri d'espérance. Dans ce pays au bord du chaos et de l'anarchie, un concours de beauté appelle à l'ordre et à l'harmonie — comme un frein puissant devant l'inquiétant mouvement de désorganisation. C'est un peu comme si ces gens s'étaient dit: «assez de désordre et de destruction — tournons-nous maintenant vers ce qu'il y a d'harmonieux en nous et chez nous.» Illusion momentanée au cœur d'une envahissante désorganisation chaotique? Peut-être. Mais aussi, espoir — espoir et manifestation d'un désir et d'un pouvoir de reconstruction et de réorganisation. Aucunement inutile et farfelu, ce concours est donc en quelque sorte une

---

particuliers susciter autre chose que l'ordre et parfois même son contraire, c'est-à-dire le désordre. C'est par exemple le cas lorsque la beauté est source d'envie. Le propre de l'envie étant le désir de détruire chez l'autre ce que nous désirons avoir pour nous-mêmes mais que nous n'avons pas, la beauté, lorsqu'elle est source d'envie, peut devenir quelque chose à détruire plutôt qu'un quelque chose à entretenir, à préserver et à respecter. Ce sont là cependant des cas bien particuliers chez des personnes bien particulières et non représentatives de la population en général.

leçon d'humanité — retrouver espoir d'organisation via la beauté en plein centre du chaos, du primitif et de l'anarchie.

La beauté calme le chaotique, le sauvage et le primitif en nous pour nous rendre plus conscients et plus humains. Ainsi l'aphorisme suivant: «la musique adoucit les mœurs» se rapproche passablement de la réalité.

Pendant ses réunions de travail, Pierre est régulièrement confronté aux idées de ses confrères qui plus souvent qu'autrement s'opposent aux siennes. À chaque fois, c'est immanquable, il se sent monter la moutarde au nez — et à chaque fois aussi il essaie toujours de se souvenir de cette belle musique de Mozart. C'est certain, c'est pas facile de faire faire ce saut à sa conscience mais cela réussit à tout coup: le souvenir de ces beaux airs de musique le calme et lui fait retrouver sa sérénité.

La beauté, la belle forme harmonieuse, freine la destruction, le chaos et la laideur mais paradoxalement elle en a besoin pour naître. La beauté demande la résistance de la laideur, de la misère pour naître. C'est lorsque la souffrance de tout ce qui est laid, défait, désordonné et chaotique accable l'être humain qu'il ressent avec le plus d'acuité le besoin de tourner ses pensées vers la beauté, le besoin de pratiquer toute activité qui l'amène à vouloir insister sur la beauté ou le besoin d'en créer — écrire de la poésie, peindre... C'est en fait cela l'essence même du paradoxe: la beauté, résistance à la laideur, naît aussi dans la résistance de la laideur.

Désordre, chaos, désorganisation, morcellement sont tous symboliquement associés à la mort; ils en sont en quelque sorte les fidèles représentants. Lorsqu'ils approchent, la personne risque de voir s'éveiller en elle des angoisses primitives de mort. Pour s'en soulager ou pour composer avec elles, la personne non seulement aime mais a besoin de se souvenir de la vie et de la vitalité — et pour ce faire elle a recours à la beauté[10]. Elle veut s'y laisser bercer parce que la beauté est pleine de vie.

Finalement, la qualité ou la profondeur de la beauté dépend de la profondeur et de la constance de l'ordre et l'harmonie de sa forme. Plus l'harmonie est complète, plus elle assure de la continuité et plus elle embellit l'objet. La perception et la contemplation de cette harmonie donnent à la personne du goût de continuer, du goût de vivre pour continuer à contempler et pour retrouver encore tout le spectacle de la beauté.

La beauté et l'unité

L'unité est une autre des caractéristiques constitutives de cette forme harmonieuse appelée beauté. La beauté est *une*, la forme harmonieuse à contempler est unique. L'unité, cette qualité qui toutefois ne se perçoit souvent qu'à travers ses effets, c'est l'éternelle splendeur du *un* qui se manifeste à travers le *plusieurs*.

Ainsi, la beauté permet de retrouver l'unité dans la diversité, le *un* dans le *plusieurs*, le pareil dans le différent. La beauté constitue le fil d'Ariane à travers la multitude et l'incroyable variabilité de toutes les choses qui sont belles — toutes,

---

10. Il ne s'agit pas véritablement d'une compensation. La beauté n'est pas créée *à cause* de la laideur — la beauté n'existe pas *parce qu*'il y a de la laideur — pour la compenser. Le fait qu'il existe de la laideur crée une sorte de résistance qui elle sert de tremplin pour créer de la beauté — la beauté requiert la résistance de la laideur pour naître.

malgré leur différence, se rejoignent à l'intérieur d'une seule et même unité: la beauté. La beauté est ce qui les unit. Parmi toutes les formes harmonieuses de l'univers, le *un* resplendit et donne de la signification à chacune et à toutes. L'unité de la beauté transcende les paradoxes de la vie. La beauté chez celui qui la contemple suscite une expérience intérieure d'unité. Par son appel à l'unité, la beauté permet de mieux tolérer les incongruités, les souffrances de l'éparpillement de l'existence humaine.

Anne connaît bien ces états d'éparpillement — ceux pendant lesquels elle n'arrive à rien. À ces moments, elle est incapable de faire ou de penser. Elle se déplace inutilement et tourne littéralement en rond. Elle sait alors qu'en même temps elle désire et elle ne désire pas, qu'elle veut travailler et ne veut pas travailler — elle est tirée par des forces contraires. Depuis quelque temps, elle a découvert que cet état de confusion disparaissait quand elle s'installait confortablement dans son salon et qu'elle écoutait une belle musique. Là, les choses s'arrangeaient! Les tensions disparaissaient, l'unité se faisait. Après, elle était toujours ragaillardie et vigoureuse pour plonger tout ce qu'elle était dans une activité. La beauté l'unifiait.

D'une certaine façon, la beauté confronte et absorbe tout ce qui est démoniaque dans tout ce qui existe — elle absorbe aussi ombre et noirceur dans la lumière. La beauté apporte de l'unité, du sens unificateur dans ce qui serait sans elle vide, incohérent et mélangé.

Pour accéder à ce sentiment d'unité, il faut que la personne accepte de prendre le sentiment de polarité, de tension entre le pôle matériel, corporel et le pôle cognitif et spirituel — et cela, sans s'enfermer ou s'isoler dans l'un ou l'autre de ces deux pôles. L'unité est dans la tension. La tension naît de la différence, de plusieurs différences qui s'entrechoquent. La beauté est ce qui vient unifier ces différences en bataille. La beauté établit l'harmonie de l'unité; elle établit ce qui prime sur les différences.

Dans les couloirs du métro, un musicien joue une petite sonate de Mozart. Toute cette foule bigarrée qui passe devant le musicien: des ethnies différentes, des âges différents, des cultures différentes et pourtant, une expérience unique de beauté devant Mozart. L'humanité se réconcilie.

La beauté efface toutes les frontières et toutes les distances pour nous amener à réaliser, qui que nous soyons, notre humanité commune. Un coucher ou un lever de soleil est un spectacle de beauté peu importe l'endroit que nous habitons sur terre — l'un et l'autre dépassent toutes les distinctions entre toutes les personnes de notre planète.

L'humanité se reconnaît par l'intérêt porté à la beauté. Tout être humain reconnaît l'humanité d'un autre être humain à travers l'intérêt, le goût et le respect que ce dernier porte à la beauté. La beauté est universelle — elle est *une* pour toute l'humanité. Les choses, les manifestations de la beauté suscitent un langage commun entre les peuples, celui de l'expérience esthétique et du désir sans cesse renouvelé de la voir se répéter. Partout dans le monde les êtres humains recherchent la beauté et par leur art, ils tentent toujours et encore d'en créer le plus possible. La beauté, sa fabrication et sa contemplation est comme une marque distinctive de notre humanité. Chez tous les peuples, partout et toujours se retrouvent le goût et le désir de faire, fabriquer, modifier, créer quelque chose, des choses nouvelles qui donneront par la suite du plaisir pour les sens — du plaisir pour l'intelligence. Qu'il s'agisse de créer, de décorer ou d'embellir; qu'il s'agisse de tableaux, de musique, de romans, de vêtements, de maisons ou de lieux — peu importe, engendrer de la beauté solidifie la parenté (déjà existante mais trop souvent oubliée) entre la multitude de différences d'une seule et même humanité.

Louise pense quelquefois à toutes les différences de points de vue et d'idéologies qui existent entre les être humains. Ils se tapent dessus et se bousculent pour des valeurs, des idées, des territoires. Mais, face à la beauté, se dit-elle, tout le monde s'entend. La beauté, on la respecte partout. Des chefs-d'œuvre de l'humanité ont été protégés même pendant des guerres destructrices. La beauté réunit l'humanité. C'est la grande table de réunion de l'humanité, songe-t-elle! Elle est contente de cela, ça la rend meilleure. Et maintenant lorsqu'elle pense aux peuples qu'elle n'aime pas, aux gens qu'elle déteste — elle pense aussi que ces gens, comme elle, désirent faire de la beauté, la connaissent, la respectent et la recherchent et cela, l'aide à oublier ses hostilités.

L'unité dans la beauté intensifie la solidarité entre les humains, le sentiment d'appartenance à l'humanité. La beauté, c'est en quelque sorte le langage universel, celui qui unifie les peuples, les réunit, au-delà de leurs multiples différences — sens de proportion, bonne forme et harmonie, inhérents à la beauté, se retrouvent chez tous les peuples, aussi différents soient-ils. C'est somme toute par la beauté que nous sentons battre le cœur de l'humanité, que nous reconnaissons, comme en lui tâtant le pouls, la qualité de son humanité. Et un monde qui a un souci et un soin pour la beauté, est un monde qui mérite d'être protégé, sauvegardé — qui mérite de continuer.

Installé sur le balcon de son chalet, Paul contemple le ciel d'encre noir avec ses points de lumière, les étoiles. «Des étoiles et leurs planètes! Des galaxies et des univers!» pense-t-il. «Toute cette immensité et nos petits conflits d'humains, entre nos approches différentes de la réalité — et pourtant nous habitons tous cette petite planète, partie infime de ce monde d'infinité. Comment ne pas être solidaire!» se dit-il.

Repensez à la terre photographiée de l'espace — quel beau spectacle! Un spectacle de beauté qui fait réfléchir et qui, à sa façon, intensifie effectivement l'appartenance et la solidarité à l'humanité. Notre terre commune, cette planète bleue, si belle et si unique — comment devant elle, maintenir nos hostilités, nos conflits pour protéger en fait de fausses frontières? Comment lorsque nous contemplons notre planète — une planète si fragile dans son isolement, petit fragment d'un univers sans fin — pouvons-nous maintenir nos oppositions primitives et infantiles? Devant le silence majestueux des images de notre planète, devant la sérénité de sa présence, comment pouvons-nous continuer à nous agiter, à nous énerver et à revendiquer les uns des autres.

Le spectacle de la beauté de la terre unifie et réconcilie les humains. L'expérience esthétique suscitée par la beauté de notre planète nous aide à transcender nos petites agressivités et nos petites misères pour nous reprendre, nous resituer et nous intégrer dans une humanité commune — nous faire prendre encore plus conscience de notre participation comme membre effectif de l'ensemble de l'humanité. Quels que soient notre race, notre peuple et notre idéologie, nous sommes tous des citoyens de la terre, de cette planète: la belle bleue, la nôtre.

Ces images de la terre regardées par tous les humains depuis le premier voyage sur la lune ont peut-être en partie répondu à la problématique posée par les philosophes depuis Platon, c'est-à-dire, l'unanimité à propos de ce qui est beau.

Face à l'expérience de la beauté de la terre, serions-nous en train de nous entendre sur ce qui est beau?

Il semble effectivement se créer à travers la perception de notre belle planète une universalité d'expérience et une réconciliation de nos oppositions qui, somme toute, étonnent. Peut-être qu'un jour l'étonnement pourra s'étendre à la découverte d'un substrat neurologique à l'expérience cérébrale commune devant la beauté? Et alors nous verrions peut-être que la variabilité en ce qui concerne les belles choses — que nous expliquons présentement par les différences culturelles et individuelles — ne serait pas le résultat d'une opposition — ceci est beau pour une personne et ne l'est pas pour une autre — mais plutôt la manifestation de plusieurs et divers accents sur une seule et même expérience partagée par tous, l'expérience de la beauté — telle chose est belle mais telle personne la trouve plus belle qu'une autre... Mais nous n'en sommes pas encore là. Nous en sommes encore à l'acceptation de beautés différentes et variées sans le besoin de réduire le beau à une seule série de perceptions. Toutes les grandes cultures de l'humanité ont leur champ de la beauté, leurs critères et leurs descriptions mais toutes partagent le même désir, celui de mettre les humains en contact avec la beauté de leur monde.

L'unité de la beauté est aussi en partie liée avec la vérité. Il est même possible de dire que ce qui est vrai est beau — la vérité et son unité se manifestent par la beauté. Une idée ou une pensée qui est vraie et appropriée à la réalité qui la sous-tend est en quelque sorte une belle pensée. Et ceci au point tel qu'il est possible d'apprécier la justesse d'une théorie par son apport de beauté. Une bonne théorie possède des qualités esthétiques, que cette théorie soit de l'ordre du matériel, du psychique ou de l'artistique. Si la science révèle la vérité et l'art, la beauté; la beauté révèle la vérité et ainsi la science et l'art ont une mère commune: l'humanité.

La vérité de la beauté est un état d'être, un état ontologique qui dépasse le simple appel à l'émotif, c'est-à-dire qu'elle requiert l'apport de l'intelligence et de ses ressources pour être prise en soi, com-prise. On peut même comprendre pourquoi tant de penseurs ont associé la beauté à la fonctionnalité, à l'utile, à la convenance au but tout comme ce qui est vrai est approprié à l'objectif: l'espèce d'une chose ou sa vérité lui est donnée par son but.

La recherche de la vérité mobilise les êtres humains; la recherche et la fabrication de la beauté les rendent encore plus humains. La beauté est une condition de notre humanité: «tu te feras et tu feras ton monde, beau!» Tenter de répondre à cette condition c'est à l'intérieur de chacun de nous. À nous de faire en sorte que la beauté devienne encore plus partie intégrante de notre humanité. Ainsi, la beauté logera partout en nous; elle finira par habiter l'esprit, par nourrir l'âme et par vitaliser l'ensemble de la vie intérieure de chacun. C'est en ce sens que nous pouvons voir la beauté rejoindre l'espace du spirituel. Elle est en quelque sorte son chemin vers, son entrée. La beauté rapproche donc du spirituel, peut tendre vers la sérénité, nous fait vivre des moments d'éternité et peut-être bien, en nous faisant encore plus sentir la vie, nous aide-t-elle à accepter la mort.

La vitalité de la beauté

La beauté est vitalité. Non seulement la beauté suscite de la vie mais elle en est une intarissable source. Le beau est ce qui plaît; ce qui plaît donne du plaisir; ce qui est plaisant, donne de la vie; le plaisir vitalise. La beauté est dynamique, elle énergise — elle soulève l'âme et donne le goût de voir encore, de ressentir encore, d'écouter encore et donc, de continuer. Elle donne du goût de vivre.

À cause de toute l'intensité de présence qu'il éprouve pendant ses promenades en forêt, André sait très bien que, même s'il doit aujourd'hui repartir pour la ville, il reviendra. Il sait qu'il n'épuisera jamais son goût de voir et de sentir tant de beauté. Demain? en fin de semaine? à ses vacances? peu importe — il reviendra. Tout au long de ses journées de travail à la ville, il se souviendra de ces belles images, de ces bruits si particuliers — cela le soutiendra — le fera passer à travers ses journées. Et ensuite, à la moindre occasion, il reviendra se baigner dans la beauté de «sa» forêt.

Ce goût de continuer que suscite la beauté[11] résulte directement de l'étroite parenté qui existe entre la beauté et la vie. Comme le traduit si bien un proverbe persan:

Si j'ai un sou — avec la moitié, j'achète un pain et avec l'autre moitié, j'achète une violette.

En d'autres mots, quand nous en sommes à choisir l'essentiel, que choisir d'autre que la vie et la beauté — de rester en vie pour savourer sa beauté, la beauté de la vie, la vie et sa beauté. Tout cela pour souligner combien beauté et vie sont reliées, entremêlées.

La beauté est donc en partie liée à la subsistance, à la continuation de vivre. Sans la beauté la vie n'est plus tout à fait assurée de sa continuité. La bonne conduite de sa vie se manifeste et s'observe d'abord par sa beauté comme l'indiquent d'ailleurs certaines expressions courantes: la belle vie! la bonne et belle vie! — exclamations délicieuses du contentement de vivre et de la manière particulière avec laquelle on conduit notre vie.

LES EFFETS DE LA BEAUTÉ

La beauté de tout, en tout et partout — partout surtout où il y a de la vie. Elle peut donc naître de la nature, des choses, des œuvres de l'humanité...[12]. Conséquemment, ses effets sont multiples. Ainsi, la beauté suscite des émotions; elle favorise la santé mentale; elle donne du pouvoir et procure de la sérénité chez la personne qui la contemple; elle permet la réconciliation; elle donne du sens à vivre et peut même en devenir un puissant stimulant. En somme et particulièrement, la beauté est source de goût de vivre; elle fait dépasser le sentiment de finitude comme en figeant dans l'instant l'éternité et en faisant cesser le temps; elle est une manière de transformer le monde.

---

11. Voir aussi plus loin p. 334.
12. L'expérience esthétique, de percevoir la beauté peut aussi naître devant d'autres humains, devant des femmes et devant des hommes. Ce thème de la beauté des humains toutefois dépasse les frontières de ce chapitre consacré au monde matériel, au monde des choses comme sources du goût de vivre.

La surprise et la beauté

La beauté surprend (sur-prend: prend par-dessus). La beauté crée un effet de surprise et cette surprise, en gagnant la sensibilité, déclenche un sentiment d'étonnement. La beauté nous surprend. La beauté nous étonne.

Si le créateur de la beauté effectue un saut d'imagination — défaire et refaire autrement une réalité — celui qui perçoit cette beauté effectue un saut de l'attention. La perception de la beauté fait sursauter l'attention; elle prend l'attention par-dessus et la retient dans la contemplation. La surprise vient saisir la personne, lui fait automatiquement cesser ce qu'elle était en train de faire ou ce qu'elle était en train de percevoir pour ré-organiser autrement son intérieur. La surprise crée un effet choc. Devant la beauté, un peu comme le choc électrique, la surprise saisit et choque; elle pousse l'attention et elle l'oblige à se fixer ou plutôt à se figer sur la beauté — c'est la contemplation.

La beauté secoue le cœur. Et si l'humour est souvent considéré comme l'éternuement de l'esprit, la surprise peut sûrement être considérée comme l'éternuement du cœur. La surprise happe le cœur. D'une certaine manière, elle l'apostrophe et le tient en laisse mais seulement pour l'amener devant le beau à ressentir et à goûter tout le bon de l'expérience esthétique. C'est un peu comme si, sur le coup, la surprise venait dégager une sensibilité toute neuve et toute vive, et que tout à coup, la personne se voyait, presque à son insu, devenir comme complètement happée par le beau.

> Philippe se souvient toujours avec plaisir de ce beau matin de juin dans Charlevoix quand s'avançant sur le bord d'une falaise pour mieux voir la mer il a découvert — oh! surprise — des milliers et des milliers de marguerites, du blanc et du jaune, se balançant au gré du vent. Toutes, elles allaient d'un côté puis toutes, elles allaient de l'autre et au fond, tout au fond, le bleu si bleu de la mer: du blanc, du jaune et du bleu, et sans cesse le mouvement. Ça fait bien maintenant presque quarante ans de cela et pourtant, cette image est restée aussi vive dans sa tête qu'elle l'était il y a quarante ans lorsqu'il l'a perçue pour la première fois. Philippe a toujours rêvé de retourner dans Charlevoix juste pour revoir ces milliers de marguerites sur fond de mer.

La surprise déstabilise l'attention générale, vague et flottante habituellement portée aux choses de la réalité qui nous entoure — elle la court-circuite — pour la retenir et surtout, pour la focaliser sur une seule facette, sur un point bien particulier de la réalité. L'effet de surprise terminé, la personne reprend ce qu'elle est mais autrement, car en fait, elle n'est plus tout à fait la même. L'expérience de la beauté et celle de la surprise qu'elle provoque l'ont transformée, l'ont rendue plus vivante[13].

13. La beauté surprend. La beauté fait sursauter l'attention. Ce sursaut court-circuite l'attention mais ceci pour préparer l'organisme à une expérience intéressante, celle de l'émotion de l'intérêt — d'où le sentiment d'être plus vivant. Le sursaut de l'imagination du créateur et le sursaut-surprise de l'attention devant la beauté sont en cela totalement différents d'un sursaut associé à une réaction devant un stimulus trop vif, désagréable (une tape dans le dos, un coup de fusil). Ce deuxième type de sursaut court-circuite aussi l'attention sauf qu'il prépare l'organisme non pas au plaisir de l'intérêt mais à la peur, à se défendre contre la peur. Le sursaut et la surprise peuvent donc être différemment associés, à l'intérêt ou à la peur, en fonction de ce qui les aura spécifiquement provoqués.

Ainsi la beauté, par le jeu de surprise qu'elle exerce, raffine et raffine encore plus la sensibilité de la personne. Elle dé-anesthésie le cœur qui pour être moins vulnérable se camoufle souvent et perd ainsi ses habiletés à percevoir avec raffinement. Par ce saut de cœur, cette surprise, la beauté nous humanise. Elle nous ouvre tout grand un terrain pour exercer notre sensibilité.

Depuis que Paul a commencé ses cours d'histoire de l'Art, sa vie a changé: il a découvert une nouvelle façon d'apprécier la vie. Comme à l'adolescence lorsqu'il a appris à aimer la nature et ses beautés; comme jeune adulte, lorsqu'il s'est émerveillé devant la pensée humaine; aujourd'hui, comme adulte, il découvre à travers l'Art une autre manière de goûter la vie. Au fur et à mesure, il se découvre une nouvelle sensibilité et à chaque fois, il a hâte à son prochain cours — pour entendre parler d'un autre peintre, pour admirer lentement ses œuvres et savourer en lui par la suite ces images. Paul s'est affiné le cœur. Il a trouvé par l'art un nouveau chemin pour contempler la vie, un sentier tout aussi vitalisant que lorsqu'il a découvert la nature et la pensée.

La beauté dénude l'âme — elle met l'âme à nu et à vif.[14] Et dans cette nudité, les êtres humains sont vulnérables. Les êtres humains et particulièrement les hommes sont gênés d'échanger sur la beauté, de parler à d'autres de leur expérience émotive face à la beauté. Les hommes sont plus à l'aise pour parler des qualités d'attractivité sexuelle, des caractéristiques de fonctionnalité ou d'utilité mais de la beauté, juste de la beauté[15] — telle qu'ils la perçoivent et la ressentent, ils ont de la difficulté — c'est comme s'ils avaient l'impression de se mettre à nu, de se déshabiller le cœur, de livrer à vif leurs émotions, de se montrer dangeureusement vulnérables. Mais hommes ou femmes, même si nous pouvons tous reconnaître et ressentir l'expérience esthétique de la beauté, il nous est (et nous sera) toujours difficile de communiquer à d'autres notre vraie expérience telle que nous l'avons (ou nous l'auront) réellement ressentie à l'intérieur de nous. C'est là, une de nos indéniables conditions existentielles: nous sommes fondamentalement seuls et c'est seuls avec nous-mêmes que la beauté nous rejoint vraiment jusqu'aux fibres de notre être-au-monde.

Pour susciter tout le vif de l'émotion, la contemplation de la beauté commande la solitude. Dans la contemplation, personne ne peut nous accompagner — il n'y a que nous-mêmes et notre solitude. Même l'être le plus aimé ne peut pas être là; même si sa présence nous est précieuse, elle ne peut pas faire autrement que nous distraire de tout ce qui peut être ressenti. Malheureusement, cette nécessaire solitude risque d'en faire fuir plus d'un. La solitude ou plutôt la crainte d'affronter l'isolement[16] parvient ainsi à priver plusieurs d'entre nous d'une expérience très particulière, celle de vraiment goûter à la beauté.

Louis se souvient que lorsqu'il était adolescent et qu'il était seul à faire une excursion en montagne, il éprouvait une immense tristesse. Comment devant tant de beauté la tristesse pouvait-elle l'envahir autant? Au début, il pensait que c'était parce qu'il était seul et que son besoin de communiquer à d'autres ce qu'il éprouvait devant tant de beauté

---

14. C'est le «soul-baring» de la langue anglaise c'est-à-dire l'âme dénudée de ses défenses et qui n'est que perception.

15. De la beauté *en plus* de l'attractivité sexuelle et non pas de la beauté *au lieu* de l'attractivité sexuelle.

16. Voir Bureau, Jules (1992).

ne faisait qu'accroître son sentiment de solitude, d'isolement. Mais aujourd'hui il s'explique cela autrement. D'abord il sait maintenant que devant la beauté, même accompagné, on est toujours seul — la majesté de la beauté prend à elle seule toute la place; ensuite, il a découvert que ce qu'il appelait «tristesse» n'en n'était pas vraiment — ce qui l'envahissait comme adolescent c'était tout simplement que n'étant pas distrait par la présence des autres, son cœur s'enflammait et il appelait cette flambée, de la tristesse de l'isolement.

L'expérience esthétique trouble. La beauté trouble. Et le trouble esthétique ressenti devant un spectacle de beauté (peu importe sa forme) prouve que la beauté a été véritablement perçue et goûtée. Devant la beauté, le cœur s'incline; il admire: un ciel étoilé, une peinture de Cézanne, un concert de Mozart, un nouveau-né — tous des stimuli de beauté et toutes des possibilités de raffiner notre sensibilité et d'élargir notre humanité.

La beauté, le goût de vivre et la finitude

Que la beauté nourrisse le goût de vivre, nous ne nous en étonnons plus. D'autant plus que nous en avons glissé ici et là plusieurs exemples. Ce n'est pas pour remettre en question ce fondement que nous y revenons mais, au contraire, pour l'appuyer davantage tant ce lien entre la beauté et le désir de vivre est fondamental pour tout vivant, qui de surcroît est aussi mortel.

Le goût de vivre naît de la conscience du précieux de vivre qui, elle, naît à son tour de la conscience de la fragilité de vivre puisque la vie est toujours menacée par la mort.

Comme nous cherchons à protéger une pierre précieuse à l'intérieur d'un bel écrin, nous cherchons à protéger le précieux de vivre, la vie qui nous est précieuse, en l'entourant de beauté. La beauté amplifie la vie, la conscience d'être vivant et sous son influence, la personne arrive à oublier — l'espace d'un moment, de sa contemplation — qu'elle est limitée, qu'elle est finie. Et tout se passe comme si pour garder cette illusion d'éternité, la personne en venait à se mobiliser sans cesse pour créer de la beauté et ceci en fait, pour assurer encore plus sa continuité. Il en est ainsi. Lorsqu'une personne contemple de la beauté, elle éprouve elle-même sa forme et son harmonie tout à fait comme si la beauté lui servait de miroir. Elle réalise alors, encore une fois, que cela vaut la peine de continuer puisque la beauté existe, puisqu'elle-même (la personne) existe et qu'elle participe par son ordre et son harmonie à cette beauté et finalement, puisque la mort guette, puisque sa durée comme personne est indéniablement limitée, elle réalise que son existence est précieuse.

Chantal a toujours trouvé la beauté des lilas émouvante. Leur douce couleur mi-mauve, mi-violette, leur parfum si généreux qui embaume des rues entières, leur parenté avec le printemps — tout cela la transporte. Mais ce qui l'émeut davantage, c'est leur courte vie — à peine quinze jours et ils disparaissent. Leur caractère éphémère rend encore plus précieuse leur présence et spécifie encore plus leur beauté. Chantal les savoure donc d'autant plus qu'elle sait qu'ils ne seront pas toujours en fleurs.

Les humains meurent mais la beauté reste. Les humains sont mortels mais la beauté est éternelle. Participer à la beauté, en vivre, c'est quelque part participer à l'éternité — à l'illusion d'éternité. La conscience de la mort — et un jour sa proximité — engage à créer de la beauté. De la beauté pour d'une certaine façon affronter et confronter la mort, la désorganisation de la mort... Devant la beauté, la mort recule en quelque sorte ses frontières.[17] La beauté entretient conséquemment le goût de vivre. La beauté refuse d'être temporaire et malgré sa délicatesse et son caractère souvent éphémère, elle exige l'éternité.

> Pierre écoute cet air de Verdi chanté par Pavarotti et dans le fond de son cœur il s'enflamme et se dit: «Demain, je peux bien mourir ou vivre encore mais là, juste là, j'ai ce moment suprême d'éternelle beauté et rien ne peut le faire cesser.»

Les grands moments de beauté, de pure éternité, sont comme des pieds de nez adressés à la mort — ce sont des parcelles d'éternité dans la finitude de la vie humaine. Et si la beauté en confrontant la mort donne du mordant au goût de vivre, de son côté, la mort éveille et aiguillonne le créateur endormi en chacun de nous. Les artistes d'ailleurs savent souvent plus que les autres quelles sont les limites et les menaces de la mort et c'est probablement pourquoi ils ressentent aussi encore plus le besoin de créer, de faire de la beauté. Y aurait-il autant de zest à vivre sans le spectre de la mort? Sans la mort, la vie ne risquerait-elle pas de s'affadir en devenant une routine de vivre de laquelle la beauté serait exclue. Rollo May (1985)[18] raconte par exemple que la première fois qu'il est entré dans la cathédrale de Chartres, et qu'alors il a découvert toute la beauté des vitraux illuminés par le soleil couchant, il a vécu une expérience indescriptible d'extase et face à elle, il n'a eu qu'un souhait — que cet instant dure toujours! Qu'il soit éternel! Évidemment, c'est impossible — la limite du temps et celle de la mort nous rattrapent toujours. Mais même là, la beauté apporte quelque chose de bon — elle aide aussi à accepter cette limite de temps, la mort. En effet, si la beauté nous aide à ressentir la vie, à sentir que la vie vaut la peine d'être vécue (parce qu'elle est pleine de beauté à faire, à créer, à contempler) la beauté peut aussi pacifier la mort — parce qu'une mort qui s'accompagne de beauté — une belle mort — en est une qui quelque part se tolère plus facilement.

> Devant le spectacle qu'offrent les couleurs des feuilles de l'automne, Daniel s'arrête pour goûter à toute cette beauté. Puis, il réalise que les feuilles de ses érables et de ses chênes sont encore plus belles quand elles approchent de leur mort. Elles connaissent leurs couleurs les plus riches et les plus intenses lorsqu'elles meurent et aussi très probablement *parce qu'elles meurent.* Il se dit que c'est peut-être parce que proches de la mort elles ne retiennent plus rien — alors elles présentent *toute* leur beauté.

Lorsque nous sommes conscients de l'existence de la mort ou que la mort approche, la nôtre, nous sommes aussi plus conscients de la vie, de la vitalité — et le goût de vivre est à son comble. Ainsi lorsque la laideur, la misère et la souffrance accablent la personne, elle ressent souvent le besoin d'écrire de la poésie, de tourner ses idées en beauté, peu importe, mais elle veut faire de la beauté: c'est une façon de résister à la laideur et à la souffrance.

---

17. Devant l'amour aussi. La mort hésite devant l'amour. Comme pour la beauté, l'amour obtient du pétillant justement parce qu'il y a la mort.

18. Après une longue et riche expérience de psychothérapeute, de rencontres et de réflexions, ce grand penseur existentiel consacre tout un livre à l'étude de la Beauté — son cri pour la beauté (1985).

La beauté donne de l'espoir. Parce qu'elle célèbre la vie, elle donne le goût de la continuer. Parce qu'elle (la beauté) reste une garantie d'ordre et d'harmonie, elle permet aux choses de continuer et par ces faits, elle engendre du goût pour la vie, de la force de résistance à la mort, le goût de continuer et de vivre.

La beauté et le sens à vivre

Pour plusieurs personnes, en plus de susciter du goût de vivre, la beauté donne du sens à vivre — un sens à vivre leur vie. Pour plusieurs d'entre nous, la vie vaut la peine d'être vécue, la vie a du sens parce que la vie est belle, parce que la vie est habitée par la beauté, parce que la beauté existe.

La beauté soulève du sens à vivre principalement parce qu'elle permet de transcender l'expérience menaçante et désespérante de ne pas avoir de sens, d'être d'aucune signification, d'être insignifiant. Cette expérience particulière, c'est le sentiment douloureux d'être totalement insignifiant, sans importance, dans un univers qui continue sa course malgré nous, malgré chacun de nous — ce qui pose obligatoirement un problème à l'humain quant à la signification de son existence: à quoi sert ma vie si l'univers lui est indifférent? La beauté offre à la personne la possibilité de transcender cette expérience pour l'intégrer autrement: elle peut faire de la beauté, elle signifie donc quelque chose; elle peut contempler de la beauté, en créer et en remplir ses journées, elle a donc du sens.

Depuis qu'il a recommencé à peindre, Pierre a cessé de désespérer puisque maintenant, la beauté l'occupe. Il se souvient de ses lourdeurs à vivre. À chaque matin, il se demandait s'il existait une seule bonne raison pour se lever. Aujourd'hui, il sait: il se lève pour faire et contempler de la beauté. Il peint des toiles.

Plus qu'une raison de vivre, la beauté donne du sens à la vie. Par sa capacité symbolique, son pouvoir de rassemblement[19], la beauté peut transformer une vie monocorde, monotone, terne ou chaotique en une vie pleine de sens. La beauté rassemble, organise et intègre l'expérience plus ou moins éparpillée de la personne, la met en ordre, en fait un tout et lui donne du sens. La beauté est du domaine symbolique. Le symbole soulève une expérience — la beauté soulève et appelle du sens: parce qu'il y a la beauté, la vie est plus significative que l'absence de vie.

Malgré notre terreur de la mort, la qualité[20] de la vie est plus appréciable que la quantité ou la longueur de la vie. La qualité de la vie peut par ailleurs décliner au fur et à mesure qu'augmente chez une personne la préoccupation à propos de la quantité, de la longévité de la vie. Tout se passe comme si la personne se disait: «Je ne profiterai pas trop de la vie, je n'aurai pas trop une belle vie, donc je pourrai la garder longtemps.»

Mario pratique tous les sports non pas par plaisir mais pour garder la forme. Il s'est inscrit à un club de santé et il déteste y aller mais ça maintient la santé. Il surveille avec acharnement sa diète — se prive de tout ce qu'il aime et tout ça pour durer le plus

19. Rappelons-nous que symbole: *Sym*, signifie «avec», «ensemble»; *ballein*, signifie «lancer» — c'est-à-dire rassembler, réunir ce qui est disparate.
20. La vraie qualité de la vie c'est-à-dire celle qui la densifie et l'élargit et non pas nécessairement celle que l'on met en équation avec la facilité de vivre et que l'on réduit au simple confort (voir aussi p. 139 et ss).

longtemps possible. Il ne fait plus l'amour parce que cela fatigue trop son organisme; il ne fréquente plus le cinéma qu'il adore pourtant parce que le trop grand effort visuel n'est pas bon pour ses yeux. Il se fait une vie de misère pour se donner une longue vie. Mais la qualité de la vie, la vraie, une vie de qualité, c'est quoi au juste? C'est tout simplement une vie qui est habitée par la beauté — la belle vie quoi! Celle à l'intérieur de laquelle loge la beauté... la beauté, et le plus souvent les arts: la musique, la poésie, la peinture... Les arts ont de tout temps participé au plaisir de vivre et à la qualité de la vie. Mais la beauté ne réside pas uniquement dans les arts, et partout où elle se trouve, elle joue ce même rôle: elle ajoute — elle ajoute du plaisir de vivre, de la qualité à la vie, du sens à vivre. La beauté est et restera toujours un plus dans le quotidien des humains.

Il y a dans la poursuite du beau, une passion intense pour l'esthétique qui somme toute devient un objectif ultime de vivre. Trouver le beau dans la vie, voilà le but — tout le reste, le métier, la profession et les amours ne sont alors que des moyens, de merveilleux moyens, de merveilleux instruments, pour atteindre ce but. La peine de vivre s'accepte et s'accueille parce qu'il y a la beauté. Et lorsque ce sens à vivre s'exerce chez une personne, il en influence plusieurs autres. Et en suscitant ainsi chez d'autres le même appel à la vie, à la vitalité et à la beauté la personne se sent alors pleinement significative — sa vie est pleine de sens; elle a un sens à vivre.

Depuis que Suzanne a changé sa carrière pour devenir professeur de français, elle a placé dans sa vie un stimulus de zest à vivre. Elle se consacre à appeler les jeunes à la beauté et à la connaissance. Quel beau métier elle se donne! Non seulement, elle savoure la mélodie d'un poème qu'elle leur apprend — mais elle savoure aussi l'éveil de ses étudiants à leur propre goût pour la poésie. Elle est pleine de contentement: elle prend et elle fait prendre la moelle de la vie, le cœur même de la vie.

La beauté, c'est l'exquise saveur de la vie — c'est la moelle de la vie — c'est ce qui la nourrit et ce dont la poursuite à elle seule, justifie de vivre. Le beau plaît et il fait vivre peu importe si la personne possède ou non de concepts pour le nommer. Son expérience en est une de plaisir. C'est le trouble éprouvé en présence de la beauté — un plaisir trouble, un trouble pétillant auquel on ne résiste pas car on s'engage sans cesse à vouloir le répéter. C'est le plaisir de vivre par le plaisir de contempler la beauté. Ce plaisir ressemble à un état d'alerte de toute la sensibilité et de toute la conscience. Et la personne cherchera à le faire durer en contemplant encore plus tout ce qui le suscite.

La beauté et la transformation du monde

Parce que la beauté existe, le monde est différent. Par son souci de la beauté et à travers son désir de la trouver, la personne non seulement voit le monde d'une certaine façon mais le monde se conforme à sa façon de voir. L'être humain possède cette force et ce pouvoir qui lui permettent de construire et de reconstruire son monde. Il peut le créer selon sa perception.[21]

---

21. Ce monde perçu peut être partagé et communiqué mais jamais jusqu'au bout. Cela fait partie de notre condition d'être séparé les uns des autres.

Pierre adore contempler les visages humains. Entre autres, il s'amuse à trouver dans chaque visage qu'il rencontre sa beauté particulière. Sa fébrilité intérieure se calme toujours quand il cherche ainsi et qu'il trouve la beauté propre à un visage. Il pourrait passer des heures à examiner un visage humain. Et tout étrange que cela puisse paraître, il est convaincu que les visages se présentent à lui sur leurs beaux profils — comme si tout le monde savait ce qu'il faisait et voulait lui offrir leurs beaux côtés. Parce qu'il aime la beauté des visages, les visages se font encore plus beaux.

D'une certaine façon, le monde, la réalité, se conforment à notre manière de les voir. Par exemple, les peintres produisent des images en fonction de leur manière particulière de se relier au monde, et ainsi, leurs peintures soulèvent chez ceux qui les examinent cette même façon particulière de se relier au monde — manière que le spectateur de l'œuvre possédait déjà quelque part implicitement en lui et que la peinture est venue lui révéler. À cause de la contemplation de cette peinture, le monde est maintenant devenu différent.

D'ailleurs, tout ce que voit, fait, pense, ressent ou imagine une personne est en fonction de sa manière de percevoir le monde — de sa manière d'être au monde et de s'y relier. Les explications et les théories qu'elle aime ou apprécie, les façons d'aimer, les gens qu'elle déteste — tout dépend de ce qu'elle pense d'elle et de la manière particulière qu'elle se relie au monde. Ainsi, se mettre à la recherche de la beauté dans le monde peut transformer toute la personne et toute la perception qu'elle se fait de son monde. En somme, percevoir la beauté n'est pas qu'une activité de l'esprit ou du cœur, c'est aussi une manière de voir le monde, d'aborder la réalité et d'établir un contact avec eux (le monde et la réalité).

La beauté nous donne donc un pouvoir. Le pouvoir de transformer notre monde. Mais elle est bien plus encore. Parce que la beauté, en donnant de la satisfaction et du bien-être à tous — quels que soient leur condition et leur statut — réconcilie aussi les êtres humains entre eux. La beauté fait oublier nos frontières et nos limites. Elle nous donne le goût et l'élan de la retrouver chez tous les autres humains.

La beauté et la sérénité

La beauté rend le cœur serein. Après la surprise, c'est la sérénité qui habite le cœur. Aussi il est même possible de dire qu'est beau ce qui rend serein — ce qui en le contemplant suscite de la sérénité et alors, la sérénité nécessaire pour contempler.

D'une certaine façon, la présence et la densité de la sérénité de la personne sont proportionnelles à la présence de la beauté dans l'espace de l'être — par opposition à celui du paraître, de la surface. Par exemple, Rollo May (1985) nous fait remarquer que la beauté du buste et du visage d'Hygie (déesse de la santé dans la mythologie grecque) repose sur sa *dignité d'être*, c'est-à-dire un peu comme si elle habitait en dessous de la fébrilité et de la volatilité des émotions, juste au centre d'elle-même, en son âme pour ainsi dire. Ce visage dégage de la sérénité et la suscite chez celui qui le contemple. La beauté nous entraîne donc au niveau de notre être et en cela, elle engage vers la sérénité. Tout en nous étonnant et en augmentant notre sentiment d'être vivant, la beauté nous donne aussi la paix et la joie — comme un sens de l'éternité. La contemplation de la beauté va à l'encontre du stress quotidien, de l'énervement de vivre — elle nous repose.

Paul regarde toutes les lumières scintillantes, tous les néons aux formes et aux couleurs les plus diverses. Il est en pleine rue Ste-Catherine. Il a beau tenter de percer cette lumière pour percevoir la nuit étoilée: rien à faire — il n'y voit rien. Il n'est qu'excité par ces tremblements de lumière et il n'arrive pas à contacter le scintillement des étoiles. Quel contraste avec un soir à la campagne quand il peut contempler la calme voûte étoilée — quelle paix il ressent alors!

Il y a dans la recherche de la beauté un au-delà qu'il faut atteindre pour être en mesure d'en éprouver tout l'effet de sérénité. Le clinquant des lumières de la rue Ste-Catherine pourrait ici par exemple et à cause de l'attrait qu'elles exercent nous les faire mettre en équation avec toute lumière et nous faire oublier qu'il existe au-delà le scintillement des étoiles. Et on pourrait même à la limite considérer la lumière des néons comme étant la seule lumière qui existe. Pourtant si toutes les lumières de la rue Ste-Catherine s'éteignaient d'un seul coup, au début, Paul ne pourrait voir les étoiles que d'une façon bien confuse. Mais lentement les étoiles deviendraient plus présentes et finalement, il les verrait comme à la campagne — et alors, les étoiles joueraient le même rôle: elles le pacifieraient et le sééniseraient.

Il en va de même pour la beauté. Trop souvent cachée sous les clinquants des lumières, camouflée sous les impératifs de l'agir, et derrière les soucis du quotidien, la beauté est laissée pour compte — à moins que la personne refuse d'éteindre sa sensibilité. Si elle persiste (si elle est consciente et qu'elle persiste) à raffiner ses sens, à percer le flou, elle finit toujours au bout du compte par rejoindre la beauté. Et le signe incontestable de la réussite de sa quête, qu'elle est en contact avec la beauté, c'est la sérénité et le calme éprouvés. Sérénité et beauté vont de pair. Elles évoluent main dans la main. La sérénité remplit le cœur et la beauté, l'âme. Et le cœur, après tout, il est si proche de l'âme.

Par son harmonie, mais aussi par son rythme et sa balance, la beauté pacifie tout en contestant l'énervement du temps qui passe — et par cet effet, elle suscite même du courage. La beauté permet en effet que la personne tolère les paradoxes de vivre, les incongruités d'exister. Ainsi elle calme le primitif et l'infantile en la personne pour l'aider à être plus consciente et aussi plus humaine. En domestiquant la bête sauvage en nous, la beauté nous libère pour la joie et la sérénité. De là, le pouvoir humanisant de l'art, de la poésie, de la littérature et de la musique qui sert à calmer le démoniaque en nous, l'espace du temps de son influence.

Marie a de plus en plus besoin les fins de semaine de ce qu'elle appelle ses excursions dans la beauté. Elle a besoin périodiquement de se promener lentement dans un musée, d'aller entendre un concert ou même de faire une promenade à la campagne. Cela la calme et elle peut redémarrer le lundi matin avec toute sa créativité et avec ses petits démons intérieurs, reposée par cette «excursion dans la beauté.»

La beauté musèle le démon. Elle permet ainsi à la personne de mieux accueillir à l'intérieur d'elle ce qui est beau et alors, de le contempler. Et pour quelques instants, le fonctionnel, l'utilitaire de la vie quotidienne prennent moins d'importance et semblent même disparaître. Et s'il y a communication avec l'autre, cette communication est sans attente, gratuite — elle ne cherche pas d'écho. La beauté se goûte de l'intérieur. L'expérience de beauté s'éprouve et se vit. La personne peut l'exprimer à une autre et s'exclamer: «Que c'est beau!» mais c'est tout. L'écho, la résonance de l'autre, sa réponse ne sont pas nécessaires. L'expérience de beauté peut se partager mais elle peut aussi se vivre simplement et uniquement de l'intérieur, dans la solitude.

Un matin d'hiver plein de soleil, rempli par toute cette blancheur de neige avec seulement quelques touches de vert retenues par les conifères — «c'est tellement beau! on dirait une lumière de bonheur!» s'exclame Pierre. Il se sent si calme et il se dit: «si cette beauté n'est pas Dieu, elle en est certainement la digne et resplendissante représentante.» Pierre ne voudrait qu'une chose: une sensibilité encore plus affinée pour ressentir encore plus cette beauté, cette rencontre avec un morceau de Dieu.

La beauté nous rapproche du spirituel, de cette région de nous si peu explorée. Elle nous oriente vers l'intérieur, vers cette région au-delà de nos petites personnes et de nos besoins matériels. La beauté nous rend plus sereins. Plus sereins devant le mystère vis-à-vis duquel elle nous place mais aussi devant tout ce que nous ne comprenons pas, l'inexpliqué. La beauté nous élève (sur-prend: prend par-dessus) et ainsi, elle nous permet de reprendre autrement nos vies. Elle nous offre d'autres perspectives, plus sereines, plus profondes, plus intérieures, plus spirituelles.

En réalité, les effets de la beauté peuvent très bien se résumer à un seul, global mais fondamental: l'intérêt pour la vie, l'élan vers la continuité à vivre ou plus directement le goût de vivre.

LA PERCEPTION DE LA BEAUTÉ

Quels sont les moyens par lesquels une personne en arrive à développer sa capacité à saisir la beauté, à la rencontrer et à l'accueillir? Comment parvenir à percevoir ou à mieux percevoir la beauté de manière à ce que le contact avec elle soit plus fréquent?

Devant la beauté, il s'agit d'abord et avant tout d'éprouver — d'éprouver plutôt que d'expliquer. C'est-à-dire que nous devons absolument préserver notre capacité d'étonnement. Etre capable de s'étonner sans trop rapidement tenter d'expliquer l'étonnement éprouvé. Accepter de vivre, de ressentir (juste de vivre et de ressentir) sans l'expliquer ou comprendre l'expérience intérieure qui résulte du contact avec la beauté. Si, pour l'expliquer, nous enfermons trop rapidement la beauté dans des concepts, nous risquons de la priver de son sens impliqué[22], c'est-à-dire de ce qui en elle densifie notre expérience humaine.

C'est d'une certaine façon sans trop le savoir que nous ressentons une expérience esthétique. Et c'est bien qu'il en soit ainsi, sinon, nous objectivons. Nous objectivons la beauté et notre expérience esthétique — nous la détachons de nous, nous la mettons en dehors de nous en détruisant notre vision intérieure et en la réduisant à une sorte de babillage objectif, savant mais asséchant. Pour nous rejoindre, le beau demande le silence.

> Devant la beauté de Marie et malgré tout son goût de la rejoindre et d'être avec elle, Pierre ne peut que se taire. Il est é-tonné: frappé par l'extraordinaire harmonie de cette femme. Il savoure sa beauté dans le silence.

Ainsi, percevoir la beauté n'est pas qu'une simple activité de l'esprit ni même du cœur — c'est une manière d'aborder la réalité et d'établir un contact avec le monde. Or, si notre manière d'entrer en relation avec la réalité est trop fonctionnelle, la beauté ne se laissera pas saisir — ce qui est beau restera caché et attendra que nous

---

22. Impliqué signifie plié par en dedans plutôt qu'expliqué, déplié par en dehors. Le sens impliqué est implicite — il s'ouvre à celui qui le contacte.

délaissions nos instruments trop rationnels et que nous faisions appel à l'imaginaire et à ses possibilités. Par la perception, non seulement la personne reçoit mais elle crée de la forme. En percevant, elle relie tel point à telle courbure, telle couleur à telle ligne et c'est ainsi qu'elle se met à fabriquer des formes — des formes qui n'existaient pas (pour elle) avant qu'elle ne les perçoive.

La perception initie la forme de l'univers dans lequel une personne évolue. Et ceci au point tel que sans perception ou avec une perception diminuée, les formes finissent par moins exister, et l'être-au-monde aussi. Et moins de forme équivaut à moins de beauté. Sans forme perçue, la beauté n'arrive plus à naître. La perception donne la forme, fait la forme, la crée. Percevoir et percevoir et percevoir encore car c'est aussi important pour la croissance d'une personne que d'aimer ou que tout autre activité humanisante.

Robert est bien content de ne plus boire. Quand il buvait, tous les soirs à partir de cinq heures il commençait graduellement à s'assommer la perception — lentement il se retirait du monde pour finalement s'endormir vers les huit heures. Aujourd'hui, il ne boit plus. Maintenant, ses soirées lui appartiennent: — c'est comme si depuis chacune de ses journées se prolongeait de quelques heures, les mêmes heures qu'auparavant il charcutait en buvant. Maintenant, il est tout à fait libre pour percevoir — un film, un ciel étoilé, un bon livre. Il peut emmagasiner des heures et des heures d'expérience de beauté. Il est content de s'être donné une perception plus large et plus gourmande de vivre.

La personne forme et reforme le monde à travers chacun de ses actes de perception. Lorsqu'elle tourne le regard vers un coin de chambre ou vers un sommet de montagne, elle s'invente une nouvelle forme — une forme qui n'existait pas pour elle avant qu'elle ne la perçoive, avant qu'elle ne perçoive ce coin de chambre ou ce sommet de montagne. Ainsi à partir de tout ce que les êtres humains perçoivent — les différentes facettes du monde depuis les rondeurs des astres et des planètes, les courbures et les balancements des corps humains, jusqu'aux textures des objets et des choses, des formes naissent et la beauté est toujours possible d'être inventée. S'arrêter devant ce merveilleux phénomène de la perception soulève notre contentement d'être les créateurs que nous sommes et nous rend encore plus humains, plus heureux aussi.

En somme, sans la perception et sans l'acte de percevoir, le monde est comme nous l'expliquions une immense bibliothèque remplie de connaissances mais que personne ne consulte. Toute la beauté du monde est inutile si elle n'est pas perçue. Les richesses de beauté qui reposent un peu partout dans le monde n'attendent qu'à être perçues. Elles attendent que les êtres humains ouvrent leur capacité de perception, pour les percevoir et ainsi leur rendre la vie plus pleine. Percevoir pour simplement nous rendre plus humains, plus vivants parce que plus sensibles et plus présents à toute cette beauté du monde qui en fait ne demande qu'à être perçue.

La perception qui permet de saisir la beauté implique donc aussi une sorte de relâchement de la tension perceptuelle, une forme de relaxation de la préhension perceptuelle, qui place la personne dans un état de disponibilité intérieure. Alors, elle n'a qu'à laisser venir la beauté, à l'accueillir et à la savourer de l'intérieur. Il y a nécessairement quelque chose de contemplatif dans le rapport à la beauté. Ainsi, pour savourer la beauté, la personne doit développer une sensibilité particulière, une habileté intérieure qui l'amène à mieux départager l'essentiel de l'anodin, à davantage laisser flotter son attention sur les multiples nuances de ce qui est beau et à les goûter spontanément sans être distraite par autre chose. Et c'est inévitablement, en même temps, accepter l'état de solitude. La perception de la beauté exige et accentue effectivement le sentiment de solitude — il faut être seul (même en présence d'autres personnes) pour percevoir la beauté et cette perception, par le traitement qu'elle demande, exige encore plus de solitude.

Percevoir la beauté, ce n'est pas se souvenir, ni analyser, ni s'approprier; ce n'est rien d'autre que de contempler — à savoir d'accueillir et de savourer. Or, cette perception dépend essentiellement du souci et du soin esthétiques. Le souci esthétique cherche à trouver et à identifier, dans les choses et dans les objets, les facteurs susceptibles d'ébranler et de mettre en marche la sensibilité afin de ressentir le plaisir de contempler, d'admirer.

Le contact avec la beauté exige que la personne soit présente avec tout ce qu'elle est — ses diverses ressources, composantes et tendances. Pour vivre une expérience esthétique, une personne doit ainsi être capable d'une certaine forme de passivité — pour contempler: accueillir et savourer; mais aussi en même temps être capable d'une certaine forme d'activité — pour polariser: percevoir, faire des efforts pour trouver... Tout se passe comme si la personne devait d'abord polariser ses ressources pour être attentive et percevoir ce qui est beau pour ensuite se placer dans un état réceptif, de disponibilité intérieure pour accueillir, contempler et savourer cette beauté trouvée.

> Dans la nuit froide, Pierre sort de son chalet et fouille le ciel à la recherche d'étoiles. Il pointe son regard de l'est à l'ouest et lentement les étoiles se distinguent. Il est ravi. Il voudrait encore plus se laisser ébahir par leur beauté. Il voudrait même entendre leur musique — la musique des sphères et goûter à l'intérieur et sans broncher à toute leur lumière.

Pour que la beauté se révèle, se dé-couvre, une personne doit donc aussi polariser la réalité. Par exemple ici, pour percevoir la musique des étoiles, il importe de mobiliser son audition et de porter des oreilles bien sensibles et bien concentrées sur ces étoiles. La beauté ne peut pas s'accueillir et se savourer sans effort, sans polariser. La beauté requiert (et mérite!) notre peine, notre effort et même, notre bataille avec la réalité.

L'artiste connaît bien cette bataille qui se livre en lui, ce jeu qui se joue — cette bataille et ce jeu entre l'objectif et le subjectif, entre la nature et l'esprit, entre le fini et l'infini. Il tente de rendre objectif une vision intérieure subjective et cela implique un combat, mais aussi un jeu — un jeu aussi quant au plaisir qu'il en tire. C'est un combat et un jeu même si le hiatus entre la conception et la réalisation (hiatus qui altère toujours la contemplation[23]) demeure. Une forme est née, une beauté est possible. En créant, en agissant, en fabriquant un tableau (ou un air ou peu importe) l'artiste, le créateur, dépasse les dilemmes et les limites de la vie quotidienne pour nous amener juste au-dessus. Il unifie. Devant son œuvre, le spectateur éprouvera alors un choc (comme un choc électrique) et ce choc de

---

23. Malgré tous ses efforts, le créateur n'arrive jamais à mettre-au-monde tout ce qu'il conçoit — il en reste quelque chose dans la conception qui n'est pas rendue.

percevoir l'œuvre l'obligera à ré-organiser son intérieur et ainsi le poussera encore plus vers continuer, mais continuer autrement.

La perception de la beauté fait passer la personne de la sensualité de l'expérience esthétique, à l'imagination créatrice et finalement, à l'intelligence des choses: elle comprend, même si elle ne sait pas. En effet, par la contemplation de la beauté, tout en étant incarnée dans le monde des sens et de la matière, c'est-à-dire sans jamais véritablement le quitter, la personne est amenée dans le monde des images et des idées.

L'espace de la beauté est un espace limite, c'est-à-dire un entre-deux — un espace entre la réalité et l'imaginaire, entre l'objectif et le subjectif. En ce sens, la beauté participe au même espace que le jeu. Jeu et beauté permettent la rencontre en un seul lieu de deux visions à première vue opposées: la vision subjective, imaginaire, interne et celle des faits objectifs, réels, externes. De cette rencontre inusitée ou de cette fusion entre l'interne et l'externe, l'imaginaire et la réalité, le subjectif et l'objectif naît une force créatrice qui se manifeste à travers une multitude de formes nouvelles et de contenus nouveaux. Des formes naissent, deviennent vivantes — des formes qui n'existaient pas avant mais qui maintenant existent. Jeu et beauté créent, et sont créés. Et d'une certaine façon, la perception de la beauté résulte de notre capacité de jouer[24].

La beauté ennoblit et élargit l'humanité d'une personne. En cela, elle est source du goût de la vie, du goût de continuer, du goût de vivre. La beauté forme et fait durer — elle informe la vie comme l'esprit informe la matière. Elle est une fleur émouvante au veston de la vulnérabilité humaine, celle d'être des personnes conscientes de vivre tout en sachant qu'un jour elles mourront.

24. Voir Winnicott, D.W. (1971).

CONCLUSION

Subjectivement, c'est sur la pointe des pieds et tout en douceur qu'il nous semble devoir conclure — désireux que nous sommes d'imaginer chacun de vous encore tout plein de l'expérience suscitée par le dernier chapitre sur la beauté! Toutefois, si au moins nous sommes parvenu à rejoindre l'expérience en chacun de vous, ne serait-ce qu'un tout petit peu; si nous sommes arrivé à mouvoir, à émouvoir un seul goût de vivre ou à allumer une seule vitalité qui sommeillait quelque part — eh bien, nous serons satisfait. Car susciter le goût de vivre c'est ainsi. C'est réussir à rejoindre l'expérience d'une autre personne et lui fournir au besoin un langage, des mots, pour dire, exprimer sa propre expérience et alors l'inviter à élargir par ses propres moyens sa conscience, à augmenter sa sensibilité et à favoriser sa liberté.

Le goût de la vie, de l'ordre et de l'harmonie,le goût du mouvement, de la différence et de l'avenir — leur nature spécifiquement émotive et leur dynamisme — tout cela, c'est le goût de vivre. Et c'est aussi en même temps tout ce qui fonde le désir sexuel.

Vivre et désirer, en avoir le goût, c'est finalement ce qui est créé, engendré et stimulé par le sens à vivre — ce contrat positif avec la vie, cette direction subjective que nous donnons à nos vies et qui quotidiennement à travers l'interaction avec les autres humains et avec la beauté nous donne encore plus le goût de continuer à vivre — vivre et continuer la vie pour en prendre tout le plaisir et pour chaque jour devenir encore plus humain.

RÉFÉRENCES

BACH, R. (1980). *Jonathan Livingston, le goéland*, Paris: Flammarion, 95 pages.
BACH, R. (1978). *Illusions ou les aventures d'un messie récalcitrant*, Paris: Flammarion, 161 pages.
BARRON, F. (1968). *Creativity and Personal Freedom*, Toronto: Van Nostrand, 332 pages.
BERGOUNIOUX, F.M. (1947). *Esquisse d'une histoire de la vie*, Paris: Revue des Jeunes, 241 pages.
BERGSON, H. (1934). *Les deux sources de la morale et de la religion*, Paris, Librairie Félix Alcan, 346 pages.
BUBER, M. (1965). *The knowledge of Man*, New York: Harper & Row, 186 pages.
BUBER, M. (1965)A. *Between Man and Man*, New York: Harper & Row, 229 pages.
BUGENTAL, J.F.T. (1980). The Far Side of Despair, *Journal of Humanistic Psychology*, *20*, 49-68.
BUGENTAL, J.F.T. (1976). *The Search for Existential Identity*, San Francisco: Jossey-Bass, 330 pages.
BUGENTAL, J.F.T. (1970). Changes in Inner Experience and the Future, in C.S. Wallia, (Ed.), *Toward Century 21: Technology, Society and Human Values*, N.Y.: Basic Books, pp. 283-295.
BUGENTAL, J.F.T. (1965). *The Search for Authenticity*, New York: Holt, Rinehart, Winston, 437 pages.
BUHLER, Charlotte (1979). Humanistic Psychology as a personal Experience, *Journal of Humanistic Psychology*, *19*, pp. 5-22.
BUREAU, Jules (1992). *Vivement la solitude! La nature et les avantages de la solitude et ses liens avec la sexualité humaine*, Montréal: Les Éditions du Méridien, 153 pages.
BUREAU, Jules (1991). *Le désir sexuel: le modèle de la polarité sexuelle*, Texte mimeo, UQAM: Département de sexologie, 65 pages.
BUREAU, Jules (1986). Une mort si pleine de vie, *Bulletin des groupes d'entraide en oncologie*, Montréal: Hôtel-Dieu, 16 pages.
BUREAU, Jules (1985). *L'histoire d'un chevreuil et d'une hirondelle*, texte miméo, UQAM: Département de sexologie, 50 pages.
BUREAU, Jules (1984). Religion et thérapie! Religion ou thérapie? *Bulletin de l'Association des sexologues du Québec*, *6*, pp. 47-52.
BUREAU, Jules (1979). Le plaisir sexuel et la satisfaction personnelle, *Revue Québécoise de sexologie*, *1*, pp. 16-25.
BUREAU, Jules (1978). *Expérience et identité sexuelle: Essai sur les sources de la condition sexuelle humaine*, Texte mimeo, UQAM: département de sexologie, 72 pages.
BUREAU, Jules (1978)A. L'éducation à l'amour: un art à inventer, *Guide de la Québécoise*, *1*, pp. 31-65.

BUREAU, Jules (1976). L'intérêt sexuel: structure et concepts thérapeutiques, *Études de sexologie: Théories et Recherches*, Ottawa: Educom, I, pp. 76-97.

CANNON, W.B. (1929). Bodily Changes in Pain, Hunger, Fear and Rage: An account of Recent Researches into the Function of Emotional Excitement. Cité dans Young, P.J. (1962). *Methods for the Study of Feeling and Emotion*, in D.K. Canplan (Ed.), *Emotion: Bodily Change*, New York: Appleton, pp. 57-87

DE BEAUVOIR, Simone (1949). *Le deuxième sexe*, Paris, Gallimard, 2 volumes, Vol. 1, 510 pages, Vol. 2, 560 pages.

DE SAINT-SEINE, P. (1948). *Découverte de la vie*, Paris: Bloud et Gay, 162 pages.

DIOLÉ, P. (1977). *La symphonie animale: les noces*, Neuilly-sur-Seine: Dargaud, 192 pages.

DUBOS, R. (1982). *Les célébrations de la vie*, Paris: Stock, 399 pages.

DURANT, W. (1932). *On the Meaning of Life*, N.Y.: Raylong and Richard, R. Smith, 144 pages.

ERIKSON, E.H. (1968). *Identity: Youth and Crisis*, New York: Norton, 336 pages.

ERIKSON, E.H. (1950). *Enfance et société*, Paris: Delachaux, 1966, 287 pages.

FRANKL, V.E. (1974). *Man's Search for a Meaning*, N.Y.: Pocket books, 213 pages.

FROMM, E. (1988). *Aimer la vie*, Paris: Épi, 202 pages.

FROMM, E. (1964). *The Heart of Man; Its Genius for Good and Evil*, London: Harper & Row, 156 p.

FREIDMAN, M. (1983). *Martin Buber's Life and Work*, New York: Dutton, 398 pages.

GENDLIN, E.T. (1967). Neurosis and Human Nature, *Humanitas, Journal of the Institute of Man, III*, pp. 139-152.

GENDLIN, E.T. (1962). *Experiencing and the Creation of Meaning*, N.Y.: Free Press, 302 pages.

GOLDSTEIN, K. (1940). *Human Nature in the light of Psychopathology*, Cambridge, Mass.: Harvard Univ. Press. 258 p.

GOUIN-DÉCARIE, Thérèse (1980). *Les origines de la socialisation* dans J.P. Saucier (Dir.) *L'enfant: explorations récentes en psychologie du développement*, Montréal: Presses de l'Université de Montréal, pp. 17-35.

GOUIN-DÉCARIE, Thérèse (1962). *Intelligence et affectivité chez le jeune enfant*, Neuchatel: Delachaux et Niestle, 217 pages.

HEBB, D.O. (1948). *The Organization of Behavior: A Neuropsychological Theory*, New York: Wiley, 335 pages.

JACQUARD, A. (1978). *Éloge de la différence: la génétique et les hommes*, Paris: Éditions du Seuil, 216 pages.

JAMES, W. (1890). *The Principles of Psychology*, New York, Dover (1950), Vol. 1, 689 pages, Vol. 2, 688 pages.

JANSON, H.W. (1986). *History of Art*, New York: Abrams, 824 pages.

JUNG, C.G. (1976). *La guérison psychologique*, Genève: Georg et Cie, 342 pages.

JUNG, C.G. (1973). *Ma vie: Souvenirs, rêves et pensées*, Paris: Gallimard, 532 pages.

JUNG, C.G. (1964). *Dialectique du moi et de l'inconscient*, Paris: Gallimard, 274 pages.
JUNG, C.G. (1962). *L'homme à la découverte de son âme*, Paris: Payot, 347 pages.
JUNG, C.G. (1960). *Un mythe moderne*, Paris: Gallimard, 313 pages.
KOPP, S. (1972). *If you meet the Buddha on the Road, kill him! The pilgrimage of Psychotherapy patients*, N.Y.: Bantam, 239 pages.
KRECH, D.; Crutchfield, R.S.; Livson, M.; Krech, Norma (1979). *Psychologie*, Montréal: Éditions du Renouveau psychologique, 603 pages.
KÜNG, H. (1981). *Dieu existe-t-il? Réponse à la question de Dieu dans les temps modernes*, Paris: Seuil, 650 pages.
LÉGAUT, M. (1980). Il faut faire l'approche du sens de sa vie, *Revue Notre-Dame*, janv., 1, pp. 16-24.
LÉGAUT, M. (1971). *L'homme à la recherche de son humanité*, Paris: Aubier-Montaigne, 285 pages.
MASLOW, A.H. (1954). *Motivation and Personality*, New York: Harper & Row, 369 pages.
MAY, R. (1991). *The Cry for Myth*, New York: Norton, 320 pages.
MAY, R. (1985). *My Quest for Beauty*, New York: Saybrook, 244 pages.
MAY, R. (1958). Contributions of Existential Psychotherapy in R. May, E. Angel, H.F. Ellenberger, (Eds.) *Existence, A New Dimension in Psychiatry and Psychology*, New York: Basic Books, pp. 37-91.
MAY, R.; ANGEL, E.; ELLENGERGER, H.F. (Eds.) (1958). *Existence: A New Dimension in Psychiatry and Psychology*, New York: Basic Books, 445 pages.
MCANN, J.T.; BIAGGIO, Mary-Kay (1989). Sexual Satisfaction in Marriage as a Function of Life Meaning, *Archives of Sexual Behavior*, Vol. 18, pp. 59-72.
MERLEAU-PONTY, M. (1945). *Phénoménologie de la perception*, Paris: Gallimard, 531 pages.
NISOLE, J.A. (1981). *Du Clair à L'obscur: deux issues d'ontoanalyse*, Montréal: Aurore Univers, 103 pages.
PIAGET, J. (1968). *La naissance de l'intelligence chez l'enfant*, Paris: Delachaux et Niestlé, 370 pages.
PIAGET, J. (1961). *La psychologie de l'intelligence*, Paris: Armand Collin, 192 pages.
REEVES, H. (1986). *L'heure de s'enivrer: l'univers a-t-il un sens?*, Paris: Seuil, 280 pages.
ROGERS, C. (1978). The Formative Tendency, *Journal of Humanistic Psychology*, *18*, pp. 22-26.
SARTRE, J.P. (1947). «Huis clos», *Théâtres*, Vol. 1, Gallimard, NRF, Paris.
SARTRE, J.P. (1943). *L'être et le néant*, Paris: Gallimard, 691 pages.
ST-ARNAUD, Y. (1982). *La personne qui s'actualise: Traité de psychologie humaniste*, Chicoutimi: Gaétan Morin Éditeur, 262 pages.
SULLEROT, Evelyne (Dir.) (1978). *Le fait féminin: Qu'est-ce qu'une femme?*, Paris: Fayard, 520 pages.
TEILHARD DE CHARDIN, P. (1961). *Hymne de l'univers*, Paris: Seuil, 173 pages.

TEILHARD DE CHARDIN, P. (1955). *Le phénomène humain*, Paris: Seuil, 318 pages.

THINES, G., LEMPEREUR, A. (1984). *Dictionnaire Général des Sciences Humaines*, Paris, CIACO, 1034 pages.

THOMPSON, Suzanne, C.; JANIGIAN, Aris, S. (1988). Life Schemes: A Framework for Understanding the search for Meaning, *Journal of Social and Clinical Psychology*, 7, pp. 260-280.

WILBER, K. (1981). *Up from Eden: A Transpersonal View of Human Evolution*, New York, Anchor Press, 372 pages.

WINNICOTT, D.W. (1971). *Jeu et Réalité*, Paris: P.U.F. 213 pages

YALOM, I.D. (1980). *Existential Psychotherapy*, New York: Basic Books, 524 pages.

TABLE DES MATIÈRES

IRISH RESOURCES

HEALTH SERVICE EXECUTIVE PUBLICATIONS:
http://www.irishhealth.com/discussion/message.html?dis=1&topic=2944
http://www.citizensinformation.ie/en/death/
http://www.citizensinformation.ie/en/death/when_someone_dies_in_ire
land.html
http://www.bereavementireland.com

OTHER RESOURCES
http://www.helpguide.org/mental/grief_loss.htm
http://www.mind.org.uk/help/diagnoses_and_conditions/bereavement
http://www.bbc.co.uk/health/emotional_health/bereavement/
http://en.wikipedia.org/wiki/Grief